D1496672

Pramoedya Ananta Toer, kurz Pram genannt, wurde am 6. Februar 1925 in Blora auf Java geboren. Er wuchs in einem nationalistisch gesinnten Elternhaus auf: Der Vater war Lehrer der örtlichen Schule «Boedi Oetomo» (eine der Keimzellen der Freiheitsbewegung) und Schriftsteller. Pram versuchte sich als Händler; seine Eindrücke sind als Kurzgeschichten in *Cerita Dari Blora* (Geschichten aus Blora) aufgearbeitet. Als er 1942 nach Jakarta (seinerzeit Batavia) ging, um zu studieren, hatten die Japaner bereits die Holländer als Kolonial- bzw. Besatzungsmacht abgelöst. Der damals immer stärker werdende Nationalismus wurde unter den Japanern rigoros unterdrückt. Nach 1945 nahm er an den Freiheitskämpfen teil. 1947 begann er als Redakteur der Zeitschrift *Stimme Freies Indonesien*. Wegen seiner Teilnahme an der Befreiungsbewegung wurde er von den zurückgekehrten Holländern inhaftiert. Bei einem Schriftstellerwettbewerb errang er den ersten Preis für den Roman über das Ende der japanischen Besatzungszeit *Perburuan* (Verfolgung). Ab 1951 übernahm Pram eine Dozentur an der Universität in Jakarta. Wegen einer Schrift über die chinesische Minderheit wurde er 1960 verhaftet. 1965, nach der Machtübernahme durch Suharto, wurde er wiederholt inhaftiert und saß unter anderem zehn Jahre auf der Gefangeneninsel Buru. Er schrieb dort sieben Romane und ein Drama.

Zuvor erzählte er die Geschichten seiner Mitgefangenen. So erklärt sich auch die letzte Anmerkung im Original des Romans *Bumi Manusia*: ‹Erzählt 1973, geschrieben 1975›. Nach der Freilassung begann die Veröffentlichung seiner auf vier Teile angelegten Romanreihe über die Anfänge des indonesischen Freiheitskampfs. Die ersten beiden Bände lagen bereits in mehreren Auflagen vor, als sie plötzlich 1981 verboten wurden. 1985 erschien der dritte Band.

Pram lebt in Jakarta, hat Stadtarrest und darf nicht öffentlich auftreten. In seinem Ausweis steht «ET» (= «Ex-Tapol», ehemaliger politischer Häftling). In seinem Haus hängt eine Tuschezeichnung, die Günter Grass ihm gewidmet hat.

Von Pramoedya Ananta Toer erschien außerdem: «Spiel mit dem Leben» (rororo Nr. 12828).

PRAMOEDYA
ANANTA
TOER

GARTEN DER MENSCHHEIT

«Bumi Manusia»
Ein Roman aus Indonesien

Aus dem
Indonesischen
von Brigitte Schneebeli

ro
ro
ro

ROWOHLT

Neu bearbeitete und leicht gekürzte Ausgabe

18.–20. Tausend April 1995

Veröffentlicht im Rowohlt Taschenbuch Verlag GmbH,
Reinbek bei Hamburg, Dezember 1987
First published by Hasta Mitra Publishing House Jakarta, Indonesia, 1980
Copyright © 1984 für die deutsche Übersetzung by
EXpress Edition GmbH, Berlin
Umschlagfoto Evergon
Umschlagtypographie Peter Wippermann
Gesetzt aus der Garamond (Linotron 202)
Gesamtherstellung Clausen & Bosse, Leck
Printed in Germany
1290-ISBN 3 499 12162 x

Han, all das ist im Grunde nicht neu.
Schon viele sind denselben Weg gegangen,
doch diesmal soll er abgesteckt werden.

Vorwort

Die deutsche Ausgabe von ‹*Garten der Menschheit – Bumi Manusia*› des großen indonesischen Prosaisten Pramoedya Ananta Toer wird um so mehr begrüßt, als man bisher – wegen der Sprachbarriere – kaum Gelegenheit hatte, die moderne indonesische Literatur in ihrer Vielseitigkeit und Lebendigkeit kennenzulernen. Dieses Werk wurde für die Übersetzung ausgewählt, da die Schilderung der Geschehnisse zwar vor dem Hintergrund der kolonialen Epoche in den Jahren 1898–1918 abläuft, die Darstellung von Unterdrückung, seelischem Leiden und zwischenmenschlichen Mißverständnissen aber als zeitlos angesehen werden kann.

Die Jahrhunderte dauernde Kolonisation Indonesiens, beginnend mit der Ankunft holländischer Handelsschiffe 1595, der Errichtung von Handelsfaktoreien und der fortschreitenden Besetzung und Übernahme von Territorien, auf denen die Kolonisatoren riesige Plantagen anlegten, führte zur völligen Umstrukturierung der einheimischen Bevölkerungsgruppen. Javaner kamen zum Beispiel als «Kontrakt» auf Plantagen im fernen Nord-Sumatra. Sie lebten zwar im Kreis von Landsleuten, aber die Arbeitsbedingungen waren gänzlich ungewohnt und hart.

Die Entwicklung des Schulwesens durch die Kolonisatoren brachte der einheimischen Bevölkerung nur beschränkte Bildungsmöglichkeiten. Auf den weiterführenden Schulen waren nur Kinder aus Adelsfamilien, aus hohen Beamtenfamilien oder Europäer zugelassen.

Immer mehr Indonesier der zwanziger und dreißiger Jahre drängten danach, im Parlament der Regierung von Niederländisch-Ostindien an verantwortlicher Stelle mitzuarbeiten. Der Gedanke einer nationalen Zusammengehörigkeit aller Bewohner des Archipels war in der Vergangenheit kaum spürbar. Erst mit dem Aufkommen nationaler Vereinigungen wie Budi Utomo (Edles Streben, gegründet 1908) fand dieser Gedanke Eingang in das Bewußtsein der Indonesier. Die Bewegung wollte eine geistige, soziale und kulturelle Erneuerung. Diese breitete sich auch außerhalb Javas aus und mündete in den dreißiger Jahren in die Partai Indonesia Raya (Großindonesische Partei) und in Sarekat Islam.

Als Kommunikationssprache der nationalen Bewegungen wurde die malaiische Sprache, die im Archipel weithin bekannt war, benutzt. Auf einem Jugendkongreß 1928 wurde sie Bahasa Indonesia (Indonesische Sprache) genannt, und die jungen Nationalisten schlugen in einer Resolution vor, sie zur Einheitssprache Indonesiens zu proklamieren. Die Indonesische Sprache hat eine wichtige Rolle bei der Entwicklung eines Nationalbewußtseins der verschiedenen Bevölkerungsgruppen und bei der Bildung der Republik Indonesien übernommen. Aber diese Sprache wurde auch zum Ausdrucksmittel für die indonesische Bevölkerung, für ihre Literaten und Wissenschaftler. Pram hat nach langen Jahren des Schweigens einige Romane geschrieben, die er schon vor längerer Zeit konzipiert hatte. Das Thema seiner großen Romane der fünfziger Jahre war die Verwicklung der Menschen in Kriegsgeschehen, Verrat, Gewalt und Korruption. Die Einzelschicksale betrachtete er vor dem Hintergrund der Volksgemeinschaft. Alle Menschen sind ihm gleich wichtig, und für die Unterdrückten und Benachteiligten ergreift er stets leidenschaftlich Partei.

Minke, die Hauptfigur in dem vorliegenden Roman, stellt sich allen Problemen seiner Zeit. Pram spricht in seinen Werken oft von Menschen, die aufgrund äußerer Einflüsse ihre Menschlichkeit verloren hatten. Er will sie wieder an sie heranführen, damit sie nunmehr Werke des Friedens und der gegenseitigen Verständigung vollbringen sollen, und er verweist darauf, daß es in der gesamten Welt eine *keluarga manusia*, eine Familie der Menschen gibt.

Irene Hilgers-Hesse

Man nennt mich Minke.

Mein eigentlicher Name ... Vorläufig brauche ich ihn nicht zu erwähnen. Nicht daß ich eine ausgesprochene Vorliebe für Geheimniskrämerei hätte, doch ich kam zu dem Entschluß, daß ich mich noch nicht vorzustellen brauche.

Diese Aufzeichnungen entstanden erstmals in einer Zeit, in der ich zutiefst bedrückt war: Sie hatte mich verlassen, vielleicht nur vorübergehend, vielleicht für immer. (Damals wußte ich nicht, wie all das enden würde.) Wie die Zukunft einen auf die Folter spannen konnte! Nichts als Rätsel! Jeder Mensch ist ihr ausgeliefert, gezwungenermaßen, mit Leib und Seele. Nur allzuoft entpuppt sie sich als willkürliche Despotin. Auch ich hatte letztlich keine andere Wahl. Ob die Allmächtige im Grunde gütig oder böswillig ist, bleibt ihr alleine überlassen; der Mensch buhlt oft vergebens um ihre Gunst...

Dreizehn Jahre später las ich meine Notizen wieder durch, überarbeitete sie und verband sie mit Träumen, Phantasien. Selbstverständlich weicht das Ganze nun von meinen ursprünglichen Aufzeichnungen ab. Sogar sehr. Hier ist das Ergebnis:

2

So jung und unreif ich noch war, eins hatte ich bereits erfahren: Die Wissenschaften verliehen mir ein unendlich berauschendes Glücksgefühl.

Unser Rektor hatte einmal zu meiner Klasse gesagt, daß die Herren Lehrer uns ein recht umfassendes Allgemeinwissen vermittelten; viel umfassender, als es gleichaltrigen Schülern vieler Länder Europas zuteil werde.

Zweifellos schwoll meine Brust. Ich war noch nie in Europa gewesen, hatte auch keine Ahnung, ob seine Worte stimmten oder nicht. Allein, ich schenkte dieser Schmeichelei gerne Glauben. Meine Lehrer stammten ja alle aus Europa, waren dort ausgebildet worden. Es gehörte sich sowieso nicht, einem Lehrer nicht zu glauben. Schließlich hatten meine Eltern mich ihnen anvertraut, und die gebildeten Europäer und *Indos* hielten sie für die bestqualifizierten und hervorragendsten in ganz Ostindien. Ich hatte es also zu glauben.

Das mir in der Schule vermittelte Wissen und die Erfahrung seiner praktischen Auswirkungen haben mich stark beeinflußt, so daß ich etwas anders geraten bin als meine Landsleute im allgemeinen. Ob ich die javanische Wesensart verloren habe oder nicht, vermag ich nicht zu sagen. Doch gerade meine Erfahrungen als Javaner, der über europäisches Wissen verfügt, veranlaßten mich, allerlei aufzuschreiben.

Eine der neuen Errungenschaften, die ich maßlos bewunderte, war das Druckverfahren, vor allem die Zinkographie, mit deren Hilfe an einem einzigen Tag Bilder zu Zehntausenden vervielfältigt werden konnten.

Landschaften, hochgestellte und wichtige Persönlichkeiten, neue Maschinen, Wolkenkratzer in Amerika, alles aus der ganzen

Welt konnte ich durch die gedruckten Blätter selbst miterleben. Der Generation vor mir ist viel vorenthalten geblieben – das Abschreiten ihrer Dorfgäßchen befriedigte sie bereits. Wie dankbar war ich all denen, die ihre ganze Kraft für die Schaffung der neuen Wunder eingesetzt hatten. Fünf Jahre zuvor gab es hierzulande noch keine gedruckten Bilder. Es gab zwar bereits Holz- und Steindrucke, aber sie vermochten die Wirklichkeit nur unvollkommen wiederzugeben.

Aus Europa und Amerika erfuhr man immer wieder von neuen Erfindungen. Sie waren nicht weniger großartig als die Wunderkräfte der Ritter und Götter meiner Vorfahren in den *Wayang*-Geschichten. Seit mehr als zehn Jahren kannten meine Landsleute die Eisenbahn – das Gefährt, das weder von Pferden noch Ochsen oder Stieren gezogen wurde. Und noch immer wunderten sie sich im stillen darüber. Die Strecke Batavia-Surabaya konnte in drei Tagen zurückgelegt werden. Man sagte, es werde einmal in nur vierundzwanzig Stunden möglich sein! In nur einem Tag und einer Nacht! Eine Reihe Wagen von der Größe eines Hauses voller Gepäck und Menschen, sozusagen von Wasserkraft gezogen! Sollte ich Stevenson in meinem Leben je begegnen, würde ich ihm einen Strauß schönster Orchideen überreichen. Ein weitverzweigtes Netz von Schienen erstreckte sich über ganz Java, meine Insel. Der dicke Rauch der Lokomotiven malte schwarze Striche an den Himmel meiner Heimat, die dann allmählich verblaßten und sich in nichts auflösten. Die Welt schien keine Entfernungen mehr zu kennen – der Draht hatte sie abgeschafft. Kraft war nicht mehr das Monopol der Elefanten und Nashörner. Kleine, vom Menschen geschaffene Gegenstände hatten sie ersetzt: Spulen und Schrauben.

Drüben in Europa baute man bereits Maschinen, die zum Teil sogar mehr Kraft entwickelten als die Dampfmaschinen. Sie wurden allerdings nicht mit Dampf angetrieben, sondern mit Erdöl. Den Berichten zufolge baute Deutschland bereits elektrische Eisenbahnen. Mein Gott, dabei hätte ich selbst noch gar nicht zu begreifen vermocht, was das war: Elektrizität!

Der Mensch war dabei, die Naturkräfte seinem Willen zu unterwerfen. Man plante sogar, eines Tages fliegen zu können wie *Gatotkaca* oder Ikarus. Einer meiner Lehrer meinte, es dauere nicht mehr lange, und der Mensch brauche sich nicht mehr im Schweiße seines Angesichts zu plagen, um doch nur bescheidene Erfolge zu verbuchen. Die Maschine werde alle und jegliche Arbeit übernehmen. Der Mensch könne es sich behaglich machen. Freut euch, sagte er, daß ihr den Einzug des modernen Zeitalters in Ostindien miterleben könnt.

«Modern!» In Windeseile schlug dieses Wort hohe Wellen und verbreitete sich in Europa wie eine Seuche. (So sagten die Leute wenigstens.) So sei mir erlaubt, dieses Wort ebenfalls zu gebrauchen, obwohl mir seine Bedeutung noch nicht so richtig klar war.

Kurz und gut, in diesem modernen Zeitalter konnte man Bilder an einem einzigen Tag zu Zehntausenden vervielfältigen. Eins davon schaute ich mir besonders oft an, das eines jungen Mädchens. Sie sah bezaubernd aus, war reich, machtvoll, prunkvoll; sie besaß einfach alles, war die Auserkorene der Götter. Meine Schulkameraden flüsterten verstohlen untereinander, daß selbst die reichsten Bankiers der Welt keine Gelegenheit hätten, ihr den Hof zu machen. Die flotten, schmucken Fürstensöhne stürzten Hals über Kopf herbei und wetteiferten um ihre bloße Aufmerksamkeit.

In Stunden der Muße schaute ich mir oft ihr Antlitz an und hing dabei Tagträumen nach: Ach, wäre, könnte, hätte ich! Aber wie hoch über mir stand sie doch. Wie weit weg war sie außerdem, elf- oder zwölftausend Seemeilen von Surabaya, meinem Wohnort. Das bedeutete eine vierwöchige Seefahrt über zwei Ozeane, durch fünf Meerengen und einen Kanal. Und das hieß nicht, daß ich tatsächlich mit ihr hätte zusammentreffen können. Ich wagte nicht, anderen meine Gefühle einzugestehen. Man hätte mich ausgelacht und für verrückt gehalten.

Auf den Postämtern, so wurde gemunkelt, würden manchmal an das ferne und über allen Wolken stehende Mädchen adressierte Heiratsanträge aufgegeben. Keiner erreichte sein Ziel. Wäre ich so verrückt gewesen, es auch zu wagen, wäre es mir nicht anders ergangen: Der Postbeamte hätte ihn für sich selbst aufbewahrt.

Dieses von den Göttern auserkorene Mädchen war ebenso alt wie ich: achtzehn Jahre. Wir waren beide im Jahre 1880 geboren worden. Tag und Monat stimmten auch überein: der 31. August. Unterschiedlich waren lediglich unsere Geburtsstunden und unser

Geschlecht. Meine Eltern hatten meine Geburtsstunde nicht notiert, und ihre war mir auch nicht bekannt. Der Geschlechtsunterschied? Na ja, ich war ein Junge, sie ein Mädchen. Die Geburtsstunden zu vergleichen, hätte sowieso nichts als Kopfschmerzen bereitet. Erstens waren sie ja unbestimmt, und dann kam hinzu, daß meine Insel sich in tiefste Nacht hüllte, wenn sich ihr Land in der Sonne räkelte. Und wenn ihr Land von schwarzer Nacht umgeben war, glitzerte meine Insel unter der Äquatorsonne.

Meine Lehrerin, Magda Peters, hatte uns verboten, an Astrologie zu glauben. Das sei Unsinn, meinte sie. Thomas von Aquin seien einmal zwei Menschen begegnet, die im selben Jahr, im selben Monat, am selben Tag und zur selben Stunde geboren worden waren. Sie hob ihren Zeigefinger und forderte uns mit der astrologischen Anekdote heraus – die beiden hätten nicht im geringsten das gleiche Schicksal gehabt. Der eine sei ein mächtiger Gutsbesitzer gewesen, der andere sein Sklave!

Ich glaubte auch gar nicht an Astrologie. Wozu denn? Noch nie hatte sie sich als Wegweiser erwiesen, weder für die Wissenschaften, noch für geistige Erkenntnisse. Traf sie den Nagel auf den Kopf, so genügte es, das zu akzeptieren; mehr als das war Stumpfsinn. Vermochte die Astrologie zum Beispiel Auskunft darüber zu geben, wer jenes Mädchen war und wo sie wohnte? Nie und nimmer. Ich ging einmal aus Jux zu einer Wahrsagerin. Sie drehte das Horoskop nach allen Seiten. Schließlich öffnete sie den Mund, ließ dabei zwei Goldzähne sehen: «Wenn der Herr Geduld hat… bestimmt.» Ich zog es vor, meiner Vernunft zu vertrauen. Selbst mit der Geduld der ganzen Menschheit würde es mir nie möglich sein, sie auch nur zu treffen.

Ohne vorher an die Tür zu klopfen, trat Robert Suurhof – ich gebrauche hier nicht seinen richtigen Namen – in mein Zimmer. Er fand mich vertieft über dem Bild der Schönen, der Gotterwählten. Er lachte schallend; mir wollte vor Verlegenheit das Blut stocken. Er allerdings trieb seine Frechheit weiter und rief aus:

«Hallo, du Schürzenjäger, du Frauenheld! Was für Luftschlösser baust du dir da?»

Ich hätte ihn rauswerfen können, doch ich rümpfte nur die Nase: «Pah! Wer kann das schon wissen?»

«Die Astrologen wissen alles, außer was sie selbst betrifft...» fuhr er mit seinem üblichen Grinsen fort.

Er war ein Schulkamerad von mir; wir besuchten beide die *Hogere Burgerschool* an der *Jalan H. B. S.* in Surabaya. Er war größer als ich. In seinen Adern floß einheimisches Blut.

«Nicht doch, doch nicht diese», machte er sich mit quäkender Stimme über mich lustig. «Hier in Surabaya gibt es auch eine Göttin. Ihre Schönheit ist unvergleichlich, steht in nichts diesem Bilde nach. Und das ist ja sowieso nur ein Bild.»

«Was verstehst du unter Schönheit?»

«Was ich darunter verstehe? Hast du das nicht selbst mal definiert? Harmonischer Knochenbau, mit ebenmäßigen Fleischschichten überzogen.»

«Richtig», bestätigte ich, als ich mich wieder gefangen hatte. «Was sonst noch?»

«Was sonst noch? Zarte, sanfte Haut. Strahlende Augen und Lippen, die sich aufs Flüstern verstehen.»

«Das Sich-aufs-Flüstern-Verstehen hast du selber hinzugefügt.»

«Deiner Ansicht nach sollen Mädchen wohl nur kreischen und dich beschimpfen? Wenn sie einen flüsternd beschimpfen, braucht man sie wenigstens nicht ernst zu nehmen.»

«Ssst, sst», brachte ich ihn zum Schweigen.

«Kurz und gut, wenn du tatsächlich ein Mann bist, ein echter Weiberheld, so bringe ich dich dorthin. Ich möchte sehen, wie du dich da anstellst, ob du wirklich so männlich bist, wie du vorgibst.»

«Ich habe noch viel Arbeit!»

«Du machst einen Rückzieher, bevor du in den Ring steigst.»

Ich war beleidigt. Ich wußte genau, er gebrauchte sein *H. B. S.*-Gehirn nur dazu, andere zu demütigen, kleinzumachen, sie reinzulegen. Er nahm an, meine Schwäche zu kennen: In meinen Adern floß kein europäisches Blut. Ganz bestimmt hatte er vor, mir einen üblen Streich zu spielen.

«Ich bin dabei!» antwortete ich.

Das war zu Beginn des Schuljahres. Einige Wochen später feierte ganz Java, ja wahrscheinlich ganz Ostindien, ein Riesenfest. Überall wehte die blau-weiß-rote Fahne: Jenes Mädchen, die Schönheitsgöttin, bestieg den Thron. Jetzt war sie meine Königin, ich ihr Untertan. Genau wie in Juffrouw Magda Peters Geschichte von Thomas von Aquin. Sie war nun «Euer Majestät Königin Wilhelmina». Unser Geburtstag, -monat und -jahr hatten dem Schicksal die Gelegenheit geboten, sie zur Königin zu erheben, mich zu ihrem Untertan zu erniedrigen. Und diese meine Königin wußte nicht einmal, daß es mich gab auf dieser Welt. Wäre sie ein oder zwei Jahre vor oder nach mir geboren worden, hätte ich mich nicht so geschlagen gefühlt.

Man schrieb den 7. September 1898, Freitag *Legi*, in Ostindien. Drüben in Holland, Donnerstag *Kliwon*.

Die Schüler konnten diese Krönung gar nicht genug feiern: Sie veranstalteten Wettkämpfe, Aufführungen und alle möglichen europäischen Geschicklichkeitsspiele – Fußball, Wurfball, akrobatische Kunststücke. Mir machte das keinen Spaß, denn ich mochte Sport nicht.

Die ganze Welt um mich herum war ausgelassen. Die Kanonen böllerten, es gab Umzüge, und Musikkapellen spielten. Ich fühlte mich trotzdem bedrückt. So ging ich wie gewöhnlich zu meinem Nachbarn Jean Marais. Er war Franzose und hatte nur ein Bein.

«Halleluja, Minke, was gibt's Neues heute?» fragte er auf französisch und zwang mich somit, in seiner Sprache zu antworten.

«Ja, Jean, ich habe Arbeit für dich. Eine Schlafzimmergarnitur.» Ich überreichte ihm die Zeichnung, die ich nach Wünschen des Kunden angefertigt hatte. Er überflog sie und lächelte vergnügt.

«Geht in Ordnung. *Jepara*-Schnitzerei. Ich werde einen Kostenvoranschlag machen, Minke.»

«*Tuanmuda* Minke!» rief meine Pensionswirtin von drüben.

Durchs Fenster sah ich Mevrouw Telinga mir zuwinken.

«Bis zum nächstenmal, Jean. Die geschwätzige Mevrouw will mir wohl Kuchen servieren. Vergiß die Bestellung nicht, Jean!»

Zu Hause fand ich keine Kuchen vor. Nur Robert Suurhof.

«Los», sagte er, «wir gehen.»

Ein Dogcart neuesten Modells, gefedert, wartete am Tor auf uns. Wir stiegen auf, und das Pferd setzte sich in Bewegung.

«Bestimmt ein teurer Spaß», sagte ich auf holländisch.

«Spott beiseite, Minke, das ist kein gewöhnlicher Dogcart, kein Karren, der hat Federn – das ist bestimmt der erste dieser Art vor der Jahrhundertwende. Die Federn sind sicher teurer als das ganze Gefährt.»

«Glaub ich ja, Rob. Übrigens, wohin fahren wir denn?»

«Dorthin, wohin alle Jungs liebend gern eingeladen werden möchten. Der Fee wegen, Minke. Hör zu, ich habe das seltene Glück, von ihrem Bruder eine Einladung bekommen zu haben. Es ist noch nie jemand dorthin eingeladen worden, außer meiner Wenigkeit hier», er zeigte mit dem Daumen auf seine Brust. «Hör zu, ihr Bruder heißt zufälligerweise auch Robert...»

«Jeder zweite heißt heute Robert...»

Er ging nicht darauf ein, sondern fuhr fort:

«Und das nur, weil wir uns mal bei einem Fußballspiel getroffen haben. Bei ihm zu Hause gibt's zufällig einige überflüssige Kälber. Die interessieren mich am meisten», er schaute mich von der Seite an.

«Kälber?» Ich verstand nicht, was er meinte.

«Ja, Kälber. Das gibt einen tollen Schmaus, sag ich dir. Deswegen gehe ich ja auch hin. Und du», schnatterte er, mir dabei scharf in die Augen blickend, «du kannst dich um Roberts Schwester kümmern. Ich möchte sehen, wie viel deine Männlichkeit taugt, du Weiberheld.»

Die eisenbeschlagenen Räder der gefederten Kutsche rollten knarrend über das Pflaster der *Jalan Kranggan*, nach *Blauran*, in Richtung *Wonokromo*.

«Los, stimm das ‹Veni, vidi, vici› an – ich kam, sah, siegte», munterte er mich auf. «Ha-ha, da wirst du ganz bleich. Glaubst selber nicht mehr an deine eigene Männlichkeit. Ha-ha.»

«Warum sackst du nicht alles selber ein? Den Schmaus und die Göttin?»

«Ich? Ha-ha. Für mich kommt nur eine reinblütige europäische Göttin in Frage!» Die Göttin, die wir besuchten, war also ein *Indo*-Mädchen, ein Mischling, eine Halbblütige. Robert Suurhof – ich möchte nochmals ausdrücklich betonen, daß ich hier nicht seinen eigentlichen Namen gebrauche – war auch ein *Indo*. Als seine Mutter, ebenfalls *Indo*, der Niederkunft nahe war, brachte sein Vater, auch ein *Indo*, sie flugs nach *Tanjung Perak* auf das Schiff «Van Heemskerck», das gerade vor Anker lag. Dort gebar sie, und Robert war somit Holländer, hatte die holländische Staatsangehörigkeit. So glaubte er wenigstens. Ich erfuhr jedoch später, daß die Geburt auf einem holländischen Schiff keinen Einfluß auf den rechtlichen Status der betreffenden Person hatte. Nicht viel anders hatten sich wohl die Juden in Rom benommen. Er hielt sich für etwas anderes als seine leiblichen Geschwister, bildete sich ein, kein «Jude» zu sein. Wäre er nur einen Kilometer entfernt von diesem Schiff geboren worden, auf dem Landungssteg *Perak* zum Beispiel oder auf einem maduranischen Boot, und hätte er die maduranische Staatsangehörigkeit gehabt, hätte er sich bestimmt etwas anders aufgeführt. Auf jeden Fall fing ich an zu verstehen, warum er so gerne seine Abneigung gegen *Indo*-Mädchen zur Schau trug. In der Annahme, Holländer zu sein, trachtete er danach, sich auch als solcher auszugeben, seiner Kinder und Kindeskinder wegen, auch wenn das Ganze nichts als eine Luftblase war. Er hoffte, sein gesellschaftlicher Rang sowie sein Lohnanspruch würden später höher sein als die eines *Indos*, geschweige denn eines *Pribumis*.

Es war ein herrlicher Morgen. Kein Wölkchen am heiter-blauen Himmel. Junge Menschen leben ja von der Freude des Augenblicks. Alles, was ich bis dahin in Angriff genommen hatte, war mir gelungen. Die Schule bereitete mir keine Mühe, und ich hatte ein heiteres Gemüt ohne Komplexe. Mochte die Gekrönte gekrönt bleiben. Mochte all der Putz an Gebäuden und Torbögen ihrer Verherrlichung dienen. Mochten all die öffentlichen Empfänge ihr zu Ehren sein. Auserkorene der Götter! Paradiesische Göttin! Und nun wollte mich Suurhof vor einer Weltlichen, die ich bezwingen sollte, lächerlich machen.

Ich nahm die Dorfbewohner, die zu Fuß der Stadt zuströmten, kaum wahr. Die gerade, mit gelben Steinen gepflasterte Straße führte direkt nach *Wonokromo*. Häuser, Äcker, Reisfelder, mit Bambuszäunchen umfriedete Bäume entlang der Straße, silbrig glänzende Waldflecken, alles flog fröhlich dahin. Am Horizont zeichneten sich die Hügel ab, die in friedlicher Erhabenheit dalagen wie versteinerte Einsiedler.

«In solcher Aufmachung gehen wir zu einem Fest?»

«Nein, sagte ich doch bereits, ich zum Schmaus und du zur Eroberung.»

«Wohin gehen wir denn?»

«Genau ans richtige Ziel.»

«Rob?» Ich stieß ihn vor lauter Ungeduld gegen die Schulter. «So sag's doch endlich.»

Aber er wollte nicht.

«Mach kein solches Gesicht! Wenn du wirklich ein Mann bist», quasselte er, «dann werde ich dich höher achten als meine Lehrer. Verspielst du, dann aufgepaßt, mein ganzes Leben lang werde ich dir eine lange Nase machen. Denk daran, Minke.»

«Du machst dich über mich lustig, Rob.»

«Überhaupt nicht. Du wirst mal *Bupati* werden. Vielleicht erhältst du einen mageren Bezirk. Ich werde für dich beten, daß dir ein fetter zugeteilt wird. Sollte dir diese Göttin dann als *Raden Ayu* zur Seite stehen, werden alle *Bupatis* auf Java grün und gelb werden vor Neid.»

«Wer sagt, ich werde *Bupati*?»

«Ich. Und ich werde in Holland weiterstudieren. Ich will Ingenieur werden. Dann werden wir uns wieder treffen. Ich werde dich mit meiner Frau besuchen. Weißt du, was ich dich als erstes fragen werde?»

«Du träumst, ich werde nicht *Bupati* werden.»

«Hör mir erst zu. Ich werde dich fragen: Hei, Schürzenjäger, Frauenheld, wo ist dein Harem?»

«Du hältst mich anscheinend immer noch für einen unzivilisierten Javaner.»

«Welcher Javaner, noch dazu *Bupati*, ist kein Frauenheld?»

«Ich werde aber nicht *Bupati*.»

Er lachte geringschätzig. Und der Dogcart fuhr weiter, ließ Surabaya hinter sich zurück. Ich fühlte mich im Grunde etwas verletzt. Rob kümmerte sich nicht darum. Er hatte einmal gesagt: Nur der javanische Würdenträger, der eine Europäerin oder Eurasierin heiratet, vermag zu beweisen, daß er nichts von Vielweiberei hält. Mit einer Europäerin zur Frau wird er sich keine Nebenfrauen halten.

Wir fuhren in *Wonokromo* ein.

«Schau nach links», riet Robert.

Da stand ein Haus in chinesischem Stil, mit einem großen, gepflegten Vorhof, von einer Hecke umgeben. Vordertür und -fenster waren geschlossen. Das Haus war rot angestrichen. Es entsprach ganz und gar nicht meinem Geschmack. Und wer wußte nicht, wem es gehörte und was es war? Ein Freudenhaus, ein Bordell. Es gehörte *Babah* Ah Tjong.

Der Dogcart fuhr daran vorbei.

«Schau weiter nach links.»

Es folgten hundert bis hundertfünfzig Meter leeres Gelände. Dann wurde ein zweistöckiges Haus mit Holzdach sichtbar; es hatte ebenfalls einen großen Vorhof. Direkt hinter dem Holzzaun stand ein großes Schild: *Boerderij* Buitenzorg.

Und jedermann in Surabaya und *Wonokromo*, so nahm ich wenigstens an, wußte genau: Das war das Haus des Großgrundbesitzers *Tuan* Mellema – Herman Mellema. Sein Haus wurde allgemein als Palast bezeichnet, obwohl es nur aus Teakholz war. Das graue Schindeldach war von weither sichtbar. Tür und Fenster standen weit offen, nicht wie bei Ah Tjongs Freudenhaus. Es hatte keine Veranda, dafür ein ausladendes Vordach, das die breite hölzerne Treppe überdachte.

Die Leute kannten *Tuan* Mellema nur dem Namen nach. Vielleicht hatten sie ihn ein-, zweimal gesehen oder überhaupt noch nie. Dafür sprach man um so öfter von seiner Konkubine: *Nyai* Ontosoroh – die Konkubine, die allgemein bewundert wurde: schön, etwa dreißig Jahre alt, Leiterin des gesamten Großbetriebes. Ontosoroh war die javanische Abwandlung von Buitenzorg.

Die Leute erzählten sich, daß ihre Familie und der Betrieb von einem maduranischen *Pendekar*, Darsam, und seinen Gehilfen beschützt wurden. Deswegen getraute sich auch niemand zu dem Holzpalast vor.

Der Dogcart bog plötzlich ab, fuhr durch das Tor, am Schild *Boerderij* Buitenzorg vorbei, direkt auf die Treppe vor dem Haus zu. Mich schauderte. Darsam, den ich noch nie gesehen hatte, tauchte in meiner Vorstellung auf: Großer Schnauzbart, eine Faust und ein maduranisches Schwert. Noch nie hatte man davon gehört, daß jemand in diesen Gespensterpalast eingeladen worden war.

«Hierher?»

Suurhof rümpfte nur die Nase. Ein junger *Indo* öffnete die Glastür, stieg die Treppe herunter und begrüßte Suurhof. Er war ungefähr so alt wie ich. Er hatte europäische Gesichtszüge, braune Haut, war groß, muskulös, kräftig. «Hallo, Rob!»

«Oho, Rob!» grüßte Suurhof. «Ich habe meinen Freund mitgebracht, Rob. Du hast nichts dagegen, nicht wahr?»

Der Junge begrüßte mich – einen *Pribumi* – nicht; er schaute mich scharf und durchdringend an. Ich wurde unsicher. Lehnte er mich ab, konnte Suurhof grinsend zusehen, wie ich, von Darsam vertrieben, zur Landstraße schlich. Noch hatte er nicht nein gesagt, mich noch nicht verjagt. Tat er es – Gott, wo hätte ich mein Gesicht verstecken sollen? Doch nein, plötzlich lächelte er und streckte mir die Hand hin.

«Robert Mellema», stellte er sich vor.

«Minke», erwiderte ich.

Er ließ meine Hand nicht los, wartete, daß ich meinen Familiennamen nannte. Da ich keinen hatte, erwähnte ich keinen. Er runzelte die Stirn. Ich verstand: Vielleicht hielt er mich für einen, der von seinem Vater nicht oder noch nicht rechtlich anerkannt wurde. Ein *Indo* ohne Familienname war nämlich nicht weniger verachtenswert als ein Eingeborener. Doch nein, er fragte nicht nach meinem Familiennamen.

«Freut mich, dich kennenzulernen; kommt bitte rein.»

Wir stiegen die Treppe hoch. Seine scharfen Blicke jedoch ließen mein Mißtrauen nicht schwinden. Was konnte in seinem Kopf vorgehen?

Plötzlich verflüchtigte sich mein Argwohn. Die Atmosphäre änderte sich: Vor uns stand ein hellhäutiges Mädchen, zart, mit europäischem Gesicht, schwarzem Haar und schwarzen Augen. Und diese Augen leuchteten wie zwei Morgensterne; bei ihrem Lächeln konnte man den Kopf verlieren. Wenn sie das Mädchen war, von dem Suurhof erzählt hatte, dann hatte er recht: Sie kam Ihrer Majestät nicht nur gleich, sie übertraf sie, und sie war lebendig, aus Fleisch und Blut, kein totes Bild.

«Annelies Mellema», sie streckte mir die Hand hin, dann Suurhof. Ihre Stimme faszinierte mich ungemein, ich würde sie mein Leben lang nicht vergessen.

Wir setzten uns auf die Rattanstühle. Robert Suurhof und Robert Mellema vertieften sich unverzüglich in ein Gespräch über Fußball, über ein großartiges Turnier, das sie in Surabaya gesehen hatten. Ich wußte nicht, wie ich mich daran hätte beteiligen sollen. Ich hatte doch nichts übrig für Fußball.

Meine Augen schweiften in dem großen Gästezimmer umher: Möbel, Decke, hängende Kristalleuchter, Gaslampen an Kupferröhren – ich fragte mich, wo sich der Gastank befinden könnte –, das Bild der eben abdankenden Königin Emma in einem schweren Holzrahmen. Und zum soundsovielten mal verharrte mein Blick auf Annelies' Gesicht. Als Möbelverkäufer fiel mir sofort auf, daß da lauter teure, vom Fachmann gearbeitete Stücke standen. Unter der Sitzgruppe lag ein Teppich, wie ich noch nie einen gesehen hatte. Möglicherweise war es eine Spezialanfertigung. Die hölzernen Fliesen des Parkettbodens waren auf Hochglanz poliert.

«Warum sagst du nichts?» wandte sich Annelies mit ihrer süßen Stimme auf holländisch an mich.

Ich betrachtete ihr Gesicht ein weiteres Mal. Ich wagte kaum, ihr in die Augen zu schauen. Ekelte sie sich nicht vor mir, einem ohne Familiennamen, einem Eingeborenen? Ich vermochte nur mit einem Lächeln zu antworten – mit einem reizenden Lächeln natürlich – und schaute wieder die Möbel an. Schließlich sagte ich: «Hier ist alles so schön.»

«Gefällt's dir hier?»

«Sehr sogar», und ich schaute sie wieder an.

In der Tat: Ihre Schönheit war betörend. Sie nahm sich so erhaben aus inmitten all dieses Luxus, war das Schönste und Herrlichste von allem.

«Warum verheimlichst du deinen Familiennamen?» fragte sie.

«Ich verheimliche ihn nicht», antwortete ich und fühlte wieder Beklommenheit in mir aufsteigen. «Muß ich ihn denn unbedingt sagen?» Ich schielte zu Suurhof, doch zum Glück schien er nichts zu merken. Er und Robert Mellema waren ganz in ihr Gespräch über Fußball vertieft. Gerade als ich meinen Blick abwenden wollte, schaute er mich plötzlich an.

«Natürlich», meinte Annelies. «Sonst denkt man, dein Vater erkenne dich nicht an.»

«Ich habe keinen. Wirklich nicht», antwortete ich beharrlich.

«Oh!» rief sie leise aus. «Verzeih mir!» Sie schwieg einen Augenblick. «Ohne ist auch gut», sagte sie schließlich.

«Ich bin kein *Indo*», verteidigte ich mich.

«Oh?» rief sie nochmals aus. «Nicht?»

Mein Herz trommelte. Nun wußte sie es: Ich war ein *Pribumi*. Man konnte mich jederzeit fortjagen. Ohne hinzusehen, spürte ich, wie Robert Suurhof mich von oben bis unten musterte, wie eine Krähe ihre Beute abschätzte. Als ich die Augen hob, sah ich, daß Robert Mellema Annelies scharf anblickte. Und als er sich mir zuwandte, preßten sich seine Lippen zu einem dünnen, geraden Strich zusammen. Ach, allmächtiger Gott, was würde aus mir werden? Mußte ich wie ein Hund aus diesem prächtigen Haus verjagt werden, unter den Lachsalven Suurhofs? Mir war noch nie so bange gewesen. Suurhofs Blicke trockneten mir die Kehle aus. Robert Mellema wandte seine Augen nicht von mir, er zuckte nicht einmal mit den Wimpern.

Annelies sah Robert Suurhof an, dann ihren Bruder, dann wieder mich. Mir wurde einen Augenblick lang schwarz vor den Augen. Ich gewahrte nur Annelies' langes weißes Kleid, ohne Gesicht, ohne Gestalt. Sie trug ein ärmelloses Kleid, das bei jeder Bewegung glitzerte.

Ich verstand immer besser: Suurhof hatte von Anfang an die Absicht gehabt, mich in fremder Leute Haus bloßzustellen. Und nun konnte ich nur noch darauf warten, hinausgeworfen zu werden. Gleich würde man den *Pendekar* Darsam rufen, damit er mich auf die Straße schicke. Mein verwirrtes Herz wollte plötzlich nicht mehr höher schlagen bei Annelies' silberhellem Lachen. Zögernd schaute ich zu ihr auf. Ihre Zähne funkelten mehr als alle Perlen, die ich je gesehen hatte. Hallo, Weiberheld, selbst in diesem Zustand bot sich dir noch die Gelegenheit, Schönheit zu bewundern und zu verehren.

«Warum bist du so bleich?» fragte Annelies wie begnadigend.

«*Pribumi* zu sein ist keine Schande», sagte sie, immer noch lachend. Robert Mellema wandte sich seiner Schwester zu, und Annelies forderte ihn mit offenem Blick heraus. Ihr Bruder wich ihm aus. Was wurde hier gespielt? Robert Suurhof sagte kein Wort. Robert Mellema auch nicht. Ob sie von mir erwarteten, daß ich mich entschuldige? Nur weil ich keinen Familiennamen hatte und ein *Pribumi* war? Pah! Warum sollte ich? Nein!

«*Pribumi* zu sein ist keine Schande», wiederholte Annelies bekräftigend. «Meine Mutter ist auch eine – sie ist Javanerin. Du bist mein Gast, Minke», es hörte sich wie ein Befehl an.

Endlich konnte ich frei aufatmen.

«Danke.»

«Du scheinst Fußball nicht zu mögen. Ich auch nicht. Komm, wir setzen uns anderswohin.» Sie stand auf und streckte ihre Hand aus, wollte geführt werden wie ein verhätscheltes Kind.

Ich erhob mich, nickte ihrem Bruder und Suurhof entschuldigend zu. Sie schauten uns nach. Annelies blickte über die Schulter und lächelte dem zurückgelassenen Gast versöhnlich zu.

Wir durchquerten das große Gästezimmer. Meine Schritte waren unsicher. Die Blicke der beiden Freunde schienen meinen Rücken zu durchbohren. Wir traten in den dahinterliegenden Raum, der noch luxuriöser ausgestattet war.

Auch hier waren die Wände ganz aus hellbraunem polierten Teakholz. In einer Ecke stand ein Eßtisch mit sechs Stühlen. Gleich daneben führte eine Treppe ins obere Stockwerk. Kleine Tischchen mit europäischen Porzellanvasen schmückten die andern drei Ecken. In den Vasen steckten allerlei zu harmonischen Sträußen gesteckte Blumen. Annelies, die meinen Augen gefolgt war, sagte: «Ich habe die Sträuße selbst gebunden.»

«Von wem hast du das gelernt?»

«Mama hat es mir gezeigt.»

«Sie sind sehr schön.»

Sie bemerkte, daß ich den Glasschrank gegenüber dem Eßtisch betrachtete, und führte mich dorthin. Da standen Kunstgegenstände, wie ich sie noch nie gesehen hatte.

«Ich habe den Schlüssel nicht bei mir», sagte Annelies. «Die gefällt mir am besten», sie zeigte auf eine kleine Bronze-Figur.

«Mama sagt, das sei eine ägyptische Königin», sie dachte einen Augenblick lang nach. «Wenn ich mich recht erinnere, hieß sie Nofretete. Sie soll sehr berühmt gewesen sein für ihre Schönheit.»

Wie die Figur auch immer hieß, ich wunderte mich, daß eine Eingeborene, noch dazu eine Konkubine, über ägyptische Königshäuser Bescheid wußte.

In dem Schrank stand auch eine balinesische Statue *Erlanggas*, auf einem *Garuda* sitzend. Sie war aus einem Holz geschnitzt, das ich nicht kannte.

Auf dem obersten Brett lag eine Reihe kleiner Tiermasken aus Ton.

«Das sind Figuren aus der Geschichte *Hsi Yu Chi*», erklärte sie. «Kennst du die Geschichte?»

«Nein.»

«Ich werde sie dir irgendwann einmal erzählen, wenn du Lust hast.»

Ihre Worte hörten sich freundlich und wohlwollend an, ließen mich den ganzen Luxus und die Unterschiede zwischen uns vergessen.

«Liebend gern.»

«Dann kommst du sicher gern wieder einmal zu uns?»

«Es ist mir eine Ehre.»

Unter den kleinen Ecktischchen lagen keine Muscheln, wie es in den *Bupati*-Häusern, die ich gesehen hatte, Brauch war. Auf einem niedrigen, fahrbaren Tisch stand ein Grammophon, unter welchem die Schallplatten eingeordnet waren. Der Tisch war überladen mit Schnitzereien und war wohl eigens für diesen Zweck angefertigt worden.

Alles war entzückend. Aber das Entzückendste von allem war und blieb Annelies.

«Warum schweigst du ständig?» fragte sie wieder. «Gehst du zur Schule?»

«Ich bin ein Schulkamerad von Robert Suurhof.»

«Mein Bruder ist, glaub ich, sehr stolz auf seinen Freund von der *H. B. S.* Nun habe ich auch einen Freund, der die *H. B. S.* besucht. Dich.» Plötzlich drehte sie sich zur Hintertür um und rief:

«Mama! Komm mal her! Mama, ein Gast!»

Gleich darauf erschien eine Javanerin. Sie trug einen *Kain* und eine weiße, mit teuren Spitzen verzierte *Kebaya*. Ich fragte mich, ob es Naarden-Spitzen waren, von denen man uns damals in der *E. L. S.* erzählt hatte. Sie trug schwarze Samtpantoffeln mit Silberstickerei. Ich war beeindruckt von ihrer schönen Kleidung, ihrem offenen Gesicht, ihrem mütterlichen Lächeln und ihrer Unkompliziertheit. Sie sah hübsch und jung aus, hatte helle, gelbliche Haut. Und was mich am meisten erstaunte, war ihr gutes Holländisch, genau wie wir es in der Schule lernten.

«Ja, Annelies, wer ist dein Gast?»

«Hier, Mama, Minke heißt er. Er ist Javaner, Mama.»

Sie kam spontan auf mich zu. Das also war *Nyai* Ontosoroh, von der man so viel sprach, das Gesprächsthema aller Einwohner Surabayas und *Wonokromos*, die *Nyai*, die über die *Boerderij* Buitenzorg waltete.

«Er geht auf die *H. B. S.*, Mama.»

«O ja? Wirklich?» fragte mich die *Nyai*.

Ich war unsicher. Mußte ich ihr die Hand geben wie einer Europäerin, oder sollte ich sie wie eine Eingeborene behandeln – mich also nicht bemühen? Doch sie war es, die mir zuerst die Hand reichte. Ich staunte und schüttelte ihr ungelenk die Hand. Das waren europäische Sitten! In diesem Fall hätte eigentlich ich ihr die Hand reichen müssen.

«Annelies' Gäste sind auch meine Gäste», sagte sie in fließendem Holländisch. «Wie muß ich sagen? *Tuan? Sinyo*, Sie sind aber kein *Indo*...»

«Nein, ich bin keiner...» Wie sollte ich sie anreden? Mit *Nyai* oder Mevrouw?

«Gehen Sie tatsächlich auf die *H. B. S.*?» fragte sie freundlich lächelnd.

«Ja...»

«Man nennt mich *Nyai* Ontosoroh. Die Leute können ‹Buitenzorg› nicht aussprechen. Anscheinend zögern Sie, mich so zu nennen. Sie brauchen sich nicht zu genieren.»

Ich antwortete nicht, und sie schien mir meine Ungelenkheit zu verzeihen.

«Da Sie *H. B. S.*-Schüler sind, ist Ihr Vater sicherlich *Bupati*. Von welchem Bezirk denn, *Nyo*?»

«Nein, eh, eh...»

«Sie scheuen sich aber wirklich, mich *Nyai* zu nennen. Wenn es Ihnen so schwerfällt, dann sagen Sie doch einfach Mama zu mir, wie Annelies auch, falls Sie das nicht als eine Beleidigung empfinden.»

«Ja, Minke», bekräftigte das Mädchen. «Mama hat recht. Nenn sie einfach Mama.»

«Mein Vater ist nicht *Bupati*, Mama.» Mit dieser neuen Anrede verflüchtigten sich meine Hemmungen, verschwanden Unterschied und Abstand zwischen ihr und mir.

«Dann ist er wohl ein *Patih*», fuhr *Nyai* Ontosoroh fort. Sie stand mir noch immer gegenüber.

«Nehmen Sie doch bitte Platz. Warum setzen Sie sich nicht?»

«Auch nicht *Patih*, Mama.»

«Ist ja auch nicht wichtig. Auf jeden Fall freue ich mich, daß ein Freund von Annelies uns besucht. Kümmere dich gut um deinen Gast, Ann.»

«Bestimmt, Mama», antwortete sie munter, als sei ihr ein besonderer Segen widerfahren.

Nyai Ontosoroh entfernte sich wieder durch die Hintertür. Ich war noch immer ganz hingerissen davon, daß eine *Pribumi* so gut Holländisch sprach und daß sie einem männlichen Gast gegenüber keinerlei Hemmungen hatte. Wo konnte man sonst einer solchen Frau begegnen? Was für eine Schule mochte sie besucht haben? Und warum war sie nur eine *Nyai*, eine Konkubine? Wer hatte sie dazu erzogen, sich so frei wie eine Europäerin zu benehmen? Ich empfand den Palast kaum mehr als gespenstisch, eher als rätselhaft.

«Ich freue mich darüber, einen Gast zu haben», Annelies war noch vergnügter, seit sie wußte, daß ihre Mutter nichts dagegen hatte. «Mich hat noch nie jemand besucht. Die Leute fürchten sich herzukommen. Auch meine ehemaligen Schulkameraden.»

«Was für eine Schule hast du besucht?»

«Die *E. L. S.*, aber nicht bis zum Abschluß, nicht mal bis zur vierten Klasse.»

«Warum hast du nicht weitergemacht?»

Annelies biß sich in den Finger.

«Es kam etwas dazwischen», antwortete sie, ohne weiter auf das Thema einzugehen. Plötzlich fragte sie:

«Bist du Mohammedaner?»

«Wieso?»

«Damit du nicht aus Versehen Schweinefleisch ißt.»

«Danke. Ja.»

Eine Dienerin servierte uns Milchschokolade und Kuchen. Sie kam nicht auf den Knien hereingerutscht, wie es allgemein bei javanischen Herrschaften üblich war. Ganz im Gegenteil, sie schaute mich fast verwundert an. So etwas hätte sie sich in einer einheimischen Familie nicht erlauben dürfen: Sie hätte sich bücken müssen, ununterbrochen. Und wie herrlich war doch das Leben, wenn man nicht vor andern Leuten kriechen mußte!

«Mein Gast ist Mohammedaner», sagte Annelies auf javanisch zu der Dienerin. «Sag hinten in der Küche, daß sie kein Schweinefleisch beifügen.» Dann wandte sie sich mir zu und fragte: «Warum schweigst du denn immer noch?»

«Ich bewundere dieses Haus», sagte ich, «es ist herrlich.»

«Gefällt es dir wirklich?»

«Bestimmt, wirklich.»

«Warum warst du vorhin so blaß?»

Ihre Offenheit war bezaubernd und ermutigte mich.

«Weißt du's denn nicht?» fragte ich zurück. «Weil ich mir im Traum nie vorgestellt hätte, daß ich je einer so bezaubernden Fee begegnen würde.»

Sie schwieg und schaute mich mit ihren Morgensternaugen an. Schon bereute ich meine Worte. Zögernd und leise fragte sie:

«Wen meinst du mit dieser Fee?»

«Dich», flüsterte ich, ebenfalls zögernd.

Sie neigte den Kopf seitwärts. Ihr Gesichtsausdruck veränderte sich, ihre Augen wurden weit.

«Mich? Du findest mich bezaubernd?»

Ich fand meinen Mut wieder und bekräftigte:

«Unvergleichlich.»

«Mama!» kreischte Annelies und drehte sich zur Hintertür um.

Schöne Bescherung! Das Mädchen ging zur Hintertür. Sie hatte vor, es der *Nyai* zu tratschen. Verrücktes Ding! Welch ein Gegensatz zu ihrer Schönheit! Und sie würde bestimmt sagen, ich hätte mich frech benommen. Das war wirklich ein unglücksschwangeres Haus! Doch nein, das hatte nichts mit Unglück zu tun. Sollte etwas geschehen, dann hatte ich es selbst heraufbeschworen.

Nyai erschien in der Tür. Annelies nahm sie bei der Hand. Zu zweit kamen sie auf mich zu.

Mein Herz schlug wie wild. Wahrscheinlich hatte ich wirklich einen Fehler begangen. So bestraft mich denn für meine Vorwitzigkeit, nur stellt mich nicht vor Robert Suurhof bloß!

«Was gibt's denn, Ann? Zankt sie, *Nyo*?»

«Aber nein!» rief das Mädchen und zeigte auf mich. «Stell dir vor, Mama, Minke hat gesagt, ich sei bezaubernd!»

Nyai sah mich an, neigte dabei den Kopf leicht zur Seite. Dann wandte sie sich an ihre Tochter, faßte sie an den Schultern und sagte mit gedämpfter Stimme:

«Ich habe dir doch schon oft gesagt, daß du bezaubernd aussiehst. Du bist es wirklich, Ann. *Sinyo* hat nicht unrecht.»

«Oh, Mama!» rief Annelies aus. Sie errötete und strahlte mich mit glänzenden Augen an.

Erlöst atmete ich auf.

Nyai setzte sich auf den Sessel neben mir und sagte hastig:

«Gerade deshalb freue ich mich über deinen Besuch, *Nyo*. Minke heißt du doch, nicht? Sie hat nie Gelegenheit, normalen Umgang zu haben wie andere *Indos*. Sie ist in ihrer Art keine *Indo*, *Nyo*.»

«Ich bin keine *Indo*», bestätigte das Mädchen. «Ich will keine sein. Ich will so sein wie Mama.»

Ich wunderte mich immer mehr. Was war mit dieser Familie los?

«Na, *Nyo*, da hörst du's selber: Sie will lieber eine *Pribumi* sein. Warum sagst du nichts? Bist du beleidigt, daß ich dich mit ‹du› und ‹*Sinyo*› anrede? Ohne Titel?»

«Nein, Mama, ganz und gar nicht», antwortete ich schnell.

«Du scheinst verwirrt zu sein.»

Wer wäre in einer solchen Situation nicht verwirrt gewesen? *Nyai* Ontosoroh gab sich mir gegenüber wie eine gute alte Bekannte – es war, als stünde sie mir näher als meine eigene Mutter.

Ich war darauf gefaßt gewesen, daß *Nyai* mich ausschelten würde. Doch sie zürnte mir nicht. Genau wie meine Mutter, die mir auch nie zürnte. Eine innere Stimme warnte mich: Vergleiche sie nicht mit deiner Mutter. Sie ist nur eine *Nyai*, lebt in einer wilden Ehe, hat uneheliche Kinder, gehört zu der unsittlichen Sorte, die ihre Ehre verkauft, um unbesorgt in Saus und Braus leben zu können… Doch sie war nicht dumm. Ihr Holländisch war fließend und gepflegt. Im Gegensatz zu anderen javanischen Müttern benahm sie sich ihrer Tochter gegenüber milde, feinfühlig und offen. Sie unterschied sich nicht von einer gebildeten Europäerin, sondern glich eher einer feinfühligen Lehrerin der neuen Richtung. Einige meiner Lehrer, die an dem Wort «modern» einen Narren gefressen hatten, führten oft Beispiele von fortschrittlichen Menschen in diesem modernen Zeitalter an. Ob sie wohl diese *Nyai* in ihre Liste aufnähmen?

«Ja, Ann», fügte sie hinzu, «dir fehlt es an Gesellschaft; ständig hängst du an deiner Mutter; du bist bereits so groß und benimmst dich immer noch wie ein kleines Mädchen.» Plötzlich wandte sie sich an mich:

«*Nyo*, machst du Mädchen oft Komplimente?»

Die Frage schlug ein wie ein Blitz. Ihr sichtliches Wohlwollen veranlaßte mich, ebenso plötzlich und wohlwollend zu parieren:

«Wenn ein Mädchen hübsch ist, ist doch nichts Falsches dabei, wenn man ihm Komplimente macht?»

«Europäischen oder einheimischen Mädchen?»

«Wie kann man einheimischen Mädchen Komplimente machen? Man kann sich ihnen ja kaum nähern, Mama. Europäischen Mädchen selbstverständlich.»

«Getraust du dich, das zu tun, *Sinyo*?»

«Wir werden dazu angehalten, unsere Gefühle aufrichtig zu bekennen.»

«Du getraust dich wirklich, die Schönheit europäischer Mädchen in ihrer Gegenwart zu loben?»

«Ja, Mama, unsere Lehrer bringen uns europäische Sitten bei.»

«Wenn man ihnen Komplimente macht, was antworten sie dann? Schimpfen sie?»

«Nein, Mama. Niemand hat etwas gegen Komplimente, sagt

meine Lehrerin. Wenn sich jemand durch Komplimente beleidigt fühlt, meint sie, dann ist er bestimmt ein Heuchler.»

«Was antworten dann die europäischen Mädchen?»

«Sie sagen: dan-ke-schön.»

«Gerade so, wie's in den Büchern steht?»

Diese *Nyai* las europäische Bücher!

«Ja, Mama, genau wie in den Romanen.»

«Na, Ann, antworte: dan-ke-schön!»

Annelies errötete vor Verlegenheit, wie jedes einheimische Mädchen errötet wäre, und schwieg beharrlich.

«Und die *Indo*-Mädchen?» fragte *Nyai*.

«Wenn sie gute europäische Erziehung genießen, genau gleich.»

«Wenn nicht?»

«Wenn nicht und wenn sie dazu noch schlechter Laune sind, dann schimpfen sie zum Teil.»

«Wirst du oft beschimpft, *Sinyo*?»

Nun war ich an der Reihe zu erröten. Sie lächelte und wandte sich ihrer Tochter zu:

«Du hast es selbst gehört, Ann. Weißt du was, *Nyo*, wiederhol doch dein Kompliment, damit ich es auch hören kann.»

Jetzt war ich mehr als verlegen. Was für einer Frau saß ich da gegenüber? Ich fühlte deutlich, wie geschickt sie mich bestrickte und für sich einnahm.

«Darf ich nicht?» fragte sie. «Gut.» Sie entfernte sich.

Annelies und ich schauten ihr nach, bis sie hinter der Tür verschwunden war, dann blickten wir uns gegenseitig an wie zwei erschrockene Kinder. Ich lachte los. Sie biß sich auf die Lippen und wandte den Blick zur Seite.

Was für eine Familie war das? Robert Mellema mit seinen fürchterlich stechenden Blicken. Die kindliche Annelies Mellema. *Nyai* Ontosoroh, die geschickt die Herzen anderer eroberte, so daß ich bald vergaß, daß sie eigentlich nur eine *Nyai* war. Wie war wohl *Tuan* Mellema, der Besitzer dieses übermäßigen Reichtums? «Wo ist dein Vater?» fragte ich, das vorangehende Gesprächsthema abbrechend.

Annelies zog ihre Augenbrauen zusammen. Ihr Gesicht verdüsterte sich:

«Was hast du davon, wenn du's weißt? Ich selbst frage nicht danach, auch Mama nicht.»

«Warum nicht?» fragte ich.

«Hörst du gerne Musik?»

«Jetzt nicht.»

Wir unterhielten uns, bis das Mittagessen aufgetragen wurde. Robert Mellema, Robert Suurhof, Annelies und ich saßen um den Tisch. Eine junge Dienerin stand neben der Tür und wartete auf Befehle. Suurhof saß neben seinem Freund und blickte bald mich, bald Annelies an. Mama saß am Kopfende des Tisches.

Die Mahlzeit war üppig. Als Hauptgericht gab es Kalbfleisch, was ich zum erstenmal in meinem Leben aß. Annelies saß neben mir und bediente mich, als ob ich ein europäischer *Tuan* wäre oder ein äußerst ehrwürdiger *Indo*. *Nyai* aß wie eine echte Europäerin, die eine englische *boarding* school besucht hatte.

Ich betrachtete die Anordnung des Bestecks ganz genau, achtete auf den Gebrauch von Suppenlöffeln, Messern, Fleischgabeln und auf das Tellerservice für sechs Personen. Alles vorschriftsmäßig. Die Stahlmesser waren anscheinend nicht mit einem gewöhnlichen Wetzstein geschliffen worden, sondern an einem Schleifrad, denn es waren keine Kratzer zu sehen. Auch Servietten, Fingerschalen und die in Silber gefaßten Gläser waren genau richtig plaziert.

Robert Suurhof aß mit gutem Appetit, als hätte er in den letzten drei Tagen gefastet. Ich aß nur zögernd, obwohl ich recht hungrig war. Annelies aß kaum etwas, weil sie nur auf mich achtete und mich bediente.

Als *Nyai* zu essen aufhörte, hörte ich ebenfalls auf. Robert Suurhof aß ruhig weiter und schien die *Nyai* kaum zu beachten. Und bis dahin hatte ich diese Frau noch kein einziges Wort zu ihrem Sohn sprechen hören.

«Minke», wandte sich *Nyai* an mich, «ist es wahr, daß man bereits Eis herstellen kann? Richtig kaltes Eis, wie's in den Büchern beschrieben wird? Wie es im Winter in Europa gefriert?»

«Ja, Mama, jedenfalls steht es so in den Zeitungen.»

Robert Suurhof schluckte und glotzte mich an.

«Ich möchte nur wissen, ob die Zeitungsberichte auch wirklich stimmen.»

«Der Mensch wird wohl eines Tages alles herstellen können, Mama», antwortete ich, doch im stillen wunderte ich mich, wie jemand Zeitungsberichte anzweifeln konnte.

«Alles? Unmöglich!» widersprach sie.

Das Gespräch stockte. Robert Mellema gab seinem Freund ein Zeichen. Die beiden standen auf und entfernten sich, ohne sich bei der *Nyai* zu entschuldigen.

«Verzeih meinem Freund, Mama.»

Sie lächelte, nickte mir zu, stand auf und ging ebenfalls. Die Dienerin räumte den Tisch ab.

«Mama setzt ihre Arbeit im Kontor fort», erklärte Annelies. «Nach dem Mittagessen muß ich auch auf dem Hof arbeiten.»

«Was arbeitest du denn?»

«Komm mit!»

«Und mein Freund?»

«Mach dir keine Sorgen um ihn; mein Bruder wird ihn bestimmt mitnehmen. Nach dem Mittagessen geht er meistens mit seinem Luftgewehr auf die Jagd nach Vögeln oder *Tupai*.»

«Warum ausgerechnet nach dem Mittagessen?»

«Weil dann die Vögel und *Tupai* auch satt und schläfrig sind, nicht mehr so flink. Los, komm mit, wenn's dir nichts ausmacht.»

Ich trottete hinter ihr her, wie ein kleines Kind hinter seiner Mutter. Durch die Hintertür gelangten wir in einen Raum, wo unzählige hölzerne, mit Eisenringen beschlagene Fässer standen. Auf dem größten war ein Rührgerät angebracht. Der ganze Raum war vom Geruch nach frischer Milch erfüllt. Die Leute arbeiteten schweigend, als wären sie stumm. Hin und wieder trockneten sie sich den Schweiß mit einem Tuch von der Stirn. Alle trugen weiße Schürzen, deren Ärmel sie bis fast an die Ellenbogen umgekrempelt hatten. Es waren nicht nur Männer, sondern auch einige Frauen, die man an ihrem Batik-*Kain*, der unter den weißen Arbeitskitteln hervorragte, erkennen konnte. Frauen in einem Betrieb! Und sogar in Arbeitskitteln! *Kampung*-Frauen in Schürzen! Frauen außerhalb ihrer eigenen Küche! Ob sie unter den Baumwollschürzen auch Brusttücher trugen?

Ich betrachtete sie der Reihe nach. Sie nahmen kaum Notiz von mir.

Annelies trat zu ihnen, und sie grüßten sie mit einer Geste. Da merkte ich zum erstenmal, daß das hübsche, kindliche Mädchen eine Aufseherin war, die von den Angestellten, Männern und Frauen, respektiert werden mußte.

Ich konnte mich nicht genug darüber wundern, daß es Frauen gab, die sich aus ihrer Küche wagten, Arbeitskittel trugen, sich in einem Betrieb verdingten, mit Männern verkehrten! Ob dies auch ein Zeichen des modernen Zeitalters in Ostindien war?

«Du wunderst dich, daß Frauen hier arbeiten?» Ich nickte. Sie schaute mich an, als wollte sie meine Verwunderung entziffern.

«Schön, nicht wahr? Alle in weißen Kitteln. Alle. Das ist in Holland so üblich; nur sind hier die Schürzen aus Baumwolle, nicht aus Leinen. In Holland ist das Vorschrift.»

Sie zog mich an der Hand und führte mich auf einen weiten Hof hinaus, wo die Ernte getrocknet wurde. Einige Arbeiter waren damit beschäftigt, Sojabohnen, Maiskörner, *Kacanghijau* und Erdnüsse zu wenden. Als wir hinzutraten, unterbrachen sie ihre Arbeit und grüßten uns mit erhobener Hand. Sie trugen alle Bambushüte.

Annelies klatschte in die Hände und streckte zwei Finger in die Luft. Ich wußte nicht, wem das galt. Gleich darauf erschien ein Kind mit zwei Bambushüten. Den einen setzte sie mir auf, den andern sich selbst, und dann gingen wir einige hundert Meter über den Kiesweg nach hinten.

«Heute ist ein großer Feiertag», sagte ich. «Warum haben die Arbeiter nicht frei?»

«Sie können freinehmen, wenn sie wollen. Sie arbeiten für Taglohn. Mama und ich haben nie frei.»

Auf dem Weg vor uns waren in einiger Entfernung die beiden Roberts zu sehen, jeder mit einem Gewehr über der Schulter.

«Was gehört alles zu deiner Arbeit?»

«Alles, außer Kontorarbeit. Die macht Mama selbst!»

Nyai Ontosoroh erledigte Kontorarbeit. Was für eine Arbeit mochte das sein?

«Verwaltung?» fragte ich aufs Geratewohl.

«Alles, Buchführung, Handel, Briefe, Bankangelegenheiten…»

Ich blieb stehen, Annelies auch. Ich schaute sie ungläubig an. Dann nahm sie mich bei der Hand, und wir gingen weiter bis zu den Kuhställen. Ich konnte den Mistgestank schon aus der Ferne riechen. Nur weil mich ein hübsches Mädchen dorthin führte, nahm ich nicht Reißaus, sondern ging sogar in den Stall hinein, zum erstenmal in meinem Leben.

Der Stall war äußerst lang. Die Kühe wurden gefüttert und getränkt. Der Gestank von Kuhmist und welkem Gras ließ mir beinahe den Atem stocken. Ich unterdrückte meinen Brechreiz.

«Kommt der Tierarzt oft hierher?» fragte ich.

«Wenn er gerufen wird. Vor einem Jahr kam er fast täglich. Doch Mama wollte ihm das Rezept der Mastitis-Medizin, die eine *Jamu*-Verkäuferin hergestellt hatte, nicht verraten.»

«Was ist Mastitis?»

Sie antwortete nicht. Ihr Satinkleid hochhaltend, trat Annelies zu einigen Kühen und tätschelte sie zwischen den Hörnern auf die Stirn, flüsterte ihnen irgend etwas zu und lachte. Ich schaute ihr aus einiger Entfernung zu. Sie war so behende, huschte im Stall herum und streichelte die Kühe, und das in ihrem Satinkleid!

Auch hier arbeiteten Frauen; sie trugen allerdings keine Arbeitskittel. Sie verneigten sich und hoben die Hände zum Gruß. Ich wich immer weiter zur Tür zurück, zur frischen Luft.

Annelies drehte sich nach mir um und gab mir ein Zeichen, näher zu treten. Ich stellte mich dumm. Statt dessen beobachtete ich die Mägde, die sich anscheinend über meine Anwesenheit wunderten. Sie wischten den Stallboden, begossen ihn mit Wasser und fegten ihn mit langstieligen Besen.

Annelies ging den Gang entlang, und ich ging neben ihr her. Sie blieb stehen und unterhielt sich mit einer Magd. Hin und wieder drehte sie den Kopf und suchte mich mit den Augen. Vielleicht sprachen die beiden über mich.

Eine junge Magd watschelte daher. Sie trug zwei leere blecherne Eimer. Sie hatte ein nettes, anziehendes Gesicht. Wie alle andern trug sie ein Brusttuch und einen *Kain* und war barfuß; ihre Füße waren naß, schmutzig, die Zehen gespreizt. Ihr Busen war fest und üppig und erregte allein schon Aufmerksamkeit. Sie hielt den Kopf gebeugt, schielte zu mir auf und lächelte einladend.

«Grüß Gott, *Sinyo*!» sagte sie unbefangen, mit weicher und verlockender Stimme. Noch nie hatte ich eine so unbefangene Javanerin getroffen, die einen Unbekannten grüßte. Sie blieb vor mir stehen und fragte auf malaiisch:

«Inspektion, *Nyo*?»

«Ja», antwortete ich.

«Ja, *Yu* Minem», plötzlich stand Annelies hinter mir. «Wie viele Eimer melkst du schon pro Tag?» fragte sie auf javanisch.

«Immer noch gleich viele, *Non*», antwortete Minem auf *kromojavanisch*.

«Wie kannst du da Melkmeisterin werden?»

«Wenn Sie's erlauben, schon.»

«Wenn du nicht mehr melkst als die andern, wirst du kein gutes Arbeitsbeispiel geben können. So kannst du unmöglich Meisterin werden, *Yu*.»

«Wir haben aber keine Meisterin», protestierte Minem.

«Ich bin eure Meisterin.»

Annelies nahm mich bei der Hand, und wir gingen zusammen an den Kuhköpfen vorbei.

«Du bist ihre Meisterin?» fragte ich.

«Ich melke am meisten», antwortete sie. «Du scheinst Kühe nicht zu mögen. Komm, wir gehen zum Pferdestall, wenn du magst, oder auf die Äcker.»

Noch nie war ich auf einen Acker gegangen. Was konnte da besonders interessant sein? Ich folgte ihr trotzdem.

«Oder möchtest du lieber reiten?»

«Reiten?» rief ich aus. «Du reitest?»

Das kindliche Mädchen, das nicht einmal die Grundschule abgeschlossen hatte, entpuppte sich vor meinen Augen immer mehr als etwas Außergewöhnliches: Sie konnte nicht nur so viel Arbeit bewältigen, sondern auch reiten. Außerdem konnte sie besser melken als alle Melkerinnen.

«Natürlich, wie könnte ich sonst eine so große Ernte überwachen?»

Wir kamen zu einem Acker, wo gerade Erdnüsse geerntet wurden. Die Erdnüsse lagen auf der Erde ausgebreitet, und die Stauden, die als Viehfutter dienten, waren zu Haufen getürmt.

«Der Boden hier ist sehr gut. Pro Hektar sind bis zu drei Tonnen getrocknete, gebündelte Erdnüsse zu erwarten. Wer's nicht selbst nachprüfen kann, wird es kaum glauben», erklärte Annelies. «Wirklich guter Boden, beste Qualität und sehr ertragreich. Selbst die Stauden geben guten Dünger und gutes Viehfutter.»

Sie schien meine Gedanken zu lesen: Was kümmerte es mich, ob es zwei oder fünf Tonnen pro Hektar waren? Sie sagte:

«Du interessierst dich nicht für Landwirtschaft. Komm, wir gehen reiten. Einverstanden?»

Bevor ich antworten konnte, nahm sie mich an der Hand und zog mich im Laufschritt hinter sich her. Sie geriet richtig außer Atem. Sie führte mich in eine große, geräumige Scheune, die als Schuppen für Wagen, Kutschen und Karren diente. An den Wänden hingen Geschirre und Steigbügel in den verschiedensten Ausführungen. Ein Großteil des Schuppens stand leer.

Als sie merkte, daß ich mich über den Fahrzeugschuppen wunderte, der so groß war wie ein *Bupati*-Gebäude, lachte sie und zeigte auf einen *Bendi*, der reich mit Messing verziert und mit einer Karbidlampe versehen war.

«Hast du je einen so schönen *Bendi* gesehen?»

«Nein, noch nie», antwortete ich.

Annelies zog mich weiter. Wir betraten den breiten, langen Pferdestall. Darin standen nur drei Pferde. Der Pferdegestank, der den ganzen Raum erfüllte, schlug mir entgegen. Sie trat zu einem der Pferde, einem Apfelschimmel, kraulte das Tier am Hals und flüsterte ihm etwas ins Ohr.

Das Tier wieherte leise, als ob es lachend antwortete. Dann zeigte es grinsend seine starken Zähne, als sie ihm das Maul tätschelte. Annelies lachte fröhlich.

«Nein, Bawuk», sagte sie auf holländisch zu dem wiehernden Tier, «heute nachmittag reiten wir nicht aus.»

Sie umarmte Bawuks Hals, flüsterte ihm etwas zu und sagte dann nachdrücklich: «Wir haben einen Gast, schau. Minke heißt er. Ein Deckname, nicht wahr? Ganz bestimmt. Er ist Mohammedaner, Bawuk. Aber sein Name hört sich nicht javanisch an, auch nicht islamisch oder christlich. Es ist bestimmt ein Deckname; oder glaubst du, daß er Minke heißt?» Das Mädchen streichelte

Bawuks Mähne, und das Tier antwortete wieder mit einem Wiehern.

«Hörst du», sagte sie zu mir, «sie sagt, Minke sei wirklich ein Deckname.»

Sie schienen eine regelrechte Verschwörung gegen mich anzuzetteln. Die beiden anderen Pferde wieherten ebenfalls und schauten mich mit großen Augen an, als ob sie mich anklagten.

«Komm, wir gehen hier raus», schlug ich vor.

«Gleich», antwortete sie. Sie trat zu den beiden anderen Pferden, tätschelte ihnen den Rücken. Erst dann sagte sie zu mir: «Los! Komm!»

«Du stinkst nach Pferden», warf ich ihr vor.

Sie lachte nur.

«Stört dich das nicht?»

«Macht doch nichts», antwortete sie. «Ich bin von klein auf daran gewöhnt. Mama würde schimpfen, wenn ich die Pferde nicht gern hätte. Du mußt allem, was dich nährt, dankbar sein, auch wenn es nur ein Pferd ist, sagt sie.»

Ich lästerte nicht weiter über den Pferdegestank.

«Warum glaubst du nicht, daß ich Minke heiße?»

Ihre Augen blickten ungläubig, vorwurfsvoll, anklagend, beschuldigend. Und ich mußte mich notgedrungen verteidigen...

Es war ganz und gar nicht mein eigener Wille, Minke zu heißen oder genannt zu werden. Die Geschichte ist etwas kompliziert. Sie nahm ihren Anfang, als ich in die *E. L. S.* eintrat und noch kein einziges Wort Holländisch sprach. Meneer Ben Roosenboom, mein allererster Lehrer, mochte mich nicht leiden. Ich konnte seine Fragen nur unter Weinen beantworten. Trotzdem brachte mich ein Diener täglich in diese verhaßte Schule.

Ich saß zwei Jahre lang in der ersten Klasse. Meneer Roosenboom mochte mich auch weiterhin nicht, und ich fürchtete mich vor ihm. Zu Beginn des zweiten Schuljahres konnte ich bereits etwas Holländisch. Meine Kameraden waren alle in die zweite Klasse versetzt worden, während ich in der ersten sitzenblieb. Ich wurde zwischen zwei holländische Mädchen plaziert, die mich ständig neckten. Das Mädchen Vera neben mir zwickte mich zur Begrüßung in den Oberschenkel. Ich schrie vor Schmerzen auf.

Meneer Roosenboom schrie mich mit furchterregender Stimme an: «Schweig, monk... ‹Minke›!»

Die ganze Klasse, die mich eben erst kennengelernt hatte, nannte mich, den einzigen Einheimischen, von da an Minke. Mit der Zeit auch meine Lehrer. Auch die Kameraden der anderen Klassen. Auch die außerhalb der Schule. Eines Tages fragte ich meinen Großvater nach der Bedeutung dieses Namens. Er wußte es nicht. Er riet mir, doch Meneer Roosenboom selbst zu fragen. Aber natürlich wagte ich das nicht. Mein Großvater verstand kein Holländisch und beherrschte auch die lateinische Schrift nicht. Er sprach und schrieb nur Javanisch. Er war sogar damit einverstanden, den Spitznamen als Dauernamen zu akzeptieren: als eine besondere Gunst eines gütigen und weisen Lehrers. So geriet mein eigentlicher Name fast gänzlich in Vergessenheit.

Während der ganzen *E. L. S.*-Zeit glaubte ich fest, daß der Name irgend etwas Unangenehmes bedeutete. Als mein Lehrer ihn zum erstenmal ausgesprochen hatte, hatte er mich angeglotzt wie ein wütender Stier. Seine Augenbrauen kräuselten sich nach oben, als holten sie zum Sprung von seinem breiten Gesicht aus, und das Lineal in seiner Hand klatschte dabei auf den Tisch. Nicht die Spur von Zuneigung. Güte und Weisheit? Ausgeschlossen.

Im holländischen Wörterbuch war das Wort nicht erwähnt.

Schließlich trat ich in die *H. B. S.* Surabaya ein. Auch da konnten meine Lehrer keine Auskunft über die Bedeutung dieses Wortes geben. Einer von ihnen, der ebenfalls keine Antwort wußte, kommentierte: Was bedeutet schon der Name, sagte der englische Dichter... (er erwähnte einen Namen, den ich nicht behalten konnte).

Dann erhielten wir Englisch-Unterricht. Nach sechs Monaten begegnete ich einem Wort, das meinem Namen verblüffend ähnelte. Ich erinnerte mich wieder: Die glotzenden Stieraugen und die sich beinahe von dem breiten Gesicht loslösenden Augenbrauen waren bestimmt kein Ausdruck der Freundlichkeit. Ich erinnerte mich auch, daß Meneer Roosenboom etwas gezögert hatte, bevor er den Namen aussprach. Erschaudernd ahnte ich, daß er mich wahrscheinlich mit dem Wort *monkey* hatte beschimpfen wollen.

Diese meine sicherlich zutreffende Ahnung habe ich nie jemandem mitgeteilt. Ich hätte lebenslänglich zur Witzfigur werden können – und das für nichts. Selbst Annelies habe ich nie davon erzählt.

«Minke ist auch ein schöner Name», meinte Annelies. «Komm, wir gehen in die *Kampungs*. Auf unserem Land gibt es vier *Kampungs*. Wir beschäftigen alle Familienoberhäupter in unserem Betrieb.» Auf dem Weg grüßten uns die *Kampung*-Bewohner ehrfürchtig. Sie sprachen Annelies mit «*Non*» oder «*Noni*» an.

«Wie groß ist dein Land?» fragte ich eher unbeteiligt.

«Hundertachtzig Hektar.»

Hundertachtzig! Ich konnte mir nicht vorstellen, wie weit das reichen könnte. Sie fuhr fort:

«Reisfelder und Äcker. Wald und Unterholz nicht mitgerechnet.»

Wald! Sie besaß Wald. Wozu?

«Nur zur Brennholzversorgung», fügte sie hinzu.

«Besitzt du auch Sümpfe?»

«Ja, zwei. Aber nur kleine.»

Sogar Sümpfe besaß sie!

«Wie steht's mit Bergen?» fragte ich. «Besitzt du auch Berge?»

«Du spottest», sie zwickte mich.

«Was ist das für ein Dickicht dort drüben?» lenkte ich ab.

«Bloß Schilfrohrstauden. Hast du denn noch nie Schilfrohr gesehen?»

«Laß uns dorthin gehen», schlug ich vor.

«Nein», antwortete sie bestimmt und schauderte dabei.

«Du hast Angst», stellte ich fest.

Sie nahm meine Hand, und ich fühlte, daß ihre kalt war. Ihre Augen wurden plötzlich unruhig und wandten sich ab. Ihre Lippen waren weiß. Ich schaute nach hinten; sie zog mich an der Hand, flüsterte angstvoll: «Schau nicht hin! Los, geh schneller!»

Wir schlenderten weiter durch die *Kampungs*. Überall derselbe Anblick: Splitternackte Kinder spielten miteinander; den meisten hing der Rotz triefend an der Nase, manche leckten ihn sich auch ab. An schattigen Plätzchen saßen hochschwangere Frauen, nähten, ihr jüngstes Kind auf dem Schoß, oder aber zwei, drei Frauen hockten hintereinander und lausten sich gegenseitig.

Einige Frauen sprachen Annelies an und baten um Rat und Hilfe. Und dieses außergewöhnliche Mädchen behandelte sie mit mütterlicher Freundlichkeit. Sie nahm sich so majestätisch aus inmitten dieser *Kampung*-Bewohner, ihren Untertanen. Vielleicht noch majestätischer als das Mädchen, von dem ich bis dahin geträumt hatte und das nun als Königin über Ostindien, Surinam, über die Antillen und Holland regierte. Ihre Haut fühlte sich bestimmt zarter an und schimmerte lieblicher. Und sie war in Reichweite. Sowie uns ihr Volk freigab, spazierten wir weiter. Die freie Natur breitete sich vor uns aus, und über uns wölbte sich ein wolkenloser Himmel. Es war glühend heiß. Da flüsterte ich ihr zu:

«Hast du je das Bild der Königin gesehen?»

«Ja, natürlich. Sie ist unglaublich schön!»

«Du bist viel schöner als sie.»

«Dan-ke-schön, Minke», antwortete sie verlegen.

Der Weg wurde immer heißer und einsamer. Ich sprang über einen Wassergraben, nur um festzustellen, ob sie auch darüberspringen würde oder nicht. Sie hob ihr langes Kleid und sprang. Ich fing ihre Hand auf, zog sie an mich und küßte sie auf die Wange. Sie erschrak und schaute mich mit weit aufgerissenen Augen an: «Du!» sagte sie. Sie war bleich im Gesicht.

Und ich küßte sie noch einmal. Diesmal fühlte ich, daß ihre Haut so zart wie Samt war.

«Du bist das schönste Mädchen, das ich je getroffen habe», flüsterte ich ehrlichen Herzens. «Ich hab dich lieb, Ann.»

Sie antwortete nicht, sagte auch nicht danke schön. Mit einer Geste forderte sie zum Umkehren auf. Auf dem Rückweg schwieg sie beharrlich. Wir erreichten schließlich den Gebäudekomplex. Mir schwante: Du wirst wegen deiner Kühnheit Schwierigkeiten bekommen, Minke. Wenn sie es Darsam ausplaudert, dann kann's passieren, daß du geschlagen wirst, ohne dich wehren zu können. Annelies ging mit gesenktem Kopf. Da erst bemerkte ich, daß sie beim Überspringen des Wassergrabens eine Sandale verloren hatte. Ich gab vor, es nicht zu wissen, doch dann schämte ich mich vor mir selber. Ich mahnte:

«Du hast deine Sandale verloren, Ann.»

Sie kümmerte sich nicht darum, sie antwortete nicht, drehte sich nicht um, ging schneller.

Ich beeilte mich, sie einzuholen:

«Bist du mir böse, Ann?»

Sie schwieg.

Von weitem war das Dach des Holzpalastes, das weit über die andern Dächer hinausragte, sichtbar. An einem Fenster des oberen Stocks stand *Nyai* und beobachtete uns. Annelies, die mit gesenktem Kopf ging, bemerkte es nicht. Die Augen am Fenster folgten uns, bis die Scheunendächer die Sicht verdeckten.

Wir traten ins Haus und setzten uns wieder in die Rattansessel im Gästezimmer. Annelies saß schweigend, ließ alle meine Fragen unbeantwortet. Ganz plötzlich schnellte sie empor und ging, ohne ein Wort zu sagen, nach hinten. Ich fühlte mich um so beklommener. Ganz bestimmt plauderte sie es jetzt aus, und ich würde die verdiente Strafe erhalten! Nein, ich würde mich nicht drücken.

Nicht lange danach kam sie zurück und brachte ein großes, in Papier eingewickeltes Bündel. Sie legte es auf den Tisch. Kühl sagte sie:

«Es geht bereits auf den Abend zu, ruhe dich aus. Dort», sie zeigte nach hinten auf eine Tür, «ist dein Zimmer. In diesem Paket sind Sandalen, ein Handtuch und ein Pyjama. Du kannst dich hier baden. Ich habe noch einiges zu erledigen.»

Bevor sie sich entfernte, ging sie auf eine Tür zu, öffnete sie und hieß mich hineingehen.

«Hier ist das Badezimmer», fügte sie hinzu und schob mich auf ihre zarte Weise durch die Tür, zog sie von außen zu und ließ mich allein.

Ich war recht mitgenommen von diesen ständigen Spannungen. Die Besorgnis über all das, was möglicherweise als Folge meiner Frechheit geschehen konnte, nagte mir am Herzen. Trotzdem konnte ich mir keine Vorwürfe machen. Wie hätte ich auch! Hätten sich andere Jungs in Gegenwart eines so ungewöhnlich hübschen Mädchens nicht ebenso verhalten? Hatte der Biologielehrer nicht... Ach, zum Teufel mit der Biologie!

Das Badezimmer war ein Genuß. Die Wände waren mit drei Millimeter dicken Spiegeln ausgekleidet, der Fußboden mit creme-

farbenen Porzellankacheln ausgelegt. In einem *Bupati*-Gebäude
würde dergleichen nie anzutreffen sein. Das bläuliche Wasser im
Porzellanbecken lud zum Baden ein. Und wo immer man hin-
blickte, konnte man sich selbst sehen: von vorne, von hinten, von
der Seite, rundherum.

Das klare, frische, hellblaue Wasser wusch meine Nervosität
und Besorgnis weg.

Mama bat mich in den hinteren Raum. Sie setzte sich neben
mich und verwickelte mich in ein Gespräch über Betriebswirtschaft und Handel. Meine Kenntnisse darüber waren belanglos.
Sie gebrauchte europäische Ausdrücke, die mir nicht geläufig waren. Hin und wieder gab sie Erklärungen ab wie eine Lehrerin.
Und sie konnte sehr gut erklären! Was für eine *Nyai* saß hier neben
mir?

«Du scheinst dich für Betriebswirtschaft und Handel zu interessieren, *Sinyo*», meinte sie dann, als hätte ich bereits alles verstanden, wovon sie redete. «Das ist bei Javanern selten der Fall, bei
Söhnen höherer Beamten erst recht nicht. Willst du Unternehmer
oder Kaufmann werden, *Sinyo*?»

«So im kleinen bin ich das ja schon, Mama.»

«Du? Sohn eines *Bupatis*? Wie meinst du das?»

«Vielleicht gerade deshalb, weil ich nicht der Sohn eines *Bupatis*
bin», widersprach ich.

«Was für eine Art Unternehmen ist das denn, *Sinyo*?»

«Luxusmöbel, Mama, europäische Stilmöbel, aber auch ganz
moderne. Meistens biete ich sie den Neuankömmlingen auf den
Schiffen an oder den Eltern meiner Schulkameraden.»

«Und die Schule, *Sinyo*? Leidet sie nicht darunter?»

«Nein, überhaupt nicht, Mama.»

«Interessant. Hast du eine eigene Werkstatt, *Sinyo*? Wie viele
Arbeiter denn?»

«Keine. Ich biete die Möbel nur anhand von Zeichnungen an.»

«Bist du deswegen hergekommen? Zeig doch mal deine Zeichnungen.»

«Nein, ich habe keine mitgebracht. Aber ich kann ein andermal welche mitbringen, wenn Sie etwas brauchen, Mama: einen
Schrank zum Beispiel, wie in den österreichischen oder französi-

schen oder englischen Königspalästen – Renaissance, Barock, Rokoko, viktorianisch…»

Sie hörte mir aufmerksam zu. Zweimal hörte ich sie schnalzen, vielleicht meinte sie es lobend, vielleicht abschätzig.

Dann sagte sie langsam:

«Der kann sich glücklich preisen, der sich das Leben im Schweiße seines Angesichts verdient, die Früchte seiner eigenen Anstrengungen erntet und durch eigene Erfahrung vorwärtskommt.»

Ihre Stimme klang, als entstiege sie der Brust eines Priesters im *Wayang*. Dann rief sie aus:

«Phantastisch!» sie schaute die Treppe hinauf. «Oh!»

Die Treppe heruntergestiegen kam Fee Annelies, in Batik-*Kain* und Spitzenbluse. Sie hatte den Haarknoten etwas zu hoch gesteckt, so daß ihr schlanker Hals deutlich sichtbar war. An Hals, Armen, Ohren und Brust trug sie grün-weiß kombinierten Schmuck aus Smaragden, Perlen und Brillanten. (Eigentlich konnte ich nicht so recht zwischen Diamanten und Brillanten, echten und falschen Edelsteinen unterscheiden.)

Ich war bezaubert. Ganz bestimmt war sie schöner als *Jaka Tarubs* Fee aus dem *Babad Tanah Jawi*. Sie lächelte scheu. Der Schmuck, den sie trug, schien etwas zu übertrieben pompös. Ich fühlte: Sie hatte sich eigens für mich schön gemacht. Ein so reizendes Antlitz und eine so vollkommene Figur brauchten eigentlich gar keinen Schmuck. Selbst nackt hätte sie noch immer wunderbar ausgesehen. Die von den Göttern geschenkte Schönheit übertraf alle von Menschen gemachte. Mit all dem Schmuck sah sie aus wie eine Ausländerin. In der ungewohnten Aufmachung bewegte sie sich wie eine Holzpuppe: Ihre natürliche Grazie war verschwunden. Doch Schönheit blieb trotzdem Schönheit. Ich mußte nur geschickt den Überfluß wegdenken.

«Sie hat sich für dich schön gemacht, *Nyo*», flüsterte *Nyai*.

Eine wunderbare Frau, diese *Nyai*, dachte ich.

Annelies kam lächelnd auf uns zu und hatte sich wahrscheinlich im stillen bereits auf ein Dan-ke-schön vorbereitet. Ich war noch gar nicht dazu gekommen, ihre Schönheit zu loben, da sagte *Nyai* bereits:

«Von wem hast du gelernt, dich so zu kleiden und herauszuputzen?»

«Ach Mama!» rief sie aus, klopfte ihrer Mutter auf die Schulter und schielte mit großen Augen zu mir herüber. Ihr Gesicht war gerötet.

Ich geriet in Verlegenheit, das Gespräch zwischen Mutter und Tochter schien mir zu intim für fremde Ohren.

«Denk dir, Ann, *Sinyo* war drauf und dran, nach Hause zu gehen. Zum Glück konnte ich ihn aufhalten, sonst hätte er es verpaßt, dich so zu sehen.»

«Ach, Mama!» wiederholte Annelies auf ihre kindliche Weise und klopfte ihrer Mutter ein weiteres Mal leicht auf die Schulter. Mir schenkte sie einen ihrer scheuen Seitenblicke.

«Nun, *Nyo*? Warum sagst du nichts? Hast du deine Gewohnheiten vergessen?»

«Sie ist allzu schön, Mama. Was ist das rechte Wort für das Schönste vom Schönen? Ja, das bist du, Ann.»

«Ja», bekräftigte *Nyai*, «du könntest ohne weiteres Königin von Ostindien sein, nicht wahr, *Sinyo*?»

«Ach, Mama», rief das Mädchen zum soundsovieltenmal aus.

Die Beziehung zwischen Mutter und Tochter mutete mich seltsam an. Das konnte unter Umständen eine Auswirkung ihres illegitimen Verhältnisses sein. Vielleicht war das die allgemein übliche Atmosphäre in *Nyai*-Familien, vielleicht aber sogar gang und gäbe in den modernen Familien drüben in Europa. Oder sie war eben tatsächlich besonders, merkwürdig, einzigartig. Mir gefiel sie, so oder so. Und zum Glück nahm dieses Komplimentemachen ein unverbindliches Ende.

Es wurde immer dunkler. Mama kam ins Erzählen, während wir beide nur zuhörten. Ich konnte mich nicht nur immer besser von der Mustergültigkeit und Lebendigkeit ihres Holländisch überzeugen, sondern hörte aus ihrem Munde auch viel Neues, wovon mir meine Lehrer noch nie berichtet hatten. Bewundernswert! Und sie ließen mich noch immer nicht nach Hause gehen.

«Einen Dogcart?» fragte sie. «Hinten stehen eine ganze Menge Dogcarts und Kutschen. Wenn du magst, kannst du auch mit einem Schubkarren nach Hause fahren.»

Ein Diener zündete die Gaslampen an – ich hatte nicht rausfinden können, wo sich der Gastank befand.

Die Dienerin deckte den Tisch. Die beiden Roberts wurden in den hinteren Raum gebeten, und wir begannen schweigend mit dem Abendessen.

Ein anderer Diener ging in den Vorraum, schloß die Tür. Die mit Milchglasschirmen bedeckten Lampen im Eßzimmer leuchteten hell. Niemand sprach. Nur die Augen wanderten vom Teller zur Schüssel, von der Schüssel zur Schale. Löffel, Gabeln und Messer klirrten auf den Tellern.

Nyai hob den Kopf. Plötzlich war zu vernehmen, wie die Fronttür geöffnet wurde; dabei hatte niemand angeklopft, und es war auch niemand gemeldet worden. Ich schaute hoch und blickte zu *Nyai*. Ihre Augen waren erwartungsvoll auf das Gästezimmer gerichtet. Robert Mellema schielte in die gleiche Richtung. Seine Augen glänzten vor Freude, und auf seinen Lippen strahlte ein zufriedenes Lächeln. Ich hätte mich auch gerne umgedreht in die Richtung, auf die ihre Blicke geheftet waren. Aber ich unterdrückte meinen Wunsch; das ziemte sich nicht für einen Gentleman. So schaute ich verstohlen zu Annelies. Ihre Augen waren trotz des gebeugten Kopfes nach oben gerichtet. Es war eindeutig, daß sie die Ohren spitzte.

Ich hörte auf zu löffeln und lauschte ebenfalls. Man konnte schlurfende Schritte vernehmen. Immer deutlicher. Immer näher. *Nyai* hörte auf zu essen. Robert Suurhof führte seinen Löffel nicht zum Mund; er legte Löffel und Gabel auf seinen Teller. Ich hörte, wie die Schritte immer näher kamen, das Tick-Tack der Pendüle übertönend.

Robert Mellema aß weiter, als wäre nichts geschehen.

Schließlich wandte sich Annelies neben mir doch nach hinten. Sie schluchzte erschrocken auf, und der Löffel fiel ihr aus der Hand. Ich wollte ihn aufheben, doch die Dienerin, die herbeigesprungen war, kam mir zuvor. Dann machte sie sich schnell davon, flüchtete sich wer weiß wohin. Annelies stand auf, wandte sich dem heranschlurfenden Ankömmling zu.

Ich legte mein Besteck auf den Teller, folgte Annelies' Beispiel und stellte mich mit dem Rücken zum Eßtisch.

Nyai stand ebenfalls auf.

Der Schatten des Ankommenden, durch die Lampen des Vorzimmers projiziert, wurde länger und länger, die schlurfenden Schritte immer deutlicher hörbar. Dann tauchte ein Europäer auf, groß, breit, dick. Seine Kleider waren unordentlich, sein Haar, entweder aschblond oder bereits ergraut, war zerzaust.

Er blickte in unsere Richtung, blieb einen Augenblick lang stehen.

«Dein Vater?» flüsterte ich Annelies zu.

«Ja», hauchte sie kaum vernehmbar.

Ohne seinen Blick abzuwenden, schlurfte *Tuan* Mellema direkt auf mich zu. Er blieb vor mir stehen. Seine Augenbrauen waren dicht, nicht ganz so hell wie sein Haar, und sein Gesicht war unbeweglich wie Stein. Meine Augen fielen vorübergehend auf seine Schuhe. Dann erinnerte ich mich an die Mahnungen meiner Lehrer: Wenn jemand zu dir spricht, dann schau ihm in die Augen. Schnell hob ich meinen Blick wieder und grüßte in höflichem Ton auf holländisch:

«Guten Abend, *Tuan* Mellema.»

Er knurrte wie ein Hund. Seine ungebügelten Kleider hingen ihm lose am Körper, sein dünnes, ungekämmtes Haar reichte ihm bis über die Ohren.

«Wer hat dir erlaubt, hierherzukommen, du Affe?» fauchte er grob straßenmalaiisch.

Hinter mir räusperte sich Robert Mellema hörbar. Dann hörte ich Annelies aufschluchzen. Robert Suurhof scharrte mit den Füßen und grüßte ebenfalls. Doch der Riese vor mir ging nicht darauf ein.

Ich gestehe: Ich zitterte, wenn auch nur ein wenig. In einer solchen Situation konnte ich nur darauf warten, was *Nyai* sagte. Von den anderen war nichts zu erwarten. Weh mir, wenn sie schwieg. Und sie schwieg.

«Du stellst dir wohl vor, wenn du europäische Kleider trägst, mit Europäern verkehrst und ein paar Brocken Holländisch sprichst, dann seist du ein Europäer? Du bleibst ein Affe.»

«Schweig!» fuhr ihn *Nyai* mit tiefer, derber Stimme an. «Er ist mein Gast.»

Die stumpfen Augen *Tuan* Mellemas richteten sich auf seine Konkubine.

«*Nyai*!» ließ sich *Tuan* Mellema vernehmen.

«Ein Verrückter bleibt ein Verrückter, ob Europäer oder *Pribumi*», zischte *Nyai* auf holländisch. Ihre Augen sprühten Haß und Ekel. «Du hast in diesem Haus nichts zu befehlen. Du weißt, wo sich dein Zimmer befindet!» *Nyai* wies ihm die Richtung, und ihr Zeigefinger war dabei spitz wie eine Katzenkralle.

Tuan Mellema stand noch immer vor mir, unentschlossen.

«Soll ich Darsam rufen?» drohte *Nyai*.

Der große, breite, dicke Mann war verwirrt. Statt einer Antwort gab er nur ein Knurren von sich. Er drehte sich um, schlurfte auf die Tür neben dem Zimmer zu, das ich vorher benutzt hatte, und verschwand darin.

«Rob», wandte sich Robert Mellema an seinen Gast. «Komm, wir gehen raus. Hier ist es zu heiß.»

Die beiden entfernten sich, ohne sich bei *Nyai* zu entschuldigen. «Schuft!» fluchte *Nyai*.

Annelies weinte.

«Sei still, Annelies! Verzeih uns, Minke, *Nyo*! Setzt euch. Mach kein Gezeter, Ann, setz dich wieder auf deinen Stuhl.»

Wir beide setzten uns wieder. Und *Nyai* behielt noch immer grimmig die eben ins Schloß gefallene Tür im Auge.

«Du brauchst dich vor *Sinyo* nicht zu schämen», schnaubte sie, ohne sich uns zuzuwenden. «Und du, *Nyo*, selbstverständlich wirst du das nicht vergessen können. Ich selbst schäme mich nicht. Und du brauchst dich auch nicht zu fürchten oder gar zu schämen. Du kannst ihn ruhig übergehen, *Nyo*. Früher einmal war ich seine treue *Nyai*, seine unermüdliche Gefährtin. Jetzt ist er weiter nichts als ein Haufen Dreck. Seine eigenen Nachkommen können sich seiner nur schämen. Das ist dein Vater, Ann.»

Als sie genug gewettert hatte, setzte sie sich. Sie aß nicht weiter; ihr Gesicht war hart und streng. Ich schaute sie ruhig an. Was war das für eine Frau?

«Wenn ich nicht so energisch durchgreifen würde, *Nyo* – verzeih, daß ich meine Niederträchtigkeit verteidige –, was würde aus all dem hier werden? Seine Kinder, der Betrieb, alles wäre bereits verlottert. Nun, ich bereue es nicht, mich vor dir so benommen zu haben, *Nyo*!» Dann senkte sie die Stimme, als ob sie mir etwas anvertrauen wollte. «Halte mich nicht für unverschämt», fuhr sie in ihrem vortrefflichen Holländisch fort. «Es ist nur zu seinem eigenen Wohl. Ich habe ihn so behandelt, wie er es verdient. So verdient er's nämlich. Die Europäer haben mir beigebracht, so zu handeln, Minke, die Europäer selbst», sagte sie. «Ich habe in meinem Leben noch nie eine Schule besucht.»

Ich schwieg nur. Ich prägte mir jedes einzelne ihrer Worte ein: noch nie im Leben eine Schule besucht, nicht für unverschämt halten, die Europäer selber haben es mir beigebracht...

Nyai stand auf, ging langsam zum Fenster und zog an einer hinter dem Vorhang versteckten Kordel. Aus der Ferne war ein leises Klingeln zu hören, worauf die Dienerin, die vorhin ausgerissen war, zurückkam. Ich wußte nicht, was ich zu tun hatte.

«Geh du jetzt nach Hause, *Nyo*», sagte *Nyai* zu mir.

«Ja, Mama.»

Sie kam auf mich zu. Ihre Augen waren wieder mütterlich sanft. «Ann», sagte sie noch sanfter, «dein Gast geht nun am besten nach Hause. Trockne deine Tränen!»

«Es hat mir sehr gut gefallen hier», sagte ich.

«Schade, *Nyo*, wirklich sehr schade, daß diese nette Stimmung so kaputtgehen mußte», bedauerte *Nyai*.

«Verzeih uns, Minke», flüsterte Annelies unter Schluchzen.

«Schon gut, Ann.»

«Komm doch in den Ferien einfach hierher, *Nyo*. Mach dir keine Gedanken, es wird nichts passieren. Wie steht's? Einverstanden? Darsam wird dich mit einem Dogcart heimfahren.»

Sie kehrte zum Fenster zurück, zog ein zweites Mal an der Kordel und setzte sich dann wieder an ihren Platz. Ich hörte nicht auf, mich über die Großartigkeit dieser *Nyai* zu wundern: Sie hatte die Menschen ihrer Umgebung fest in der Hand, auch mich. Was für eine Schule hatte sie denn besucht, daß sie so gebildet war, so klug, und mit mehreren Leuten gleichzeitig auf unterschiedliche Art umzugehen wußte? Und wenn sie je eine Schule besucht hatte, wie konnte sie es als *Nyai* aushalten? Ich vermochte das Rätsel nicht zu lösen.

Ein Maduraner trat ein. Er war nicht mehr ganz jung, so um die Vierzig, ungefähr einen Meter sechzig groß, trug schwarze Hosen und ein schwarzes Hemd, selbst seine Kopfbinde war schwarz. In seinem Gürtel steckte ein kurzes Hackmesser. Sein Schnauzbart zwirbelte sich nach oben, war pechschwarz und dicht.

Nyai befahl ihm etwas auf maduranisch, was ich nicht ganz verstand. Ungefähr, er solle mich mit einem Dogcart unversehrt nach Hause bringen.

«*Tuanmuda* ist mein Gast, *Nonis* Gast», sagte sie dann auf javanisch. «Fahr ihn nach Hause. Gib acht, daß nichts passiert unterwegs. Sei vorsichtig!» Anscheinend war das nur die Übersetzung dessen, was sie davor auf maduranisch gesagt hatte.

Darsam empfahl sich, indem er die Hände hob, und verschwand, ohne ein Wort zu sagen.

«*Sinyo*, Minke», sagte *Nyai*, «Annelies hat keine Freunde. Sie wird sich freuen, wenn du wiederkommst, *Sinyo*. Du hast bestimmt nicht viel Zeit, ich weiß. Versuch trotzdem, häufiger herzukommen. Mach dir keine Gedanken wegen *Tuan* Mellema. Das ist meine Angelegenheit. Wenn du magst, *Sinyo*, kannst du gerne hier wohnen. Wir würden uns darüber freuen. Du kannst mit einem *Bendi* hin- und zurückfahren. Wenn du magst, *Sinyo*.»

In diesem Haus, in dieser Familie! Wo alles so ungewöhnlich und ungeheuer war! Kein Wunder, daß es den Leuten merkwürdig vorkam. Ich antwortete: «Ich werd's mir überlegen, Mama. Vielen Dank für die großzügige Einladung.»

«Nicht daß du ablehnst, Minke», schmollte Annelies.

«Ja. *Nyo*, überleg's dir erst. Wenn du nichts dagegen hast, wird sich Annelies nachher um alles kümmern. Nicht wahr, Annelies?»

Annelies nickte.

Man hörte einen Wagen am Haus vorbeifahren. Wir gingen ins Gästezimmer, wo Robert Suurhof und Robert Mellema schweigend dasaßen und in die Dunkelheit hinausstarrten. Der Wagen hielt vor der Treppe. Suurhof und ich stiegen die Treppe hinunter und setzten uns in den Wagen.

«Gute Nacht und vielen Dank, Mama, Ann, Rob!» sagte ich.

Der Wagen setzte sich in Bewegung.

«Moment!» befahl Mama. Der Wagen hielt an. «*Sinyo*, Minke! Steig noch mal ab!»

Sie hatte mich bereits wie einen Sklaven in ihrer Gewalt. Ohne mir dabei etwas zu denken, stieg ich ab und ging auf die Treppe zu. *Nyai* stieg eine Stufe herunter – ebenso Annelies – und flüsterte mir leise ins Ohr:

«Annelies erzählte mir – sei mir nicht böse, *Nyo* – stimmt es, daß du sie geküßt hast?»

Selbst ein Blitz hätte mich nicht so erschreckt. Mein ganzer Körper geriet außer Fassung, bis in die Zehenspitzen, und selbst die Beine wurden mir weich.

«Stimmt es?» drängte sie.

Da ich keine Antwort hervorbringen konnte, schob sie Annelies zu mir hin. Dann sagte sie: «So stimmt es also. Minke, küß Annelies jetzt in meiner Gegenwart! Damit ich mich überzeugen kann, daß sie nicht gelogen hat.»

Ich bebte. Doch der Befehl ließ sich nicht umgehen. Und ich küßte Annelies auf die Wange.

«Ich bin stolz, *Nyo*, daß du es bist, der meine Tochter geküßt hat. Geh jetzt nach Hause!»

Auf dem Heimweg konnte ich kein Wort hervorbringen. Ich hatte das Gefühl, daß *Nyai* mein Bewußtsein verhext hatte. Annelies war zwar wunderschön, doch ihre Mutter war es, die sich darauf verstand, mir geschickt ihren Willen aufzuerlegen.

Robert Suurhofs Anwesenheit störte.

Unser Wagen holperte über die Pflastersteine. Die am Wagen angebrachte Karbidlampe spaltete die Dunkelheit erbarmungslos. Die Straße war wie ausgestorben; anscheinend waren die Leute bereits nach Surabaya geströmt, um die Krönung des Mädchens Wilhelmina zu feiern.

Darsam fuhr mich bis zu meiner Pension in *Kranggan*. Er wollte unbedingt mit eigenen Augen sehen, daß ich ins Haus trat. Dann brachte er Suurhof heim.

«Ei, ei, *Tuanmuda* Minke!» empfing mich die geschwätzige Mevrouw Telinga. «Sie essen also schon wieder nicht zu Hause?

Ich habe vorhin bereits die Post in Ihr Zimmer gelegt. Wie ich gesehen habe, haben Sie die früheren Briefe immer noch nicht gelesen, nicht mal geöffnet. Bedenken Sie, *Tuanmuda*, diese Briefe sind geschrieben, frankiert und aufgegeben worden, um gelesen zu werden. Wer weiß, vielleicht ist es etwas Wichtiges? Sie scheinen alle aus B. zu kommen. Übrigens, *Tuanmuda*, das Einkaufsgeld ist alle.»

Ich gab der redseligen, gutherzigen Frau einen *Talen*. Ganz ihrer unverbindlichen Höflichkeit getreu, bedankte sie sich wiederholt. Im Zimmer stand heiße Milchschokolade bereit, die ich sofort austrank. Ich zog Schuhe und Kleider aus und warf mich aufs Bett, um mir das Geschehene in Erinnerung zu rufen. Da fiel mein Blick auf das Porträt des Traummädchens, das über dem Tisch gleich neben der Wandlampe hing. Ich stand auf, schaute es nochmals ganz genau an und drehte es schließlich um. Dann legte ich mich wieder hin.

Ich schob die Zeitungen von Surabaya und Batavia, die wie üblich auf meinem Kopfkissen lagen, weg. Ich hatte mir angewöhnt, vor dem Einschlafen Zeitung zu lesen. Keine Ahnung, warum ich da so gerne nach Artikeln über Japan suchte. Ich freute mich zum Beispiel über die Nachricht, daß junge Burschen nach England und Amerika geschickt wurden, um dort zu lernen. Ich war eigentlich so etwas wie ein Japan-Beobachter. Aber jetzt gab es Interessanteres – jene steinreiche, außergewöhnliche Familie: die *Nyai*, die sich geschickt die Herzen anderer eroberte, als wäre sie eine Zauberin; Annelies Mellema, hübsch und kindlich, doch gewandt und erfahren im Umgang mit Arbeitern; Robert Mellema mit seinen scharfen Blicken, der sich um nichts anderes kümmerte als Fußball und selbst seine Mutter überging; *Tuan* Herman Mellema, groß wie ein Elefant, ein Brummbär, doch seiner eigenen Konkubine gegenüber ohnmächtig. Sie waren wie Figuren eines Schauspiels. Was für eine Familie war das? Und ich? Ich selbst war *Nyai* gegenüber ohnmächtig. Sogar im Bett ausgestreckt war mir, als hörte ich ihre Stimme: Annelies hat keine Freunde! Sie freut sich, wenn du zu uns kommst, *Sinyo*. Du hast bestimmt nicht viel Zeit. Versuch trotzdem, öfter herzukommen… Wir würden uns sehr darüber freuen, wenn du hier wohntest…

Ich hatte den Eindruck, eben erst eingeschlafen zu sein. Draußen war Lärm zu vernehmen. Ich zündete die Öllampe in meinem Zimmer an. Es war fünf Uhr morgens.

«Ein Paket. Für *Tuanmuda* Minke», hörte ich eine männliche Stimme sagen. «Milch, Käse und Butter. Es ist auch ein Brief von *Nyai* Ontosoroh persönlich dabei…»

3

Das Leben nahm seinen gewöhnlichen Lauf. Aber ich hatte mich irgendwie verändert. Die *Boerderij* Buitenzorg in *Wonokromo* schien unaufhörlich zu rufen. War ich verhext worden? Ich kannte viele Mädchen, Europäerinnen und *Indos*. Warum nur dachte ich ständig an Annelies? Und warum tönte mir *Nyais* Stimme überallhin nach? Minke, *Sinyo* Minke, wann kommst du? Meine Gedanken waren verworren.

Wie eh und je brachte ich morgens May Marais in die Schule. Hand in Hand gingen wir zusammen bis zur *E. L. S. Simpang*, dann setzte ich meinen Weg alleine fort.

Ich sah jeden Kutscher, der mir entgegenkam, genau an, ob es nicht zufälligerweise Darsam sei. Und wenn sich mir ein Wagen von hinten näherte, drehte ich mich um. Als ob mich all diese Wagen etwas angingen.

Selbst im Klassenzimmer tauchte Annelies andauernd vor mir auf. Dann wieder *Nyais* Stimme: Wann kommst du? Sie hat sich für dich herausgeputzt.

Robert Suurhof belästigte mich nie mit der Angelegenheit *Wonokromo*. Er ging mir fortan aus dem Weg. Er weigerte sich, sein Versprechen einzulösen, mich zu achten, wenn ich Erfolg hätte. Ich hatte das Gefühl, in einer Nebelschwade zu leben. Alles war verschwommen, chaotisch. Meine Schulkameraden, Europäer wie *Indos*, Jungen und Mädchen, schienen sich alle verändert zu haben. Dasselbe stellten sie bei mir fest, ja, ich hatte meinen Frohsinn und meine Geselligkeit eingebüßt.

Nach der Schule ging ich unverzüglich zu Jean Marais in die Werkstatt. Die Handwerker hatten eben ihre Mittagspause beendet. Jean war wie üblich in seine Arbeit vertieft, skizzierte Bilder und Pläne. An jenem Tag war ich nicht wie sonst vorher nach Hause gegangen. Ich ging auch nicht zum Hafen. Auch nicht in die Redaktion des *Auktionsblattes*, um dort Annoncen-Texte zu schreiben. Hatte auch keine Lust, für die *Allgemeine Zeitung* zu schreiben. Verlangte auch nicht danach, zu Bekannten zu gehen, um ihnen Möbel anzubieten oder nach einem Auftrag für ein Gemälde zu suchen.

Nein, ich verspürte nicht die geringste Lust, irgend etwas zu tun, außer mich aufs Bett zu legen und an Annelies zu denken.

Zu Hause fragte mich Mevrouw Telinga unermüdlich über meinen Besuch in der *Boerderij* Buitenzorg aus, um mich dann wiederholt zu hänseln: «*Tuanmuda, Tuanmuda!* Klar, sie haben's auf die Tochter abgesehen, aber nehmen Sie sich ja vor der Mutter in acht, die ist ganz schön giftig. Man weiß zwar allgemein, wie hinreißend ihre Tochter ist, aber es traut sich niemand dorthin. Sie sind wirklich ein Glückspilz, *Tuanmuda*. Aber passen Sie auf, daß Sie nicht im Netz der *Nyai* hängenbleiben.»

Nicht allein Mevrouw Telinga oder ich, die ganze Welt schien über die Moral der *Nyais* und deren Angehörigen Bescheid zu wissen: Sie waren niedrig, schmutzig, unkultiviert, interessierten sich nur für Sex. Sie waren nichts anderes als Hurenfamilien, Menschen ohne Charakter, die im Verderben enden mußten. Und *Nyai* Ontosoroh, traf dieses weitverbreitete Vorurteil auf sie zu? Und gerade das war es, was mich so durcheinanderbrachte. Auf sie traf es nicht zu! Möglicherweise war ich einer von denen, die absichtlich die Augen schlossen. Jedermann, welchen Standes, welcher Rasse auch immer, verurteilte die Familien der *Nyais*: *Pribumis*, Europäer, Chinesen, Araber. Da wollte ich als einziger eine Ausnahme machen? Ihr Befehl, Annelies zu küssen, war das nicht ein Zeichen niedriger Moral? Vielleicht. Doch Mevrouw Telinga traf mein Herz an der verwundbarsten Stelle. Logisch, denn ich hing ja unsinnigen Träumen nach. Während der vergangenen paar Tage hatte ich versucht, mir einzureden: Was zwischen mir und Anne-lies geschehen war, war ein ganz gewöhnliches Ereignis im Leben junger Menschen, hätte in jeder Familie geschehen können: in Kö-nigs-, Kaufmanns-, Priester-, Bauern-, Arbeiterfamilien, ja selbst unter den Göttern. Indes richtete sich ein Zeigefinger warnend auf mich: Du willst nur deine Träumereien verteidigen.

So kam es, daß ich mich in meiner Not eines Nachmittags an Jean Marais wandte. Eine richtige Diskussion mit ihm zu führen, war zwar nicht möglich, obwohl sein Malaiisch täglich besser wurde. Er konnte kein Holländisch, das war der Haken. Seine Malaiischkenntnisse waren bescheiden, mein Französisch recht armselig. Er weigerte sich strikt, Holländisch zu lernen, obwohl er länger als vier Jahre *Kompeni*-Soldat in *Aceh* gewesen war. Sein Holländisch beschränkte sich auf militärische Befehle.

Trotz des beachtlichen Altersunterschiedes verstanden wir uns sehr gut; er war mein Freund, mein Geschäftskollege. Es lag auf der Hand, ihn zu fragen.

Die Tischler arbeiteten an Schlafzimmermöbeln für einen ge-wissen Ah Tjong. Vielleicht waren sie für den Besitzer des Freu-denhauses, *Nyai* Ontosorohs Nachbar. Weil er europäische Möbel wollte, ließ der Chinese sie nicht bei seinen Landsleuten anferti-gen. Jemand anders hatte mir die Bestellung vermittelt.

Jean skizzierte.

«Darf ich dich stören, Jean?» fragte ich und setzte mich auf den Stuhl neben seinem Zeichentisch. Er hob den Kopf und schaute mich an.

«Weißt du, was Hexerei bedeutet?»

Er schüttelte den Kopf.

«Zauberei?» fragte ich.

«Ja – soweit ich davon gehört habe. Die Zigeuner sollen Zaube-rei betreiben, erzählt man. Wenn ich das nicht falsch verstanden habe.»

Ich erzählte ihm von meinem verhexten Zustand. Auch von der öffentlichen Meinung über die *Nyai*-Familien im allgemeinen und über die Familie der *Nyai* Ontosoroh im besonderen.

Er legte seinen Bleistift auf das Zeichenpapier, schaute mich an, versuchte jedes meiner Worte zu erfassen und zu verstehen. Ruhig, sich mehrerer Sprachen gleichzeitig bedienend, sagte er schließlich:

«Du bist in einer problematischen Lage, Minke, du hast dich verliebt.»

«Nein, Jean, ich war noch nie verliebt. Das Mädchen ist zwar sehr reizend, sehr attraktiv, aber verliebt habe ich mich nicht.»

«Ich verstehe. Auf jeden Fall hast du Probleme, um nicht zu sagen, du seist verliebt. Hör zu, Minke, dein junges Blut möchte sie für dich haben, aber du hast Angst vor der öffentlichen Meinung.» Er schmunzelte. «Die öffentliche Meinung soll und muß man respektieren und achten, wenn sie richtig ist. Wenn sie falsch ist, wozu soll man sie dann respektieren und achten? Du bist gebildet, Minke. Ein gebildeter Mensch muß sich bemühen, gerecht zu denken, gerecht zu handeln. Das ist im Grunde auch mit ‹gebildet› gemeint. Geh noch zwei-, dreimal hin, dann wirst du besser abwägen können, ob die öffentliche Meinung zutrifft oder nicht.»

«Du rätst mir also, wieder hinzugehen?»

«Ich rate dir, nachzuprüfen, ob die öffentliche Meinung recht hat oder nicht. Sich einer öffentlichen Meinung anzuschließen, wenn sie verkehrt ist, ist genauso verkehrt. Sonst könnte es leicht geschehen, daß du dich dem Urteil über eine Familie anschließt, die eventuell besser ist als ihre Richter.»

«Jean, du bist wirklich mein Freund. Ich dachte schon, du würdest den Stab über mich brechen.»

«Das tue ich nie, ohne zu wissen, wie die Dinge liegen.»

«Jean, ich wurde gebeten, dort zu wohnen.»

«Dann tu's eben. Nur vernachlässige die Schule nicht. Du brauchst vorläufig keine neuen Aufträge zu suchen. Ich habe noch fünf Porträts in Arbeit. Und», er klopfte auf eine Skizze, «ich möchte etwas malen, was mir schon lange vorschwebt.»

Ich nahm die vor ihm liegende Skizze in die Hand und vergaß darüber meine eigenen Probleme. Die Zeichnung stellte einen *Kompeni*-Soldaten dar, erkenntlich an seinem Bambushut und an seinem Schwert, der einer *acehanischen* Widerstandskämpferin mit dem Fuß in den Bauch trat. Er drückte ihr sein Bajonett auf die Brust. Der Busen der jungen Frau schaute unter ihrer schwarzen Bluse hervor; ihre Augen waren weit aufgerissen; ihr Haar fiel offen auf einen Teppich welker Bambusblätter. Sie versuchte, sich mit dem linken Arm aufzustemmen, während sie in der rechten Hand ohnmächtig ein Hackmesser hielt. Über den beiden neigten sich die Bambusstauden im Wind. Sie waren die beiden einzigen Lebewesen, umgeben von einsamer Natur: der angehende Mörder und sein zukünftiges Opfer.

«Wie grausam, Jean.»

«Ja», er räusperte sich, zog an seiner Zigarette.

«Du sprichst oft von Schönheit, Jean. Was ist an der Grausamkeit schön?»

«Das läßt sich nicht so einfach erklären, Minke. Dieses Bild ist sehr persönlich, nicht für die Öffentlichkeit. Die Schönheit liegt in der Erinnerung.»

«Du bist also dieser Soldat? Du selbst?»

«Ich selbst, Minke», er hob den Kopf.

«Hast du eine solche Gemeinheit vollbracht?» Er schüttelte den Kopf. «Du hast diese junge Frau umgebracht?» Er schüttelte wieder den Kopf. «Dann hast du sie freigelassen?» Er nickte. «Sie war dir sicher dankbar dafür.»

«Nein, Minke, sie wollte, daß ich sie töte – sie stammte von der Küste. Sie schämte sich, von einem Heiden berührt worden zu sein.»

«Du hast sie aber nicht umgebracht.»

«Nein, Minke, nein.» Die Antwort war weniger an mich gerichtet als an seine eigene, ferne, unwiderrufliche Vergangenheit.

«Wo ist diese Frau jetzt?» drängte ich.

«Tot, Minke», antwortete er wehmütig.

«Du hast sie also doch umgebracht.»

«Nein, nicht ich. Ihr jüngerer Bruder ist in die Kaserne eingedrungen und hat sie mit einem vergifteten Bambusdolch erstochen. Sie starb auf der Stelle. Der Mörder büßte seine Tat mit dem Leben. Noch im Sterben verfluchte er sie: Verrecke, du Heidin, du Heidenfreundin, schrie er.»

«Warum hat ihr Bruder sie umgebracht?» Ich hatte meine eigenen Schwierigkeiten völlig vergessen.

«Ihr Bruder kämpfte für sein Land, für seinen Glauben. Sie selbst hatte sich ergeben. Sie starb ohne Zeugen, Minke. Ihr Kind befand sich zufällig in der Obhut von Nachbarn, und ihr Mann hatte gerade Dienst.»

«Sie lebte also in der *Kompeni*-Kaserne? Als Gefangene? Und bekam ein Kind?»

«Anfangs war sie eine Gefangene. Nachher nicht mehr», antwortete er schnell.

«Und das Kind, das zufällig bei Nachbarn war?»

«Das hat sie mir geschenkt, es ist mein eigenes, Minke.»

«Jean!»

«Ja, Minke. Erzähl May bitte nichts davon.»

Von plötzlicher Rührung gepackt, lief ich zu May, die friedlich auf einer Pritsche schlief. Ich hob sie auf und küßte sie. Sie erschrak, sah mich erstaunt an. Sie sagte kein Wort.

«May! May!» rief ich ergriffen. Ich nahm sie auf den Arm und trug sie zu Jean Marais. «Hast du mich wirklich nicht angelogen, Jean?»

Der Franzose schaute weit in die Ferne, das Kinn auf die Hände gestützt. Er mochte seine Geschichte nicht wiederholen. Er mochte nicht antworten.

Wie erschütternd war doch das Schicksal dieses kleinen Mädchens und das ihrer Mutter, dasjenige meines Freundes Jean Marais erst recht – in einem fremden Land, ohne Zukunft, dazu noch Invalide. Er hatte mir oft erzählt, daß er seine Frau innig liebte. Und dieses Mädchen besaß keine Geschwister, keine Mutter, nur einen einbeinigen Vater.

«Ist das der Grund, warum du mir rätst, nach *Wonokromo* zu gehen?» fragte ich.

«Die Liebe ist schön, Minke, das Schönste, was dem Menschen in seinem kurzen Leben geschenkt werden kann», sagte er düster. Er nahm mir May ab und setzte sie auf seinen Schoß.

Das Mädchen küßte ihren Vater auf seine unrasierte Wange.

«Du hast aber lange geschlafen», sagte Jean auf französisch zu seiner Tochter.

«Gehen wir spazieren, Papa?» fragte May ebenfalls auf französisch.

«Ja, aber geh dich erst waschen.»

May hüpfte fröhlich zu ihrem Kindermädchen.

Ich schaute dem Kind, das seine Mutter nie gekannt hatte, nach.

«Die Liebe ist schön, Minke, auch das Verderben, das ihr unter Umständen folgt. Der Mensch muß wagen, die Folgen auf sich zu nehmen.»

«Was mich betrifft, Jean, bin ich mir gar nicht sicher, ob ich jenes Mädchen in *Wonokromo* liebe. Wie hast du gemerkt, daß du Mays Mutter liebtest?»

«Mag sein, daß du sie nicht liebst oder noch nicht. Das kann ich nicht beurteilen. Außerdem entsteht Liebe nicht urplötzlich, denn sie ist ein Kind der Kultur und fällt nicht wie ein Stein vom Himmel. Aber wie gesagt, das kann ich auf keinen Fall entscheiden; das können nur die Betroffenen. Du mußt dich selbst prüfen. Kann sein, daß dich das Mädchen gern hat. Seine Mutter jedenfalls scheint dich zu mögen, soweit das aus deinen Worten hervorgeht. Und das bereits bei der ersten Begegnung. Ich glaube nicht an Zauberei. Vielleicht gibt es so etwas tatsächlich, aber das berührt mich nicht, denn sie hat ihre Gültigkeit nur auf einer einfachen Kulturstufe. Du hast erzählt, daß *Nyai* alle Kontorarbeiten erledigt. So jemand gibt sich nicht für Zauberei her. Sie wird eher auf ihre persönliche Kraft vertrauen. Nur charakterlose Menschen versuchen es mit Zauberei und Schamanenkunst. Diese *Nyai* weiß, was sie braucht. Wahrscheinlich ist sie sich der Einsamkeit ihrer Tochter bewußt.»

«Erzähl mir von Mays Mutter», wich ich aus. «Das ist ja unglaublich: Erst wolltest du sie umbringen, dann hast du dich in sie verliebt. Wie kam das denn, Jean?»

«Ein andermal. Mir ist jetzt nicht nach Erzählen zumute. Schau dir lieber die Skizze an. Was meinst du dazu?»

«Ich verstehe nichts davon, Jean.»

«Du bist gebildet. Du solltest eigentlich lernen zu verstehen.»

«Mir ist nicht nach Verstehenlernen zumute, Jean.»

«Schon gut. Aber du gehst mit May spazieren, nicht?»

«Sie möchte so gerne mit dir spazieren gehen.»

«Das geht noch nicht, Minke. Sie würde nur darunter leiden. Die Leute auf der Straße würden sich nach uns umdrehen, und May würde sie sagen hören: Schau, ein einbeiniger Holländer mit seinem Kind. Nein, Minke. So jung soll man ein Kind nicht unnötig belasten, auch nicht mit dem Gebrechen des eigenen Vaters. Es ist besser, wenn sie mich weiterhin lieben kann und zu mir als ihrem sie umsorgenden Vater aufschaut, ohne von Worten und Blicken der Leute beeinflußt zu werden.»

Noch nie hatte er so viel und so schwermütig gesprochen. Was ging in ihm vor? Sehnte er sich nach seiner unwiderruflich entschwundenen Vergangenheit zurück? Oder nach seiner Heimat, wo er geboren wurde, aufwuchs, wo er zum erstenmal die Sonne erblickte? Und jetzt traute er sich nicht zurück, weil er invalid war und ein fremdes Kind hatte? Oder träumte er von einem Werk, wofür ihm sein Land einen Lorbeerkranz winden würde?

«Du hast Mitleid nie gutgeheißen, Jean», warf ich ein.

«Stimmt, Minke. Ich habe dir mal gesagt, Mitleid sei ein Merkmal derer, die zwar guten Willens seien, aber unfähig, etwas zu unternehmen. Mitleid ist ein überflüssiger Luxus oder eine Schwäche. Nur der ist lobenswert, der seinen guten Willen in die Tat umsetzt. Ich bin unfähig, Minke. Je länger ich darüber nachdenke, um so deutlicher wird mir, daß dieses Wort nur hier in Ostindien reizvoll tönt, nicht so in Europa.»

Seine Stimme klang noch schwermütiger.

«Das hört sich nicht nach Jean Marais an», hielt ich ihm vor. «Du bist nicht mehr du selbst, Jean.»

«Danke für deine Aufmerksamkeit, Minke. Ich sehe, du wirst immer klüger.»

«Du sollst dich nicht solcher Schwermut hingeben. Du hast doch einen Freund – mich.»

May kam. Als sie erfuhr, daß ihr Vater es vorzog, zu Hause zu bleiben, veränderte sich ihr Gesichtsausdruck umgehend.

«May, *Oom* Minke kommt mit dir. Ich muß noch arbeiten. Mach kein solches Gesicht, Schätzchen.»

Ich nahm die Kleine, halb Französin, halb *Acehanerin*, an der Hand.

«Papa will nie mit mir spazierengehen», beklagte sie sich auf holländisch. «Er glaubt mir nicht, daß ich stark genug bin, ihn zu führen. Dabei kann ich ihn richtig stützen, damit er nicht umfällt, *Oom*.»

«Klar bist du stark genug, May. Dein Papa hat eben heute noch viel Arbeit. Ein andermal kommt er bestimmt mit.»

Ich führte sie zum *Koblen*-Park, und sie vergaß ihre Enttäuschung. Wir setzten uns ins Gras und schauten zu, wie die Leute um die Wette Drachen steigen ließen. Sie plapperte fröhlich drauflos, bald auf javanisch, bald auf holländisch oder französisch. Ich achtete kaum darauf, was sie sagte. Mir schwirrte alles mögliche gleichzeitig durch den Kopf: die Familie Mellema, die Familie Marais, meine Schulkameraden, die sich mir gegenüber völlig verändert hatten, meine eigene Wandlung. Einige Drachen, deren Schnur gerissen war, flatterten ziellos am Himmel herum.

May zog mich am Ärmel und zeigte auf die Wolken, die sich am Horizont zusammenballten.

«Liebst du deinen Vater, May?»

Sie sah mich verwundert an; in ihrem Gesicht begegnete mir Jean Marais, aber ich konnte keine Ähnlichkeit mit jener unter den Bambusstauden liegenden, vom Bajonett bedrohten jungen Frau feststellen. So hatte vielleicht Jean Marais als kleiner Junge ausgesehen. Und seine kleine Tochter wußte vorläufig noch nicht Bescheid über ihren Vater.

Jean hatte, wie er mir selbst erzählte, an der Sorbonne studiert. An welcher Fakultät und bis zum wievielten Semester, hatte er nicht erwähnt. Seiner inneren Stimme folgend, verließ er die Universität und wollte sich ganz der Malerei widmen. Er gestand, es auf keinen grünen Zweig gebracht zu haben. Er wohnte im Quartier Latin in Paris und verhökerte seine Bilder am Straßenrand. Er wurde sie zwar los, konnte aber nie das Aufsehen der breiten Bevölkerung oder der Pariser Kritik erregen. Während er seine Bilder feilbot, schnitzte er, ebenfalls am Straßenrand. Fünf Jahre verflossen, ohne daß er Fortschritte machte. Er hatte seine Umgebung satt: die Zuschauer, die sich um ihn drängten, wenn er afrikanische Statuen oder sonst etwas schnitzte, Paris, seine Landsleute, Europa. Er sehnte sich nach etwas Neuem, das die Öde dieses Lebens hätte ausfüllen können. So kehrte er Europa den Rücken und begab sich nach Marokko, Libyen, Algerien und Ägypten. Auch da fand er das gesuchte Unbekannte nicht; er fühlte sich unzufrieden, von Unruhe geplagt. Er verließ Afrika, gelangte schließlich nach Ostindien, wo ihm das Geld ausging. Die einzige Möglichkeit, sich über Wasser zu halten, war, sich als *Kom-*

peni-Söldner zu verdingen. Nach einer kurzfristigen Ausbildung rückte er ins Feld gegen *Aceh*. In seiner Kompanie lebte er zurückgezogen und hatte so gut wie keinen Kontakt zu andern, außer über die holländischen Befehle. Bis zuletzt sträubte er sich dagegen, diese Sprache richtig zu lernen.

Davon wußte May Marais allerdings nichts, noch nicht.

Ich streichelte ihr übers Haar. Wie viele Monate hat dich deine Mutter an ihrer Brust genährt, du goldiges Kind? Du hast ihre Augen nie gesehen, die Augen jener an der Küste geborenen *Aceh-anerin*. Du wirst ihr deine Ehre nie zeigen können. So jung schon, May, hast du etwas verloren, was dir nichts und niemand ersetzen kann!

«Schau, *Oom*!» rief sie auf holländisch aus. «Der Drachen dort über den Wolken sieht aus wie ein Krebs!»

«Daß ein Krebs am Himmel fliegt, ist wirklich kauzig. Die Wolken werden immer dichter. Komm, May, wir gehen nach Hause.»

Jean Marais saß noch immer über seinen Skizzen. Als wir eintraten, blickte er auf. May lief sofort zu ihm hin und erzählte vom Krebs-Drachen über den Wolken. Jean nickte aufmerksam. Ich ging durch die Werkstatt und betrachtete die Bilder, die ich morgen oder übermorgen den Auftraggebern abzuliefern hatte.

Jean würde es nie schaffen, diese Nörgler zufriedenzustellen. Stets sollte das Bild abgeändert werden, damit es besser mit ihren eigenen Vorstellungen übereinstimme. Meine Arbeit war es – richtige Schwerarbeit –, sie zu überzeugen. Das Bild ist von einem großen, französischen Künstler gemalt, was so ziemlich seine Unvergänglichkeit garantierte, auf jeden Fall war es unvergänglicher als der Auftraggeber selbst. Änderte man es ab, büßte es seine Unvergänglichkeit ein, und das Bild wäre dann ein gewöhnliches chemisches Porträt. Am hartnäckigsten krittelten immer die Frauen. Zum Glück hatte mir Jean einige Anweisungen gegeben: Die Frauen klammerten sich an die Gegenwart und fürchteten sich vor dem Alter. Sie wurden beherrscht von Illusionen über die ach so zerbrechliche Jugend und gedachten, sich auf ewig dieser Traumjugend zu verschreiben. Alter war eine Qualvorstellung für sie. Man mußte ihre Geschwätzigkeit ebenfalls mit Geschwätzigkeit parieren: Dieses Bild ist das trefflichste Erbe für Mevrouws Kinder, es ist nicht für Mevrouw allein gedacht. (Zum Glück war ich nie einer kinderlosen Auftraggeberin begegnet.) Und meistens wirkten meine Tiraden überzeugend. Wenn nicht, dann mußte ich mit Drohungen nachhelfen: Gut, wenn Mevrouw das Bild nicht mögen, dann werde ich es selbst erstehen, ich werde es bei mir zu Hause aufhängen. Das erweckte ihre Neugier, sofort fragten sie: Wozu? Und ich antwortete: Wenn das Bild schon mal in meinem Besitz ist, kann ich damit uneingeschränkt machen, was ich will. Was zum Beispiel? Nun ja, einen Schnauzbart aufmalen... (das habe ich allerdings nie verlauten lassen). Kurz und gut, bis dahin hatte ich noch nie den kürzeren gezogen, was Redseligkeit betraf, erst recht nicht, seit ich wußte, daß Frauen darin oft einen Beweis für Tüchtigkeit sahen.

«Es ist bereits spät, Jean, ich gehe nach Hause.»

«Vielen Dank für deine Freundlichkeit, Minke.» Er winkte mich zu sich. «Wie steht's mit der Schule? Unseretwegen hast du nie Zeit, zu Hause zu lernen. Ich befürchte...»

«Alles in bester Ordnung, Jean. Ich komme immer heil durch die Prüfungen.»

Ich stieg über die Hecke neben dem Haus und gelangte in den Hof meiner Pension. Darsam wartete bereits seit geraumer Zeit mit einem Brief auf mich.

«*Tuanmuda*», grüßte er und fuhr auf javanisch fort, «*Nyai* hat mir aufgetragen, auf die Antwort zu warten. Ich warte hier, *Tuanmuda*.»

Der Brief teilte mit: Die Familie in *Wonokromo* wartete auf meinen Besuch, Annelies träumte viel vor sich hin, wollte kaum essen, erledigte ihre Arbeit nur halb oder gar verkehrt. «*Sinyo* Minke, wie dankbar wäre Dir diese vielbeschäftigte Mutter, wenn Du ihren Schwierigkeiten Beachtung schenktest. Annelies ist meine einzige Stütze. Ich kann so viel Arbeit nicht alleine bewältigen. Ich mache mir große Sorgen um Annelies' Gesundheit. Dein Besuch bedeutet uns alles. Komm doch, *Sinyo*, wenn auch nur für kurz, ein, zwei Stunden wenigstens. Am liebsten wäre es uns natürlich, Du wohntest hier. Für Deine Aufmerksamkeit und Bereitschaft sind wir Dir in Dankbarkeit verbunden.»

Der Brief war fehlerlos in gepflegtestem Holländisch geschrieben. Selbst wer die Grundschule besucht hatte, konnte nicht ohne weiteres so perfekt schreiben. Vielleicht war er von jemand anderem geschrieben worden. Aber bestimmt nicht von Robert Mellema. Was tat's? Der Brief machte mir Mut, stärkte mein Selbstgefühl: Sie waren von mir genauso überwältigt wie ich von ihnen. Wir hatten uns gegenseitig im Bann, um nicht zu sagen verhext. Eine umsichtige und verantwortungsbewußte Mutter war für jedes Kind ein Segen, und ein unvergleichlich schönes Mädchen jedem jungen Mann willkommen. Sieh einer an: Sie brauchten mich für das Wohl der Familie und des Betriebs. War ich nicht ein Prachtkerl? Nun hatte ich eine ganze Reihe Gründe zu meiner Rechtfertigung vorzulegen.

Ich würde kommen.

4

Nyai hatte in ihrem Brief nicht übertrieben. Annelies sah eingefallen aus. Sie empfing mich an der Treppe vor dem Haus. Ihre Augen strahlten und belebten ihr blasses Gesicht, als sie mir die Hand schüttelte.

Robert Mellema zeigte sich nicht. Ich fragte auch nicht nach ihm.

Nyai trat aus der Tür neben dem Gästezimmer.

«Endlich, *Nyo*. Wie lange hast du Annelies warten lassen. Kümmere dich um deinen *Abang*, Ann, ich habe zu tun, *Nyo*.»

Es gelang mir, einen schnellen Blick in den Raum neben dem Gästezimmer zu werfen. Es war das Betriebskontor. *Nyai* zog sich in ihr Reich zurück und schloß die Tür.

Ich hatte dasselbe Gefühl wie bei meinem ersten Besuch: unheimlich. Jeden Augenblick konnte etwas Außergewöhnliches geschehen. Sei auf der Hut, warnte mich eine innere Stimme. Laß dich nicht einwickeln. Wie damals schien mich diese Stimme zu fragen:

Warum bist du nur so dumm herzukommen? Jetzt willst du sogar hier wohnen. Warum gehst du nicht nach Hause zu deiner eigenen Familie, wenn du die Pension satt hast? Oder suchst dir ein anderes Zimmer? Warum folgst du den Lockrufen aus diesem gespenstischen Haus?

Annelies führte mich in das Zimmer, das ich auch damals schon benutzt hatte. Darsam hob meinen Koffer und meine Tasche vom *Bendi* und trug sie hinein.

«Ich hänge deine Kleider am besten gleich in den Schrank», sagte Annelies. «Wo hast du den Kofferschlüssel?»

Ich reichte ihr den Schlüssel, und sie machte sich an die Arbeit. Sie stellte die Bücher auf den Tisch, hängte die Kleider in den Schrank. Dann räumte sie die Tasche aus. Darsam legte die leeren Gepäckstücke auf den Schrank. Annelies rückte die Bücher zurecht, so daß sie wie Soldaten in einer Reihe standen.

«*Mas*!» Zum erstenmal gebrauchte sie das Wort – die Anrede ließ mir das Herz höher schlagen, gab mir das Gefühl, mich in einer javanischen Familie zu befinden.

«Da sind drei Briefe. Du hast sie noch gar nicht gelesen. Warum liest du sie nicht?»

Man verlangte allgemein von mir, daß ich an mich gerichtete Briefe auch lesen müßte.

«Sie kommen alle drei aus B., *Mas*.»

«Ja, ich lese sie dann schon.»

Sie überreichte mir die Briefe und sagte:

«Lies sie doch. Vielleicht ist es etwas Wichtiges.»

Sie wandte sich ab und öffnete die Verandatür. Ich legte die Briefe auf das Kissen und folgte ihr. Vor uns lag ein wunderschöner Garten, nicht sehr groß, eigentlich eher winzig, mit einem Teich und einigen fröhlich schnatternden Gänsen – wie im Bilderbuch. Eine steinerne Bank stand am Teich.

«Komm», Annelies führte mich über den gepflasterten Weg auf den Rasen.

Wir setzten uns auf die Steinbank. Annelies hielt meine Hand noch immer fest.

«Magst du's lieber, wenn ich Javanisch spreche, *Mas*?»

Nein, ich hatte nicht im Sinn, sie mit einer Sprache zu quälen, in der sie gezwungen war, ihre soziale Stellung andauernd zum Ausdruck zu bringen, wie es die umständlichen javanischen Sitten erforderten.

«Sprich nur holländisch», sagte ich.

«Du hast uns lange warten lassen.»

«Die Schule nimmt viel Zeit in Anspruch, Ann, ich darf nicht versagen.»

«Du wirst es bestimmt schaffen, *Mas*.»

«Danke. Nächstes Jahr muß ich die Abschlußprüfung machen. Ann, ich habe die ganze Zeit an dich gedacht.»

Sie strahlte übers ganze Gesicht und rückte näher zu mir heran.

«Lüg nicht», sagte sie.

«Ich würde dich niemals anlügen!»

«Wirklich?»

«Ganz bestimmt.»

Ich legte meinen Arm um ihre Hüfte; ich hörte, daß sie schneller atmete. Gott, das schönste Mädchen dieser Welt lag mir zu Füßen. Auch mir klopfte das Herz.

«Wo ist Robert?» fragte ich, um abzulenken.

«Was fragst du nach ihm? Selbst Mama fragt nie, wo er sich aufhält.»

Da hatten wir bereits das erste Problem. Eigentlich ziemte es sich nicht, mich da einzumischen.

«Mama kommt mit ihm nicht zurecht, *Mas*», sie senkte den Kopf, und ihre Stimme klang traurig.

«Ich muß all seine Arbeit erledigen.»

Ich betrachtete ihre blassen Lippen; sie waren weiß wie Kerzenwachs.

«Er mag Mama nicht. Er mag auch mich nicht. Er ist selten zu Hause. Du hast ja selbst gesehen, was ich alles arbeite.»

Ich drückte sie an mich.

«Du bist ein außergewöhnliches Mädchen.»

«Danke, *Mas*», antwortete sie erfreut. «Du brauchst dich nicht um Robert zu kümmern. Er haßt alle *Pribumis*, alles Einheimische, außer was ihm daran zum eigenen Vorteil dient. Es ist, als sei er nicht Mamas Sohn, nicht mein Bruder; er ist wie ein Fremder, der sich hierher verirrt hat.»

Sie dachte offensichtlich viel über ihren Bruder nach, machte sich Sorgen um ihn – in ihrem Alter.

«Ich habe auch *Tuan* Mellema nicht gesehen», sagte ich, das Thema wechselnd.

«Papa? Hast du immer noch Angst vor ihm? Verzeih den schlimmen Abend. Du kannst ihn ruhig übergehen; Papa ist bereits so fremd geworden in diesem Haus. Er kommt kaum einmal jede Woche heim, und dann nur, um gleich wieder zu gehen. Manchmal legt er sich schlafen und verschwindet dann wieder irgendwohin. Mama und ich tragen die ganze Verantwortung allein; wir erledigen alles nur zu zweit.»

Was für eine Familie?! Zwei Frauen, Mutter und Tochter, arbeiteten still und ohne viel Aufhebens, um ihre Familie und den großen Betrieb aufrechtzuerhalten.

«Wo arbeitet *Tuan* Mellema?»

«Kümmere dich nicht um ihn, ich bitte dich, *Mas*. Niemand weiß, wo er arbeitet. Er spricht nie, als ob er es verlernt hätte. Wir fragen ihn auch nie. Niemand spricht mit ihm. Seit fünf Jahren geht das so. Ich habe schon fast vergessen, daß er mal ganz anders war. Früher war er so lieb und freundlich, jeden Tag spielte er mit uns. Als ich in der zweiten Klasse der *E. L. S.* war, änderte sich plötzlich alles. Der Betrieb wurde für einige Tage geschlossen. Mama holte mich mit rotgeweinten Augen von der Schule ab, für immer. Seither muß ich Mama im Betrieb helfen. Papa hält sich kaum mehr zu Hause auf, lediglich ein paar Minuten pro Woche, manchmal nur alle zwei Wochen. Seither spricht Mama nie mehr mit ihm, antwortet auch nicht auf seine Fragen...»

Eine unangenehme Geschichte.

«Mußte Robert die Schule auch aufgeben?» fragte ich ablenkend.

«Er war damals in der siebten Klasse – nein, Mama hat ihn nicht von der Schule genommen.»

«Auf welche Schule ging er danach?»

«Er hat das Schlußexamen bestanden, aber er wollte nicht weitermachen. Arbeiten tut er auch nicht. Nur Fußball, Jagen und Reiten interessieren ihn.»

«Warum hilft er Mama nicht?»

«Er haßt Eingeborene, außer was ihm an ihnen nützt, sagt

66

Mama. Für ihn gibt es nichts Erhabeneres, als Europäer zu sein, und alle *Pribumis* müssen sich ihm unterordnen. Aber Mama tut das nicht. Er möchte über den ganzen Betrieb verfügen; alle Leute sollten für ihn arbeiten, selbst Mama und ich.»

«Hält er dich für eine Einheimische?» fragte ich vorsichtig.

«Ich bin es ja, *Mas*», sagte sie bestimmt. «Wunderst du dich? Ich weiß, ich könnte mich als *Indo* bezeichnen. Aber ich liebe Mama und vertraue ihr, und Mama ist eine *Pribumi*.»

Diese Familie bestand wirklich aus lauter Rätseln. Waren ihre Mitglieder nicht wie Schauspieler, die ein absurdes Drama zum besten gaben? Viele Einheimische wünschten sich sehnlichst, Holländer zu sein, und dieses nun doch recht europäisch aussehende Mädchen beharrte darauf, sich als Einheimische auszugeben.

Annelies redete weiter, während ich zuhörte.

«Wenn's das ist, was du willst, Robert, sagte Mama, ganz einfach, du bist jetzt erwachsen. Wenn dein Vater einmal stirbt, gehst du zu einem Advokaten. Vielleicht fällt dir dann der ganze Betrieb zu. Aber vergiß nicht, sagte sie, du hast noch einen Stiefbruder aus Vaters legaler Ehe, Maurits Mellema, einen Ingenieur, und gegen einen reinen Europäer wirst du nicht ankommen. Du bist nur ein Mischling. Wenn du den Betrieb anständig führen willst, dann lerne arbeiten wie Annelies. Du bist nicht einmal fähig, den Arbeitern Anweisungen zu geben; du kannst es nicht, weil du selber nichts arbeitest.»

«Schau, Ann, die Gänse, wie weiße Wattebüschel», lenkte ich ab.

«Warum erzählst du mir eure Familiengeheimnisse?»

«Weil du der erste Gast bist, seit fünf Jahren, *Mas*, unser persönlicher Gast. Hin und wieder kommen zwar noch andere Leute hierher, aber nur, wenn sie geschäftlich zu tun haben. Unser Familienarzt besucht uns auch manchmal. Aber du bist unser erster wirklich persönlicher Gast. Und du stehst uns so nahe, bist so gut zu Mama und mir.» Es hörte sich an wie ein Seufzer aus ihrem Innersten. «Ich habe keine Hemmungen, dir das alles zu erzählen, *Mas*. Auch du sollst dich hier ganz frei fühlen. Du bist unser Freund.» Sie wurde immer sentimentaler und überschwenglicher. «Alles, was mir gehört, gehört auch dir. Du kannst hier tun und lassen, was dir gefällt.»

Offenbar fühlten sich dieses Mädchen und seine Mutter inmitten all dieses Überflusses doch sehr einsam.

«Ruh dich erst mal aus. Ich muß an meine Arbeit.»

Sie stand auf und wollte weggehen. Sie schaute mich kurz an, zögerte, küßte mich auf die Wange, huschte davon und ließ mich allein.

Die ganze Zeit über hatte sie ihre Gefühle für sich behalten. Nun schüttete sie mir ihr Herz aus.

Von meinem Sitzplatz aus konnte ich das Surren der Reismühle vernehmen, das Klappern der hin- und herfahrenden Milchwagen, das Knarren der Handwagen, die dumpfen Schläge der Drescher, die irgendwelche Hülsenfrüchte aus den Schalen klopften und dabei miteinander scherzten.

Ich ging ins Zimmer zurück, blätterte in meinem Notizbuch und fing an, über diese ungewöhnliche und unheimliche Familie zu schreiben, mit der mich ein Zufall zusammengeführt hatte. Wer weiß, vielleicht konnte ich später eine Geschichte schreiben wie *Bila Mawarpada Layu*, der Fortsetzungsroman von Hertog Lamoye, der so großes Aufsehen erregt hatte. Bisher hatte ich nur Annoncentexte und kurze Artikel für das *Auktionsblatt* geschrieben. Wer weiß? Mein eigener Name deutlich vermerkt und von aller Öffentlichkeit gelesen? Wer weiß?

Ich notierte alles, was Annelies gesagt hatte. Wie stand es mit dem *Pendekar* Darsam? Ich wußte so gut wie nichts über ihn. Zu welcher der drei Parteien dieser Familie hielt er? War nicht gerade er die nächststehende Gefahrenquelle für alle? Bestand überhaupt Gefahr? Wenn ja, war ich selbst nicht auch bedroht? Und falls tatsächlich eine Gefahr bestand, warum wohnte ich dann hier? Ginge ich nicht gescheiter meine eigenen Wege?

Ich brachte es nicht fertig zu gehen. Dieses bezaubernde Mädchen folgte mir in Gedanken überallhin nach.

Ein Klopfen an der Tür ließ mich auffahren; *Nyai* stand vor mir. «Annelies und ich sind unendlich froh, *Sinyo*, daß du dich entschließen konntest, zu uns zu kommen. Schau nur, wie sie arbeitet; sie ist wieder so flink wie eh und je. Deine Anwesenheit wirkt sich nicht nur günstig aus auf den Betrieb, sie trägt vor allem zu Annelies' Wohl bei. Sie liebt dich, *Sinyo*. Sie braucht deine Aufmerksamkeit. Verzeih, daß ich das so unverblümt sage, Minke.»

«Ja, Mama», antwortete ich ehrfürchtig, wohl noch ehrfürchtiger als meiner eigenen Mutter gegenüber. Und wieder spürte ich, wie ich ihrer Zauberkraft erlag.

«Zier dich nicht, bleib ruhig hier wohnen. Wir stellen dir gerne einen *Bendi* und einen Kutscher zur Verfügung, *Sinyo*.»

«Danke, Mama.»

«Du bleibst also, nicht wahr? Warum sagst du nichts? Ja – ja, denk erst darüber nach. Auf jeden Fall bist du schon mal hier.»

«Ja, Mama», und ich fühlte, sie hatte mich immer mehr in der Hand.

«Übrigens, meinen herzlichen Glückwunsch zu deiner Versetzung, zwar etwas verspätet, aber schaden tut's bestimmt nicht.»

So wurde ich also ein neues Mitglied dieser Familie. Mit Vorbehalt natürlich: Ich mußte weiterhin auf der Hut sein, hauptsächlich vor Darsam. Ich würde ihm nicht zu nahe treten. Im Gegenteil, ich mußte immer höflich sein zu ihm. Robert würde mich, einen wertlosen Einheimischen, sowieso hassen, und *Tuan* Mellema schnauzte mich bestimmt bei jeder sich bietenden Gelegenheit an. Kurz, Vorsicht war geboten – Vorsicht als Tribut an das Glück, in nächster Nähe des allerschönsten Mädchens leben zu dürfen: Annelies Mellema. Was konnte man in diesem Leben schon gebührenfrei genießen? Alles mußte man bezahlen oder erkaufen, selbst das kürzeste Glück.

Robert tauchte nicht zum Abend auf. *Tuan* Mellemas Schatten und seine schlurfenden Schritte blieben ebenfalls aus.

«Minke, *Nyo*», begann *Nyai*, «wenn du schon Freude an der Arbeit und am Handel hast, kannst du dich doch hier nützlich machen. Wir werden uns sicherer fühlen mit einem Mann im Haus. Einem, dem man vertrauen kann, meine ich.»

«Danke, Mama. Das ist alles recht gut, aber ich muß es mir überlegen.»

Und ich erzählte ihr von Jean Marais und seinem Töchterchen, die auf meine Dienste angewiesen waren.

«Du hast recht», meinte *Nyai*, «jeder normale Mensch braucht Freunde. Ohne Freunde ist das Leben zu einsam...» sagte sie wie zu sich selbst. Ganz plötzlich: «Na, Ann, da ist er ja, der *Sinyo* Minke. Schau genau hin. Er ist es wirklich. Was willst du mehr?»

«Ach, Mama», hauchte Annelies und schaute mich verstohlen an.

«Nichts als ‹ach, Mama›, ‹ach, Mama›, wenn man dich fragt. Los, sag doch etwas, ich möchte mithören.»

Annelies blickte mich wieder aus den Augenwinkeln an; ihr Gesicht war tiefrot. *Nyai* lächelte glücklich. Dann wandte sie sich an mich:

«So ist sie, *Nyo* – wie ein kleines Kind. Und du, *Nyo*, was hast du zu sagen, wo du dich schon in Annelies' Nähe befindest?»

Ich brachte vor Verlegenheit kein Wort heraus. Und ich konnte ja nicht «ach, Mama» ausrufen wie Annelies. Diese Frau hatte eine schnelle und scharfe Auffassungsgabe, konnte im Nu die Gefühle anderer erfassen und sie mit Leichtigkeit durchschauen. Bestand darin ihre Kraft, andere in ihren Griff zu bekommen und sie selbst auf Distanz zu verzaubern? Aus der Nähe ja erst recht.

«Warum schweigt ihr beiden nur wie zwei verregnete Kätzchen?» Sie lachte, freute sich über ihren Vergleich.

Sie war eindeutig keine gewöhnliche *Nyai*. Sie trat mir, einem *H. B. S.*-Schüler, ohne Minderwertigkeitsgefühle gegenüber; sie traute sich, ihre Meinung zu sagen, und war sich ihrer Persönlichkeit bewußt.

Nach dem Abendessen hörten wir Wiener Walzer vom Grammophon. Mama las ein Buch. Annelies saß schweigend neben mir. Meine Gedanken schweiften zu May Marais; ihr gefiele es hier bestimmt, dachte ich. Sie hörte gerne europäische Musik. Bei ihr zu Hause gab es kein Grammophon, in meiner Pension auch nicht.

Ich erzählte Annelies von dem kleinen, mutterlosen Mädchen; vom Schicksal ihrer Mutter; von Jean Marais' Gutherzigkeit, von seiner Weisheit und Einfachheit.

Nyai legte ihr Buch auf den Schoß und hörte mir zu. Eine Dienerin wechselte die Schallplatten aus.

«Bring doch die Kleine hierher», meinte *Nyai*, «Annelies wird sich freuen, eine kleine Schwester zu haben. Nicht wahr, Ann? Oh, nein, du brauchst ja gar keine mehr, du hast ja jetzt Minke.»

«Ach, Mama», rief sie verlegen aus.

Ich selbst war nicht weniger verlegen. Es fiel mir nichts Besseres ein. Ich hatte bereits versucht, mich vor dieser außerordentlichen Frau als persönlichkeitsstarker und vollendeter Mann aufzubauen, aber ich versagte jedesmal, wenn sie das Wort ergriff. Meine Persönlichkeit kam gegen ihre Stärke nicht an. Ich war mir bewußt: Das durfte so nicht weitergehen.

«Mama, erlauben Sie mir eine Frage.» Auf diese Weise versuchte ich, mich von ihrem Schatten zu lösen. «Was für eine Schule haben Sie besucht?»

«Schule?» Sie legte den Kopf schief, als spähte sie nach dem Himmel, strengte ihr Gedächtnis an. «Soweit ich mich erinnern kann, habe ich noch nie eine Schule besucht.»

«Wie ist das möglich? Sie können Holländisch sprechen und lesen, schreiben wahrscheinlich auch. Da müssen Sie doch eine Schule besucht haben.»

«Das Leben kann demjenigen, der willig und geschickt aufzunehmen weiß, alles vermitteln.»

Ich war ungemein erstaunt über diese Antwort. Keiner meiner Lehrer hatte je so etwas verlauten lassen.

In dieser Nacht konnte ich kaum schlafen. Mein Gehirn arbeitete fieberhaft, um diese Frau begreifen zu können. Außenstehende sahen sie mit schiefen Augen an, weil sie eine *Nyai* war, eine Konkubine. Wer sie ehrte, tat es ihres Reichtums wegen. Ich sah sie von einer ganz anderen Seite: Was sie leistete, was sie sagte. Ich bekräftigte Jean Marais' Mahnung: Man mußte bereits in seinen Gedanken gerecht sein und durfte sich nicht einfach dem Urteilsspruch über etwas anschließen, über dessen Richtigkeit oder Unrichtigkeit man nicht Bescheid wußte.

Es gab sicher viele großartige Frauen, aber *Nyai* Ontosoroh war die erste, die ich kennengelernt hatte. Laut Jean Marais' Erzählung zogen die *Acehanerinnen* ganz selbstverständlich gegen die *Kompeni* in den Krieg und waren bereit, Seite an Seite mit den Männern ihr Leben zu lassen. Ebenso die Balinesinnen. Meine Schulkameraden redeten über *Kartini*, ein außergewöhnliches *Pribumi*-Mädchen. Sie war nur ein Jahr älter als ich, Tochter des *Bupati* von J. Sie war die erste Einheimische, die auf holländisch schrieb und deren Texte von einer wissenschaftlichen Zeitschrift in Batavia veröffentlicht wurden. Als ihr erster Artikel erschien, war sie siebzehn. Und sie schrieb nicht in ihrer Muttersprache! Die Hälfte meiner Freunde zweifelte an der Richtigkeit jener Nachricht. Wie konnte eine Einheimische, ein junges Mädchen, das nur die *E. L. S.* besucht hatte, Artikel schreiben, ihre Gedanken auf europäische Art ausdrücken, die dann noch von einer wissenschaftlichen Zeitschrift veröffentlicht wurden? Ich allerdings glaubte es, mußte es glauben, um meine Überzeugung zu stärken, daß auch ich dazu fähig war. Hatte ich es nicht bereits bewiesen, wenn auch erst probeweise und im kleinen? Ihr Beispiel hatte mich zum Schreiben angespornt. Jetzt kannte ich eine etwas ältere Frau aus nächster Nähe. Zwar schrieb sie nicht, aber sie war Meisterin der Kunst, andere für sich einzunehmen. Sie führte einen großen Betrieb nach europäischem Vorbild! Sie bot ihrem Ältesten die Stirn, setzte sich gegen ihren Herrn, Herman Mellema, durch, erzog ihre Tochter – die hübsche, von allen jungen Männern begehrte Annelies Mellema – zur zukünftigen Gutsverwalterin.

Ich wollte diese ungewöhnliche und unheimliche Familie genau beobachten und dann über sie schreiben.

5

Ich war nach wie vor ungemein neugierig darauf, wer diese außergewöhnliche *Nyai* Ontosoroh eigentlich war. Erst einige Monate später erfuhr ich Näheres über sie von Annelies. In meinen Aufzeichnungen lautet ihre Geschichte folgendermaßen:

Du erinnerst dich bestimmt noch an unsere erste Begegnung, *Mas*. Wer könnte so etwas schon vergessen? Ich auf jeden Fall nicht. Mein Leben lang nicht. Du hast gezittert, als du mich in Mamas Gegenwart küssen mußtest. Ich ja genauso. Hätte Mama mich nicht runtergezogen, wäre ich weiterhin wie angewurzelt oben an der Treppe stehengeblieben. Und dann hat der *Bendi* dich mir entrissen.

Dein Kuß brannte auf meiner Wange. Ich lief ins Zimmer und schaute mein Gesicht im Spiegel an. Es sah genauso aus wie immer. Wir haben an jenem Abend ohne *Sambal* gegessen, nur mit etwas Pfeffer. Warum brannte dann meine Wange so? Ich rieb und rieb, aber das Brennen wollte nicht aufhören. Wohin ich auch schaute, immer begegnete ich deinen Augen.

War ich bereits verrückt? Warum nur warst du ständig sichtbar, *Mas*? Warum war ich so gern in deiner Nähe und fühlte mich einsam und bedrückt, seit du weg warst? Warum hatte ich das Gefühl, etwas verloren zu haben, nun, da du fortgegangen warst?

Ich zog mich um, löschte die Kerze und schlüpfte ins Bett. Die Dunkelheit verdeutlichte dein Gesicht noch mehr. Ich hätte dich gern an der Hand genommen, wie zuvor am Nachmittag. Doch deine Hand war nicht da. Ich drehte mich bald nach links, bald nach rechts, aber ich konnte nicht einschlafen. Stunden vergingen. In meiner Brust schien es zwei Hände zu geben, die mich unaufhörlich drängten, etwas zu unternehmen. Was? Das wußte ich selber nicht. Ich warf die Decke und Kissen von mir und stand auf.

Die Hitze in meiner Wange war unbemerkt plötzlich abgekühlt. Ich stürmte in Mamas Zimmer, ohne vorher anzuklopfen. Wie üblich schlief Mama noch nicht; sie saß am Tisch und las ein Buch. Sie wandte sich nach mir um, und als sie das Buch zuklappte, konnte ich den Titel erspähen: ‹*Nyai Dasima*›.

«Was liest du für ein Buch, Ma?»

Sie legte es in die Schublade.

«Warum schläfst du noch nicht?»

«Ich möchte heute nacht bei dir schlafen, Mama.»

«Du bist schon so groß und willst immer noch bei deiner Mutter unterschlüpfen?»

«Ma, laß mich, bitte.»

«Na los, leg dich schon mal ins Bett!»

Ich legte mich sofort in ihr Bett. Mama ging nach unten, um nachzusehen, ob Türen und Fenster verriegelt waren. Danach kam sie wieder nach oben, schloß die Tür ab, ließ das Moskitonetz runter und löschte die Kerze. Es war stockdunkel.

In ihrer Nähe fühlte ich mich etwas ruhiger, wartete halb unge-
duldig, halb beklommen darauf, daß sie von dir redete, *Mas*.

«Nun, Annelies», fing sie an, «warum hast du denn Angst,
alleine zu schlafen – in deinem Alter?»

«Mama, warst du mal glücklich?»

«Jeder Mensch ist in seinem Leben einmal glücklich, selbst
wenn es nur kurz und nur ein klein wenig ist.»

«Fühlst du dich jetzt glücklich?»

«Wie's jetzt damit steht, weiß ich selbst nicht. Ich mache mir
nichts als Sorgen; ich habe nur einen Wunsch. Das hat nichts mit
dem Glücklichsein zu tun, das du meinst. Das ist doch gleichgültig, ob ich glücklich bin oder nicht. Ich sorge mich um dich, ich
möchte dich glücklich sehen…»

Ich war so gerührt über ihre Worte, daß ich sie in der Dunkelheit
umarmte und küßte. Sie ist immer so gut zu mir; es gibt wohl
keinen besseren Menschen.

«Hast du mich gern, Ann?»

Noch nie hatte sie mich so etwas gefragt. Mir kamen richtig die
Tränen, *Mas*. Sie ist nur äußerlich hart.

«Ja, ich möchte dich für immer glücklich sehen, ohne daß du
solches Leid ertragen mußt wie ich einst, solche Einsamkeit er-
dulden mußt wie ich jetzt: ohne Bekannte, ohne Freunde, ohne
Verbündete. Warum kommst du mir plötzlich mit Glücklichsein?»

«Frag mich nicht, Ma, erzähl.»

«Annelies, wahrscheinlich ist dir das nicht bewußt, aber ich erziehe dich absichtlich streng zur Arbeit, damit du später einmal
nicht von deinem Ehemann abhängig bist, falls er – Gott behüte –,
falls er so einer ist wie dein Vater.»

Ich wußte genau, daß Mama ihre Achtung vor Papa verloren
hatte. Das war begreiflich, da brauchte ich keine weiteren Erklärungen. Das war auch gar nicht, was mich beschäftigte. Ich wollte
wissen, ob sie je so etwas empfunden hatte wie ich an dem Abend.

«Wann hast du dich über-überglücklich gefühlt, Mama?»

«Viele Jahre lang mit *Tuan* Mellema, deinem Vater.»

«Und dann, Ma?»

«Erinnerst du dich an den Tag, an dem ich dich von der Schule abgeholt habe? Das war das Ende jenes Glücks. Du bist jetzt alt genug, es ist an der Zeit, daß du's erfährst. Du mußt wissen, was sich zugetragen hat. Seit einigen Wochen schon habe ich mir vorgenommen, dir davon zu erzählen, aber es bot sich nie eine günstige Gelegenheit. Bist du müde?»

«Ich hör dir zu, Ma.»

«Dein Papa sagte einmal, früher, als du noch sehr, sehr klein warst: Eine Mutter muß ihrer Tochter alles erzählen, worüber sie Bescheid wissen sollte...»

«Damals also...»

«Ja, Ann, damals hielt ich alles, was dein Papa sagte, in Ehren, merkte es mir geflissentlich, machte es mir zum Leitsatz. Dann änderte er sich, schlug ins genaue Gegenteil um von all dem, was er mich früher gelehrt hatte. Da hörte ich auf, ihm zu vertrauen und ihn zu achten.»

«Ma, war Papa früher einmal gescheit?»

«Er war nicht nur gescheit, er war auch gutherzig. Er war es, der mich in allem unterrichtete: Landwirtschaft, Betriebsführung, Viehzucht, Kontorarbeit. Erst brachte er mir Malaiisch bei, dann Lesen und Schreiben, schließlich auch Holländisch. Dein Papa unterrichtete mich nicht nur, er prüfte immer mit großer Geduld, ob ich alles begriffen hatte. Er verlangte von mir, daß ich mich mit ihm auf holländisch unterhielt. Später unterwies er mich auch in Bankangelegenheiten, Rechtslehre, Handel, in allem, was ich dir jetzt nach und nach beibringe.»

«Wieso hat Papa sich derart verändert, Ma?»

«Das hat seinen bestimmten Grund, Ann. Es ist etwas geschehen, und von da an war es aus mit seiner Gutherzigkeit, mit seiner Intelligenz und Klugheit, mit all seinen Fähigkeiten. Er war gebrochen, Ann, völlig geknickt durch jene einmalige Begebenheit. Er ist ein ganz anderer Mensch geworden, ein Tier, das weder Frau noch Kinder kennt.»

«Der arme Papa.»

«Ja, er hat niemanden, der für ihn sorgt, er strolcht lieber ziellos umher.»

Mama hielt mit ihrer Geschichte inne. Ihre Worte sollten mir eine Warnung für die Zukunft sein, *Mas*. Um uns herum herrschte

Stille. Nur unser beider Atem war zu hören. Wäre sie nicht so hart mit Papa – das hat sie mehr als einmal betont –, weiß Gott, was aus mir würde. Vielleicht etwas viel, viel Schlimmeres, als ich mir überhaupt ausmalen kann.

«Erst dachte ich daran, ihn ins Irrenhaus zu bringen. Ich konnte mich nicht entschließen, Ann. Was dächten die Leute von dir, Ann, was käme dabei raus? Wenn dein Vater tatsächlich verrückt wäre und unter Vormundschaft gestellt würde? Der ganze Betrieb, das ganze Vermögen und auch die Familie würden dann von einem Vormund beaufsichtigt. Deine Mutter, nur eine Eingeborene, hätte nicht das geringste Recht, irgendwelche Ansprüche zu stellen, könnte nicht einmal etwas für dich tun, Ann. Vergeblich wäre unsere ganze Mühe, bei der wir uns nie einen Feiertag geleistet haben. Vergeblich hätte ich dich geboren, denn das Gesetz erkennt meine Mutterschaft nicht an, weil ich eben nur eine *Pribumi* bin und nicht rechtmäßig geheiratet habe. Verstehst du das?»

«Mama!» flüsterte ich. Ich hatte nie geahnt, daß sie sich mit so vielen Schwierigkeiten plagen mußte.

«Ich wäre nicht einmal befugt, dir die Heiratserlaubnis zu erteilen, sondern jener Vormund, der überhaupt nichts mit unserer Familie zu tun hat. Dein Papa im Irrenhaus, Betrieb und Familie unter behördlicher Aufsicht – die ganze Öffentlichkeit wüßte dann über seinen Zustand Bescheid ... Nein!»

«Was hat das mit mir zu tun?»

«Begreifst du denn nicht? Stell dir vor, die Leute wüßten, daß du die Tochter eines Verrückten bist. Wie stünden du und ich vor ihnen da?»

Ich barg meinen Kopf an Mamas Schulter, wie ein Küken. Ich hätte nie gedacht, daß ich in eine so schlimme, so schimpfliche Lage geraten könnte.

«Dein Vater ist nicht etwa erblich belastet. Er ist durch einen Unfall so geworden. Aber die Leute werden da keinen großen Unterschied machen, und man wird von dir annehmen, daß du die gleichen Anlagen hast.» Ich erschrak. «Das ist der Grund, weshalb ich ihn gewähren lasse. Ich weiß genau, wo er sich die ganze Zeit über rumtreibt. Das reicht, wenn nur die Öffentlichkeit nichts davon erfährt.»

Meine eigenen Probleme verblaßten; ich bekam Mitleid mit Papa.

«Ich werde mich um Papa kümmern, Ma.»

«Er kennt dich nicht.»

«Aber er ist mein Vater.»

«Mitleid gebührt nur dem, der darum weiß. Du hast es nötiger – das Kind eines solchen Mannes. Ann, du mußt einsehen: Er hat aufgehört, ein Mensch zu sein. Je näher du mit ihm in Berührung kommst, um so mehr ist dein eigenes Leben durch seine Fäulnis bedroht. Er ist wie ein Tier, das nicht Gut von Böse unterscheiden kann. Er ist seinen Mitmenschen nichts als eine Last. Lassen wir das, frag nicht mehr.»

Ich begrub meinen Wunsch, mehr zu erfahren. Wenn Mama sich so entschieden äußerte, dann war es unklug, sich zu widersetzen. Ich weiß nicht, wie andere Mütter und andere Kinder sind. Wir beide haben keine Bekannten, keine Freunde. Ich kenne das Leben nur als Arbeitgeberin oder Geschäftspartnerin, so daß ich keine Vergleichsmöglichkeiten habe. Ich kann mir nicht vorstellen, wie andere *Indos* sind. Mama verbietet mir nicht nur jeglichen Umgang, sie läßt mir auch keine Zeit dazu. Mama ist für mich das einzige Vorbild und die einzige Autorität.

«Du mußt dir im klaren sein, daß wir beide uns abrackern, damit niemand erfährt, daß dein Vater bereits den Verstand verloren hat. Merk dir das ein für allemal.» Damit schloß Mama das Thema endgültig ab. – Wir schwiegen eine Weile. Keine Ahnung, was in ihrem Kopf vorging. Die Finger in meiner Brust kitzelten mich wieder. Ich konnte es kaum mehr aushalten. Sie hatte bis dahin noch kein einziges Wort über dich gesagt, *Mas*. Ob du ihr willkommen warst oder nicht? Oder warst du in ihren Augen nichts als ein neues Element im Betrieb?

Für mich bestand all diese Düsterkeit nicht. Es gab nur dich, dich allein! Ich mußte ihrer unerfreulichen Geschichte irgendwie Einhalt gebieten, also bat ich:

«Mama, erzähl mir doch, wie du Papa getroffen hast und wie es kam, daß du mit ihm zusammenlebst.»

«Ja, das sollst du ruhig erfahren, nur, sei nicht schockiert. Du bist ein ziemlich verwöhntes Kind und recht glücklich, was man von mir, selbst als ich jünger war als du jetzt, nicht sagen konnte. Also, höre gut zu und behalte es für immer in Erinnerung.»

Und so fing sie an zu erzählen:

Ich habe einen älteren Bruder: Paiman. Er wurde am Markttag *Pahing* geboren, darum enthält sein Name die Silbe «Pai». Ich bin drei Jahre jünger als er und erhielt den Namen Sanikem. Mein Vater nannte sich nach seiner Heirat *Sastrotomo*. Wie die Nachbarn sagten, bedeutet das: erster Schreiber.

Die Leute sagten, mein Vater sei ein fleißiger Mann. Er wurde geachtet, weil er der einzige im Dorf war, der lesen und schreiben konnte, wie es im Kontor erforderlich war. Aber er war nicht damit zufrieden, nur ein gewöhnlicher Schreiber zu sein. Er träumte von einer noch höheren Stellung, obwohl seine damalige bereits recht hoch und geachtet war. Er brauchte nicht zu hacken oder zu pflügen oder sich als Tagelöhner zu verdingen, Zucker zu pflanzen oder zu ernten.

Mein Vater hatte viele Geschwister, viele Cousins und Cousinen. Als Schreiber gelang es ihm nur schlecht, ihnen Arbeit in der Fabrik zu verschaffen. Ein höherer Posten hätte ihm das erleichtert, und gleichzeitig wäre sein Ansehen auch in den Augen der Öffentlichkeit gestiegen. Er wünschte sich, daß alle seine Verwandten in der Fabrik arbeiten könnten, daß sie keine Tagelöhner oder niedrige Kulis zu sein brauchten. Er wollte sie zumindest als Vorarbeiter sehen. Um Kuli zu werden, benötigte man keinen Verwandten, der Schreiber war – jedermann konnte Kuli werden, wenn der Vorarbeiter einverstanden war.

Er arbeitete immer fleißiger, mehr als zehn Jahre lang. Sein Lohn und die jährliche Zulage stiegen wohl ständig, aber seine Beförderung blieb aus. So versuchte er auf alle möglichen Arten nachzuhelfen: er ging zu *Dukuns*, las Zaubersprüche und Beschwörungsformeln, *fastete* bei Reis und Wasser, *fastete* montags und donnerstags. Es half nichts.

Er träumte davon, Zahlmeister zu werden, Kassierer, Kassenverwalter der Zuckerfabrik in *Tulangan*, *Sidoarjo*. Sehr viele Leute hatten mit einem Fabrik-Zahlmeister zu tun. Zumindest jedenfalls die Vorarbeiter. Sie kamen, um Geld zu holen und ihren Fingerabdruck zu hinterlassen. Er konnte einer Mannschaft den Wochenlohn vorenthalten, wenn sich ihr Vorarbeiter weigerte, für das Gehalt seiner Kulis Tribute zu entrichten. Als Fabrik-Zahlmeister wäre er ein gemachter Mann gewesen in *Tulangan*. Die Händler hätten sich vor ihm verneigt; die Herren Europäer und *Indos* hätten ihn auf malaiisch begrüßt. Das Gekritzel seiner Feder wäre gleichbedeutend mit Geld gewesen. Er hätte zu den Mächtigen in der Fabrik gehört und den Leuten sagen können: «Setzen Sie sich dort auf die Bank», und sie hätten sich gefügt und gewartet, um Geld aus seinen Händen zu empfangen.

Er war wirklich bedauernswert. In der Realität erlebte er alles andere als Beförderung, Ehre und Respekt; die Leute haßten ihn und ekelten sich vor ihm. Und der Posten als Zahlmeister blieb in den Wolken. Seiner Kriecherei wegen, die seinen Kollegen nicht selten Nachteile brachte, wurde er von der Gesellschaft ausgeschlossen. Er lebte isoliert in seiner eigenen Welt. Aber das kümmerte ihn nicht; er blieb unbeugsam. Er hörte nicht auf, an die Großzügigkeit und Gönnerschaft der weißen Herren zu glauben. Die Leute waren richtig angewidert von seinen Anstrengungen, die holländischen Herrschaften zu sich nach Hause zu locken. Es kamen denn auch tatsächlich einer oder zwei, und er bewirtete sie in Hülle und Fülle. Aber die Beförderung trat nicht ein.

Mit Hilfe eines *Dukuns* und Askese versuchte er, *Tuan* Besar Kuasa, den Prokuristen, zu beeinflussen, damit er seine Einladung annehme. Erfolglos. Er dagegen ging oft zum Prokuristen nach Hause, allerdings nicht, um den Hochverehrten in irgendeiner Angelegenheit zu besuchen, sondern lediglich, um hinten bei der Arbeit mitzuhelfen! *Tuan* Besar Kuasa schenkte ihm nicht die geringste Beachtung.

Mir war das alles sehr peinlich. Manchmal beobachtete ich meinen Vater heimlich, und ich hatte Mitleid mit ihm. Wie wurde er von seinem Traum gepeinigt, körperlich und seelisch, wie sehr erniedrigte er sich und seinen Ruf. Aber ich wagte nicht, etwas zu sagen. Manchmal betete ich im stillen für ihn, daß er sich ändere, sein beschämendes Betragen aufgebe. Die Nachbarn sagten oft, das einzig Richtige sei, sich an Allah zu wenden, denn der Mensch allein könne nicht viel ausrichten, und von einem weißen Heiden sei ohnehin nichts Gutes zu erwarten.

Ich betete nicht, daß sein Wunsch in Erfüllung gehe, sondern daß er sein schändliches Benehmen ablege. Aber meine Gebete hatten auch keinen Erfolg. Der Herr Prokurist war ein Junggeselle, wie die meisten Europäer, die neu ankamen. Er war wohl älter als mein Vater, der Schreiber *Sastrotomo*. Die Leute erzählten sich, mein Vater hätte ihm einmal Frauen angeboten. Er hätte nicht nur dankend abgelehnt, sondern ihm mit der Entlassung gedroht. Seither wurde mein Vater von allen verhöhnt. Meine Mutter magerte richtig ab, nachdem sie erfahren hatte, was die Leute spötteln: Der bietet ihm noch seine eigene Tochter an.

Du kannst sicher verstehen, daß das Leben für mich ein richtiger Alptraum wurde; ich traute mich nicht mehr aus dem Haus. Alle paar Augenblicke spähte ich ins Gästezimmer, ob nicht etwa ein weißer Gast da sei, und mir fiel jedesmal ein Stein vom Herzen, wenn das Zimmer leer war.

Mit dreizehn wurde ich *eingesperrt*, durfte mich nur noch im hinteren Teil des Hauses, in der Küche und in meinem Zimmer aufhalten. Meine Freundinnen waren bereits verheiratet worden. Nur wenn Nachbarn oder Verwandte auf Besuch kamen, hatte ich das Gefühl, draußen zu sein wie in meiner Kindheit. Ich durfte nicht einmal auf der Veranda vor dem Haus sitzen, ja, sie nicht einmal betreten.

Wenn die Fabrik Feierabend machte und die Arbeiter nach Hause gingen, konnte ich oft sehen, wie die Passanten zu unserem Haus blickten. Klar. Die Frauen, die zu uns auf Besuch kamen, rühmten mich als hübsches Mädchen, als Blume von *Tulangan*, Blüte von *Sidoarjo*. Wenn ich mich im Spiegel betrachtete, mußte ich ihren Schmeicheleien recht geben. Mein Vater war ein eleganter Mann, und meine Mutter – ich habe ihren Namen nie erfahren – war eine hübsche Frau, die es verstand, sich zu pflegen. Mein Vater hätte ohne weiteres, wie das so üblich ist, zwei oder drei Frauen haben können, erst recht, da er Land besaß, das von der Fabrik gepachtet wurde, und dazu noch welches, das von anderen Leuten bearbeitet wurde. Doch anscheinend genügte ihm eine hübsche Frau. Daneben träumte er nur vom Posten als Zahlmeister, als

Kassenverwalter der Fabrik, träumte davon, der angesehenste *Pribumi* zu werden.

So sah es aus, Ann.

Mit vierzehn war ich für die Leute bereits eine alte Jungfer; ich hatte die erste Regel bereits zwei Jahre vorher gehabt. Mein Vater schien mit mir etwas Besonderes vorzuhaben. Obwohl er verhaßt war, hielten viele um meine Hand an. Er wies sie alle ab. Das habe ich mehr als einmal von meinem Zimmer aus mit anhören können. Meine Mutter hatte wie alle andern einheimischen Frauen nichts zu sagen, Vater bestimmte alles. Einmal fragte meine Mutter, was für einen Schwiegersohn er sich denn erhoffe, aber er fand es nicht nötig zu antworten.

Ich werde nicht bestimmen, was und wer mein zukünftiger Schwiegersohn zu sein hat, Ann, nicht wie mein Vater. Darüber sollst du selbst entscheiden, ich werde nur abwägen. – Ja, Ann, so stand es um mich, um alle Mädchen damals. Wir konnten nur warten, bis ein Mann daherkam und uns heimführte; wohin sie gebracht und die wievielte Frau sie werde, ob die erste oder die vierte, wurde einem Mädchen nicht gesagt. Das bestimmte allein der Vater. Glücklich, wer die erste und einzige Frau wurde. Dies war eine Ausnahme bei Fabrikarbeitern. Das ist noch längst nicht alles. Ob der Mann, der einen von zu Hause abholte, alt oder jung war, das brauchte man vorher nicht zu erfahren. War dieses Ereignis schon einmal eingetreten, hatte eine Frau mit Leib und Seele jenem Unbekannten zu dienen, ihr Leben lang, bis zum Tod oder bis er ihrer überdrüssig wurde und sie fortjagte. Man konnte sich keinen andern Weg aussuchen. Vielleicht war er ein Verbrecher, ein Hasardeur oder ein Säufer. Man erfuhr es nicht, bevor man seine Frau wurde. Man konnte sich nur glücklich preisen, wenn der Mann ein tugendhafter Mensch war.

Eines Abends kam *Tuan* Administrator, *Tuan* Besar Kuasa, zu uns nach Hause. Mir wurde angst und bange. Ganz aufgeregt befahl mein Vater Mutter und mir dies und jenes, um dann gleich darauf das Gegenteil anzuordnen. Er hieß mich, meine besten Kleider anzuziehen, und kam sogar ein paarmal ins Zimmer, um zu kontrollieren, ob ich mich auch hübsch genug herrichtete. Ich schöpfte den Verdacht, jenes Gerücht könnte sich bewahrheiten.

Meine Mutter war noch argwöhnischer; bevor sich überhaupt irgend etwas ereignet hatte, hockte sie schluchzend in der Küchenecke und schwieg in tausend Sprachen.

Mein Vater, der Schreiber *Sastrotomo*, wies mich an, dem Gast starken Milchkaffee und Kuchen zu servieren. Er hatte ausdrücklich befohlen, starken Kaffee zu machen und mit der Milch nicht zu sparen. Ich tat also wie geheißen und brachte die Sachen auf einem Tablett nach vorn. Ich hatte keine Ahnung, wie *Tuan* Besar Kuasas Gesicht aussah; ein gut erzogenes Mädchen durfte in Gegenwart männlicher Gäste die Augen nicht heben, außer es waren gute alte Bekannte. So hielt ich den Kopf gesenkt, stellte den Milchkaffee und die Kuchen auf den Tisch. Nur seine Hosenbeine waren unvermeidlich sichtbar, sie waren aus weißem Drill, und seine großen, langen Schuhe. Man konnte sich denken, daß ihr Träger eine stattliche Person war.

Ich hatte das Gefühl, *Tuan* Besar Kuasas Blicke durchbohrten mir die Hände und den Hals.

«Das ist meine Tochter, *Tuan* Besar Kuasa», sagte mein Vater auf malaiisch.

«Es ist Zeit, für einen Schwiegersohn zu sorgen», erwiderte der Gast. Seine Stimme klang laut, schwer und tief. Kein Javaner hat eine solche Stimme.

Ich zog mich zurück und wartete auf neue Befehle. Aber es kamen keine; statt dessen ging *Tuan* Besar Kuasa bald darauf mit meinem Vater fort. Wohin, wußte ich nicht.

Drei Tage später, nach dem Mittagessen, rief mich mein Vater zu sich. Er saß mit Mutter im mittleren Zimmer. Ich kniete vor ihm nieder.

«Tu's nicht, *Pak*, tu's nicht!» wehrte Mutter ab.

«*Kem, Ikem*», begann Vater, «pack deine Sachen und deine Kleider in Mutters Koffer ein. Zieh dir gute Sachen an, mach dich schön ordentlich und nett zurecht.»

Ach, wie viele Fragen schwirrten mir da gleichzeitig im Kopf herum. Aber ich hatte alle Befehle meiner Eltern auszuführen, besonders, wenn sie von meinem Vater kamen. Von meinem Zimmer aus konnte ich hören, wie Mutter protestierte, ohne die geringste Beachtung zu finden. Ich packte meine Kleider und meine anderen

Sachen ein. Verglichen mit andern Mädchen hatte ich viele und teure Kleider, die ich immer sehr sorgfältig pflegte. Ich besaß mehr als sechs *Kains*; einige davon hatte ich selber gebatikt. Den alten verbeulten, braunen Koffer in der Hand, verließ ich mein Zimmer. Vater und Mutter saßen genauso da wie zuvor. Mutter weigerte sich, sich umzuziehen. Dann stiegen wir zu dritt auf einen Dog-cart, der vor unserem Haus wartete.

Auf der Kutsche sagte mein Vater mit Nachdruck:

«Schau dir dein Elternhaus an, *Ikem*. Von heute an ist es nicht mehr dein Zuhause.»

Ich hatte zu verstehen, wie das gemeint war. Mutter schluchzte auf. Ich wurde von zu Hause fortgeschafft; ich weinte ebenfalls. Der Dogcart hielt vor *Tuan* Besar Kuasas Haus an; wir stiegen alle ab. Bei dieser Gelegenheit tat Vater zum erstenmal etwas für mich: Er trug meinen Koffer.

Ich wagte nicht, mich umzusehen, aber ich hatte das Gefühl, daß uns Tausende von Augenpaaren folgten.

Wie angewurzelt blieb ich auf der Treppe des Backsteinhauses stehen. Meine Gedanken und Gefühle bildeten ein unentwirrbares Knäuel.

Ich wurde also doch dahin gebracht, zu *Tuan* Besar Kuasa, wie man schon lange gespöttelt hatte. Wirklich, Ann, ich schämte mich, einen Vater wie den Schreiber *Sastrotomo* zu haben. Er war es nicht wert, mein Vater zu sein. Aber noch war ich seine Tochter, und ich konnte mich nicht wehren. Nicht einmal Mutters Tränen und Worte vermochten das Unheil abzuwenden. Ein so junges Mädchen wie ich, das die Welt nicht kannte und keinen Anteil hatte an ihr, schon gar nicht. Selbst mein eigener Körper gehörte mir nicht.

Tuan Besar Kuasa erschien. Er lächelte erfreut, und seine Augen glänzten; ich vernahm seine Stimme. Mit einer mir fremden Zei-chensprache hieß er uns eintreten. Ich konnte mich davon überzeu-gen, daß er riesengroß war, mindestens dreimal so schwer wie mein Vater. Sein Gesicht war rötlich und seine Nase unglaublich lang, sie hätte ohne weiteres für drei oder vier Javaner ausgereicht. Seine Arme waren rauh wie die Haut eines Leguans und über und über mit gelblichen Härchen bedeckt. Ich biß auf die Zähne und beugte

83

meinen Kopf noch tiefer. Seine Arme waren so lang wie meine Beine.

Diesem leguanhäutigen Riesen sollte ich ausgehändigt werden! Halte durch, flüsterte ich mir selbst zu. Es wird dir niemand beistehen! Ich war in Teufels Küche geraten.

Zum erstenmal in meinem Leben, weil *Tuan* Besar Kuasa es so wünschte, saß ich auf einem Stuhl in gleicher Höhe wie mein Vater; er selbst setzte sich uns dreien gegenüber. Er sprach Malaiisch. Außer ein paar Worten verstand ich nichts. Während des Gesprächs schien alles in mir und um mich herum wie in einem Ozean auf und nieder zu wogen, es gab nicht einen einzigen ruhigen Punkt. *Tuan* Besar Kuasa kramte einen Umschlag aus seiner Tasche und überreichte ihn meinem Vater. Aus der andern Tasche holte er ein beschriebenes Blatt Papier, das mein Vater mit seiner Unterschrift versah. Später erfuhr ich, daß in dem Umschlag fünfundzwanzig Gulden waren, das Entgelt für meine Person, sowie die Zusicherung, daß Vater nach einer zweijährigen Probezeit als gehaltloser Angestellter zum Kassierer befördert werde.

Ja, Ann, so verlief die einfache Zeremonie, wie ein Kind von seinem eigenen Vater, dem Schreiber *Sastrotomo*, verkauft wurde. Die Feilgebotene war ich selbst: Sanikem. Von jener Sekunde an war es aus mit meiner Achtung und Ehrfurcht vor meinem Vater, auch vor all jenen, die in ihrem Leben einmal ihr Kind verkauft hatten, gleichgültig aus welchen Beweggründen.

Ich hielt meinen Kopf weiterhin gesenkt, da es niemanden auf der Welt gab, an den ich mich hätte wenden können. In dieser Welt bestimmten allein Vater und Mutter, und wenn Vater so etwas fertigbrachte, wenn Mutter mich nicht verteidigen konnte, was hätten da andere Leute tun können?

Zum Abschied sagte Vater:

«*Ikem*, du verläßt dieses Haus nicht ohne Erlaubnis *Tuan* Besar Kuasas. Ohne sein und mein Einverständnis kehrst du nicht nach Hause zurück.»

Ich schaute ihn nicht an, ich hielt meinen Kopf gesenkt. Das war das letzte Mal, daß ich seine Stimme hörte.

Vater und Mutter fuhren mit demselben Dogcart nach Hause,

mit dem wir angekommen waren. Ich blieb zitternd auf dem Stuhl zurück, in Tränen gebadet, wußte nicht, was tun. Zwischen den Wimpern hindurch konnte ich verschwommen wahrnehmen, wie *Tuan* Besar Kuasa wieder die Treppe hochstieg und ins Haus trat, nachdem er meine Eltern hinausbegleitet hatte. Er hob meinen Koffer auf und trug ihn in ein Zimmer. Dann kam er zurück, trat zu mir und zog mich an der Hand hoch. Ich schlotterte. Nicht, daß ich nicht hätte aufstehen wollen, nicht daß ich mich absichtlich widersetzte, ich konnte nicht stehen. Mein *Kain* war ganz naß. Meine Beine zitterten derart, als hätten sie sich aus den Gelenken gelöst. Er hob mich auf wie ein altes Kissen und trug mich ins Zimmer, legte mich auf das schöne, saubere Bett. Ich konnte nicht einmal mehr sitzen; ich lag da, ohnmächtig. Meine Augen nahmen verschwommen die Möbel in jenem Zimmer wahr. *Tuan* Besar Kuasa öffnete meinen Koffer, der nicht abgeschlossen war, hängte meine Kleider in den großen Schrank, wischte dann den Koffer mit einem Lappen ab und legte ihn unten in den Schrank.

Er trat wieder zu mir.

«Hab keine Angst», sagte er auf malaiisch. Seine Stimme polterte wie Donner bei einem Gewitter, und sein Atem hauchte mir dabei übers Gesicht.

Ich schloß die Augen ganz fest. Was würde der Riese mit mir tun? Er hob mich auf und trug mich im Zimmer herum wie eine Holzpuppe. Er nahm keinen Anstoß an meinem nassen *Kain*. Seine Lippen berührten meine Wangen und Lippen; sein Atem dröhnte mir in den Ohren. Ich wagte nicht, zu weinen oder mich zu bewegen. Ich war in kaltem Schweiß gebadet.

Er stellte mich auf den Boden, hielt mich aber sofort wieder fest, als er sah, daß ich umzufallen drohte. Er hob mich wieder auf, umarmte und küßte mich. Ich kann mich noch genau an seine Worte erinnern, obwohl ich sie damals nicht verstand:

«Liebling, mein Liebling, mein Püppchen, Liebling, Liebling.»

Er faßte mich um die Hüften, warf mich in die Luft und fing mich wieder auf. Er schüttelte mich heftig, wodurch ich wenigstens einen Teil meiner Kräfte zurückgewann. Er stellte mich erneut auf den Boden. Ich schwankte, und er streckte seine Arme schützend aus, damit ich nicht stürzte. Ich wankte weiter und sank schließlich am Bettrand zusammen.

Er kam auf mich zu, öffnete mir die Lippen mit seinen Fingern und befahl mir mit einer Gebärde, die Zähne zu putzen. Er führte mich nach hinten ins Badezimmer. Ich sah zum erstenmal eine Zahnbürste und wie man sich ihrer bediente. Er wartete, bis ich damit fertig war; mein ganzes Zahnfleisch schmerzte.

Wiederum mit einer Gebärde gab er mir zu verstehen, ich solle mich waschen und mich mit der wohlriechenden Seife einseifen. Ich führte alle seine Anweisungen aus, wie Befehle meiner eigenen Eltern. Er wartete vor dem Badezimmer mit Sandalen in der Hand. Er zog mir die Sandalen an; sie waren groß, riesengroß – die ersten Sandalen, die ich in meinem Leben trug –, aus Leder und schwer. Er trug mich ins Zimmer zurück und setzte mich vor den Spiegel. Mit einem dicken Tuch frottierte er mir das Haar trocken und rieb es dann mit Haaröl ein – es duftete wunderbar. Ich hatte keine Ahnung, was für ein Öl das war. Er kämmte mich sogar, als ob ich das nicht selber gekonnt hätte. Er versuchte, mir das Haar aufzustecken, aber es gelang ihm nicht, und er ließ es mich selber machen.

Dann befahl er mir, mich umzuziehen, und beobachtete jede meiner Bewegungen. Es war, als hätte ich kein eigenes Selbst mehr, wie eine *Wayang*-Figur in den Händen eines *Dalangs*. Schließlich puderte er mir das Gesicht und bestrich meine Lippen mit Lippenrot. Er führte mich aus dem Zimmer und rief seine beiden Dienerinnen herbei.

«Sorgt gut für meine *Nyai*!» befahl er ihnen.

So begann mein erster Tag als *Nyai*, Ann. Seine angenehme und freundliche Behandlung hatten meine Angst etwas gemindert. Nachdem er seinen Dienerinnen Anweisungen gegeben hatte, ging *Tuan* Besar Kuasa weg. Ich wußte nicht, wohin. Die beiden Frauen kicherten und nannten mich ein Glückskind, weil ich eine *Nyai* sein konnte. Nein, ich durfte und wollte auch nicht ein Wort reden. Ich war fremd in dem Haus, wußte nicht Bescheid über die Gepflogenheiten, die da galten. Im stillen dachte ich daran wegzulaufen. Aber wo hätte ich Obdach suchen sollen? Was sollte ich danach tun? Ich war in der Hand einer sehr mächtigen Person, mächtiger als mein Vater, mächtiger als alle Eingeborenen in *Tulangan*.

Die Dienerinnen stellten mir Essen und Trinken bereit. Ich schwieg beharrlich, saß unbeweglich auf dem Boden; ich hätte mich nicht getraut, irgend etwas in dem Zimmer zu berühren. Ich hatte meine Augen zwar offen, aber ich hatte Angst zu sehen. Das ist es vielleicht, was man als lebendig tot bezeichnet.

Abends kam *Tuan* Besar Kuasa nach Hause. Ich hörte seine Schritte. Er kam geradewegs ins Zimmer – ich zitterte. Der Schein der Lampe, die von einer Dienerin angezündet worden war, spiegelte sich auf seinen weißen Kleidern wider und blendete mich. Er hob mich auf und legte mich ins Bett. Ich traute mich kaum zu atmen, aus Angst, ihn zu verärgern.

Ich weiß nicht, wie lange dieser Fleischberg neben mir lag. Ich war bewußtlos, Annelies. Ich kann mich nicht erinnern, was alles geschah.

Als ich wieder zu mir kam, wußte ich, daß ich nicht mehr die Sanikem von gestern war. Ich war bereits seine wirkliche *Nyai* geworden. Später erfuhr ich seinen Namen: Herman Mellema. Dein Vater, Ann, dein leiblicher Papa. Der Name Sanikem war für immer begraben.

Schläfst du schon? Noch nicht?

Warum erzähle ich dir das alles, Ann? Weil ich nicht mit ansehen möchte, daß meine Tochter dieselbe verfluchenswerte Erfahrung machen muß. Du sollst richtig heiraten, jemanden, den du magst, für den du dich von dir aus entscheidest. Du, meine Tochter, sollst nicht wie ein Stück Vieh behandelt werden. Meine Tochter darf von niemandem und zu keinem Preis verkauft werden. Ich werde um die Selbstachtung meiner Tochter kämpfen. Meine Mutter war nicht stark genug, das zu tun, darum ist sie es nicht wert, meine Mutter zu sein. Mein Vater hat mich verkauft wie ein junges Pferd, er ist auch nicht wert, mein Vater zu sein. Ich habe keine Eltern.

Das Leben einer *Nyai* ist voller Tücken. Eine *Nyai* ist nichts als eine gekaufte Sklavin, deren Pflicht es ist, ihren Herrn um jeden Preis zufriedenzustellen. Andererseits muß sie ständig damit rechnen, daß er ihrer eines Tages überdrüssig wird. Es kann ohne weiteres geschehen, daß sie auf die Straße gesetzt wird mit all ihren Kindern, die von den Einheimischen verachtet werden, weil sie nicht in einer legitimen Ehe geboren wurden.

Ich habe mir geschworen, meine Eltern und ihr Haus nie mehr zu sehen. Ich mag mich nicht einmal an sie erinnern. Ich mag nicht an jene erniedrigende Begebenheit denken. Sie hatten aus mir eine *Nyai* gemacht; es blieb mir nichts anderes übrig, als eine *Nyai*, eine Sklavin zu sein, wie es keine bessere gab. Ich lernte alles, was mein Herr von mir verlangte: Hygiene, Malaiisch, wie man das Bett machte, den Haushalt führte, europäische Küche. Ja, Ann, ich wollte mich an meinen Eltern rächen. Ich wollte ihnen zeigen, daß ich bei allem, was sie mir angetan hatten, mehr wert war als sie, wenn auch nur als *Nyai*.

So verging das erste Jahr. Nie verließ ich *Tuan* Mellemas Haus, nie nahm er mich zu einem Spaziergang mit oder stellte mich seinen Gästen vor. Was hätte ich auch davon gehabt? Ich schämte mich vor der ganzen Welt, vor Bekannten oder ehemaligen Nachbarn erst recht. Ich schämte mich für meine Eltern. Ich entließ die Dienstmädchen und erledigte alle Hausarbeit alleine. Ich wollte keine Zeugen für mein Leben als *Nyai*. Niemand sollte etwas über mich erfahren: eine geächtete, wertlose Frau ohne eigenen Willen.

Der Schreiber *Sastrotomo* kam mehrere Male auf Besuch; ich weigerte mich, ihn zu empfangen. Eines Tages kam auch seine Frau, selbst sie wollte ich nicht sehen. *Tuan* Mellema rügte mein Verhalten nie, im Gegenteil, er war sehr zufrieden mit allem, was ich tat. Er schien sich über meinen Lerneifer zu freuen. Ann, dein Papa hatte mich sehr gern. Aber das vermochte die Wunde, die mein Stolz und meine Selbstachtung erlitten hatten, nicht zu heilen. Dein Papa blieb in meinen Augen ein Fremder. Ich wollte nicht von ihm abhängig sein, ich betrachtete ihn weiterhin als einen Unbekannten, der jederzeit nach Holland zurückkehren, mich verlassen und alles in *Tulangan* vergessen konnte. Ich war jederzeit darauf gefaßt. Falls *Tuan* Besar Kuasa weggehen wollte, mußte ich so weit sein, daß ich nicht zu *Sastrotomo* zurückzukehren brauchte. Ich lernte sparen. Dein Papa fragte nie, wofür ich das Haushaltsgeld ausgab. Er selbst kaufte in *Sidoarjo* oder Surabaya Vorrat für einen Monat ein.

In einem Jahr hatte ich mehr als hundert Gulden zusammenge-spart. Kehrte *Tuan* Mellema eines Tages nach Europa zurück oder jagte er mich fort, hatte ich bereits genügend Kapital, um nach Surabaya zu gehen und da irgendeinen Handel anzufangen.

Nach einem Jahr lief auch *Tuan* Mellemas Vertrag ab. Er verlän-gerte ihn nicht. Schon seit der Zeit in *Tulangan* züchtete er austra-lische Milchkühe und lehrte mich, sie zu versorgen. Abends brachte er mir Lesen und Schreiben und auch Holländisch bei. Wir zogen nach Surabaya um, da *Tuan* Mellema dieses Stück Land in *Wonokromo* gekauft hatte. Nur ging es damals noch nicht so be-triebsam zu, es war noch lauter Gebüsch und Jungwald. Die Kühe wurden hierher gebracht.

In jener Zeit fing ich an, mich glücklich zu fühlen. Er schenkte mir immer Beachtung, fragte mich nach meiner Meinung, be-sprach alles mit mir. Mit der Zeit fühlte ich mich ihm ebenbürtig. Ich schämte mich nicht mehr, wenn ich zufällig alten Bekannten begegnete. Was ich in dem einen Jahr gelernt und geleistet hatte, gab mir meine Selbstachtung wieder zurück. Doch meine Haltung blieb dieselbe: Ich wollte es so weit bringen, daß ich von nieman-dem mehr abhängig war. Natürlich war es übertrieben, wenn eine Javanerin in meinem Alter von Selbstachtung sprach. Dein Papa hat es mich gelehrt, Ann. Mir wurde erst viel später bewußt, was Selbstachtung eigentlich ist.

Auch hier besuchte uns Vater einige Male, aber ich wollte ihn um nichts in der Welt sehen.

«Geh doch zu ihm», sagte *Tuan* Mellema bei einer solchen Gele-genheit. «Er ist immerhin dein Vater.»

«Früher einmal hatte ich einen Vater, jetzt nicht mehr. Wäre er nicht *Tuans* Gast, hätte ich ihn schon längst fortgejagt.»

«Das kannst du nicht tun», verbot er.

«Eher gehe ich von hier weg, als daß ich ihm gegenübertrete.»

«Wenn du weggehst, was soll dann aus mir werden? Und wer soll sich um die Kühe kümmern?»

«Es gibt genügend Leute, die man dafür anstellen kann.»

«Die Kühe kennen nur dich.»

Da wurde mir klar, daß ich überhaupt nicht von *Tuan* Mellema abhängig war, im Gegenteil, er war von mir abhängig. In Zukunft bestimmte ich bei allen Angelegenheiten mit. Er akzeptierte mich immer; er zwang mich nie zu irgend etwas, außer zum Lernen. Er war ein strenger, aber guter Lehrer und ich eine folgsame und ebenfalls gute Schülerin. Ich war mir bewußt, daß alles, was er mich lehrte, mir und meinen Kindern einmal sehr nützlich sein würde, wenn *Tuan* nach Holland zurückkehren sollte.

Er bedrängte mich nie mehr mit der Angelegenheit *Sastrotomo*. Der Oberschreiber ließ mir mehr als einmal durch *Tuan* ausrichten, ich solle ihm wenigstens einen Brief schreiben, wenn ich ihn nicht sehen wolle. Nie hätte ich das getan; keine einzige Zeile schrieb ich, obwohl ich bereits schreiben konnte, Malaiisch so gut wie auch Holländisch. Ich sandte auch alle Briefe *Sastrotomos* ungelesen zurück.

Eines Tages kamen Mutter und Vater nach *Wonokromo*. *Tuan* war nervös. Vielleicht schämte er sich, weil ich mich eisern weigerte, sie zu sehen. Die Gäste flehten darum, mich zu treffen, sagte er. Mutter soll sogar geweint haben. Durch *Tuan* ließ ich ihnen ausrichten:

«Betrachtet mich als ein Ei, das aus dem Nest gefallen ist, zerbrochen. Daran trägt das Ei keine Schuld.»

Damit war für mich die Angelegenheit mit meinen Eltern abgeschlossen.

Warum klammerst du dich an meinem Arm fest, Ann? Ich erziehe dich zur Verwalterin, zur Geschäftsfrau. Es gehört sich nicht für dich, Gefühle zu äußern und ihnen nachzugeben. Unsere Welt besteht aus Gewinn und Verlust. Du bist mit meiner Haltung nicht einverstanden, nicht wahr? Hmm, sogar Hühner, Hennen meine ich, verteidigen ihre Küken, selbst gegen Falken, die vom Himmel herabstürzen. Meine Eltern haben die gerechte Strafe verdient. Du selbst darfst mir gegenüber genauso handeln, aber erst später, wenn du auf eigenen Füßen stehen kannst.

Tuan ließ neue Kühe kommen, ebenfalls aus Australien. Es gab immer mehr Arbeit. Wir mußten Leute einstellen. *Tuan* überließ mir alle Arbeit innerhalb des Betriebs. Anfangs hatte ich Angst, den Arbeitskräften Befehle zu erteilen. *Tuan* wies mich an. Er sagte: ihr Brotherr ist ihr Unterhalt, die Vorgesetzte ihres Unterhalts bist du! Unter seiner Anleitung traute ich mich mit der Zeit, ihnen Anweisungen zu geben. Er war weiterhin hart und weise wie ein Lehrer. Geschlagen hat er mich nie. Dabei hätte ich bestimmt Knochenbrüche erlitten. Nach und nach schaffte ich alles, was er von mir verlangte.

Tuan erledigte die Arbeit außerhalb des Betriebs. Er suchte nach Kunden. Unser Betrieb lief immer besser.

Damals kam Darsam als arbeitsloser Landstreicher daher. Er arbeitete gern, erledigte alles, was man ihn hieß. Eines Nachts überraschte er einen Dieb und lieferte ihm ein Gefecht. Der Dieb kam dabei um, und es gab einen Prozeß, aber Darsam wurde freigesprochen. Seither schenkte ich ihm mein volles Vertrauen; er wurde meine rechte Hand. *Tuan* war ja immer seltener zu Hause.

Tuan lehrte mich außerdem, mich zu kleiden und passende Farben auszusuchen. Er schaute mir oft zu, wenn ich mich herrichtete. Bei solcher Gelegenheit sagte er einmal:

«Du mußt immer hübsch aussehen, *Nyai*. Ein ungepflegtes Gesicht und unordentliche Kleider sind das Spiegelbild eines ungepflegten, unordentlichen Betriebs, damit erweckt man kein Vertrauen.»

Nun, habe ich nicht alle seine Wünsche erfüllt? Alle seine Bedürfnisse befriedigt? Ich sehe immer ordentlich aus. Selbst vor dem Schlafengehen richte ich mich manchmal noch her. Anmutig und gepflegt auszusehen ist wirklich besser als unordentlich. Merk dir das, Ann. Alles, was unschön ist, kann unmöglich anziehend wirken. Eine Frau, die sich nicht pflegt – also, wenn ich ein Mann wäre, würde ich all meinen Freunden raten: heirate keine solche Frau, sie kann nicht einmal ihre eigene Haut pflegen.

Tuan verbot mir, Betel zu kauen, damit meine Zähne weiß blieben. Er sagte, sie seien wie Perlen.

Und so kaute ich eben keinen Betel.

Fast jeden Monat kam ein Paket mit Büchern und Zeitschriften aus Holland. *Tuan* las gerne. Ich wundere mich eigentlich, daß dir das Lesen keinen Spaß macht, dabei lese ich selber auch gerne. Es war kein einziges malaiisches oder gar javanisches Buch dabei. Wenn wir mit der Arbeit fertig waren, gegen Sonnenuntergang, setzten wir uns vor unsere Bambushütte – damals hatten wir das schöne Haus noch nicht –, und ich mußte ihm vorlesen. Auch aus

Zeitungen. Er hörte mir zu, verbesserte meine Aussprache, erklärte Ausdrücke, die ich nicht verstand. So ging es jeden Tag, bis er mir dann zeigte, wie man ein Wörterbuch benutzt. Ich war ja nur eine käufliche Sklavin, ich hatte alles zu tun, was er wünschte, ohne Ausnahme. Dann mußte ich Bücher lesen und ihm deren Inhalt erzählen.

Ja, Ann, die alte Sanikem löste sich mehr und mehr auf. Ich entwickelte mich zu einer neuen Person mit neuen Standpunkten und neuen Ansichten. Ich hatte das Gefühl, jemand ganz anderer zu sein, als die damals in *Tulangan* verkaufte Sklavin. Es war, als hätte ich gar keine Vergangenheit. Manchmal fragte ich mich: Bin ich schon eine braune Holländerin? Ich hatte, außer mit deinem Vater, nicht sehr viel Umgang mit andern Europäern. Einmal fragte ich ihn, ob die europäischen Frauen auch so unterrichtet würden wie ich. Weißt du, was er antwortete?

«Du kannst viel mehr als jede durchschnittliche Europäerin, von Mischlingen nicht zu reden.»

Ach, wie war ich glücklich mit ihm, Ann. Er verstand es so gut, mich zu loben und mir Mut zu machen. Darum gab ich mich ihm auch mit Leib und Seele hin. Hätte mir das Schicksal nur ein kurzes Leben geschenkt, wäre ich gerne in seinen Armen gestorben, Ann. Ich fühlte, es war richtig gewesen von mir, mit meiner Vergangenheit zu brechen. Er war genau, wie die Javaner zu sagen pflegen: «Der Mann sei dir dein Lehrer und dein Gott.» Wohl um die Wahrheit seiner Worte zu beweisen, abonnierte er einige holländische Frauenzeitschriften.

Schließlich wurde Robert geboren und vier Jahre später du, Ann. Der Betrieb wuchs unaufhörlich. Wir besaßen immer mehr Land. Wir konnten sogar Wald kaufen. Alles wurde auf meinen Namen gekauft. Wir hatten noch keine Reisfelder oder Äcker. Nachdem der Betrieb so groß geworden war, begann *Tuan*, mich für meine Arbeit zu bezahlen, auch für die bereits verflossenen Jahre. Mit dem Geld kaufte ich die Reismühle und andere Geräte. Seither gehörte der Betrieb nicht nur *Tuan* Mellema, meinem Herrn, allein, sondern auch mir. Er schenkte mir sogar einen Gewinnanteil in Höhe von fünfhundert Gulden für die fünf Jahre. Wir nannten den Betrieb *Boerderij* Buitenzorg. Da ich alle internen Angelegenheiten erledigte, nannten mich die Leute, die mit mir zu tun hatten, *Nyai* Ontosoroh, *Nyai* Buitenzorg.

Schläfst du schon; noch nicht? Gut.

Nachdem ich die Frauenzeitschriften über längere Zeit hinweg studiert und viele der aufgeführten Hinweise befolgt hatte, fragte ich *Tuan* eines Tages wieder:

«Bin ich nun schon wie eine Holländerin?»

Dein Papa lachte schallend und sagte:

«Du kannst unmöglich wie eine Holländerin sein. Das ist auch gar nicht nötig. Du bist genau richtig, so wie du jetzt bist. Du bist klüger und besser als sie alle. Alle!» Und er lachte wieder vergnügt. Sicher übertrieb er, aber ich freute mich und war glücklich dabei; zumindest war ich nicht weniger als sie. Ich mochte seine Komplimente. Er kritisierte nie, lobte nur immer. Nie ließ er meine Fragen unbeachtet, er beantwortete sie immer. Und ich wurde immer selbstsicherer, immer mutiger.

Und dann, Ann, dann kam ein Schlag, der dieses Glück zertrümmerte, mein Leben aus den Fugen sprengte. Eines Tages begaben sich *Tuan* und ich aufs Gericht, um Robert und dich als *Tuan* Mellemas leibliche Kinder eintragen zu lassen. Anfänglich glaubte ich, daß ihr somit als legale Kinder anerkannt würdet. Dem war nicht so, Ann. Ihr bliebt uneheliche Kinder, wurdet lediglich als seine Nachkommen anerkannt und durftet seinen Namen tragen. Als Folge jenes Gerichtsverfahrens werdet ihr beiden vom Gesetz nicht mehr als meine Kinder anerkannt, obwohl ich euch geboren habe. Seither seid ihr laut Gesetz nur die Kinder *Tuan* Mellemas. Laut holländischem Gesetz, das hier gilt, versteh mich nicht falsch. Selbstverständlich bist du trotzdem mein Kind. Da erst begriff ich, wie gemein das Gesetz ist. Man gab euch einen Vater, doch entriß euch die Mutter.

Darauf wollte *Tuan* euch taufen lassen. Ich begleitete euch nicht zur Kirche. Ihr kamt schneller als erwartet nach Hause: Der Pfarrer wollte euch nicht taufen. Dein Papa war aufgebracht. «Diese Kinder haben das Recht auf einen Vater», sagte er. «Warum haben sie kein Recht auf Christi Vergebung?»

Ich verstand nichts davon und schwieg nur. Nachdem ich erfahren hatte, daß ihr nur legitime Kinder werden könnt, wenn wir auf dem Zivilstandesamt getraut würden, lag ich *Tuan* täglich mit der Bitte in den Ohren, doch standesamtlich zu heiraten. Dein Papa, schon seit Tagen mürrisch, brach unvermittelt in Zorn aus. Zum erstenmal in all den Jahren. Er antwortete nicht, erklärte auch nie warum. So seid ihr eben bis heute uneheliche Kinder. Und ungetauft.

Ich versuchte es nie wieder, Ann. Ich mußte mich damit abfinden, wie es war. Nie würde mich jemand mit «Mevrouw» ansprechen; die Anrede «*Nyai*» würde mir mein Leben lang anhaften. Das war egal, wenn ihr nur einen geachteten Vater hattet, dem man vertrauen konnte. Die Anerkennung bedeutete viel für die Umgebung. Meine persönlichen Angelegenheiten gingen die Leute nichts an, wenn nur ihr das erhieltet, was euch zustand. Ach, du schläfst schon?

«Noch nicht, Ma», widersprach ich.

Ich wartete noch immer darauf, daß sie etwas über dich sagte, *Mas*. Aber ein andermal würde sie vielleicht nicht so viel erzählen können; ich mußte mich also gedulden, bis sie von selbst über uns sprach, *Mas*.

Ich fragte vordergründig:

«Du liebtest Papa schließlich doch?»

«Was weiß ich, was Liebe bedeutet. Er erfüllte seine Pflichten gewissenhaft, ich die meinigen. Das reichte für uns beide. Hätte er eines Tages nach Holland zurückkehren wollen, hätte ich ihn nicht aufgehalten. Nicht, weil ich kein Recht dazu hatte, sondern weil wir uns nichts schuldeten. Er hatte die Freiheit, jederzeit zu gehen. Ich fühlte mich stark genug mit all dem, was ich erlernt und erworben hatte, was ich konnte und was mir gehörte. Ich war ja doch für immer nur eine gekaufte Konkubine. Ich hatte bereits mehr als zehntausend Gulden auf die Seite gelegt, Ann.»

«Hast du deine Familie in *Tulangan* nie besucht, Mama?»

«Ich habe keine Familie in *Tulangan*. Nur in *Wonokromo*. Ein paarmal besuchte uns mein Bruder Paiman, und ich habe ihn auch empfangen. Er kam, um Hilfe zu erbitten; so war es jedesmal. Das letzte Mal kam er, um zu berichten, daß *Sastrotomo* zusammen mit vielen andern an einer Cholera-Epidemie gestorben war. Seine Frau ist bereits früher aus irgendeinem Grund gestorben.»

«Vielleicht wäre es besser, wir würden ihn einmal besuchen, Ma.»

«Nein. Es ist besser, mit der Vergangenheit zu brechen. Die Wunden, die man meinem Stolz und meiner Selbstachtung zugefügt hat, wollen immer noch nicht heilen. Wenn ich daran denke, wie erniedrigend es ist, verkauft zu werden… Ich bring's nicht fertig, *Sastrotomos* Habgier und die Schwäche seiner Frau zu verzeihen. Irgendwann im Leben muß der Mensch Haltung annehmen. Wenn nicht, wird er es zu nichts bringen.»

«Du bist zu hart, Mama, viel zu hart.»

«Was würde aus dir werden, wenn ich nicht so hart sein könnte? In dieser Hinsicht ist es besser, wenn ich allein das Opfer bin; ich habe mich damit abgefunden, eine gekaufte Sklavin zu sein. Im Gegenteil, du bist es, die zu schwach ist, Ann. Mitleid ist hier fehl am Platz…»

Mama sprach noch immer nicht von dir. Anscheinend hat sie Papa nie geliebt, und da scheute ich mich, darüber zu reden, *Mas*. Papa blieb für sie ein Fremder. Du dagegen, *Mas*, warum warst du mir so nahe? Du gingst mir nicht aus dem Sinn, und ich wünschte mir nichts, außer für immer in deiner Nähe zu sein.

«Dann traf mich der zweite Schlag, Ann», fuhr Mama fort. «Unüberwindbar…»

Die Regierung beschloß, den Hafen *Tanjung Perak* auszubessern und auszubauen. Für das Projekt wurden eine Anzahl Wasserbau-Spezialisten aus Holland herberufen. Damals war unser Milchhandel in voller Blüte; jeden Monat liefen mehr und mehr Bestellungen ein. Der ganze *D. P. M.*-Komplex bezog Milch von uns. Und dann traf uns ein Blitz aus heiterem Himmel. Mama stand auf, um sich etwas zu trinken zu holen. Es war stockdunkel im Zimmer. Niemand konnte uns zwei in dem Dachzimmer hören. Die Nacht war totenstill, nur das Tick-Tack der Pendüle im Parterre war vage durch die offene Tür zu vernehmen. Das Geräusch verschwand, als Mama zurückkam und die Tür schloß.

Unter den Wasserbau-Spezialisten befand sich ein junger Ingenieur; ich erfuhr seinen Namen zum erstenmal aus der Zeitung: Maurits Mellema. Sein Lebenslauf wurde kurz erwähnt. Es hieß, er sei ein ehrgeiziger Ingenieur, der in seiner erst kurzen Karriere bereits Großes geleistet habe.

Vielleicht ist er ein Verwandter deines Papas, dachte ich. Ich wollte nicht, daß sich jemand anders in unser ruhiges, geordnetes und zufriedenes Leben einmischte. Niemand sollte an unseren Betrieb Hand anlegen. Darum versteckte ich die Zeitung, bevor er sie lesen konnte. Ich sagte, sie sei noch nicht gekommen, vielleicht wäre der Bote krank. *Tuan* fragte nicht weiter danach.

Drei Monate später, du und Robert wart bereits in der Schule, fuhr ein Gast mit einer schmucken, zweispännigen Gouvernements-Kutsche vor. Dein Papa war gerade hinten beschäftigt; ich arbeitete im Kontor. Es war wirklich ein unglücklicher Zufall, daß nicht *Tuan* im Kontor und ich hinten war.

Der Wagen hielt vor der Treppe. Ich verließ das Kontor, um den Gast zu empfangen. Ich dachte, irgendeine Behörde wollte Milchprodukte bestellen. Ein junger Europäer stieg ab. Er war ganz in Weiß gekleidet und hatte seine Jacke korrekt geschlossen, es war eine Marineoffiziers-Uniform. Er trug auch eine Marine-Mütze, aber er hatte keine Rangabzeichen an den Ärmeln oder auf den Schultern. Er war robust und breit gebaut. Ohne Umschweife klopfte er mehrmals an die Tür. Er sah *Tuan* Mellema sehr ähnlich. Die silbernen Knöpfe mit Ankerabzeichen an seiner Jacke blinkten. Er sprach ein miserables Malaiisch, das ich gleich von Anfang an als frech empfand, das genaue Gegenteil der europäischen Höflichkeit, wie ich sie gewohnt war.

«Wo ist *Tuan* Mellema», fragte er knapp.

«Wer sind Sie?» fragte ich beleidigt.

«Ich spreche nur mit *Tuan* Mellema», sagte er noch unverschämter als zuvor.

Ich fühlte mich wieder als eine *Nyai*, die nicht einmal in ihrem eigenen Haus ein Recht auf Achtung hatte, als hätte ich keinen Anteil an diesem großen Betrieb. Ohne meine Hilfe hätte *Tuan* dieses Haus nie errichten können, Ann. Woher nahm der Gast das Recht, sich so aufzuspielen?

Ich forderte ihn nicht auf, sich zu setzen, sondern ließ ihn absichtlich stehen. Ich schickte jemanden nach hinten, um *Tuan* Bescheid zu sagen.

Dein Papa hatte mich gelehrt, keine Briefe zu lesen oder Gespräche mitzuhören, die mich nichts angingen. Aber diesmal war ich argwöhnisch. Ich ließ die Tür zwischen Kontor und Gästezimmer einen Spalt weit offen; ich mußte erfahren, wer das war und was er wollte.

Der junge Mann stand noch immer, als *Tuan* erschien. Durch den Spalt sah ich, daß dein Papa wie versteinert vor ihm stehen blieb. «Maurits!» rief er aus. «So stattlich bist du schon.»

Ich ahnte gleich, daß das jener Ingenieur Maurits Mellema war, einer der Wasserbau-Spezialisten von *Tanjung Perak*.

Er fand es nicht nötig zu grüßen, sondern korrigierte schnippisch: «In-ge-nieur Maurits Mellema, *Tuan* Mellema!»

Dein Papa erschrak. Der Gast stand noch immer. Dein Papa lud ihn zum Sitzen ein, doch er nahm keine Notiz davon und blieb stehen.

Hör mir gut zu, Ann, merk dir die Geschichte für immer. Nicht nur, weil deine Kinder und Kindeskinder es später auch erfahren sollen, sondern weil das Auftauchen jenes Gastes den Anfang aller Schwierigkeiten bedeutete, für mich, für dich, für den Betrieb. Der junge Holländer sagte:

«Ich bin nicht gekommen, um auf diesem Stuhl zu sitzen. Es gibt Wichtigeres als Sitzen. Hören Sie, *Tuan* Mellema! Meine Mutter, Mevrouw Amelia Mellema-Hammers, mußte sich, nachdem Sie sie feige verlassen hatten, abschuften und abrackern, um mich zu ernähren und ausbilden zu lassen, bis ich es schließlich zum Ingenieur gebracht habe. Ich und Mevrouw Mellema-Hammers haben beschlossen, nicht auf Ihre Rückkehr zu hoffen, *Tuan* Mellema. Wir hielten Sie für verschollen, vom Erdboden verschluckt. Wir forschten nicht nach, wo Sie sich aufhalten könnten.»

Durch den Türspalt sah ich das Gesicht deines Papas von der Seite. Er hob seine Arme; seine Lippen bewegten sich, aber er brachte keinen Ton heraus. Seine Wangen zitterten unbeherrscht. Dann ließ er die Arme sinken.

Ingenieur Mellema sagte folgendes:

«Sie haben Mevrouw Amelia Mellema-Hammers mit der Beschuldigung, Ehebruch begangen zu haben, zurückgelassen. Ich, ihr Sohn, wurde dadurch ebenfalls gedemütigt. Sie haben die Angelegenheit nie vor Gericht gebracht, meiner Mutter nie Gelegenheit gegeben, sich und ihre Rechtschaffenheit zu verteidigen. Wer weiß, wem Sie das überall weitererzählt haben.

Zufälligerweise habe ich gerade Dienst in Surabaya, *Tuan* Mellema. Genauso zufälligerweise habe ich eines Tages eine Annonce im *Auktionsblatt* gelesen, die Milch und Milchprodukte der *Boerderij* Buitenzorg anbot; darunter stand Ihr Name. Ich habe jemanden angeheuert, um nachzuforschen, wer Sie sind. Und siehe da, dieser H. Mellema ist identisch mit Herman Mellema, dem Mann meiner Mutter. Mevrouw Amelia Mellema-Hammers hätte wieder heiraten und glücklich sein können. Aber Sie sind einem Prozeß absichtlich ausgewichen.»

«Warum hat sie sich nicht längst ans Gericht gewandt, wo ihr doch so viel an der Scheidung liegt?» gab dein Papa zur Antwort, ganz zaghaft, als ob er sich vor seinem eigenen Sohn, der nun so giftig geworden war, fürchtete.

«Warum Mevrouw Mellema-Hammers, wenn Sie derjenige sind, der ihr Vorwürfe macht? Wenn Sie mit Ihrer Beschuldigung, daß meine Mutter Ehebruch begangen hat, recht haben, warum reichen Sie nicht jetzt gleich die Scheidung ein?»

«Wenn ich das tue, verliert deine Mutter alle Rechte auf meinen Milchbetrieb in Holland.»

«Schieben Sie keine falschen Skrupel vor, *Tuan* Mellema. Sie haben sich in Wirklichkeit nie um die Angelegenheit gekümmert. Mellema-Hammers ist das Opfer Ihrer angeblichen Skrupel geworden.»

«Hätte deine Mutter bereits früher nichts dagegen gehabt, daß der Skandal an die Öffentlichkeit kommt, hätte ich es längst ohne deinen Ratschlag getan.»

«Früher konnte sich meine Mutter keinen Anwalt leisten. Jetzt kann ich es, selbst den teuersten. Es steht Ihnen nichts im Weg, den Prozeß endlich anzustrengen. Sie sind reich genug, einen Advokaten anzuheuern, Sie besitzen genug, um Alimente zu zahlen.»

Es war also eindeutig, Ingenieur Mellema war niemand anders als der einzige Sohn deines Vaters, das heißt, der einzige legitime Nachkomme aus seiner legitimen Ehe. Er überfiel uns wie ein Räuber und brachte unser Leben durcheinander. Und das, wo doch selbst der Schreiber *Sastrotomo* und seine Frau sich nicht in unser Leben einmischen durften, auch Paiman nicht. Selbst *Tuan* Mellema hätte daran nichts ändern dürfen, auch dann nicht, wenn er seine Einstellung geändert hätte. Ebensowenig eines meiner Kinder. Da kam dein Stiefbruder, der nicht nur darauf aus war, sich einzumischen – er überrumpelte uns, um alles zu zerstören!

Bis dahin hatte ich den Mund gehalten, aber ich hielt es nicht länger aus, seine Äußerungen mit anzuhören, und ging hinaus, um dem Streit ein Ende zu machen. Ich fühlte mich verpflichtet, *Tuan* beizustehen.

«Die Auskunftsperson hat mir sehr genaue und glaubhafte Informationen überbracht», fuhr Maurits Mellema fort, ohne sich um meine Anwesenheit zu kümmern. «Ich bin genauestens im Bild darüber, wie es in jedem Zimmer in diesem Haus aussieht, wie viele Arbeitskräfte Sie beschäftigen, wieviele Kühe Sie besitzen, wie viele Tonnen Reis und andere Produkte Sie jährlich ernten, wie hoch Ihr Guthaben ist. Und der Gipfel von allem, *Tuan* Mellema, ist Ihr Lebenswandel. Sie haben Mevrouw Amelia Mellema-Hammers die Beschuldigung angehängt, Ehebruch begangen zu haben. Und was tun Sie? Nach dem Gesetz sind Sie noch immer der Ehemann meiner Mutter, doch Sie haben sich eine Eingeborene als Bettgefährtin genommen, nicht nur für ein, zwei Tage, nein, schon jahrelang! Tag und Nacht leben Sie mit ihr zusammen! Ohne legitime Heirat. Sie haben die Geburt zweier unehelicher Kinder auf dem Gewissen!» Mir stieg das Blut in den Kopf. Meine Lippen waren trocken und zitterten. Meine Zähne knirschten. Ich ging langsam auf ihn zu, bereit, ihm das Gesicht zu zerkratzen. Er zog alles in den Dreck, was ich in all der Zeit erworben, gerettet, umsorgt und geliebt hatte.

«Solche Worte gehören sich nur im Hause Mellema-Hammers und ihres Sohnes!» fauchte ich tränenerstickt auf holländisch.

Er drehte sich nicht einmal nach mir um, Ann, und mein Zetern hörte er sich erst recht nicht an, dieser Frechling. Sein Gesichtsausdruck veränderte sich nicht die Spur. Ich war für ihn nicht mehr als ein Stück Dreck. Er hielt deinen Vater und mich für Ehebrecher. Mag sein, daß er dazu berechtigt war, vielleicht auch die ganze Welt. Aber daß er uns beschuldigte, eine mir unbekannte Frau und ihren Sohn betrogen zu haben… eine solche Frechheit war wirklich der Gipfel. Und das in dem Haus, das wir von unseren eigenen Ersparnissen erbaut hatten.

«Sie haben kein Recht, über meine Familie zu sprechen!» donnerte ich ihn auf holländisch an.

«Das geht dich nichts an, *Nyai*», antwortete er in grobem und steifem Malaiisch und würdigte mich keines Blickes mehr.

«Das ist mein Haus. Reden Sie so draußen auf der Straße, nicht hier.»

Ich gab deinem Vater ein Zeichen, er solle weggehen; er verstand es nicht. Während jener unverschämte Eindringling mich mit aller Absicht überging. Dein Papa gaffte nur, wie jemand, der den Verstand verloren hat. Und so war es denn auch, wie sich später herausstellte.

«*Tuan* Mellema», fuhr er auf holländisch fort, mich weiterhin ignorierend, «selbst wenn Sie diese *Nyai*, diese Konkubine legitim heirateten, so wird sie dadurch keine Christin. Sie ist eine Heidin! Und selbst wenn sie eine Christin wäre, so sind Sie trotzdem schändlicher und verdorbener als Mevrouw Amelia Mellema-Hammers, schändlicher als alles, was Sie meiner Mutter vorgeworfen haben. Sie haben Blutschande begangen, unzüchtige Blutschande! Christlich-europäisches Blut mit heidnisch-farbigem Eingeborenenblut vermischt! Ein unsühnbarer Frevel!»

«Raus!» schrie ich. Es ließ ihn kalt. «Was fällt Ihnen ein, in anderer Leute Familie Verwirrung zu stiften. Geben vor, Ingenieur zu sein, und haben nicht den geringsten Funken Anstand.»

Er scherte sich einen Teufel um mich. Ich trat einen Schritt vor, er einen halben zurück, als ob er seinem Ekel vor *Pribumis* Ausdruck verleihen wollte.

«*Tuan* Mellema, Sie wissen nun, wer Sie in Wirklichkeit sind.»

Er drehte uns den Rücken zu, ging die Treppe hinunter, stieg auf seine Kutsche, ohne sich umzudrehen und ohne ein weiteres Wort zu verlieren.

Dein Papa stand noch immer wie am Boden festgewachsen da, völlig fassungslos.

«Das ist also der Sohn deiner richtigen Frau», herrschte ich ihn an. «Das sind die europäischen Gepflogenheiten, die du mir seit Jahren beibringst? Die du Tag und Nacht in den Himmel hebst?

Haushalt und Familie anderer Leute bespitzeln und in den Dreck ziehen, um sie dann zu erpressen. Was ist das anderes als Erpressung? Wozu bespitzelt er sonst anderer Leute Angelegenheiten?»

Ann, *Tuan* hörte mein Gezeter nicht. Als seine Augäpfel sich bewegten, richtete er seinen Blick auf die Straße, ohne mit den Wimpern zu zucken. Ich schimpfte weiter. Er hörte es nicht. Einige Angestellte liefen herbei, um zu erfahren, was los sei. Als sie sahen, daß ich *Tuan* eine Szene machte, zogen sie sich hastig zurück. Ich rüttelte und schüttelte *Tuan*, zerkratzte ihm die Brust. Er bewegte sich nicht, fühlte überhaupt keinen Schmerz. Allein der Schmerz in meiner Brust wütete und suchte nach einer Zielscheibe. Ich hatte keine Ahnung, was er dachte. Vielleicht erinnerte er sich an seine Frau. Wie weh tat mir das Herz, Ann, um so mehr, da er nichts von dem Schmerz wissen wollte, der mich peinigte.

Erschöpft weinte ich, fiel kraftlos in einen Stuhl, wie ein ausgetragenes Kleidungsstück. Ich legte meine Arme auf den Tisch und vergrub meinen Kopf darin. Mein Gesicht war naß.

Wann endlich hörten die Demütigungen auf, die eine *Nyai* über sich ergehen lassen mußte? Durfte mich wirklich jedermann schikanieren? Mußte ich denn meine bereits verstorbenen Eltern verfluchen, die mich verkauft und zur *Nyai* gemacht hatten? Ich habe sie nie verflucht, Ann. Konnte jener Ingenieur denn nicht verstehen, daß er nicht nur mich erniedrigte, sondern auch meine Kinder? Und warum besaß *Tuan*, groß und stattlich wie er war, mit seinem vierschrötigen, behaarten Brustkasten und Muskeln wie ein Held, nicht das kleinste bißchen Mumm, seine Lebensgefährtin, die Mutter seiner eigenen Kinder, zu verteidigen? Was konnte so ein Mann noch bedeuten? Er war doch mehr als nur mein Lehrer, er war der Vater meiner Kinder, er war mein Gott. Was nützten nun all seine Kenntnisse und all sein Wissen? Was nützte es, daß er ein Europäer war, den alle *Pribumis* achteten? Wozu war er mein Herr, mein Lehrer, mein Gott, wenn er nicht einmal sich selbst verteidigen konnte?

Von jenem Augenblick an erlosch meine Achtung vor deinem Vater, Ann. Seine Lehren über Selbstachtung und Ehre waren für mich nur noch hohles Geschwätz. Er war nicht mehr wert als der

Schreiber *Sastrotomo* und dessen Frau. Wenn das seine ganze Stärke war, angesichts einer so nichtigen Prüfung, dann konnte ich meine Kinder auch ohne ihn großziehen, dann konnte ich alles allein erledigen. Wie weh tat mir das Herz, Ann. Schlimmer als damals kann es mir in meinem ganzen Leben nicht ergehen.

Als ich den Kopf hob, sah ich durch meinen Tränenschleier, daß *Tuan* noch immer dastand, ohne mit den Wimpern zu zucken, und fassungslos zur Straße starrte. Für mich, für seine Lebensgefährtin und treueste Helferin, hatte er keinen Blick übrig. Dann hustete er und bewegte sich ganz langsam, gleichsam mechanisch. Leise, als hätte er Angst, von Teufeln und Satanen gehört zu werden, rief er aus:

«Maurits! Maurits!»

Er stieg die Treppe hinunter. Am Tor bog er nach rechts ab, in Richtung Surabaya. Er trug keine Schuhe, nur Sandalen und Arbeitskleider. Dein Papa kam für den Rest des Tages nicht zurück. Ich kümmerte mich nicht darum. Ich war mit meinem gequälten Herzen beschäftigt. Auch abends kam er nicht nach Hause. Drei Tage und drei Nächte heulte ich, Ann. Vergeblich waren meine Tränen, die ich ins Kissen weinte.

Darsam erledigte alles. Am Abend des dritten Tages traute er sich, an die Tür zu klopfen. Du warst es, Ann, die ihm öffnete und ihn nach oben führte. Ich hätte nie geglaubt, daß er sich traute, nach oben zu kommen. Mein Schmerz und meine Trauer verwandelten sich in Jähzorn. Aber dann dachte ich, daß es vielleicht etwas gab, was ihm wichtiger schien als meine Trauer und mein Schmerz. Das war das erste und letzte Mal, daß er in den oberen Stock kam.

Darsam sagte:

«*Nyai*, außer Lesen und Schreiben hat Darsam bereits alles erledigt.» Er sprach maduranisch. Ich antwortete nicht. Ich dachte nicht an den Betrieb. Ich lag noch immer auf dem Bett, das Kissen fest umarmend. «Keine Angst, *Nyai*, es ist alles in Ordnung. Sie können sich auf Darsam verlassen.»

Und man konnte ihm tatsächlich vertrauen.

Am vierten Tag verließ ich das Haus und holte dich für immer von der Schule ab. Der Betrieb, die Frucht unserer beider Mühsal, durfte nicht einfach so auseinanderbröckeln. Von ihm hängt unser ganzes Leben ab.

Schluchzend beendete Mama ihre Geschichte. Der Schmerz der Demütigungen, die sie weder abwehren noch vergelten konnte, lebte wieder in ihr auf. Nachdem sie sich etwas beruhigt hatte, setzte sie hinzu:

«Mehr als fünfzehn Arbeiter jagte ich von unserem Land. Sie waren es gewesen, die Maurits für ein, zwei *Talen* Auskünfte verkauft hatten. Möglicherweise sogar umsonst. Ich muß dich auch um Verzeihung bitten, Ann. Dein Papa und ich waren uns einig, dich nach Europa auf die Schule zu schicken und als Lehrerin ausbilden zu lassen. Ich habe dich gezwungen, so jung so schwer zu arbeiten, täglich, ohne Feiertag, ohne Kameraden oder Freunde, weil du eben zugunsten des Betriebs keine haben darfst. Du mußtest lernen, eine gute Vorgesetzte zu werden, und Vorgesetzte dürfen sich nicht mit ihren Untergebenen anfreunden. Du darfst dich nicht von ihnen beeinflussen lassen. – Tja, Ann, was soll man da tun?»

Nachdem Ingenieur Mellema aufgetaucht war, traten große Veränderungen ein. Was meinen Vater betrifft, kann ich mich selbst erinnern, ohne daß Mama es mir erzählt hätte. Am siebten Tag erst kam er nach Hause. Eigentümlicherweise trug er saubere Kleider und neue Schuhe. Es war nachmittags, nach Feierabend. Mama, Robert und ich saßen vor dem Haus. Da kam Papa.

«Laßt ihn. Sprecht nicht mit ihm», befahl Mama.

Je näher er kam, um so deutlicher war festzustellen, daß sein bleiches Gesicht frisch rasiert war. Sein Haar war nun in der Mitte gescheitelt. Eine Geruchsschwade von Haaröl, Alkohol und Gewürzen stach uns in die Nase. Er ging an uns vorbei, ohne ein Wort zu sagen, ohne sich nach uns umzudrehen, stieg die Treppe hoch und verschwand im Haus. Plötzlich schnellte Robert hoch, starrte Mama an und murrte: «Mein Papa ist kein *Pribumi*!» Er rannte weg, rief nach Papa.

Ich schaute Mama an. Sie beobachtete mich und sagte langsam: «Du kannst ruhig dem Beispiel deines Bruders folgen, wenn du magst.»

«Nein, Ma», rief ich aus und fiel ihr um den Hals, «ich folge nur deinem Beispiel. Ich bin auch eine *Pribumi* wie du.»

Ja, *Mas*, so steht es in Wirklichkeit um uns. Ich habe keine Ahnung, was Vater im Haus machte. Die Zimmertüren im oberen Stock und im Parterre waren alle abgeschlossen.

Nach ungefähr einer Viertelstunde kam er wieder heraus. Diesmal schaute er Mama und mich an. Er sagte nichts. Robert folgte ihm. Papa ging über den Hof zur Straße und verschwand. Robert zog sich mit finsterer Miene ins Haus zurück, enttäuscht, daß sein Vater ihm keine Beachtung schenkte.

Seither habe ich ihn nur ganz selten gesehen. Er taucht ab und zu auf, spricht kein Wort und verschwindet wieder. Mama weigert sich, ihn zu suchen oder sich um ihn zu kümmern. Sogar über ihn zu reden ist verboten. Mama befahl Darsam, Papas Bild von der Wand zu nehmen und hinten auf dem Hof vor den Augen aller Hausbewohner und Arbeiter zu verbrennen. Das war wohl ihre Art, sich zu rächen. Anfangs zeigte Robert keine Reaktion. Erst als es vorbei war, protestierte er. Er lief ins Haus, holte Mamas Bild aus ihrem Zimmer und verbrannte es allein in der Küche.

«Soll er seinem Vater nacheifern», sagte Mama zu Darsam.

Der *Pendekar* erwiderte:

«Wer immer sich traut, *Nyai* und *Noni* etwas anzuhaben, und sei es *Sinyo*, der wird durch dieses Hackmesser umkommen. *Sinyo* soll es nur versuchen, jetzt, morgen oder irgendwann. Auch wenn *Sinyo Tuan* nachspionieren will...»

Zwei Monate nach diesem Zwischenfall beendete Robert die *E. L. S.* Er sagte Mama nichts davon, und Mama fragte ihn nie danach. Die stille Feindschaft zwischen ihr und meinem Bruder hält bis heute an – schon fünf Jahre.

Anfangs verkaufte Robert alles mögliche, das er aus Scheunen, Küche, Zimmern oder Kontor entwenden konnte; er gab das Geld für seine eigenen Zwecke aus. Mama jagte jede Arbeitskraft weg, die er für sich stehlen hieß. Schließlich verbot sie ihm alle Räumlichkeiten, nur sein Zimmer und das Eßzimmer nicht.

Fünf Jahre vergingen, *Mas*. Fünf Jahre. Und dann erschienen zwei Gäste: Robert für meinen Bruder, du für mich und Mama.

6

Fünf Tage wohnte ich bereits in der Luxusvilla in *Wonokromo*. Da forderte Robert mich auf, in sein Zimmer zu kommen.

Vorsichtig trat ich ein. In seinem Zimmer standen mehr Möbel als in dem, das ich bewohnte, unter anderem ein mit einer Glasplatte bedeckter Tisch. Unter der Glasplatte befand sich ein großes Bild des Schiffes «Karibou» mit der englischen Flagge.

Er gab sich freundlich. Seine Augen flackerten wild und waren etwas gerötet; er trug saubere Kleider und roch nach billigem Parfum. Sein Haar glänzte vor Pomade, er hatte es links gescheitelt. Er war ein stattlicher Jüngling, groß gewachsen, schmuck, gewandt, stark, höflich und schien ständig in Gedanken versunken zu sein. Nur seine braunen Marmelaugen, mit denen er einem ständig Seitenblicke zuwarf, und seine sich ununterbrochen kräuselnden Lippen beunruhigten mich wirklich. Mir war sehr unbehaglich in seinem Zimmer.

«Minke», begann er, «du wohnst anscheinend gerne hier. Du gehst mit Robert Suurhof auf die *H. B. S.*, nicht wahr? In die gleiche Klasse?» Ich nickte mißtrauisch.

Wir setzten uns einander gegenüber.

«Eigentlich sollte ich auch auf die *H. B. S.* gehen, sogar schon längst damit fertig sein.»

«Warum hast du nicht weitergemacht?»

«Darum hätte sich Mama kümmern müssen, aber sie tat es nicht.»

«Schade. Hast du sie denn nie darum gebeten?»

«Darum brauche ich nicht zu bitten, das ist ihre Pflicht.»

«Vielleicht nahm sie an, du hättest keine Lust, weiter zur Schule zu gehen.»

«Über das Schicksal kann man nicht mutmaßen, Minke. So

steht's nun mal mit mir. Ich muß mir von dir den Rang ablaufen lassen; du bist nur ein Eingeborener und gehst auf die *H. B. S.* Ach, wozu reden wir über die Schule.»

Er schwieg einen Augenblick lang, beobachtete mich mit schiefen Blicken.

«Ich möchte dich fragen, wie's überhaupt kommt, daß du in diesem Haus wohnst? Anscheinend gefällt's dir? Wegen Annelies?»

«Richtig, Rob, wegen deiner Schwester, und weil man mich dazu aufgefordert hat.»

Er räusperte sich, als ich ihm ins Gesicht schaute.

«Bist du nicht damit einverstanden?» fragte ich.

«Gefällt dir meine Schwester?» fragte er zurück.

«Ja.»

«Schade, sie ist nur eine *Pribumi.*»

«Na und, hast du etwas gegen *Pribumis*?»

Er räusperte sich wieder und suchte nach Worten. Seine Augen wanderten zum Fenster hinaus. Da fing ich an, mich im Zimmer umzusehen. Sein Bett hatte kein Moskitonetz, aber unter dem Bett stand eine Flasche, an deren Hals noch der Überrest eines Räucherstäbchens zur Vertreibung der Mücken hing. Daneben lag abgefallene Asche. Der Boden war ungewischt.

Als ich seine Stimme erneut vernahm, wandte ich meine Augen vom Fußboden ab.

«Mir ist es in diesem Haus zu einsam», sagte er ablenkend. «Spielst du gerne Schach?»

«Leider nicht, Rob.»

«Schade. Und jagen? Komm, wir gehen auf die Jagd.»

«Ich muß mir Zeit für die Schulaufgaben nehmen. Eigentlich würd ich ganz gern, aber vielleicht lieber ein andermal.»

«Gut, dann ein andermal.» Er durchbohrte mich mit seinem Blick. Ich spürte, daß sich dahinter eine Drohung verbarg. Er schlug mir mit seiner rechten Hand auf den Oberschenkel. «Wie wär's mit einem Spaziergang?»

«Schade, Rob, ich muß wirklich lernen.»

Wir schwiegen eine Zeitlang. Er stand auf und zog die Tür richtig zu. Meine Augen schweiften umher, suchten nach Gesprächsstoff, wobei ich stets auf der Hut war, auf alles gefaßt. Meine besondere Aufmerksamkeit schenkte ich dem Fenster. Hätte er mich unerwartet angegriffen, wäre ich hinausgesprungen und hätte mich in Sicherheit gebracht. Gleich unter dem Fenster stand ein kleiner Tisch ohne Blumenvase, der mir sehr dienlich gewesen wäre. Auf einem der Stühle lag eine mehrfach gefaltete und zusammengepreßte Zeitschrift. Anscheinend war sie als Schrank- oder Tischbein-Unterlage benutzt worden.

«Was willst du machen, wenn du mit der *H. B. S.* fertig bist?» fragte er plötzlich. «Robert Suurhof sagte, du würdest *Bupati*.»

«Das stimmt nicht. Ich will nicht Beamter werden. Mir gefällt es besser, frei zu bleiben wie jetzt. Und wer sollte mich schon zum *Bupati* ernennen? Und du, Rob?» fragte ich zurück.

«Ich hab dieses Haus satt, auch dieses Land. Viel zu heiß. Ich mag Schnee viel lieber. Ich werde nach Europa zurückkehren. Ich werde als Matrose die ganze Welt bereisen. Sowie ich zum erstenmal an Bord gehe, werde ich mir Arme und Brust tätowieren.»

«Sehr interessant», sagte ich. «Ich möchte auch gerne andere Länder sehen.»

«Genau wie ich. Dann könnten wir zusammen um die Welt fahren, Minke, du und ich. Wir könnten gemeinsam einen Plan schmieden, nicht? Schade, daß du ein *Pribumi* bist.»

«Ja, wirklich schade, daß ich ein *Pribumi* bin.»

«Schau, das Bild hier. Ein Freund hat es mir gegeben», sagte er voller Begeisterung. «Er ist Matrose auf der ‹Karibou›. Ich habe ihn zufällig in *Tanjung Perak* kennengelernt. Er hat mir viel erzählt, vor allem von Kanada. Eigentlich wollte ich gleich mitgehen, aber er riet mir ab. Du hast reiche Eltern, sagte er, bleib du nur zu Hause. Du kannst dir selbst ein Schiff kaufen, wenn du willst.» Er schaute mich träumerisch an. «Das war vor zwei Jahren. Er ist nie wieder nach *Tanjung Perak* gekommen; er hat auch nie geschrieben. Vielleicht ist er ertrunken.»

«Vielleicht ließe dich Mama gar nicht fort», sagte ich. «Wer soll sich nachher um den großen Betrieb kümmern?»

«Pah!» Er rümpfte die Nase. «Ich bin erwachsen, ich kann selbst bestimmen. Aber irgendwie kann ich mich noch nicht entschließen. Ich weiß nicht warum.» Er wechselte das Thema.

«Ich habe von Suurhof gehört, du seist ein Schürzenjäger.»

Ich merkte, wie mir das Blut in den Kopf schoß. «Jedermann wird von anderen mal gut, mal schlecht eingeschätzt und urteilt seinerseits über andere Leute. Das tun wir alle.»

«Ich? Nie!» antwortete er bestimmt. «Ich kümmere mich nie um die Worte oder Taten anderer Leute. Wenn sie dich betreffen sowieso nicht, und noch weniger, wenn sie mich selbst betreffen. Suurhof sagte nur: Hüte dich vor dem widerwärtigen Eingeborenen namens Minke, das ist ein lumpiger Schürzenjäger.»

«Er hat recht, jedermann muß vorsichtig sein, auch Suurhof. Ich selbst bin es dir gegenüber nicht weniger, Rob.»

«Hör, mir käme es nicht im Traum in den Sinn, irgendwo einzuziehen nur wegen eines Frauenzimmers, obwohl es nicht an Einladungen fehlt.»

«Ich habe bereits gesagt, daß ich deine Schwester mag. Außerdem hat Mama mich gebeten, hier zu wohnen.»

«Gut. Dir ist hoffentlich klar, daß ich dich nicht eingeladen habe.»

«Das weiß ich, Rob. Ich habe Mamas Brief aufbewahrt.»

«Laß mich lesen.»

«Der Brief ist für mich, Rob, nicht für dich. Leider.»

Sein Ton und seine Haltung wurden im Laufe des Gesprächs immer feindseliger. Seine Blicke blitzten. Er wollte mich einschüchtern, und mir bangte tatsächlich schon.

«Ich weiß nicht, ob du meine Schwester schließlich heiraten wirst oder nicht. Anscheinend mögen dich Mama und Annelies. Aber vergiß nicht, ich bin der männliche und älteste Nachkomme in dieser Familie.»

«Meine Anwesenheit hier hat überhaupt nichts mit deinen Rechten zu tun und soll sie auch nicht verringern. Du bleibst der Sohn und Erstgeborene in dieser Familie. Daran kann niemand etwas ändern.»

Er räusperte sich und kratzte sich behutsam am Kopf, als ob er Angst um seine Frisur hätte.

«Ich weiß genau, und du weißt es auch, daß alle hier gegen mich sind. Alle übergehen mich. Da stecken gewisse Leute dahinter. Nun kommst du daher. Ganz bestimmt steckst du mit ihnen unter einer Decke. Du tust gut daran, nicht zu vergessen, wozu jemand fähig ist, wenn er allein steht», drohte er mit einem Lächeln auf den Lippen.

«Richtig, Rob, und du tust gut daran, deine eigenen Worte nicht zu vergessen, denn sie gehen dich selbst genauso an.» Er schaute mich mit ungläubigen Augen an, schätzte meine Stärke ab. Ich folgte seinem Beispiel und lächelte ebenfalls. Ich ließ ihn nicht aus den Augen, sowie er eine verdächtige Bewegung tat, wäre ich bereits zum Fenster hinaus. Er würde mich nicht in diesem Zimmer kriegen.

«Gut», sagte er und nickte mit dem Kopf. «Und vergiß nicht, daß du nur ein *Pribumi* bist.»

«Oh, selbstverständlich werde ich immer daran denken, Rob. Keine Angst. Auch du sollst nicht vergessen, daß du *Pribumi*-Blut in dir hast. Zwar bin ich kein *Indo*, kein europäischer Mischling, aber in all den Jahren an europäischen Schulen habe ich nicht wenig europäisches Wissen erworben, wenn du unbedingt meinst, alles Europäische höher schätzen zu müssen.»

«Du bist klug, Minke, das gehört sich auch für einen *H. B. S.*-Schüler.»

Für mein Gefühl hatte das Gespräch Stunden voller Spannungen gedauert. Nachträglich merkte ich, daß es nur zehn Minuten waren. Zum Glück rief Annelies von draußen, und ich entschuldigte mich.

«Geh nur, deine *Nyai* sucht dich», sagte Robert ruhig.

Ich blieb in der Tür stehen und sah ihn erstaunt an:

«Sie ist immerhin deine Schwester, Rob. Es gehört sich nicht, so zu reden. Selbst ich habe ein Ehrgefühl...»

Annelies zog mich hastig in den hinteren Raum, als ob sich dort etwas Wichtiges ereignet hätte. Wir setzten uns auf das gepolsterte Sofa, auf dessen cremefarbenem Überzug bunte Blumen prangten. Sie rückte ganz nah an mich heran, flüsterte vorsichtig: «Laß dich nicht mit Robert ein, geh auf keinen Fall in sein Zimmer. Ich habe Angst. Er wird von Tag zu Tag anders. Mama hat sich in letzter Zeit bereits zweimal geweigert, seine Schulden zu bezahlen, *Mas*.»

«Mußt du denn mit deinem Bruder auf Kriegsfuß stehen?»

«So mein ich es gar nicht. Er muß für seinen Lebensunterhalt arbeiten. Er könnte, wenn er wollte. Aber er will nicht.»

«Schon gut, aber warum müßt ihr einander hassen?»

«Ich habe nicht damit angefangen. Du kannst mir's glauben oder nicht. Mama hat in jeder Hinsicht mehr recht als er. Er will Mama nicht anerkennen, weil sie eine Eingeborene ist. Was kann ich dafür?»

Ich wußte, ich durfte mich nicht in Familienangelegenheiten anderer Leute mischen, darum ging ich nicht weiter darauf ein. Statt dessen überlegte ich: Was hatte der stattliche Jüngling von seiner Familie? Von seiner Mutter nichts, von seinem Vater ebenfalls nichts, von seiner Schwester desgleichen. Weder Aufmerksamkeit noch Liebe. Da tauchte ich auf, und er wurde eifersüchtig. Das war nur logisch.

«Warum versuchst du nicht, die Situation einzurenken?»

«Wozu? Er hat sich derart unflätig benommen, daß ich ihn nur verdammen kann.»

«Verdammen? Du verdammst?»

«Ich mag nicht einmal sein Gesicht sehen. Früher konnte ich mich noch mit ihm vertragen. Aber jetzt? Mein Leben lang nicht mehr – nein, *Mas*.»

Ich bereute es, mich in ihre Angelegenheiten eingemischt zu haben. Ihr plötzlich rot angelaufenes Gesicht zeugte von ihrer Wut.

Nyai gesellte sich zu uns, sie hielt ein Exemplar der *S. N. v/d D.* in der Hand. Sie zeigte mir die Kurzgeschichte ‹*Een Buitengewoon Gewoon Nyai die Ik ken*›.

«Hast du die Geschichte schon gelesen, *Nyo*?»

«Ja, Ma, in der Schule.»

«Die hier beschriebene Frau kommt mir bekannt vor.»

Wahrscheinlich erblaßte ich bei ihren Worten. Zwar hatte die Redaktion den Titel abgeändert und auch einige Stellen und Sätze verbessert, aber der Essay stammte tatsächlich von mir; er war meine erste Kurzgeschichte, die in einer allgemeinen Zeitung erschien. Sie basierte nicht auf Annelies Erzählung, sondern war frei erfunden und stimmte in ungefähr mit Mamas Alltag überein.

«Von wem stammt der Essay?» fragte ich scheinheilig.

«Von Max Tollenaar. Sag mal, schreibst du wirklich nur Reklametexte?»

Damit das Gespräch sich nicht in die Länge zog, gab ich zu:

«Die Geschichte ist von mir, Ma.»

«Das habe ich mir gleich gedacht. Du bist wirklich geschickt, *Nyo*. Nicht jeder hundertste vermag so zu schreiben. Allein, wenn du mit der Person in der Geschichte mich meinst...»

«Mama, wie ich sie mir vorstelle», sagte ich schnell.

«Ja, dann kommt es auf die vielen Unstimmigkeiten nicht an. Aber die Geschichte an sich ist wirklich gut, *Nyo*. Vielleicht wird aus dir noch ein Dichter wie Victor Hugo.»

Du lieber Himmel, sie kannte Victor Hugo! Ich schämte mich zu fragen, wer das eigentlich war. Und sie konnte die Qualität einer Geschichte loben? Wann hatte sie etwas über Erzählkunst gelernt? Spielte sie sich etwa nur auf?

«Hast du mal *Francis* gelesen? *G. Francis*?»

Ich war am Ende meiner Weisheit. Auch dieser Name war mir unbekannt.

«Du liest anscheinend keine malaiischen Bücher, *Sinyo*?»

«Bücher auf malaiisch? Gibt's denn welche?» fragte ich kleinlaut.

«Da hast du etwas verpaßt, *Nyo*. *Francis* hat bereits etliche Bücher auf malaiisch geschrieben. Wirklich schade, *Nyo*, daß du sie nicht kennst.» Sie redete noch viel über die Dichtung. Je länger ich zuhörte, desto zweifelhafter kam mir alles vor. Möglicherweise gab sie nur wieder, was sie von Herman Mellema gehört hatte. In der Schule lernten wir viel über holländische Sprache und Literatur. Noch nie war etwas von dem, worüber sie sprach, erwähnt worden. Und meine Lieblingslehrerin, Juffrouw Magda Peters, wußte bestimmt einiges mehr als eine *Nyai*. Diese *Nyai* erdreistete sich sogar, über Literatur zu diskutieren.

«*Francis*, *Nyo*, hat das Buch ‹Nyai Dasima› geschrieben, auf durchaus europäische Art, aber auf malaiisch. Ich habe das Buch. Vielleicht hast du Lust, es zu lesen?»

Ich bejahte lediglich. Was konnte sie schon über die Welt der Dichtung wissen? Warum las sie überhaupt Geschichten und mischte sich in die Angelegenheiten der von den Dichtern erfundenen Figuren ein, kommentierte sogar ihre Sprache, während ihr Sohn Robert vor ihren eigenen Augen verkam? Das war doch befremdlich!

Als könnte sie meine Gedanken lesen, sagte sie:

«Wahrscheinlich hast du auch im Sinn, über Robert zu schreiben.»

«Wieso, Ma?»

«Du bist noch so jung; sicher wirst du über die Leute deiner nächsten Umgebung schreiben. Über solche, die deine Aufmerksamkeit erwecken, deine Sympathie oder deine Antipathie hervorrufen. Ich denke, Rob interessiert dich bestimmt.»

Zum Glück setzte das Abendessen diesem unerquicklichen Gespräch ein Ende. Robert war nicht anwesend. Weder Mama noch Annelies wunderten sich darüber oder fragten nach ihm; auch die Dienerin fragte nicht.

Während des Abendessens war ich drauf und dran, von Roberts Wunsch, Matrose zu werden und nach Europa zurückzukehren, zu erzählen. Da sagte *Nyai* ausgerechnet:

«Erzählungen, *Nyo*, befassen sich immer mit dem Menschen, mit seinem Leben, nicht mit seinem Sterben. Ja, auch wenn die dargestellten Figuren Tiere sind, Riesen oder Götter oder Geister. Es gibt nichts, das schwieriger zu verstehen ist als der Mensch. Das ist der Grund, warum das Geschichtenschreiben kein Ende nimmt in dieser Welt, sondern im Gegenteil täglich zunimmt. Ich selbst weiß nur wenig darüber. Einmal habe ich gelesen: Halte den Menschen, der scheinbar ein so einfaches Wesen ist, nicht für belanglos; selbst wenn dein Blick so scharf ist wie der eines Falken, dein Geist so scharf ist wie ein Rasiermesser, deine Intuition feinfühliger als diejenige der Götter, dein Gehör Gesang und Wehklagen des Lebens aufzunehmen vermag, was den Menschen betrifft, wird dein Wissen stets unvollständig bleiben.» Mama vergaß darüber zu essen. «In den letzten zehn Jahren habe ich viele Erzählungen gelesen. Irgendwie handeln alle Bücher von den Versuchen eines Menschen, aus seinen Schwierigkeiten herauszukommen oder sie zu überwinden. Geschichten über die Behaglichkeit sind nie interessant. Das sind keine Geschichten vom Menschen und seinem Leben, sondern vom Paradies, und sie ereignen sich auf keinen Fall in unserer Welt.»

Mama fuhr fort zu essen. Ich hatte meine ganze Aufmerksamkeit aufgeboten, um jedes ihrer Worte zu erfassen.

Nach dem Essen fügte sie hinzu:

«Deshalb interessiert dich Robert ganz bestimmt. Er sucht immer nach Schwierigkeiten und kann sich ihrer nicht entledigen. Das ist ungefähr, was man ‹tragisch› nennt. Genau wie sein Vater. Vielleicht kann er sich – wenn er deine Geschichte überhaupt liest – einen Spiegel vorhalten und sich selbst betrachten. Vielleicht ändert er sich dann. Aber wenn du nichts dagegen hast, möchte ich die Geschichte gerne lesen, bevor du sie veröffentlichst. Möglicherweise können dadurch falsche Vorstellungen und Annahmen vermieden werden.»

Ich hatte tatsächlich angefangen, eine Geschichte über Robert zu schreiben. *Nyais* Warnung brachte mich etwas aus der Fassung; ich kam mir vor wie von einem Sperber beäugt. Ihre Auffassung hatte mir gänzlich den Schwung genommen. Die Veröffentlichung meines ersten Essays hatte meinen Mut gestärkt, aber die Geschichte über Robert kam trotz der Begeisterung über meinen Erfolg nicht voran. Mama mit ihren Sperberaugen hatte sie auf halbem Weg festfahren lassen.

Was sie während des Essens dargelegt hatte, stimmte mich nachdenklich. Sicher war sie sehr belesen. *Tuan* Mellema schien einst ein weiser und geduldiger Lehrer gewesen zu sein, und *Nyai* eine gute Schülerin, die sich selbständig weiterbildete, nachdem er ihr eine Basis zur Einsicht vermittelt hatte. Was mir in der Schule vorenthalten wurde, bekam ich ausgerechnet in einem Mätressenhaushalt geboten. Wer hätte das gedacht! Vielleicht war gerade sie es, die Robert Mellema am besten verstand. Was sie über seinen Haß auf *Pribumis* geäußert hatte, zeugte von tiefer Besorgnis um ihren Ältesten.

Ich kannte Robert ja noch kaum. Ob er ebensoviel las wie seine Mutter? Die Zeitschrift, die er mir gegeben hatte, entpuppte sich als recht anspruchsvoll. Mochte sein, daß sie aus der Hausbibliothek stammte, oder vielleicht hatte er sie dem Postboten abgenommen und Mama vorenthalten. Ich wußte es nicht. Die Artikel befaßten sich ausschließlich mit Ostindien, dem Land, seiner Bevölkerung und seinen Problemen. Einer davon betraf Japan und seine Beziehung zu Ostindien.

Der Artikel bereicherte meine Notizen über Japan, über das man in den letzten Monaten häufig diskutierte. Von meinen Schulkameraden interessierte sich niemand für jenes Land und sein Volk, obwohl das Thema in den Schuldiskussionen zweimal aufgeworfen wurde. Sie schätzten das Volk als zu niedrig ein, um sich darüber zu unterhalten. In ihrer Oberflächlichkeit nahmen sie die Prostituierten, die *Kembang Jepun* überfüllten, als Maßstab, sowie die kleinen Kioske, Restaurants und Friseurbuden, die Trödler und deren Krimskrams, Dinge, die unvereinbar waren mit dem, was man sich unter moderner Industrie vorstellte.

Als einer meiner Lehrer, *Tuan* Lastendienst, in einer Diskussion die Aufmerksamkeit der Schüler auf dieses Thema lenken wollte, fingen sie an, leise untereinander zu schwatzen. Er sagte, Japan habe auch auf dem Gebiet der Wissenschaften Aufschwung genommen. Kitasato habe den Krankheitserreger der Pest entdeckt, Shiga den Erreger der Ruhr – so habe sich Japan ebenfalls um die Menschheit verdient gemacht. Er stellte diese Entdeckungen den Beiträgen Hollands zum Fortschritt der Zivilisation gleich. Als er sah, daß ich mich dafür interessierte und auch Notizen machte, fragte mich Meneer Lastendienst in vorwurfsvollem Ton: He, Minke, Vertreter der javanischen Rasse in diesem Raum, was hat Ihr Volk schon zum Wohlergehen der Menschheit beigetragen? Ich fühlte mich durch diese plötzliche Frage vor den Kopf gestoßen, aber selbst allen Göttern in der Truhe eines *Dalangs* wäre wohl die Lust zu antworten vergangen. Ich umging eine Antwort, indem ich sagte: Ja, Meneer Lastendienst, vorläufig kann ich die Frage noch nicht beantworten. Und mein Lehrer quittierte mit einem Lächeln – mit einem sehr einnehmenden Lächeln.

Soweit ein paar Auszüge aus meinen damaligen Notizen über Japan. Aus dem Artikel in der Zeitschrift, die Robert mir gegeben hatte, gewann ich zusätzliche Informationen, vor allem über die Anstrengungen Japans, seine Verteidigungsstrategie aufzubauen.

Es hieß, die japanische Infanterie und Marine rivalisierten miteinander. Schließlich wurde die Strategie der Marine als Verteidigungsprinzip bevorzugt. Und die Landstreitkräfte mit ihrer jahrhundertealten Samuraitradition fühlten sich benachteiligt.

Wie stand es mit Ostindien? Es hieß, Ostindien habe keine Marine, nur Landstreitkräfte. Japan setzte sich aus vielen Inseln zusammen, Ostindien desgleichen. Warum hielt Ostindien das Land für wichtiger, während Japan dem Meer die erste Rolle zusprach? Waren die Probleme der Verteidigung (nach außen) nicht die gleichen? War nicht Ostindien vor beinahe einem Jahrhundert den Engländern in die Hände gefallen, gerade der Unzulänglichkeit der Seestreitkräfte wegen? Warum hatte man keine Lehre daraus gezogen?

Aus der Zeitschrift erfuhr ich auch, daß Ostindien gar keine Seestreitkräfte besaß. Die Kriegsschiffe, die in den ostindischen Gewässern fuhren, gehörten nicht Ostindien selbst, sondern dem Königreich Holland. *Daendels* hatte aus Surabaya einen Marine-Stützpunkt gemacht, zu einer Zeit, als Ostindien kein einziges Kriegsschiff besaß. Fast hundert Jahre später bedachte niemand die Vorteile eigener Seestreitkräfte für Ostindien. Die verehrten Herren vertrauten der englischen Marine in Singapur sowie der amerikanischen Flotte auf den Philippinen.

Der Artikel befaßte sich damit, was in einem Krieg mit Japan wohl geschehen würde. Was würde aus Ostindien, dessen Gewässer völlig ungeschützt waren, da die königlich holländische Flotte nur hin und wieder die Runde machte? Konnten sich nicht die Erfahrungen von 1811 zu Hollands Ungunsten wiederholen?

Ich habe keine Ahnung, ob Robert diesen Artikel gelesen und darüber nachgedacht hat. Da er davon träumte, als Matrose die Welt zu umsegeln, konnte es gut möglich sein. Als Verehrer des europäischen Blutes setzte er bestimmt auf die Unbesiegbarkeit der weißen Rasse.

Der Artikel erwähnte, Japan versuche, es zu Wasser England gleichzutun. Der Verfasser mahnte, jenes Volk nicht ständig als Nachahmer zu verspotten. Am Anfang einer Entwicklung, meinte er, imitierten alle. Dies sei jedoch nur eine Art Kinderkrankheit. Doch jedes Kind werde einmal erwachsen, entwickle sich selbständig weiter…

In diesem Zusammenhang kann ich hier anführen, was ich einem Gespräch zwischen Jean Marais und Telinga über das Thema Krieg entnommen habe.

Jean Marais meinte, daß sich die Rollen verschieben, von einer

Generation auf die andere, von einem Volk auf ein anderes. Früher beherrschten die Farbigen die Weißen. Nun beherrschen die Weißen die Farbigen.

Telinga entgegnete, in den letzten drei Jahrhunderten seien die Weißen nie den Farbigen unterlegen. Drei Jahrhunderte lang! Es könne wohl geschehen, daß Weiße andere Weiße besiegen. Doch die Farbigen würden die Weißen unmöglich besiegen können. In den nächsten fünf Jahrhunderten nicht, und in aller Zukunft nicht.

Und Robert wollte Matrose werden als Europäer. Er träumte davon, auf der «Karibou» zu fahren, unter der Protektion Englands – jenes Landes, das im Grunde recht klein war, in dessen Gebiet aber die Sonne nie unterging!

7

Ich hatte das Gefühl, eben erst eingeschlafen zu sein, als mich ein nervöses Klopfen an meiner Zimmertür auffahren ließ.

«Minke, steh auf!» Es war *Nyais* Stimme.

Mama stand vor der Tür mit einer Kerze in der Hand, ihr Haar war etwas unordentlich. Das Tick-Tack der Pendüle beherrschte den Raum, der sich in morgendliches Dämmerlicht hüllte.

«Wie spät ist es, Ma?»

«Vier. Es ist jemand da, der nach dir verlangt.»

Im Gästezimmer saß eine Person im Dunkeln. Als ich mich ihr mit der Kerze näherte, sah ich, wer es war: ein Polizist! Er erhob sich respektvoll und fragte auf malaiisch mit javanischem Akzent:

«*Tuan* Minke?»

«Richtig.»

«Ich habe einen schriftlichen Befehl, Sie abzuführen. Unverzüglich.» Er hielt mir das Schreiben hin. Eine Vorladung des Polizeiamtes B., bestätigt und zur Kenntnis genommen vom Polizeiamt Surabaya. Mein Name war deutlich erwähnt darin. Mama hatte das Schreiben bereits gelesen.

«Was hast du verbrochen, *Nyo?*» fragte sie.

«Nicht das Geringste», antwortete ich verstört. Ich dachte angestrengt nach, ließ mir die ganze vergangene Woche durch den Kopf gehen. Dann wiederholte ich: «Nicht das Geringste.»

Annelies erschien. Sie trug ihr schwarzes Samtkleid; ihr Haar war zerzaust, ihre Augen noch müde.

Mama trat zu mir:

«Der Polizist sagte nicht, was du auf dem Kerbholz hast. Und in dem Schreiben ist nichts erwähnt.» Dann wandte sie sich an den Polizisten: «Er hat ein Recht zu erfahren, worum es geht.»

«Dazu habe ich keinen Befehl, *Nyai*. Ist der Grund nicht deutlich aufgeführt, dann darf er nicht oder noch nicht bekanntgegeben werden, selbst demjenigen nicht, den es betrifft.»

«Das geht nicht», widersprach ich. «Ich bin ein *Raden Mas*, so lasse ich mich nicht behandeln.» Und ich wartete auf Antwort. Als ich sah, daß er nicht wußte, was er antworten sollte, fuhr ich fort: «Ich habe Anrecht auf *Forum privilegatium.*»

«Das kann Ihnen niemand absprechen, *Tuan Raden Mas* Minke.»

«Warum behandeln Sie mich dann so?»

«Ich habe lediglich den Befehl, Sie abzuholen. Selbst wer Anordnungen erteilt, kann nicht über alles informiert sein», verteidigte er sich. «Machen Sie sich bereit, *Tuan*. Um fünf Uhr müssen wir bereits an Ort und Stelle sein.»

«Warum wirst du abgeführt, *Mas?*»

«Er will es nicht sagen», antwortete ich kurz.

«Ann, pack Minkes Kleider ein und bring sie her», befahl *Nyai*. «Er wird auf unbestimmte Zeit weg sein. Er darf wohl vorher baden und frühstücken?»

«Aber sicher, *Nyai*, wir haben noch etwas Zeit.» Er gab mir eine halbe Stunde.

Im hinteren Raum fand ich Robert, der die Szene beobachtet hatte. Er empfing mich mit einem Gähnen. Im Badezimmer überlegte ich, ob Robert vielleicht der Urheber dieser Affäre sein könnte, indem er irgendwelche falschen Meldungen gemacht hatte. Er war bereits seit zwei Tagen nicht zum Abendessen erschienen. Seine früheren Drohungen wurden mir wieder gegenwärtig.

Als ich ins Gästezimmer zurückkehrte, standen bereits Kaffee und Kuchen bereit. Der Polizist genoß das Frühstück. Er war um einiges freundlicher geworden, seit man ihm etwas aufgetragen hatte. Er schien uns gegenüber keine persönlichen Feindschaftsgefühle zu haben; er lachte sogar, während er schwatzte.

«Es ist nichts Schlimmes geschehen, *Nyai*», meinte er schließlich. «*Tuan Raden Mas* Minke wird spätestens in zwei Wochen wieder zurück sein.»

«Es geht nicht darum, ob es zwei Wochen sein werden oder ein Monat. Er wird in meinem Haus verhaftet; ich habe das Recht zu wissen, worum es geht», drängte *Nyai*.

«Ich weiß es wirklich nicht. Es tut mir leid. Das ist auch der Grund, warum er um diese Tageszeit abgeholt wird, *Nyai*, damit niemand davon erfährt.»

«Damit niemand davon erfährt? Wie ist das möglich? Sie haben doch erst den Wächter des Hauses gesprochen, bevor Sie mich sprechen konnten?»

«Dann kümmern Sie sich am besten um den Wächter, damit er den Mund hält.»

«So lasse ich nicht mit mir umspringen», sagte Mama. «Ich werde vom Polizeiamt Auskunft verlangen.»

«Das ist sicher das beste. Dort werden Sie schnell und korrekt Auskunft erhalten.»

Annelies, die bis dahin mit dem Koffer in der Hand dagestanden hatte, trat zu mir. Ohne ein Wort stellte sie Koffer und Tasche auf den Boden, griff nach meiner Hand und hielt sie fest. Ihre Hand zitterte.

«Frühstücken Sie erst, *Tuan Raden Mas*», mahnte der Polizist. «Auf der Polizeiwache gibt's möglicherweise kein so gutes Frühstück. Nicht? Dann brechen wir auf.»

«Ich werde sofort zurückkehren, Ann, Mama. Es handelt sich bestimmt um ein Mißverständnis. Glaubt mir.»

Annelies wollte meine Hand nicht loslassen.

Der Polizist nahm mein Gepäck und trug es hinaus. Annelies

umklammerte meine Hand weiterhin, auch als ich dem Polizisten folgte. Ich küßte sie auf die Wange und löste ihren Griff. Sie sagte noch immer kein Wort.

«Hoffentlich bleibst du wohlauf, *Nyo*», wünschte *Nyai*. «Komm, Ann, bete für sein Wohlergehen.»

Der Dogcart, der auf uns wartete, war, wie sich herausstellte, kein Polizeiwagen – es war eine gewöhnliche Zivilkutsche. Wir stiegen auf, und der Dogcart setzte sich in Richtung Surabaya in Bewegung. Dieser Polizist würde mich nach Surabaya bringen. In der Dunkelheit jenes Morgens ließ ich alle Häuser in B., die ich je gesehen hatte, an meinem inneren Auge vorüberziehen. Welches davon war unser Ziel? Die Polizeiwache? Das Gefängnis? Der Gasthof? Privathäuser kamen ganz bestimmt nicht in Frage.

Unser Dogcart war das einzige Fahrzeug unterwegs. Die Erdölkarren, die normalerweise in einer Karawane von zwanzig bis dreißig Stück von der Raffinerie *D. P. M.* stadteinwärts fuhren, waren nicht zu sehen. Ein, zwei Bauern schulterten ihr Gemüse, um es auf dem Markt in Surabaya zu verkaufen. Der Polizist schwieg.

Es war gut möglich, daß Robert mich verleumdet hatte. Doch warum sollte ich nach B. geführt werden? Die Öllampe unseres Dogcarts konnte die Dunkelheit nicht durchdringen. Wir, der Polizist, ich, der Kutscher und das Pferd, schienen die einzigen Lebewesen auf dieser Straße zu sein. Ich dachte an Annelies, die nun bestimmt trostlos weinte, und an *Nyai*, die sicherlich verwirrt war und wohl befürchtete, meine Verhaftung bringe ihren Betrieb in Verruf. Und Robert Mellema hatte nun einen Grund zu krächzen: Na, hatte Suurhof nicht recht gehabt?

Der Dogcart brachte uns zur Polizeiwache Surabaya. Ich wurde gebeten, mich ins Wartezimmer zu setzen. Eigentlich hatte ich vor, mir Auskunft zu erbitten, aber in dieser nebligen Morgenluft schien niemand dazu aufgelegt zu sein, Auskunft zu geben. Ich fragte also nicht, und der Dogcart wartete noch immer vor der Wache.

Der Polizist ließ mich allein, ohne mir irgendeine Anweisung zu geben.

Wie lange das dauerte! Die Sonne wollte und wollte nicht aufgehen. Und als sie endlich aufging, vermochte sie den Nebel nicht zu vertreiben. Die grauen Wasserstäubchen breiteten sich überall aus, selbst in meinen Lungen. Der Verkehr vor der Wache kam in Gang: Dogcarts, Kutschen, Fußgänger, Hausierer, Arbeiter. Und ich saß noch immer allein im Wartezimmer.

Erst um Viertel vor neun erschien der Polizist wieder. Anscheinend hatte er ein Stündchen geschlafen und ein warmes Bad genommen. Er sah frisch aus. Ich dagegen war schlapp und müde vom Warten. Ich hatte noch immer keine Gelegenheit zu fragen.

«Kommen Sie, *Tuan Raden Mas* Minke», forderte er mich freundlich auf.

Der Dogcart fuhr uns zum Bahnhof. Der Polizist kümmerte sich weiterhin um mein Gepäck, lud es auf und wieder ab, trug es zum Schalter. Dort schob er einen Brief hinein und erhielt dafür zwei weiße Karten – erster Klasse. Um diese Zeit gab es keinen Eilzug. Wir mußten also mit einem Bummelzug fahren! Der Polizist schwieg weiter. Ich setzte mich an ein Fenster, er sich mir gegenüber.

Es waren nur wenige Fahrgäste im Wagen. Außer uns beiden nur drei Europäer und ein Chinese. Alle schienen sich zu langweilen. An der ersten Station verringerte sich die Anzahl der Passagiere um zwei Personen, der Chinese inbegriffen. Es stiegen keine neuen Fahrgäste ein.

Schon zigmal hatte ich diese Strecke zurückgelegt. Die Aussicht während der Reise konnte mich nicht fesseln. In B. übernachtete ich normalerweise in einem Gasthof, um am darauffolgenden Tag weiterzufahren. Diesmal würde ich wohl kaum im üblichen Gasthof absteigen, im besten Fall auf der Polizeiwache.

Je länger wir fuhren, desto langweiliger wurde die Aussicht: dürres Land, mal grau, mal gelb, fast weiß. Hin und wieder tauchte eine Tabakplantage auf, wurde kleiner, verschwand wieder. Und Reisfelder, nichts als Reisfelder, ausgetrocknet und mit Nachsaat bepflanzt, die bald erntereif war. Der Zug kroch langsam dahin, puffte und stieß dicken, schwarzen, rußigen Rauch aus. Warum wurde das alles nicht von den Engländern beherrscht, warum von den Holländern? Und Japan? Wie stand es mit Japan? Ich schlief mit hungrigem Magen ein.

Der Polizist berührte mich leicht, so daß ich aufwachte. Neben mir hatte er seinen Proviant ausgebreitet. Das Tuch, das vorhin zu einem Bündel geknüpft war, diente jetzt als Unterlage. Und darauf: Ein zu einer Schale gefaltetes Bananenblatt mit gebratenem, vor Öl glänzendem Reis, mit einem Spiegelei und einem Stück gebratenem Huhn geschmückt, Löffel und Gabel lagen daneben. Es war bestimmt eigens für mich vorgesehen. Ein Polizist würde es sich zweimal überlegen, jemandem ein solches Essen zu servieren; es war viel zu üppig. Neben dem Bananenblatt stand eine weiße, schlanke Flasche mit Milchschokolade – ein Getränk, das Einheimischen kaum ein Begriff war.

Die graue Stadt B. kam gegen fünf Uhr nachmittags schließlich doch in Sicht. Der Polizist sagte noch immer nichts, dafür trug er weiterhin mein Gepäck. Ich hinderte ihn nicht daran. Was war schon ein Polizist ersten Ranges verglichen mit einem *H. B. S.*-Schüler? Er konnte höchstens ein bißchen Malaiisch und Javanisch lesen und schreiben.

Mit einem Dogcart verließen wir den Bahnhof. Wohin? Ich kannte diese Straßen aus weißen Steinen, die die Augen blendeten. Wir fuhren nicht zum Hotel, nicht zum üblichen Gasthof. Auch nicht zur Polizeiwache B.

Der *Alun-alun*, dessen bräunlicher Grasteppich hier und da kahl und abgewetzt war, war menschenleer. Wo wurde ich hingeführt? Der Dogcart fuhr auf das *Bupati*-Gebäude zu und hielt gegenüber dem steinernen Eingangstor an. Was hatte ich mit dem *Bupati* von B. zu tun? Meine Gedanken tappten im dunkeln.

Der Polizist stieg ab, nahm sich wie zuvor meines Gepäcks an. «Bitte», sagte er plötzlich auf *kromo-javanisch*.

Ich ging neben ihm her zum *Kabupaten*-Kontor, das seitlich vor dem *Bupati*-Gebäude lag. Im Kontor war kein Mensch anzutreffen, die Wände waren kahl, es gab kein einziges anständiges Möbelstück. Die Möbel waren grob, aus Teakholz und unpoliert, überhaupt nicht zweckdienlich, bloße Pfuscherei. Aus dem Haus in *Wonokromo* in einen solchen Raum zu geraten, kam einer Erntescheuer-Inspektion gleich. Das Kontor war etwas besser als Annelies' Hühnerstall. Das war anscheinend der Untersuchungsraum. Es standen nur einige Tische, Stühle und Bänke da und hinten an der Wand Büchergestelle mit ein paar Papierstapeln und Büchern. Keine Foltergeräte, nur Tintenfässer auf den Tischen.

Der Polizist ließ mich wieder allein. Zum zweitenmal an diesem Tag wartete ich. Die Sonne war bereits untergegangen, und noch immer war niemand erschienen. Die Trommel der Hauptmoschee wurde geschlagen, es folgte die melancholische Stimme des Muezzins. Der Nachtwächter hatte bereits die Straßenlaternen angezündet. Im Kontor wurde es immer dunkler, und die verrückten Mücken fielen in Scharen über den einzigen Menschen darin her. Solch eine Frechheit! fluchte ich. So behandelte man einen *Raden Mas*, zudem *H. B. S.*-Schüler? Eine hochgebildete Person von javanischem Fürstenblut?

Die Kleider klebten mir bereits am Körper; der Schweißgeruch machte sich störend bemerkbar. Eine derartige Schmach hatte ich noch nie erlebt.

«Ich bitte tausendmal um Verzeihung, *Ndoro Raden Mas*. Folgen Sie mir bitte zum *Pendopo*.» Mit diesen Worten bat mich der Polizist aus dem Kontor, in dem es von Mücken nur so wimmelte.

Einmal mehr nahm er mein Gepäck auf. Ich sollte also vor den *Bupati* von B. geführt werden. Du lieber Himmel!

Und ich, ein *H. B. S.*-Schüler, sollte vor ihm kriechen und bei jedem Satz, den ich sprach, meine Hände huldigend über dem Kopf falten, und das für eine Person, die ich nicht einmal kannte? Auf dem Weg zum *Pendopo*, der durch vier Lampen erhellt wurde, hätte ich am liebsten losgeheult. Was nützte es, europäische Lehrsätze und Kenntnisse zu büffeln, mit Europäern zu verkehren, wenn man letztlich doch kriechen mußte, kriechen wie eine Schnecke, um einem kleinen Fürsten zu huldigen, der vielleicht nicht einmal lesen und schreiben konnte? Einem *Bupati* gegenüberzutreten bedeutete, sich auf Demütigungen gefaßt zu machen, ohne sich dagegen wehren zu dürfen. Nie hatte ich andere dazu gezwungen, sich mir gegenüber so unterwürfig zu benehmen. Warum mußte ich so etwas tun?

Der Polizist erdreistete sich, mich Schuhe und Strümpfe ausziehen zu lassen. Das war erst der Anfang einer noch schlimmeren Schikane. Eine übernatürliche Macht zwang mich, seinem Befehl Folge zu leisten. Der Boden fühlte sich kalt an unter den bloßen Füßen. Er gab mir ein Zeichen, und ich stieg Stufe um Stufe nach oben. Er zeigte auf die Stelle, wo ich mich mit gebeugtem Kopf hinzusetzen hatte: vor einen Schaukelstuhl. Einer meiner Lehrer hatte einmal gesagt, der Schaukelstuhl sei das schönste Überbleibsel der bankrott gegangenen *V. O. C.* Ach, du Schaukelstuhl, du wirst Zeuge werden, wie ich mich erniedrige, um einem mir unbekannten *Bupati* zu huldigen. Verdammt! Was würden meine Freunde sagen, sähen sie mich so auf den Knien rutschen, wie jemand, der keine Oberschenkel hat.

«Aber *Ndoro Raden Mas*, gehen Sie auf den Knien», mir war, der Polizist treibe einen Büffel zum Tümpel.

Die Strecke von nicht ganz zehn Metern legte ich in mehr als drei Sprachen fluchend zurück. Links und rechts von mir lagen allerlei Muscheln, die den Fußboden des *Pendopos* schmückten. Der Fußboden selbst glänzte im Widerschein der vier Öllampen. Wirklich, meine Freunde würden mich eindeutig auslachen, sähen sie dieses Schauspiel, wie ein Mensch, der normalerweise aufrecht auf seinen Fußsohlen ging, sich nun auf Knien und auf die Hände gestützt vorwärts bewegte.

Vor dem Schaukelstuhl hielt ich inne, setzte mich auf die Fersen und beugte traditionsgemäß den Kopf. Vor mir konnte ich einen kleinen, geschnitzten Holzhocker wahrnehmen, der als Fußstütze diente. Darauf lag ein schwarzes Samtkissen, aus demselben Stoff wie Annelies' Kleid am frühen Morgen.

Was hatte ich mit dem *Bupati* von B. zu tun? Nichts? Er war weder ein Verwandter noch ein Bekannter oder ein Freund von mir. Und wie lange sollte diese Folter noch dauern? Warten und nichts als warten, während ich so gedemütigt und gefoltert wurde!

Ich hörte, wie sich die Flügeltür knarrend öffnete. Das Geräusch von auftretenden Ledersandalen wurde immer deutlicher. Ich erinnerte mich an die schlurfenden Schritte *Tuan* Mellemas an jenem grauenvollen Abend. Die schreitenden Sandalen wurden nach und nach sichtbar, ganz langsam. In den Sandalen steckte ein Paar sauberer Füße, die Füße eines Mannes. Darüber ein Batik-*Kain*, der vorne mehrere Male breit gefaltet war.

Ich hob die Hände gefaltet über den Kopf, wie es die *Punggawas* vor meinen Großeltern und Eltern am *Lebaran* als Ehrerweisung taten. Und ich durfte die Hände nicht herunternehmen, bis dieser *Bupati* sich gesetzt hatte. Mit meiner huldigenden Geste schien sich mein ganzes Leben, das ich in all den Jahren eifrig erlernt hatte, in nichts aufzulösen. Verschwunden war die Schönheit der Welt, wie sie die Wissenschaft versprach, nichtig der Enthusiasmus meiner Lehrer über die strahlende Zukunft der Menschheit. Und weiß der Kuckuck, wie oft ich diese huldigende Gebärde nachher noch zu wiederholen hatte. Das war die Art, Vorfahren und Würdenträgern ihre Ehre zu erweisen – durch Erniedrigung und Demütigung seiner selbst, sich nach Möglichkeit eben zur Erde hinstrecken! Puh, ich würde es nicht zulassen, daß meine Kinder und Kindeskinder sich so demütigten.

Die Person, der *Bupati* von B., räusperte sich, setzte sich ganz langsam in den Schaukelstuhl, streifte die Sandalen hinter der Fußstütze ab und legte dann seine kostbaren Beine auf das Samtkissen. Der Stuhl schaukelte ein wenig. Verdammt! Wie langsam schlich die Zeit dahin. Mit einem länglichen Gegenstand klopfte er mir einige Male leicht auf meinen unbedeckten Kopf. Für jeden seiner sanften Schläge mußte ich dankend die Hände hochheben. Zum Teufel! Nach fünf Schlägen zog er den länglichen Gegenstand zurück und hängte ihn an den Stuhl. Es war eine Reitpeitsche aus dem Geschlechtsteil eines Stieres, deren Griff mit feinstem Leder überzogen war.

«Du!» ließ er sich schwach und heiser vernehmen.

«Ja, mein *Tuan Gusti Kanjeng Bupati*», kam es aus meinem Mund, und ganz automatisch hob ich die Hände und fluchte innerlich zum weiß Gott wievieltenmal.

«Du! Warum kommst du erst jetzt?» Seine Stimme klang nun etwas deutlicher; er hatte anscheinend eine Erkältung hinter sich.

Die Stimme kam mir bekannt vor. Seine Heiserkeit hinderte mich daran, mich genau erinnern zu können. Ich begriff immer noch nicht, worum es ging, deshalb schwieg ich.

«Das *Kanjeng* Gouvernement hat nicht umsonst einen Postdienst, der meine Briefe gezielt und heil an die genaue Adresse direkt zu dir befördert...»

Diese Stimme. Unmöglich! Das entsprach nicht den Gepflogenheiten. Unmöglich!

«Warum schweigst du? Ist es unter deiner Würde, meine Briefe zu lesen, seit du so gebildet bist?»

Es war eindeutig doch seine Stimme. Ich huldigte ihm abermals, hob dabei absichtlich den Kopf ein wenig und blickte schnell zu ihm auf. Bei Allah, er war es tatsächlich.

«Verehrter Vater!» rief ich aus. «Ich bitte um Verzeihung.»

«Antworte! Fühlst du dich unwürdig, meine Briefe zu beantworten?»

«Ich bitte tausendmal um Verzeihung, Vater, nein.»

«Warum hast du den Brief deiner Mutter nicht beantwortet?»

«Vater, ich bitte tausendmal um Verzeihung.»

«Und den Brief deines Bruders...»

«Verzeihen Sie, Vater, ich bitte um Verzeihung, ich war zufälligerweise nicht an Ort und Stelle. Verzeihen Sie mir.»

«Du glaubst wohl, wir seien alle blind und wüßten nicht, an welchem Tag du nach *Wonokromo* umgezogen bist? Und du hast die Briefe mitgenommen, ohne sie zu lesen?»

Die Peitsche pendelte hin und her. Ich bekam eine Gänsehaut, wartete darauf, daß sie mich traf wie ein störrisches Pferd.

«Muß man dich denn tatsächlich noch öffentlich mit der Peitsche demütigen?»

«Demütigen Sie mich mit der Peitsche vor aller Öffentlichkeit», antwortete ich hartnäckig. Diese Tyrannei war mir unerträglich. «Es kommt einer Ehre gleich, wenn der Befehl dazu von einem Vater erteilt wird», fügte ich noch hartnäckiger hinzu. Ich würde mich benehmen wie Mama gegenüber Robert, Herman Mellema, *Sastrotomo* und dessen Frau.

«Du Schürzenjäger!» zischte er wütend. «Ich habe dich damals aus demselben Grund von der *E. L. S.* in T. genommen. So jung noch! Je länger du zur Schule gehst, um so mehr führst du dich wie ein Windhund auf. Der gleichaltrigen Mädchen überdrüssig, nistest du dich jetzt bei einer *Nyai* ein. Was soll aus dir werden?»

Ich schwieg, grollte nur innerlich: Du mußt mich also doch verhöhnen! Ehemann meiner Mutter! Gut, ich brauche nicht zu antworten. Fahr nur fort, du javanischer Fürstensohn! Gestern noch warst du Bewässerungsbeamter, nun bist du unverhofft *Bupati*, du aristokratischer Wicht. Laß deine Peitsche ruhig sausen, du Fürstlein, der du nicht einmal ahnst, daß Wissenschaft und Technik auf dieser Welt eine neue Ära eingeleitet haben!

«Dein Großvater hat dich verwöhnt, in der Hoffnung, du würdest mal *Bupati*, alle haben dich verhätschelt und verehrt... das klügste Kind in der Familie... Der einzige Grund, warum ich dir vergebe, ist, weil du versetzt worden bist.»

Ich konnte es bis zur elften Klasse bringen! fauchte ich innerlich, gekränkt. Bitte, laß deiner Dummheit ihren Lauf, du Fürstenliliputaner.

«Hast du dir denn nicht überlegt, wie gefährlich es ist, bei einer *Nyai* zu wohnen? Wenn ihr *Tuan* eifersüchtig wird und dich erschießt, mit einem Hackmesser auf dich losgeht oder mit einem Säbel oder mit einem Küchenmesser oder dich erwürgt... was dann? Alle Zeitungen werden darüber berichten, wer du bist, wer deine Eltern sind. Eine solche Schande willst du über deine Eltern bringen? Wenn du noch nie so weit gedacht hast...»

Ich bin bereit, Mamas Beispiel zu folgen, brodelte es in mir, und diese Familie zu verlassen, die nichts Besseres konnte, als einen zu knebeln und zum Untertan zu machen! Auch ich konnte explodieren.

«Hast du denn nicht in den Zeitungen gelesen, daß ich morgen abend einen Empfang zu meiner Ernennung zum *Bupati* gebe? *Bupati* von B.? *Tuan Resident-Assistent* von B., *Tuan Resident* von Surabaya, *Tuan Kontrolir* und alle benachbarten *Bupatis* werden anwesend sein. Ein *H. B. S.*-Schüler liest wohl keine Zeitungen? Wenn nicht, hat dir denn niemand davon erzählt? Deine *Nyai*, kann sie nicht für dich lesen?»

Ich wäre nie auf die Idee gekommen, Amtsnachrichten zu lesen: Ernennungen, Absetzungen, Versetzungen, Pensionierungen. Was ging mich das an! Die Beamtenwelt war nicht meine Welt. Was kümmerte es mich, ob der Teufel persönlich zum Impfarzt ernannt worden war oder ob man ihn wegen unehrlicher Machenschaften abgesetzt hatte? Meine Welt war nicht die der Pöstchen, der Ränge, der Prämien und der Betrügereien. Meine Welt war die des Menschen und seiner Probleme.

«Hör zu, du Dickkopf!» befahl er mit dem Enthusiasmus eines eben erst ernannten Beamten. «Du bist bereits so einfältig, dich um anderer Leute Konkubine zu kümmern. Vergißt deine Eltern, vergißt deine Pflicht als Sohn. Du bist wohl heiratslustig? Aber darüber sprechen wir ein andermal. Paß auf, morgen abend übernimmst du die Rolle des Dolmetschers. Aber nicht, daß ich und die ganze Familie uns vor aller Öffentlichkeit, vor dem *Resident-Assistent*, dem *Kontrolir* und den benachbarten *Bupatis* schämen müssen.»

«Ja, Vater.»

«Wirst du das fertigbringen, als Dolmetscher aufzutreten?»

«Sicher, Vater.»

«Na, so gefällst du mir schon besser, endlich nimmst du deinen Eltern einmal einen Stein vom Herzen. Ich befürchtete schon, *Tuan Kontrolir* müsse diese Funktion übernehmen. Stell dir vor, was für einen Eindruck das machen würde, wenn bei einem solchen Empfang ein Sohn fehlte, wo doch alle Würdenträger anwesend sein werden. Wann sollen dich die Herren denn kennenlernen? Das ist die beste Chance für dich. Nur schade, daß du einen solchen Dickkopf hast. Wahrscheinlich merkst du gar nicht, wie dir deine Eltern den Weg zu einem feinen Titel ebnen. Du, mein Sohn, der überall als der Klügste der Familie gepriesen wird. Oder ist dir die *Nyai* bereits wichtiger als ein Titel?»

«Ja, Vater.»

«Damit dir der Aufstieg zu einem höheren Posten gesichert ist.»

«Ja, Vater.»

«Geh jetzt zu deiner Mutter. Du hast wohl gar nicht mehr im Sinn gehabt, nach Hause zu kommen. Welch eine Schande, daß man erst *Tuan Resident-Assistent* um Hilfe bitten muß. Schön, nicht wahr, wie ein auf frischer Tat ertappter Dieb abgeführt zu werden? Schämst du dich denn überhaupt nicht? Du vergißt sogar, deiner Mutter zu huldigen. Brich deine Verbindung zu jener gottverlassenen *Nyai* ab!»

Selbstverständlich antwortete ich nicht, sondern absolvierte eine zusätzliche Huldigung. Dann rutschte ich auf den Knien und auf die Hände gestützt, meinen Ärger auf dem Rücken wie eine Schnecke ihr Haus, zurück zu der Stelle, wo ich Schuhe und Strümpfe ausgezogen hatte, zurück zu dem Ort, wo dieses verfluchenswerte Erlebnis seinen Anfang genommen hatte. Eingeborene durften in *Bupati*-Gebäuden keine Schuhe tragen. Die Schuhe in den Händen ging ich den *Pendopo* entlang und trat in den Innenhof. Der trübe Schein der Laternen wies mir den Weg zur Küche. Ich ließ mich in den wackligen Liegestuhl fallen, kümmerte mich nicht um mein Gepäck.

Jemand sah nach mir. Ich tat, als bemerkte ich es nicht. Man servierte mir ein Glas schwarzen Kaffee, das ich mit einem Zug austrank.

Wäre nicht mein Bruder gekommen, wäre ich bestimmt sogleich eingeschlafen. Mit finsterem Gesicht sagte er auf holländisch:

«Weißt du denn überhaupt nicht mehr, was sich gehört, daß du nicht unverzüglich deine Mutter begrüßt?»

Ich stand auf und folgte ihm. Er besuchte die *S. I. B. A.*, um später eine Beamtenlaufbahn einzuschlagen. Er meckerte weiterhin, als ob er den Himmel vor dem Einsturz zu bewahren hätte. Da sein Holländisch beschränkt war, beschimpfte er mich auf javanisch als einen ungehobelten Sohn. Natürlich erwiderte ich nichts. Wir betraten das *Bupati*-Gebäude, gingen an einigen Zimmertüren vorbei. Vor einer Tür sagte er schließlich:

«Geh da rein!»

Ich klopfte leise an die Tür. Keine Ahnung, wessen Zimmer es sein könnte. Ich öffnete die Tür und trat ein. Mutter saß vor dem Spiegel und kämmte sich. Auf einem kleinen Tisch neben ihr stand eine Öllampe.

«Mutter, verzeihen Sie mir.» Ich kniete vor ihr nieder und küßte ihre Knie. Warum nur wurde ich plötzlich von solcher Sehnsucht nach ihr erfaßt?

«So kommst du also schließlich doch heim, *Gus*. Schön, daß du wohlauf bist», sie hob mein Kinn, schaute mir ins Gesicht, als ob ich ein vierjähriger Junge wäre. Ihre sanfte, liebevolle Stimme ging mir ans Herz. Sie war noch immer meine Mutter, wie ich sie in Erinnerung hatte, meine geliebte Mutter.

«Hier ist Ihr unfolgsamer Sohn, Mutter», sagte ich heiser, während ich huldigend meine Hände über dem Kopf faltete.

«Du bist ja bereits ein Mann, hast schon Flaum über den Lippen. Die Leute sagen, du hättest ein Verhältnis mit einer reichen und schönen *Nyai*.» Noch bevor ich widersprechen konnte, fuhr sie fort: «Das ist deine Angelegenheit, wenn ihr euch gegenseitig mögt. Du bist groß genug; du bist wohl bereit, Risiko und Verantwortung zu tragen.» Sie atmete hörbar aus und streichelte mir die Wange wie einem kleinen Kind. «*Gus*, ich höre, du machst gute Fortschritte in der Schule. Wie schön! Ich wundere mich manchmal, wie du die Schule schaffst, wenn du dich daneben mit deiner *Nyai* abgibst. Aber vielleicht bist du tatsächlich sehr klug? Ja, ja, so sind die Männer», ihre Stimme klang düster. «Die Männer sind Wölfe in Schafspelzen. Als Schafe knabbern sie alle Blättchen, als Wölfe fressen sie alles Fleisch. Nun gut, *Gus*, Gott sei Dank, daß du Fortschritte in der Schule machst. Mach weiter so.»

Sieh einer an, Mutter beschuldigte mich nicht. Ich brauchte mich nicht zu verteidigen.

«Aber vergiß nicht, *Gus*, je höher deine Schulbildung ist, desto mehr mußt du dir deiner Grenzen bewußt werden. Das ist doch nicht allzu schwer zu verstehen? Wer seine Grenzen nicht kennt, dem wird Gott sie auf seine Art zu spüren geben.»

Oh, Mutter, wie viele geflügelte Worte hatte sie mich doch gelehrt.

«Du schweigst noch immer. Was hast du deiner Mutter zu erzählen? Ich habe hoffentlich nicht vergebens auf dich gewartet.»

«Nächstes Jahr bin ich mit der Schule fertig, Mutter.»

«Gott sei Dank, *Gus*. Eltern können ja nur beten. Warum kommst du erst jetzt? Dein Vater hat sich so um dich gesorgt, *Gus*, er schimpfte täglich wegen dir. Ganz plötzlich wurde er zum *Bupati* ernannt. Niemand dachte, daß das so schnell ginge. Du wirst es später auch so weit bringen. Bestimmt. Dein Vater kann nur Javanisch, du kannst Holländisch, besuchst die *H. B. S.*; dein Vater hat nur die Volksschule besucht. Du verkehrst viel mit Holländern, dein Vater nicht. Du wirst sicher *Bupati*.»

«Nein, Mutter, ich mag nicht.»

«Nicht? Komisch. Ja, wie du meinst. Was willst du denn werden? Nach der Schule stehen dir selbstverständlich alle Möglichkeiten offen.»

«Ich möchte ein freier Mensch werden, nicht befehligt werden, nicht befehlen müssen, Mutter.»

«Ha? Gibt's so was, *Gus*? Das hör ich zum erstenmal.»

Früher, als kleiner Junge, erzählte ich ihr immer voll Begeisterung, was die Lehrer uns in der Schule erklärten. So auch jetzt. Ich erzählte ihr von Juffrouw Magda Peters, die so fesselnd von der Französischen Revolution zu berichten wußte, von ihrer Bedeutung und ihren Prinzipien.

Mutter lachte nur, widersprach nicht. Genau wie damals, als ich noch ein kleiner Junge war.

«Huh, du bist so schmutzig, riechst nach Schweiß. Geh baden: nimm warmes Wasser. Es ist schon spät, ruh dich aus. Morgen wartet eine schwere Aufgabe auf dich. Weißt du schon, was du morgen zu tun hast?»

Ich kannte mich in dem Haus noch nicht aus. Ich trat in das Zimmer ein, das mir zugewiesen worden war. Eine Öllampe brannte bereits darin. Anscheinend hatte ich das Zimmer mit meinem Bruder zu teilen. Er las im Schein der Tischlampe. Ich ging an ihm vorbei, um meine Sachen zu ordnen. Mein Bruder, der von seinem Recht als Erstgeborener schon immer ausgiebig Gebrauch gemacht hatte, schaute nicht einmal auf, als gäbe es mich gar nicht auf dieser Welt. Ob er den Eindruck eines fleißigen Schülers erwecken wollte?

Ich räusperte mich. Er reagierte nicht darauf. Ich schielte nach seiner Lektüre; es waren keine gedruckten Buchstaben, sondern Handschrift. Ich wurde argwöhnisch, als ich den Einband sah. Nur ich konnte Bücher mit Einbänden von Jean Marais besitzen. Ich näherte mich ihm langsam von hinten. Kein Zweifel: mein Tagebuch. Ich entriß es ihm und wetterte:

«Laß die Finger davon! Wer hat dir erlaubt, das zu öffnen? Das also lernst du in der Schule?»

Er stand auf, starrte mich an.

«Du bist wirklich kein Javaner mehr.»

«Was hat man davon, Javaner zu sein? Daß einem die Rechte beschnitten werden dürfen? Begreifst du denn nicht, daß solche Notizen höchst privater Natur sind? Haben dir deine Lehrer noch nie etwas über Ethik und Persönlichkeitsrechte erzählt?»

Mein Bruder schwieg, beobachtete meinen ohnmächtigen Zorn.

«Oder gehört das zu deiner Ausbildung als zukünftiger Beamter? In anderer Leute Angelegenheiten herumzuschnüffeln und jedermanns Rechte zu mißbrauchen? Lehrt man dich keine neuen, modernen Umgangsformen? Du willst wohl so ein willkürlicher Fürst werden wie deine Vorfahren?»

Ich ergoß meinen ganzen Verdruß und Zorn über ihn.

«Und solcher Art sind also die neuen Umgangsformen? Nichts als Beleidigungen? Beamten beleidigen? Du selbst wirst auch einer werden!» verteidigte er sich.

«Beamter? So wahr ich vor dir stehe, ich hab's nicht nötig, einer zu werden.»

«Los, gehen wir zu Vater, damit du ihm das selbst sagen kannst.»

«Nicht nur das, mit oder ohne deine Hilfe bringe ich es sogar fertig, mich von der ganzen Familie loszusagen. Und du! Entschuldigst dich nicht einmal dafür, dich an meinen Rechten vergriffen zu haben. Gehst du denn nicht zur Schule? Oder hat man dir nie Anstand beigebracht?»

«Schweig! Ginge ich nicht in die Schule, so hätte ich dich schon längst vor mir kriechen und mir huldigen lassen.»

«Nur ein Stierkopf kann so etwas von mir erwarten. Du Analphabet!»

Mutter trat ein, beschwichtigte:

«Da trefft ihr euch zum erstenmal nach zwei Jahren… Warum streitet ihr euch wie zwei Dorfbengel?»

«Ich werde jedem die Stirn bieten, der sich an meinen Rechten vergreift, Mutter, nicht nur meinem Bruder.»

«Mutter, er hat in seinem Tagebuch alle seine Schandtaten eingestanden. Ich wollte es Vater vorlegen, aber er hat Angst, deshalb fiel er über mich her.»

«Noch bist du kein Beamter, der seinen Bruder nur um eines Lobes willen verkaufen darf», sagte Mutter. «Du selbst bist nicht unbedingt besser als er.»

Ich nahm mein Gepäck.

«Ich kehre am besten nach Surabaya zurück, Mutter.»

«Nein! Du hast morgen Vaters Auftrag zu erfüllen.»

«Das kann er machen», sagte ich und schaute dabei meinen Bruder an.

«Dein Bruder geht nicht auf die *H. B. S.*»

«Wenn man mich wirklich braucht, warum behandelt man mich dann so?»

Mutter wies meinen Bruder an, in ein anderes Zimmer umzuziehen.

«Du bist wirklich kein Javaner mehr, von den Holländern zum Holländer erzogen, zum braunen Holländer. Du hast dich nicht etwa auch zum Christentum bekehren lassen?»

«Ach, Mutter, was soll das. Ich bin noch immer Ihr Sohn von früher.»

«Mein Sohn widersetzte sich früher nicht auf diese Art.»

«Früher konnte Ihr Sohn nicht Gut von Böse unterscheiden. Ich widersetze mich nur dem Schlechten, Mutter.»

«Daran merkt man, daß du kein Javaner mehr bist, weil du dich nicht mehr dem Älteren beugst, dem Ehrwürdigeren, dem Mächtigeren.»

«Ach, Mutter, verurteilen Sie mich nicht. Ich halte in Ehren, was ich als richtig empfinde.»

«Javaner huldigen ehrfürchtig dem Älteren, dem Mächtigeren, um Edelmut zu erreichen. Man muß nachgeben können, *Gus*. Du hast wohl die alten javanischen Verse auch schon vergessen.»

«Nein, Mutter, ich kann sie noch immer, ich lese auch weiterhin javanische Bücher. Aber jene Verse sind ein Irrtum, von irrenden Javanern geschaffen. Wer nachgibt, wird zertreten, Mutter.»

«Du hast zuviel Kontakt mit Holländern, darum magst du nicht mehr mit deinen Landsleuten verkehren, selbst mit deinen Geschwistern und mit deinem Vater nicht mehr. Wahrscheinlich hast du auch für mich nichts mehr übrig.»

«Verzeihen Sie mir.» Ich fiel auf die Knie, umarmte ihre Beine.

«Sagen Sie das nicht, Mutter, verurteilen Sie mich nicht härter als ich es verdiene. Ich lerne Dinge, die anderen Javanern nicht zugänglich sind, weil eben dieses Wissen den Europäern gehört und weil ich von ihnen lerne.»

Sie zog mich am Ohr, kniete sich hin und flüsterte:

«Ich verurteile dich nicht. Du hast deinen Weg gefunden. Ich werde ihn dir nicht versperren. Geh den Weg, den du für den besten hältst. Nur verletze deine Eltern nicht und all die anderen, von denen du annimmst, daß sie das, was du weißt, nicht wissen.»

«Ich habe nie die Absicht gehabt, andere zu verletzen, Mutter.»

«Ach, *Gus*, das ist wohl das Schicksal einer Frau. Erst hat sie Schmerzen bei der Geburt, nachher leidet sie unter dem Betragen ihrer Kinder.»

«Mutter, verzeihen Sie mir! Aber haben Sie mir nicht aufgetragen, fleißig zu lernen? Das habe ich nach besten Kräften getan. Und nun beklagen Sie sich über mich.»

Und als ob ich der kleine Junge von ehedem wäre, streichelte sie mir über Haar und Wangen.

«Als ich mit dir schwanger war, träumte ich, daß ein Unbekannter mir ein Schwert gebe. Seither wußte ich, daß das Kind in meinem Leib scharfe Waffen besitzen werde. Gebrauch sie vorsichtig. Paß auf, daß du dich nicht selber damit verletzt...»

Die Vorbereitungen für den Empfang aus Anlaß der Ernennung meines Vaters zum *Bupati* begannen bereits in aller Frühe. Man hatte die hübschesten und hervorragendsten Tänzerinnen aus dem ganzen Bezirk herbeordert, hieß es. Vater ließ das beste *Gamelan* aus der Stadt T. kommen, das *Gamelan* meiner Großmutter. Es war aus Bronze, und wenn es nicht gespielt wurde, war es mit roten Samttüchern bedeckt. Es wurde jährlich neu gestimmt und mit Blumenwasser besprüht.

Zusammen mit dem *Gamelan* kam auch der Stimmer. Mein Vater wünschte, daß das *Gamelan* nicht nur echt ostjavanisch aussah, sondern ebenso echt ostjavanisch klang. So war der *Pendopo* seit frühem Morgen von dem lautstarken Klirren der feilenden Stimmer erfüllt.

Die Administrationsarbeiten im *Bupati*-Kontor B. kamen gänzlich zum Stillstand. Alle halfen *Tuan* Niccolo Moreno, einem namhaften Dekorateur, der eigens aus Surabaya herbeigerufen worden war. Er brachte eine große Kiste mit Dekorationsmaterialien mit, wie ich sie bis dahin noch nie gesehen hatte. Da wurde mir zum erstenmal klar, daß Dekorieren ein Beruf war. *Tuan* Niccolo Moreno war vom *Resident-Assistent* von B. vorgeschlagen worden; *Tuan Resident* von Surabaya hatte seine Einwilligung gegeben und ihn auf seine Kosten hergesandt.

An jenem Morgen mußte auch ich ihn aufsuchen. Er nahm mir

eigenhändig die Maße, als ob er Kleider für mich schneidern wollte. Dann entließ er mich wieder.

Er hatte den *Pendopo* in eine Art Arena verwandelt, in deren Mittelpunkt ein großes Porträt Ihrer Majestät Königin Wilhelmina hing, jenes Mädchens, von dem ich früher geträumt hatte. Das Bild stammte aus Surabaya und war von einem Deutschen gemalt worden: Hüssenfeld. Ich bewunderte ihre Schönheit immer noch.

Überall waren rot-weiß-blaue Fahnen aufgehängt, einzeln oder kreuzweise gepaart. Dreifarbige Schleifen schwangen sich vom Porträt Ihrer Majestät nach allen Richtungen; sie würde mit ihrer Vornehmheit bestimmt alle Augen der Anwesenden auf sich ziehen. Die Säulen des *Pendopos* waren mit Pulverfarbe bestrichen, die in nur zwei Stunden trocknete. Diese Art von Farbe war mir völlig neu. *Waringin*-Blätter und gelbe junge Kokoswedel verkleideten Wände und Pfeiler und boten mit ihren traditionellen Farben einen erfrischenden Genuß. Die Augen weideten sich an dem prächtigen Farbenspiel der gelben, blauen, roten, weißen und violetten Blumen.

Der große Abend im Leben meines Vaters rückte näher. Das *Gamelan* klimperte seit einiger Zeit gedämpft.

Tuan Niccolo Moreno war jetzt in meinem Zimmer aktiv: Er richtete mich her und kleidete mich an! Wer hätte je gedacht, daß ich als erwachsener Mensch noch von andern angekleidet würde? Dazu noch von einem Weißen! Als wäre ich ein Mädchen, das den Brautthron besteigen sollte.

Während er mich kostümierte, schwatzte er unaufhörlich auf holländisch, das sich ungewohnt und monoton anhörte, ähnlich wie *Pribumis* es aussprachen. Er war eindeutig kein Holländer. Seinen Angaben zufolge kleidete er oft *Bupatis* ein, wie meinen Vater, auch javanische Fürsten, sowie Sultane auf Sumatra und Borneo. Er hatte schon viele Kleider für sie kreiert, die sie immer noch trugen. Er erzählte, er habe auch die Uniformen für die Leibgarde der javanischen Könige entworfen.

Ich hörte ihm schweigend zu, lobte nicht, widersprach auch nicht, obwohl ich nicht alles für bare Münze nahm.

Er zog mir ein mit Spitzen verziertes Brusthemd an; es war steif wie eine Schildkrötenschale. In einem solchen Hemd konnte man sich unmöglich bücken. Der lederartige Stehkragen nahm einem die Lust, auch nur den Hals zu drehen. Das war Absicht, damit man sich aufrecht hielt, sich nicht allzuoft umwandte, sondern geradeaus blickte wie ein getreuer Höfling. Dann zog er mir einen Batik-*Kain* und einen silbernen Gürtel an. Er ordnete den *Kain* so an, daß der würdevolle ostjavanische Stil richtig zur Geltung kam. Das entsprach sicherlich dem Wunsch meines Vaters. Ich ließ alles über mich ergehen wie eine Braut. Schließlich setzte er mir einen *Blangkon* auf. Der *Blangkon* war eine Eigenkreation Niccolo Morenos, eine Kreuzung zwischen ostjavanischem und maduranischem Stil. Als nächstes steckte er mir einen *Keris*, dessen Griff mit Edelsteinen beschlagen war, in den Gürtel und zog mir eine kurze Ärmelweste aus *Lasting* über. Die Weste hatte einen Einschnitt am Rücken, damit jedermann die Schönheit des *Keris* bewundern konnte. Die schwarze Fliege schien meinen Hals lebendig zu erdrosseln. Mir rann der Schweiß über Rücken und Brust.

Im Spiegel zeigte sich mir ein siegreicher Ritter aus der Sage von *Panji*. Aber warum war es nicht ein Javaner, der mich so ritterlich und so elegant herrichtete? Warum ein Europäer, ein Italiener wahrscheinlich, der solche Kostüme bestimmt noch nie selbst getragen hatte? Seit *Amangkurat I* seien die Kleider der javanischen Fürsten von Europäern entworfen und hergestellt worden, meinte *Tuan* Moreno. Verzeihung, aber bevor wir kamen, kannten Sie nur das Tuch; Unterleib, Oberleib und Kopf wurden lediglich mit Tüchern umwickelt!

Was immer er auch erzählte, ob es stimmte oder nicht, der Spiegel gab meine Ritterlichkeit und Eleganz wieder. Vielleicht würden die Leute nachher sagen, meine Aufmachung sei echt javanisch gewesen, alles Europäische wie Brusthemd, Stehkragen, Fliege übersehen und sich keine Gedanken machen über *Lasting* und Samt, obwohl alles englisches Fabrikat war.

Meine Kleider und Aufmachung waren für mich ein Symbol dieser Welt kurz vor der Jahrhundertwende, ein Ausdruck des modernen Zeitalters. Ich fühlte deutlich, daß Java und sein Volk ein recht unwichtiges Fleckchen Erde waren in diesem Menschheitsgarten. Drüben in Twente wob man für die Javaner, bestimmte, was für Stoffe sie zu tragen hatten. Die Stoffe, die man hier in den Dörfern wob, wurden nur noch von den Dorfbewohnern selbst getragen. Den Javanern blieb lediglich das Batiken.

Tuan Moreno entfernte sich, und ich setzte mich. Als ich die Klänge des ostjavanischen *Gamelans* wahrnahm, das an jenem Abend die Luft in Schwingungen versetzte, wachte ich aus meinen Träumereien auf, betrachtete mich nochmals im Spiegel und lächelte zufrieden.

Es war ausgemacht, daß ich Vater und Mutter bei ihrem Auftritt vor den geladenen Gästen begleitete. Mein Bruder würde uns vorangehen, während meine Schwestern keine öffentlichen Pflichten zu übernehmen hatten, sie waren hinten beschäftigt.

Die Gäste erschienen. Vater und Mutter traten aus dem Haus. Mein Bruder ging ihnen voran, ich hinterher. Sowie wir die Arena im *Pendopo* betraten, erschien *Tuan Resident-Assistent*, wie es im Protokoll festgelegt war.

Alle standen ehrerbietig auf. *Tuan Resident-Assistent* ging auf meinen Vater zu, begrüßte ihn, nickte meiner Mutter zu, begrüßte meinen Bruder und mich. Dann erst setzte er sich neben meinen Vater. Das *Gamelan* spielte ‹*Kebo Giro*›, die Begrüßungsmelodie, die die Empfangshalle ebenso wie die Herzen erfüllte. Der *Pendopo* war voll von Gästen, auf deren Gesichtern sich Freude und der Widerschein der Gaslampen spiegelte. Hinter ihnen, auf dem Hof, saßen die Dorfältesten und *Punggawas* in Reihen auf Matten.

Der Protokollführer, *Patih* von B., eröffnete die Feier. Das *Gamelan* spielte langsamer und verstummte schließlich ganz.

Man stimmte die holländische Nationalhymne ‹*Wilhelminus*› an. Die Leute erhoben sich. Nur wenige sangen mit; die meisten konnten sie gar nicht, von den *Pribumis* nur einer oder zwei. Die andern standen da und schauten umher, vielleicht verwünschten sie im stillen diese fremde und gefühllose Melodie.

Tuan Resident-Assistent von B., der *Tuan Resident* von Surabaya vertrat, begann mit seiner Rede. *Tuan Kontrolir*, der seine Worte ins Javanische übersetzen wollte, trat neben ihn. *Tuan Resident-Assistent* schüttelte seinen Kopf und gab mit einer Handbewegung zu verstehen, daß er damit nicht einverstanden war. Ich sollte sein Übersetzer sein.

Einen Augenblick lang war ich nervös, doch nach einer Sekunde hatte ich meinen Mut wiedergewonnen. Nein, sie waren nicht besser als ich. Und diese innere Stimme gab mir wieder Selbstvertrauen.

Ich trat nach vorne, vergaß die Verbeugung und stand mit gefalteten Händen da, wie es javanische Sitte war. Ich fühlte mich wie vor einer Schulklasse. Wohin meine Augen auch wanderten, trafen sie auf die Blicke der *Bupatis*. Vielleicht bewunderten sie diesen halb javanisch, halb europäisch gekleideten *Panji*-Ritter. Vielleicht hegten sie aber auch wenig freundliche Gefühle gegen mich, da ich ihnen gegenüber ja keinen Respekt gezeigt hatte.

Tuan Resident-Assistent beendete seine Rede, und auch ich war mit meiner Übersetzung fertig. Er schüttelte Vater die Hand. Und nun war es an ihm zu sprechen. Vater sprach kein Holländisch, doch war er den anderen *Bupatis* immer noch voraus, die weder lesen noch schreiben konnten. Er sprach javanisch, und ich übersetzte es ins Holländische. Ich sah *Tuan Resident-Assistent* nicken und mich beobachten, so, als sei ich derjenige, der die Rede hielt. Aber vielleicht fand er auch nur meine Rolle als Affe in einer Herde von anderen Affen lustig. Nach der Rede standen die Honoratioren auf und gratulierten Vater, Mutter, meinem Bruder und mir. Als *Tuan Resident-Assistent* mich beglückwünschte, lobte er mein Holländisch:

«Ausgezeichnet», sagte er und fuhr dann auf malaiisch fort: «*Tuan Bupati*, freuen Sie sich über Ihren Sohn. Nicht allein sein Holländisch, vor allem seine Haltung ist bewundernswert.» Dann wieder auf holländisch zu mir: «Sie gehen auf die *H. B. S.*, nicht wahr? Können Sie morgen nachmittag um fünf Uhr zu uns kommen?»

«Sehr gern, *Tuan*.»

Das Händeschütteln dauerte nicht lange. Es gehörte sich nicht für Dorfälteste, einem *Bupati* die Hand zu geben. Das ersparte meinem Vater das Händedrücken mit ungefähr tausendzweihundert Dorfbeamten. Diese blieben auf den Matten im Hof sitzen.

Das *Gamelan* spielte wieder schwungvoll. Eine wohlgestaltete Tänzerin kam wie auf Flügeln in die Arena. Sie trug ein Tablett mit einem langen Schal darauf und trippelte direkt auf *Tuan Resident-*

Assistent zu. Der weiße Würdenträger erhob sich, nahm den Schal und legte ihn sich über die Schultern.

Die Leute jubelten, klatschten zustimmend. Er nickte meinem Vater zu, bat um Erlaubnis, den Tanz zu eröffnen. Sicheren Schrittes trat er, von der Tänzerin begleitet, in die Mitte, unter tosendem Beifall. Und da tanzte er, die Schalenden mit den Fingerspitzen haltend, und vollführte zu jedem Gongschlag einen *Pancakgulung*. Ihm gegenüber tanzte die anmutige, wohlgeformte Tänzerin mit geschmeidigen Bewegungen.

Einige Minuten danach erschien eine zweite Tänzerin, ebenfalls bildhübsch. Sie trug eine Silberplatte mit einem kleinen Likörglas aus Kristall und schwebte auf *Tuan Resident-Assistent* zu, tanzte neben ihm mit.

Der Würdenträger hörte auf zu tanzen, stellte sich kerzengerade vor die neue Tänzerin, nahm das Kristallglas und trank den Inhalt zu Dreiviertel aus. Das restliche Viertel hielt er seiner Tanzpartnerin an die Lippen, die versuchte abzulehnen, ohne dabei im Tanzen innezuhalten. Schließlich trank sie doch, senkte dann beschämt den Kopf.

Die Gäste jauchzten ausgelassen. Auch die Dorfältesten und -beamten standen auf und stimmten in den Beifall ein.

«Trink, Süße! Trink *hosééé*!»

Die zweite Tänzerin, anmutig, mit bloßen Schultern und straffer, gelblich glänzender Haut, nahm dem Würdenträger das Glas aus der Hand und stellte es auf das Tablett zurück.

Tuan Resident-Assistent nickte erfreut, klatschte in die Hände, lachte. Dann kehrte er an seinen Platz zurück.

Jetzt tauchte eine dritte Tänzerin auf, die ihren Schal meinem Vater anbot. Sie tanzte in zierlichster Anmut. Auch dieser Tanz wurde mit einem Likör vom Tablett einer anderen Tänzerin abgeschlossen.

Daraufhin empfahl sich *Tuan Resident-Assistent*; auch die *Bupatis* ließen sich einer nach dem andern von ihren Amtskutschen nach Hause fahren. Die Dorfältesten, Distriktleiter, Landjäger stürzten sich in den *Pendopo*, und das Fest dauerte bis in den Morgen, mit Tanz und *hosééé*-Rufen bei jedem Schluck Branntwein...

Am nächsten Morgen erst entdeckte ich ein kleines Päckchen silberner Münzen in meinem Koffer. Auf dem Papier, in das sie eingewickelt waren, Annelies' Schrift: Laß uns nicht allzulange ohne Nachricht. Annelies.

Es waren im ganzen fünfzehn Gulden. Davon konnte sich eine Familie auf dem Dorf mindestens zehn Monate lang ernähren.

Ich begab mich an jenem Morgen auch gleich auf das Postamt. Der Postmeister, ein *Indo*, schüttelte mir die Hand und gratulierte mir zu meinem Holländisch, dessen ich mich am Vorabend bei dem Empfang so hervorragend und treffend bedient habe. Sämtliche Angestellten jenes kleinen Postamtes legten ihre Arbeit nieder, lediglich um unser Gespräch mitanzuhören und sich mein Gesicht einzuprägen.

«Wir würden uns sehr freuen und wären sehr stolz, wenn Sie bereit wären, hier zu arbeiten. Sie gehen auf die *H. B. S.*, nicht wahr?»

«Ich möchte eigentlich ein Telegramm aufgeben», antwortete ich.

«Es ist hoffentlich nichts Schlimmes passiert?»

«Nein.»

Der Postmeister persönlich holte das Formular für mich; er bat mich, mich an seinen Tisch zu setzen. Ich schrieb und überreichte ihm das Formular. Er bediente mich weiterhin eigenhändig.

«Wenn Sie Zeit haben, darf ich Sie zum Abendessen einladen?»

Anscheinend war die Einladung von *Tuan Resident-Assistent* zu einer wichtigen Nachricht in der Stadt B. geworden. Es war vorauszusehen, daß alle Beamten, weiße und braune, seinem Beispiel folgen würden. So war ich urplötzlich zu einem Prinzen ohne Königreich geworden. Umwerfend! Ein *H. B. S.*-ler in der letzten Klasse! Inmitten all dieser Analphabeten! Sie würden mich alle verwöhnen. Wer von *Tuan Resident-Assistent* eingeladen worden war, der stand über aller Kritik, alle seine Launen waren plötzlich akzeptabel, nichts verstieß mehr gegen die javanische Tradition.

Ich mußte nicht lange auf die Bestätigung meiner Vorahnung warten. Im Hinausgehen ließ ich meinen Blick durch das kleine Kontor schweifen. Alle nickten mir ehrerbietig zu. Vielleicht sahen mich einige bereits als zukünftigen Schwiegersohn oder Schwager.

Man stelle sich vor: einen *H. B. S.*-Schüler. Und richtig. Zu Hause angekommen, fand ich einige Briefe in javanischer Sprache und Schrift vor – lauter Einladungen!

Keiner der Absender war mir bekannt. Meine Vermutung traf zu: Sie boten sich als zukünftiger Schwiegervater oder Schwager an. Denke sich einer: Sohn eines *Bupatis*, mit den besten Aussichten, später auch einer zu werden, besuchte die *H. B. S.*, sogar bereits die letzte Klasse. Und hatte so jung schon die Gunst eines *Resident-Assistent* erworben. Selbst *Tuan Kontrolir* hatte er in den Schatten gestellt! Oh, du Stadt B., du gottverlassenes Nest auf dieser Welt! Nur dem Ruf meiner Eltern zuliebe verbrachte ich den ganzen Vormittag damit, die Briefe zu beantworten, mich entschuldigend, daß ich leider der Einladung nicht nachkommen könne, da ich sofort wieder nach Surabaya zurückkehren müsse.

Am Nachmittag holte mich der Wagen wie versprochen ab. Ich trug europäische Kleider wie üblicherweise in Surabaya, obwohl Mutter dagegen protestierte.

Die Nachricht von meiner Einladung schien sich in der ganzen Stadt verbreitet zu haben. Die Leute standen Spalier, um mich den kurzen Weg zwischen dem *Bupati*-Gebäude und dem des *Resident-Assistent* zurücklegen zu sehen. Lauter mir unbekannte Menschen in javanischer Tracht, barfuß, und alle nickten ehrfürchtig. Wer einen Hut über dem *Blangkon* trug, lüftete ihn.

Die Kutsche fuhr mich direkt hinter das Gebäude, hielt vor der rückwärtigen Veranda an.

Tuan Resident-Assistent erhob sich von seinem Gartenstuhl, ebenso die beiden Mädchen zu seiner Seite. Er begrüßte mich zuerst. «Das ist meine älteste Tochter», stellte er vor, «Sarah, und das ihre jüngere Schwester, Miriam. Sie haben beide die *H. B. S.* besucht; Miriam an der gleichen Schule wie Sie. Nun, entschuldigen Sie, ich habe noch etwas Unvorhergesehenes zu erledigen», und er entfernte sich.

So also ging es bei diesem ehrenvollen Besuch zu, der die ganze Stadt in Aufruhr gebracht hatte. Er stellte mich seinen Töchtern vor und verschwand.

Sarah und Miriam waren älter als ich, und jeder *H. B. S.*-ler wußte genau: Senioren suchten ständig nach einer Gelegenheit, sich hervorzutun, sich aufzubauschen, Junioren zu hänseln oder sie schlechtzumachen.

Ich war also auf der Hut. Und siehe da, Sarah fing schon an.

«Unterrichtet Miriams Holländischlehrer, Meneer Mähler, immer noch? Jener geschwätzige Dummkopf?»

«Er ist bereits von Juffrouw Magda Peters abgelöst worden», antwortete ich.

«Die ist bestimmt noch geschwätziger und kennt sich wohl nur in Küchenausdrücken aus», fuhr sie fort.

«Sind Sie ganz sicher, daß sie eine Juffrouw ist», fragte Miriam.

«Jedermann nennt sie Juffrouw.»

Miriam kicherte, dann auch Sarah. Ich wußte wirklich nicht, worüber sie sich lustig machten. Ich antwortete frisch von der Leber weg: «Ich denke, sie weiß mehr als nur Küchenausdrücke. Sie ist die Klügste von all meinen Lehrern, ich schätze sie am meisten.»

«Sie schätzen Ihre Lehrerin?» hänselte Miriam. «Noch nie hat es Holländischlehrer gegeben, die man mögen kann. Es sind nichts als Marktschreier. Was gefällt Ihnen denn an ihr?»

«Sie kann den Stil der achtziger Jahre vorzüglich erklären und ihn auf großartige Weise mit dem jetzigen vergleichen.»

«Oho-oho», rief Sarah aus, «dann tragen Sie uns doch einmal ein Gedicht von *Kloos* vor, damit wir uns davon überzeugen können, daß Ihre Lehrerin wirklich großartig ist.»

«Sie versteht es vortrefflich, die psychologischen und sozialen Hintergründe der Werke der achtziger Jahre zu beschreiben», sagte ich ins Blaue hinein. «Sehr interessant.»

«Was verstehen Sie unter psychologischen und sozialen Hintergründen?» Sarah und Miriam kicherten wieder.

Mir ging diese andauernde Kicherei langsam auf die Nerven. Ich setzte mich auf den Sessel, wo vorher *Tuan Resident-Assistent* gesessen hatte, um mich ihren Seitenblicken zu entziehen. Nun saß ich ihnen gegenüber. Diese beiden europäischen Mädchen sahen im Grunde keck und nicht wenig anziehend aus. Aber ein Junior hatte Senioren gegenüber ausnahmslos vorsichtig zu sein.

«Falls Sie darüber nähere Auskunft wünschen», antwortete ich, «geben Sie mir am besten konkrete Literaturbeispiele.»

Nun sahen sie mich in ihrer Falle, kicherten noch mehr und blinzelten einander zu.

«Gibt's denn so was, eine Sprachlehrerin, die über psychologische und soziale Hintergründe spricht. Das hört sich schön aufgeblasen an. Wofür hält sie sich denn, diese Juffrouw Magda Peters? Sie wird höchstens die Dichter der achtziger Jahre hervorheben können, die wehmütig ihrem Himmel nachkläffen, der von Fabrikschornsteinen verunstaltet wird, ihren Äckern, deren Friede durch den Verkehr gestört wird», setzte die aggressivere Miriam zum Angriff an. «Wenn sie über soziale Hintergründe reden will, dann braucht sie doch diese weinerlichen Figuren nicht zu erwähnen, dann muß sie über *Multatuli* reden... und über Ostindien.»

«Sie spricht auch von *Multatuli*», antwortete ich beharrlich.

«*Multatuli* kann unmöglich in der Schule erwähnt werden, übertreiben Sie nicht! Er wird in keinem Schulbuch erwähnt», setzte Miriam ihren Angriff fort.

«Miriam hat recht», bekräftigte Sarah. «Wenn man über die sozialen Hintergründe sprechen will, dann ist *Multatuli* das typischste Beispiel», und sie blinzelte dabei ihrer Schwester zu.

«Juffrouw Magda Peters hebt ihn sogar ganz besonders hervor.»

«Hebt ihn hervor!» rief Sarah ungläubig aus. «Eine *H. B. S.*-Lehrerin hebt *Multatuli* hervor. Kann so was in den nächsten zehn Jahren geschehen, Miriam?» Und Miriam schüttelte ungläubig den Kopf. «Oder habt ihr etwa ein anderes Schulbuch?»

«Nein.»

«Ihre Lehrerin brüstet sich schön; Sie sind ja lediglich ihr Schüler», wies Sarah mich zurecht.

«Nein.»

«Ihre Lehrerin traut sich einiges. Wenn das stimmt, dann kann's ihr schlimm ergehen.» Miriam wurde ernst.

«Wieso?»

«Sie sind aber ein einfaches Gemüt. So wissen Sie's also nicht. Sie sollen und müssen es wissen», fuhr Miriam fort. «Weil Ihre Lehrerin, wenn Ihre Geschichte stimmt, möglicherweise zu den Linksliberalen gehört.»

«Die Linksliberalen sind doch ganz in Ordnung? Bewirken sie nicht Fortschritte für Ostindien?» Ich kam mir saudumm vor.

«In Ordnung bedeutet nicht unbedingt richtig, auch nicht unbedingt passend. Kann sogar im falschen Zeitpunkt und am falschen Ort unrichtig sein», sagte Miriam beharrlich.

Sarah räusperte sich, sagte nichts.

«Bitte, welche Werke hebt sie denn so begeistert hervor?»

Sie gingen mir mehr und mehr auf die Nerven. Aber ein Junior, wer weiß, wer das zum erstenmal so angeordnet hatte, mußte stets ehrfürchtig sein. Also sagte ich:

«Sein Hauptwerk, natürlich», antwortete ich, «‹*Max Havelaar*› oder ‹*De Koffieveilingen der Nederlandsche Handelsmaatschapij*›.»

«Und wer ist dieser *Multatuli*, was meinen Sie?» schlug Sarah jetzt zu.

«Wer? Eduard Douwes Dekker.»

«Gut. Aber Sie müssen auch den andern Douwes Dekker kennen. Das gehört sich», stichelte sie weiter.

Diese verrückte Seniorin trieb es immer bunter. Und warum hackte sie auf mir herum, während sie ihrer Schwester zuzwinkerte und sich das Lachen verbiß? Sie spielten wohl Den-eingeborenen-Untertan-an-der-Nase-herumführen. Es gab nur einen Douwes Dekker, der in die Geschichte eingegangen war.

«Sie wissen es also nicht», hänselte Sarah, «oder trauen Sie sich nicht, es zu sagen?»

Miriam kicherte los, sie konnte sich nicht mehr beherrschen.

Gut, ich würde diesem Satansbund die Stirn bieten. Das also war der Preis für die ehrenvolle und sensationelle Einladung des *Tuan Resident-Assistent*. Da ich es nicht wußte, antwortete ich so ungezwungen wie möglich:

«Ich kenne nur den Eduard Douwes Dekker, der unter dem Pseudonym *Multatuli* schreibt; sollte es noch einen anderen Douwes Dekker geben, so ist mir wirklich nichts über ihn bekannt.»

«Es gibt einen», führte Sarah wieder das Wort. Miriam verbarg ihr Gesicht hinter einem seidenen Taschentuch. «Er ist viel wichtiger. Wer ist er? Lassen Sie sich nicht aus der Fassung bringen, erbleichen Sie nicht», spottete sie. «Sie wissen es sicher, nur wollen Sie es nicht sagen.»

«Ich weiß es wirklich nicht», antwortete ich gereizt.

«Dann ist es mit der Allgemeinbildung Ihrer Lehrerin, Juffrouw Magda Peters, die Sie so verehren, nicht weit her. Also, hören Sie zu und merken Sie sich's gut, nicht daß die Senioren sich Ihretwegen schämen müssen. Vergessen Sie's ja nicht. Der andere Douwes Dekker, der weit wichtiger ist als *Multatuli*, ist noch jung...»

«Noch jung?»

«Aber ja. Er befindet sich gerade auf einem Schiff; vielleicht ist er auch bereits in Südafrika angekommen. Er zieht auf holländischer Seite gegen die Engländer in den Krieg. Schon mal von ihm gehört?»

«Nein. Was hat er denn geschrieben?» fragte ich bescheiden.

«Er ist noch jung. Da ist es wohl verzeihlich, wenn er noch keine Werke vorzuweisen hat», antwortete Sarah und kicherte ebenfalls.

«Wie soll man ihn da kennen?» protestierte ich. «Die Leute werden bekannt durch ihre Werke.» Jetzt hatte ich Gelegenheit, mich zu verteidigen. «Millionen und aber Millionen von Menschen auf dieser Welt schaffen keine Werke, die sie bekannt machen, weswegen sie eben nicht bekannt sind.»

«Eigentlich hat er bereits viele Werke geschaffen. Aber es liest sie nur ein einziger Mensch. Hier ist seine treueste Leserin: Miriam de la Croix. Sie ist seine Verlobte, kapiert?»

Freche Göre! fluchte ich innerlich. Was hatte ich damit zu tun, wenn es nur Miriams Verlobter war? Diese beiden *Nonis* konnten auch nicht wissen, wer Annelies war.

«Los, Mir, erzähl mal von deinem Verlobten», drängte Sarah eifrig.

«Nein. Das hat nichts mit unserem Gast zu tun. Sprechen wir über etwas anderes», lehnte Miriam ab. «Sie sind doch ein echter Eingeborener, nicht wahr, Minke?» Ich schwieg, da ich fühlte, daß nun ohne Vorwarnung Erniedrigungen aus dem Sack gelassen würden. «Ein Eingeborener, der europäische Bildung genießt. Gut. Und Sie wissen bereits sehr viel über Europa, wahrscheinlich mehr als über Ihr eigenes Land. Ich täusche mich nicht, oder?»

Die Erniedrigungen nehmen ihren Anfang, dachte ich.

«Ihre Vorfahren», fuhr Miriam de la Croix fort, «Verzeihung, ich habe nicht im Sinn, Sie zu beleidigen, glauben seit Generationen, daß der Blitz von einem Engel verursacht wird, der versucht, den Teufel einzufangen. Stimmt doch, nicht? Warum sagen Sie nichts? Schämen Sie sich des Glaubens Ihrer eigenen Vorfahren?»

Sarah de la Croix hörte auf zu lachen. Sie machte ein ernstes Gesicht, beobachtete mich wie ein Wundertier.

«Nicht nur meine Vorfahren», gab ich zurück, «die europäischen und holländischen Vorfahren waren in vorgeschichtlicher Zeit nicht weniger dumm als die meinigen.»

«Na», schaltete sich Sarah ein, «hab ich mir doch gedacht, daß ihr euch über die Vorfahren streitet.»

«Ja, wir sind wie Kühe, Minke», fuhr Miriam fort, «streiten uns erst und schließen dann Freundschaft, vielleicht für immer.»

Keckes Mädchen! Mein Verdacht legte sich.

«Meine Vorfahren waren vielleicht noch dümmer als Ihre, Minke. Als Ihre Vorfahren bereits Reisfelder und Bewässerungskanäle anlegten, lebten meine noch in Höhlen. Also: In der Schule bringt man Ihnen bei, daß der Blitz durch Zusammenstoß von positiv und negativ geladenen Wolken entsteht. Benjamin Franklin hat sogar den Blitzableiter erfunden. Währenddessen Ihre Vorfahren sich ein schönes Märchen – soviel ich davon gehört habe – von Ki Ageng Sela erzählen, der den Blitz einfängt und ihn in einen Hühnerkorb sperrt.»

Sarah brach in gelöstes Lachen aus. Miriam wurde um so ernster, beobachtete mein Gesicht in der Dämmerung und gab mir Rätsel auf:

«Ich zweifle nicht daran, daß Ihr Intellekt die Lehre von den positiv und negativ geladenen Wolken aufzunehmen vermag. Sie brauchen ja die Noten, um durch die Prüfungen zu kommen. Aber sagen Sie mal aufrichtig, glauben Sie, daß diese Lehre stimmt?»

Jetzt war's klar: Sie stellte mein Innerstes auf die Probe. Es war eine regelrechte Prüfung. Ehrlich gesagt, ich hatte mir darüber nie Gedanken gemacht. Alles schien sich ganz unproblematisch und von alleine zu ergeben.

Nun mischte sich auch Sarah ein:

«Ich bin überzeugt davon, daß Sie über diese naturwissenschaftliche Lehre Bescheid wissen und sie beherrschen. Der springende Punkt ist: Glauben Sie daran oder nicht?»

«Ich *muß* daran glauben», antwortete ich.

«Sie *müssen* daran glauben, damit Sie bei Klausuren über die Runden kommen. Sie *müssen*! Sie glauben's also nicht.»

«Meine Lehrerin, Juffrouw Magda Peters...»

«Schon wieder die Magda Peters», unterbrach Sarah.

«Sie ist meine Lehrerin. Ihrer Ansicht nach ergibt sich alles durchs Lernen», antwortete ich, «und durch Übung. Auch der Glaube. Sie würden wohl auch nicht an Jesus Christus glauben, ohne über ihn unterrichtet worden zu sein und ohne sich im Glauben geübt zu haben.»

«Ja, ja, Ihre Lehrerin mag recht haben», sagte Sarah unsicher.

Miriam dagegen schaute mich an, als wäre ich das Porträt ihres Verlobten. Ich fühlte mich etwas erleichtert, nachdem ich die Angriffe zurückschlagen konnte.

«Dieses Jahr ist ein neuer Begriff populär geworden: modern. Wissen Sie, was er bedeutet?» fing die aggressive Miriam wieder an und ließ das Blitz-Thema beiseite.

«Ja, von Magda Peters' Erklärungen.»

«Sie haben anscheinend keine anderen Lehrer», warf Sarah ein.

«Was soll's, sie kann Ihre Fragen beantworten.»

«Also, was bedeutet das Wort nach den Worten Ihrer großartigen Lehrerin?» fragte Miriam hartnäckig weiter.

«Das Wort steht nicht im Wörterbuch. Doch meiner großartigen Lehrerin zufolge bedeutet es Begeisterung, Haltung, Perspektive, vor allem auf wissenschaftlichen, ästhetischen und effizienten Grundsätzen basierend. Es wurde von den Schismatikern der katholischen Kirche geprägt, die vom Papst ausgestoßen worden sind. Aber vielleicht gibt es noch eine andere Erklärung?» fragte ich abschließend. Sarah und Miriam schauten einander an. Ich konnte ihre Gesichter nicht genau sehen; es dämmerte bereits, wenn auch sehr langsam, wie mir schien. Sie beschäftigten sich mit der Vertilgung der Mücken, die sich in Scharen über die Haut hermachten.

«Diese Mücken», knirschte Sarah, «die halten einen für ein Restaurant.»

Ich lachte laut.

«Oh, wir haben ja die Getränke ganz vergessen», sagte Sarah, «bitte.»

Die Spannung legte sich allmählich. Ich konnte aufatmen, und ich erinnerte mich an den Diener in weißem Hemd und weißer Hose, der vorhin Kuchen und Getränke auf unseren Gartentisch gestellt hatte. Zum erstenmal konnte ich mir selbst zulächeln. Nicht nur, weil die Spannungen nachgelassen hatten, sondern auch, weil ich merkte, daß sie nicht mehr wußten als ich selbst.

«Wissen Sie, wer Dr. *Snouck Hurgronje* ist?» setzte Miriam zu einem neuen Angriff an.

Käme doch *Tuan Resident-Assistent* endlich zurück, damit diese Fragerei aufhörte! Seine Töchter hier trieben es nicht weniger toll als die Mücken. Hatte er mich denn absichtlich eingeladen, nur damit mich seine Töchter, meine Senioren, in die Tasche steckten? Dieser Gedanke öffnete mir plötzlich die Augen: Er hatte mich absichtlich seinen Töchtern überlassen, damit sie mich prüften; er hatte irgendeine bestimmte Absicht.

«Wie wär's, wenn ich zur Abwechslung eine Frage stellte?»

Sarah und Miriam lachten aus vollem Hals.

«Moment», wehrte Miriam ab, «antworten Sie erst. Ihre liebste Juffrouw ist wirklich großartig, und Sie sind ein nicht weniger großartiger Schüler. Kein Wunder, daß Sie sie mögen; ich würd's wohl auch tun. Also, was diese wahrscheinlich letzte Frage betrifft – vielleicht hat Ihre Lehrerin auch schon ausgiebig darüber gesprochen.»

«Leider nicht», antwortete ich bündig, «erzählen Sie.»

Anscheinend hatte sie schon lange darauf gewartet, sich als Lehrerin aufspielen zu können. Auf ihre flinke Art erzählte sie:

Christiaan Hurgronje sei ein brillanter Gelehrter, er wage zu denken, zu handeln, alles für die Erweiterung der Erkenntnisse einzusetzen. Unter anderem, zum Beispiel, hätten seine Ratschläge viel zu Hollands Sieg im *Aceh*-Krieg beigetragen. Leider sei er jetzt in einen Streit mit *Van Heutsz* verwickelt, *Aceh* betreffend. Was der Streit für einen Sinn habe? Keinen, meinte Miriam. Aber das Wichtigste war sein Versuch mit drei *Pribumi*-Jungen: Er wollte feststellen, ob die Eingeborenen europäische Wissenschaften aufnehmen, ob sie von der Wissenschaft erfaßt werden könnten. Er interviewte sie wöchentlich, um sich ein Bild zu machen über ihre innerlichen Veränderungen im Zusammenhang mit ihrem Unterricht an einer europäischen Schule, sowie über ihre Fähigkeiten, den Lehrstoff aufzunehmen. Ob das in der Schule erworbene Wissen nur eine dünne spröde Schicht bildete oder ob es wirklich Wurzeln schlug. Vorläufig konnte der Gelehrte noch keine Schlüsse ziehen.

Jetzt hatte ich wieder Gelegenheit zu lachen. Die beiden *Nonis* mir gegenüber wollten den Gelehrten nachäffen, und ich stellte ihr Versuchskaninchen dar, das sie von der Straße aufgegriffen hatten. Herrlich! Da sie es möglicherweise auf Befehl ihres Vaters taten, der nicht unbedingt Schlechtes im Sinn hatte, unterdrückte ich meinen Wunsch, einen Gegenangriff zu starten. Ich hörte mir Miriams Geschichte ruhig an. Nicht als Junior, auch nicht als Schüler – sondern wie ein Beobachter.

Die Stimmung war friedlich gelöst. Sarah beteiligte sich nicht am Gespräch.

«Haben Sie je etwas über die Assoziierungstheorie gehört?»

«Juffrouw Miriam, Sie sind meine Lehrerin», antwortete ich ausweichend.

«Nein, nein, ich bin keine Lehrerin», sie wurde plötzlich bescheiden. «Es ist doch ganz normal, daß Schüler untereinander Gedanken austauschen. Sie haben also noch nie davon gehört?»

«Nein.»

«Die Theorie stammt von jenem Gelehrten. Es ist eine ganz neuartige Theorie. Er hofft, daß die ostindische Regierung die Experimente in die Praxis umsetzen kann, falls sie glücken. So ist es doch, nicht, Sarah?»

«Erzähl nur selbst weiter», winkte Sarah ab.

«Mit Assoziierung ist Zusammenarbeit im europäischen Sinne gemeint, und zwar zwischen den europäischen leitenden Persönlichkeiten und den gebildeten *Pribumis*. Ihr, die bereits fortgeschritten seid, sollt an der Regierung in diesem Land beteiligt werden. Somit läge die Verantwortung nicht allein bei den Weißen, und die Stelle des *Kontrolir*, des Vermittlers zwischen europäischer und einheimischer Regierung, wäre dann überflüssig. Die

Bupatis ständen direkt in Verbindung mit der weißen Regierung. Ist Ihnen das verständlich?»

«Fahren Sie fort», sagte ich.

«Was meinen Sie dazu?»

«Nicht viel», antwortete ich. «Eingeborene wie ich lesen, was Sie nicht lesen: *Babad Tanah Jawi*. Javanisch lesen und schreiben zu lernen ist in unseren Familien ein zusätzliches Fach. Sehen Sie, von der *E. L. S.* bis zur *H. B. S.* bringt man uns bei, die Soldaten der *Kompeni* für unsere Unterwerfung, die Unterwerfung der Eingeborenen, zu bewundern.»

«Die *Kompeni*-Soldaten waren auch wirklich großartig. Das ist eine Tatsache», verteidigte Miriam die Politik der holländischen Regierung.

«Ja, das wohl. Aber wissen Sie auch, daß in vielen unserer Schriften beschrieben wird, wie die Eingeborenen euch jahrhundertelang die Stirn geboten haben?»

«Und immer verloren haben?» ergänzte Miriam.

«Ja, immer verloren.» Ich verlor plötzlich den Mut weiterzuerzählen. Dafür fragte ich: «Warum wurde diese Theorie nicht schon vor dreihundert Jahren erdacht und ausgeführt? Damals hätten die Eingeborenen nichts dagegen gehabt, wenn die Europäer die Verantwortung mit ihnen zusammen getragen hätten.»

«Ich verstehe nicht ganz, was Sie meinen?» unterbrach Sarah mich.

«Ich meine, daß der großartige Gelehrte, Doktor... wie hieß er doch gleich? – den Eingeborenen dreihundert Jahre nachhinkt», antwortete ich gewichtig. Und damit verabschiedete ich mich, ließ diese zwei nervensägenden Senioren-*Nonis* allein.

8

Vater und Mutter waren sehr stolz darauf, daß ich von *Tuan Resident-Assistent* eingeladen worden war. Zu Hause trafen weiterhin Einladungen von einheimischen Würdenträgern des Distrikts ein. Meine Eltern sollten besser nicht erfahren, wie man ihren Sohn, auf den sie so stolz waren, empfangen hatte.

Mit Müh und Not entzog ich mich ihren drängenden Bitten, ihnen davon zu erzählen. Dafür eröffnete ich, daß ich sogleich nach Surabaya zurückkehren würde.

Ich war sehr beschäftigt mit dem Beantworten der Einladungen. Vater zürnte mir nicht mehr. Die Einladung von *Tuan Resident-Assistent* hatte die Vergebung all meiner Sünden bewirkt. Ich schickte ein weiteres Telegramm nach *Wonokromo*, worin ich *Nyai* und Annelies Tag und Stunde meiner Rückkehr nach Surabaya mitteilte und gleichzeitig darum bat, mich mit einem Wagen abzuholen.

Vater und Mutter versuchten nicht, meine Abreise hinauszuzögern. Auch die Angelegenheit *Nyai* Ontosoroh wurde nie mehr erwähnt. Wer einmal eine Einladung von *Tuan Resident-Assistent* erhalten hatte, war unangreifbar, konnte unmöglich im Unrecht sein. Ein hoher und wichtiger Posten war ja bereits in Sichtweite. Sie bestanden lediglich darauf, daß ich mich von dem Würdenträger verabschiedete.

Obwohl ich keine Lust dazu hatte, ging ich dennoch. Ich mußte also ein zweites Mal mit Sarah und Miriam zusammentreffen. In Anwesenheit ihres Vaters waren sie jedoch überhaupt nicht aggressiv, sondern manierlich und höflich.

«Ihr Rektor ist ein ehemaliger Schulfreund von mir», sagte der Würdenträger. «Wenn Sie wieder in die Schule gehen, richten Sie ihm einen Gruß von mir aus.»

Dann erzählte er, daß seine Töchter nach Holland zurückkehren wollten. Ihre Mutter war bereits vor zehn Jahren gestorben. Wenn sie weggingen, würde er sich bestimmt sehr einsam fühlen.

«Schreiben Sie mir doch hin und wieder über Ihre Fortschritte; ich werde es mit Interesse lesen. Schreiben Sie auch Sarah und Miriam», trug er mir auf. «Junge, gebildete Menschen müssen nach Möglichkeit ihre Gedanken untereinander austauschen. Wer weiß, vielleicht kann das der Grundstein für eine bessere Zukunft sein. Erst recht, wenn ihr irgendwann wichtige Persönlichkeiten geworden seid.»

Ich versprach zu schreiben.

«Minke, wenn Sie sich auch in Zukunft so geben, so europäisch, meine ich, und nicht so unterwürfig wie die Javaner im allgemeinen, dann werden Sie wohl mal eine wichtige Persönlichkeit. Sie können ein Führer, ein Bahnbrecher werden, Ihrem Volk ein Vorbild sein. Als gebildeter Mensch ist Ihnen sicher auch bewußt, daß Ihr Volk schon viel zu tief gesunken ist, es ist völlig gebrochen. Die Europäer vermögen ihm nicht zu helfen. Die *Pribumis* müssen sich selbst aufrichten.»

Seine Worte verletzten mich. Jedesmal wenn andere sich über die javanische Wesensart hermachten, dann fühlte ich mich betroffen, dann fühlte ich mich als Javaner. Nur wenn die Unwissenheit und Einfältigkeit der Javaner angesprochen wurde, dann fühlte ich mich als Europäer. Ich trug seine Worte, die mich sehr beschäftigten, in meinem Herzen, nahm sie mit in den Schnellzug, der mich nach Surabaya zurückbrachte.

Wäre *Tuan* de la Croix ein Javaner gewesen, so hätte ich seine Absicht leicht erraten können: Ich wäre ihm wohl sehr willkommen gewesen als Schwiegersohn. Aber da er Europäer war, kam das nicht in Frage. Außerdem waren sowohl Sarah als auch Miriam einige Jahre älter als ich. Der Würdenträger war der Ansicht, daß ich ein Beispiel, ein Führer, ein Bahnbrecher für mein Volk würde. Das hörte sich an wie im Märchen! So etwas kam sonst nur in den Geschichten meiner Ahnen vor. Gab es wirklich Europäer, die sich so etwas wünschten? In der Geschichte Ostindiens war das noch nie der Fall gewesen. Die holländische *Kompeni* hatte in den dreihundert Jahren, seit sie in Ostindien war, ihre Kanonen und Gewehre nie ruhen lassen. Und nun tauchte hier plötzlich ein

Europäer auf, der davon sprach, daß aus mir ein Bahnbrecher, ein Führer würde, daß ich dem Volk ein Beispiel würde. Ein wenig reizvolles Märchen, eher ein schlechter Witz. Er wollte mich wohl zum Versuchskaninchen der Assoziierungstheorie von Dr. *Snouck Hurgronje* machen. Das war jedoch nicht meine Absicht. Zum Glück notierte ich mir viel und besaß damit ein Vorratskämmerchen, das mir jederzeit als Wegweiser und Mahnung dienen konnte.

Ich griff hastig nach meiner Tasche, um jene ungeöffneten Briefe zu lesen. Sie beinhalteten tatsächlich die Nachricht über den bevorstehenden Empfang, den mein Vater zu seiner Ernennung geben würde, sowie die Aufforderung, sofort nach Hause zu kommen. Dem Brief meines Bruders war sogar ein Antrag auf Urlaub an den Rektor beigefügt. Pah, alles hatte sich bereits zu meinen Gunsten entwickelt.

Mir fiel auf, daß ich ständig von einem etwas schlitzäugigen Dicken beobachtet wurde. Er trug einen braunen Drillichanzug. Auch seine Schuhe waren braun – schicke Schuhe, wie es sich für einen Passagier erster Klasse gehörte. Er behielt seinen Filzhut mit Seidenband ständig auf, zog ihn manchmal bis über die Schläfen, um seine Augen unauffällig in jede beliebige Richtung schweifen zu lassen. Sein kleiner Lederkoffer lag über ihm im Gepäcknetz. Er saß mir schräg gegenüber. Als der Schaffner die Fahrkarten prüfte, überreichte er ihm seinen weißen Schein, aber seine Augen schielten zu mir.

Der Schnellzug hielt auf der Strecke von B. nach Surabaya nur an ein paar Stationen. Und der Dicke traf keinerlei Anstalten auszusteigen. Sein Ziel war eindeutig auch die letzte Station.

Der Zug ratterte geschwind nach Surabaya; um fünf Uhr nachmittags rollte er bereits in die Stadt, fuhr am Friedhof vorbei und hielt an.

Der Bahnsteig war fast ausgestorben. Nur wenige Leute standen oder saßen wartend herum oder gingen auf und ab.

«Ann! Annelies!» rief ich aus dem Fenster. Sie holte mich ab.

Das Mädchen eilte auf meinen Wagen zu, stellte sich vor mein Abteilfenster und hielt mir die Hand hin.

«Alles in Ordnung, *Mas*?» fragte sie.

Der Dicke, seinen kleinen Koffer in der Hand, ging an mir vorbei. Er stieg vor mir aus, schaute Annelies kurz an und ging dann langsam auf den Ausgang zu. Er passierte ihn aber nicht, sondern blieb stehen und blickte sich zu uns um.

«Los, steig aus. Worauf wartest du noch?» drängte Annelies.

Ich stieg aus; der Träger folgte mir mit meinem Gepäck.

«Komm! Darsam wartet schon eine ganze Weile.»

Der Dicke passierte die Bahnsteigschranke nicht, bis wir durchgingen. Er hatte helle, gelbliche Haut; sein Gesicht war etwas gerötet. Wie vorhin im Zug wischte er sich auch jetzt alle paar Augenblicke den Hals mit einem blauen Taschentuch. Als wir an ihm vorbeigingen, folgte er uns.

«Guten Tag, *Tuanmuda*!» rief Darsam.

(Mama hatte ihm verboten, mich mit *Sinyo* anzureden.)

Der Dicke beobachtete, wie wir aufstiegen. Nun schöpfte ich aber wirklich Verdacht. Wer war er? Warum ging er nicht seiner Wege, wozu beobachtete er uns dauernd? Sowie wir aufgestiegen waren, heuerte er flugs einen Dogcart, und als sich unsere Kutsche in Bewegung setzte, folgte uns die seinige. Er hatte eindeutig eine ganz bestimmte Absicht.

Als ich mich nach seinem Dogcart umdrehte, war er gerade wieder einmal dabei, seinen Hals abzureiben, und beäugte uns zufälligerweise nicht. Als ich mich jedoch ein zweites Mal umdrehte, beobachtete er uns. «Holla, Darsam! Warum fährst du nicht nach rechts?» protestierte ich.

«Wieso denn nach links?» fragte Annelies auf maduranisch.

«Ich habe noch etwas zu erledigen», antwortete er knapp.

Die Kutsche fuhr nach links, verließ den Bahnhofsplatz, bog dann rechts ab, fuhr am *Resident*-Palast vorbei. Was hatte Darsam vor? Er machte ein ernstes Gesicht.

«Warum biegst du denn immer noch nicht nach rechts ab?» protestierte Annelies. «Es wird bald dunkel.»

«Geduld, *Noni*, noch ist es nicht dunkel. Ich habe eine Laterne dabei, keine Angst.»

Der Dogcart des Dicken folgte uns tatsächlich. Als ich mich zum soundsovieltenmal nach ihm umdrehte, hielt er den Kopf gesenkt, versteckte sich hinter dem Kutscher.

«Etwas langsamer, Darsam», befahl ich. Unser Wagen fuhr jetzt langsam auf einer kleinen Nebenstraße. Der Dogcart hinter uns fuhr ebenfalls langsamer. Gezwungenermaßen, denn die Straße war eng. Der Dogcart hätte allerdings ein Glockenzeichen geben können, hätte er uns überholen wollen. Er tat es nicht, versuchte auch nicht, an uns vorbeizufahren.

Unsere Kutsche hielt plötzlich an.

«Wieso denn hier», protestierte Annelies.

«Moment, *Non*, ich habe schnell etwas zu erledigen», antwortete Darsam im Abspringen, führte dann das Pferd an den Straßenrand und knüpfte die Zügel an einem Zaunpfosten an.

Der Dogcart des Dicken stockte unschlüssig, fuhr dann aber doch vorbei. Der Fahrgast schaute auf die andere Seite und schneuzte sich dabei die Nase mit seinem blauen Taschentuch. Seinem Aussehen nach zu schließen war er wohl kein Chinese, höchstens ein chinesischer Mischling, aber kein Geschäftsmann. War er ein Angestellter des *Majoor der Chineezen*? Oder aber er war ein europäisch-chinesischer Mischling, der auf Urlaub gewesen war und jetzt nach Surabaya zurückkehrte. Doch warum mußte er mich seit B. ständig beobachten? Oder war er vielleicht Zahlmeister der *Borsumij* oder *Goewenry* oder gar der *Majoor der Chineezen* selber? Doch *Majooren* waren meistens hochmütig und fühlten sich den Europäern ebenbürtig, hatten es nicht nötig, mir Beachtung zu schenken, ja, würden sich überhaupt nicht um einen Eingeborenen kümmern, wer immer er auch war. Oder war es Annelies, die er bespitzelte? Nein. Er führte sich ja bereits seit B. so auf.

«*Non*, warten Sie einen Augenblick hier. Ich habe in dem *Warung* dort schnell etwas zu erledigen», sagte Darsam und schaute mich an. «*Tuanmuda*, steigen Sie bitte ab.»

Ich stieg ab. Wir betraten den kleinen *Warung*, eine Bambushütte mit Blechdach.

«Was hast du hier zu tun, Darsam?» fragte Annelies argwöhnisch von der Kutsche aus.

«Seit wann vertrauen Sie Darsam nicht mehr, *Non*?»

Ich selbst wurde mißtrauisch: Weiter vorn ließ der Dicke seinen Dogcart anhalten, und Darsam stellte sich wirklich sehr komisch an.

«Bleib sitzen, Ann», sagte ich beruhigend, aber ich ließ Hände und Hackmesser des maduranischen *Pendekar* nicht aus den Augen. Im *Warung* saß nur ein einziger Gast, der Kaffee trank. Er drehte sich nicht um, als wir eintraten, sondern schien vor sich hinzuträumen. Oder tat er nur so? War er etwa ein Verbündeter des Dicken, wie Darsam auch?

In befehlendem Ton forderte er mich auf, mich auf die Bank gegenüber jenem Gast zu setzen. Er setzte sich dicht neben mich, so daß ich seinen Atem und seinen Schweiß riechen konnte.

«Bringen Sie Tee und Kuchen zur Kutsche draußen», befahl er der Frau, die in dem *Warung* bediente. Er beobachtete sie scharf, bis sie mit den bestellten Sachen auf einem hölzernen Tablett hinausging. Seine Augen flackerten wild, und er flüsterte mir in steifem, schwerfälligem Javanisch zu: «*Tuanmuda*, zu Hause hat sich etwas ereignet. Ich bin der einzige, der davon weiß; *Noni* und *Nyai* wissen es nicht. Also, *Tuanmuda*, erschrecken Sie nicht, aber Sie wohnen vorläufig besser nicht in *Wonokromo*. Es ist zu gefährlich.»

«Was ist geschehen, Darsam?»

Seine Stimme klang etwas ruhiger:

«*Tuanmuda*, ich bin einzig und allein *Nyai* treu. Was ihr recht ist, ist auch mir recht. Was sie befiehlt, führe ich aus, was immer es auch sei. *Nyai* hat mir aufgetragen, auf Ihr Wohlergehen zu achten. Das tue ich auch. Es ist meine Pflicht. Sie brauchen es nicht zu glauben, *Tuanmuda*, aber folgen Sie bitte meinem Ratschlag.»

«Das mit deiner Pflicht leuchtet mir ein. Nur, was ist denn eigentlich geschehen?»

«*Nyai* ist meine Herrin, ebenso wie *Noni*. *Noni* ist in Sie verliebt, da muß ich achtgeben, daß nichts geschieht. Darum gebe ich Ihnen diesen Ratschlag. Nicht, weil ich nicht fähig bin, nach dem Rechten zu sehen. Nein, *Tuanmuda*. Aber es gibt da etwas, was mir noch nicht ganz klar ist.»

«Ich verstehe. Aber was ist denn eigentlich los?»

«Kurz und gut, *Tuanmuda*, ich bringe Sie zu Ihrer Pension in *Kranggan*, nicht nach *Wonokromo*.»

«Ich muß wissen warum.»

Er schwieg und beobachtete die *Warung*-Frau, die zurückkam.

«Wird's bald, Darsam?»

«Geduld, *Non*», antwortete Darsam, ohne sich dabei nach draußen umzusehen. Als er sah, daß die Frau an uns vorüberging, setzte er flüsternd hinzu:

«*Sinyo* Robert, *Tuanmuda*. Er wollte mich mit den tollsten Versprechungen dazu überreden, Sie umzubringen.»

Ich wunderte mich nicht im geringsten. Die Anzeichen seiner schlechten Absichten hatte ich deutlich gespürt.

«Was habe ich ihm angetan?» wollte ich wissen.

«Nichts als Eifersucht, denk ich. *Nyai* ist Ihnen mehr zugetan als ihm. Er will nicht, daß ein anderer Mann im Haus ist.»

«Das kann er mir doch ins Gesicht sagen. Warum wählt er ausgerechnet diesen Weg?»

«Junges Blut handelt unüberlegt, *Tuanmuda*. Gerade deshalb besteht Gefahr. Nun wissen Sie es, verstehen meinen Rat. Sagen Sie *Nyai* und *Noni* nichts davon. Gehen wir.» Er bezahlte, ohne nach meiner Meinung zu fragen.

Der Dogcart des Dicken war nicht mehr zu sehen. Unsere Kutsche setzte sich wieder in Bewegung. Und in *Wonokromo* – wenn Darsam die Wahrheit gesprochen hatte – trachtete mir jemand nach dem Leben.

Annelies umklammerte meine Hand, als wäre ich ein schlüpfriger Fisch, der jederzeit aus der Kutsche hüpfen konnte. Sie schwieg, schaute nachdenklich in die Ferne.

«Ann, ich hab dein Geld im Koffer gefunden», sagte ich.

«Ja, ich hab's reingelegt. Ich dachte, du könntest es gebrauchen. Du reistest ins Ungewisse ab, und du solltest doch ganz schnell wieder zu mir zurückkehren.»

«Danke, Ann, ich habe es nicht gebraucht.»

Zum erstenmal lachte sie. Aber ihr Lachen ließ mich unberührt. Es war dunkel; die an der Kutsche angebrachte Lampe verbreitete ihren Schein nicht nach hinten zu uns. Annelies' Schönheit wurde von der Dunkelheit verhüllt. Mein Kopf war voller grauenerregender Gedanken. Meine Welt bot überhaupt keine Sicherheit mehr. All das viele Wissen, das ich mir angeeignet hatte, verpuffte ins Nichts. Nichts mehr wirkte vertrauenerweckend. Robert? Den kannte ich. Der Dicke? Ich würde ihn wohl auch bei Dunkelheit wiedererkennen. Nur, eine verbrecherische Tat konnte ebensogut von jemand anderem ausgeführt werden, den ich nicht kannte, dem ich es nicht zutraute. Surabaya war für seine Vielzahl käuflicher Mörder bekannt – für ein Entgelt von einem halben bis zwei Gulden. Bestimmt jede Woche wurde eine Leiche aufgefunden, am Strand, im Wald, am Straßenrand, auf dem Markt, und die Körper wiesen Messerstiche auf.

Die Kutsche fuhr in Richtung *Kranggan*.

«Warum denn hierhin?» begehrte Annelies auf.

«Da ist noch was zu erledigen, *Non*. Gedulden Sie sich.»

Was sollte ich Annelies nun sagen? Noch hatte ich keine Ausrede gefunden, da hielt der Wagen bereits vor dem Haus der Familie Telinga. Wortlos lud Darsam mein Gepäck ab.

«Warum lädst du das Gepäck ab?» fragte Annelies verärgert.

«Ann», sagte ich sanft, «ich muß diese Woche einiges nachholen in der Schule. Ich kann dich leider nicht nach Hause begleiten; ich danke dir vielmals, daß du mich abgeholt hast, Ann. Entschuldige mich bei Mama, ja? Ich kann wirklich jetzt nicht nach *Wonokromo* kommen; ich muß hierbleiben, damit ich meine Lehrer schneller erreichen kann. Richte Mama meinen Gruß und Dank aus. Wenn ich wieder mehr Zeit habe, komme ich bestimmt.»

«Du hast doch bis dahin bei uns auch lernen können, *Mas*? Niemand stört dich. Verzeih mir, falls ich dich gestört habe», sagte sie mit weinerlicher Stimme.

«Aber nein, Ann, natürlich hast du mich nicht gestört.»

Es war nicht zu umgehen; sie weinte wie ein kleines Kind.

«Warum weinst du denn? Nur eine Woche, Ann, eine Woche. Dann komme ich bestimmt. Nicht wahr, Darsam?»

«Bestimmt, *Non*. Weinen Sie nicht vor anderer Leute Haus.»

Meine Vorstellung, ein javanischer Ritter zu sein, verflüchtigte sich – übrig blieb ein Feigling, der sich fürchtete, weil ihm jemand erzählt hatte, daß sein geliebtes Leben in Gefahr war.

«Du brauchst nicht abzusteigen, Ann, bleib sitzen.» Ich küßte sie in der Dunkelheit der Kutsche auf die Wange. Ich fühlte, daß ihr Gesicht naß war.

«Komm bald nach *Wonokromo* zurück», bat sie schluchzend und gab schließlich nach.

«Du verstehst mich also, nicht wahr?» Sie nickte. «Wenn ich mit allem hier fertig bin, komme ich sofort. Aber jetzt hoffe ich wirklich, daß du mir glaubst und meine Lage verstehst.»

«Ja, *Mas*, ich widersetze mich ja nicht», sagte sie kaum hörbar.

«Auf Wiedersehen, schöne Fee.»

«*Mas*.»

Ich stieg ab. Darsam wartete noch immer vor der Tür.

«Warum erzählst du es nicht Mama», flüsterte ich ihm zu.

«Nein. *Nyai* hat schon genug Schwierigkeiten wegen ihres Sohnes und ihres Herrn. Ich muß das selbst erledigen. Haben Sie Geduld, *Tuanmuda*.»

Das Ehepaar Telinga saß im Wohnzimmer und wartete darauf, daß ich zu ihnen hineinginge und erzählte. Ich ging nicht hinein, sondern schloß meine Tür von innen ab, zog mich um und legte mich ohne Abendessen ins Bett. Bevor ich die Öllampe löschte, sah ich mir nochmals das Porträt der Königin Wilhelmina an. Sie war von den Göttern auserkoren, wohlbehütet in ihrem Schloß, ohne Schwierigkeiten, außer vielleicht in ihrer Gefühls- und Gedankenwelt. Während ihr Untertan, dem die Sterne ein gleiches Schicksal versprachen... Selbst in den Ecken meines Kämmerchens konnte der von Robert Mellema geschickte Tod lauern. Ich war noch so jung, und schon hatte es jemand auf mein Leben abgesehen. War Robert verrückt geworden? Es wurden zwar überall in der ganzen Welt Leute aus Eifersucht umgebracht, doch bei ihm lagen die Dinge komplizierter. Er haßte seine Mutter und erhielt von ihr keine Zuneigung. Er bettelte kriecherisch um die Liebe seines Vaters, und der schenkte ihm keinerlei Beachtung. Er war eifersüchtig, weil seine Mutter mich mit Liebe überhäufte und weil er Angst hatte, seine Erbrechte könnten mir, einem Unberechtigten, zufallen – wie es oft in europäischen Erzählungen vorkommt. In seinen Augen war ich wahrscheinlich nichts anderes als ein Krimineller. Aber ich will nur genießen, was ich durch eigene Anstrengungen erreiche. Mehr brauche ich nicht. Ein zufriedenes Leben hängt für mich nicht von Geschenktem ab, sondern vom eigenen Einsatz. Das habe ich aus dem schlechten Verhältnis zu meiner Familie gelernt. Das alles war viel verworrener als aller Lehrstoff.

Und Darsam! Hoffentlich brauchte man seinem Mundwerk nicht zu trauen. Hoffentlich war Robert nicht so schlecht.

Und der Dicke, mit seiner gelblichen, hellen Haut und seinen Schlitzaugen – zum Teufel –, was hatte er denn mit mir zu tun? War eine so gepflegt aussehende Person wirklich nichts als ein gedungener Mörder? Um Mellemas Reichtum und Tochter willen?

Und Sarah und Miriam de la Croix, *Tuan Resident-Assistent...* und die Assoziierungen.

Mein Herz zog sich zusammen. Warum nur war ich solch ein Angsthase?

9

Damit meine Erzählung einigermaßen chronologisch bleibt, will ich hier einschieben, was Robert erlebt hatte, nachdem mich jener Polizist von *Wonokromo* nach B. abgeführt hatte. Dieses Kapitel habe ich anhand dessen zusammengestellt, was mir Annelies, *Nyai*, Darsam und andere erzählten.

Sowie die morgendliche Dunkelheit den Dogcart, der mich von dannen führte, verschluckt hatte, fing Annelies zu weinen an und klammerte sich an ihrer Mutter fest. (Weiß der Kuckuck, warum sie eine derartige Heulsuse war und so verwöhnt wie ein kleines Kind.)

«Laß das, Ann, es wird ihm nichts passieren», sagte *Nyai*.

«Warum läßt du's zu, daß er abgeführt wird?» protestierte Annelies.

«Ann, einem Rechtshüter kann man sich nicht widersetzen.»

«Folge ihm, Ma.»

«Das ist nicht nötig. Es ist noch zu früh. Außerdem steht fest, daß er nach B. gebracht wird.»

«Mama, ach, Mama.»

«Hast du ihn denn so gern?»

«Quäl mich doch nicht so, Ma.»

«Was kann ich denn tun? Nichts, Ann. Wir müssen warten. Man kann nicht immer seinen eigenen Willen durchsetzen.»

«So tu doch etwas, Ma, unternimm etwas.»

«Du benimmst dich, als sei Minke dein Püppchen, Ann. Er ist doch keine Puppe. Unternimm etwas, unternimm etwas! Ich werd bestimmt etwas unternehmen, hab Geduld. Jetzt ist es noch zu früh.»

«Läßt du mich so im Stich, Ma? Willst du mich denn umbringen?»

Nyai war verwirrt. Solches Gejammer hatte sie noch nie erlebt von ihrer Tochter, die sich sonst nie beklagte. Sie war sich bewußt, daß Annelies, ihre vertrauteste Mitarbeiterin, in einem schlimmen Zustand war, daß sie alles tun mußte, was diese forderte. Sie wollte sie in ihr Zimmer bringen, damit sie sich ausruhe.

Aber Annelies weigerte sich; sie wollte auf mich warten, bis ich zurückkam.

«Das geht doch nicht, Ann, so nicht. Er kommt frühestens in zwei, drei Tagen zurück.»

Annelies hüllte sich in Schweigen. Mama wurde immer verwirrter. Klar, von klein auf hatte ihre Tochter noch nie um etwas gebeten. Erst in den letzten Wochen hatte sie angefangen zu bitten – nicht gebeten, gedrängt, gefordert hatte sie – und alles meinetwegen. Sie war immer folgsam gewesen, hatte sich immer artig benommen, war Mamas Liebling. Nun fing sie an aufzubegehren.

Annelies wollte ihre Puppe wieder. Und sie hatte keinen anderen Menschen als ihre Mutter. *Nyai* befürchtete, daß ihre Tochter krank werde. Sie sah an ihr mehr und mehr Anzeichen von Anomalie. Konnte es sein, daß dieses Kind Erschütterungen ebensowenig ertrug wie sein Vater? Endlich ging die Sonne auf. Darsam trat ein, um Tür und Fenster zu öffnen. Er erschrak über das Gebaren seiner *Noni*. Wo weder Muskeln noch Hackmesser gebraucht wurden, war er machtlos.

«Ja, da ist das Gouvernement im Spiel», zischte Mama. Solche Angelegenheiten waren undurchschaubar und unfaßbar, da walteten böse Geister.

Mama erinnerte sich an ihren Ältesten, und sie verdächtigte ihn, der Polizei einen anonymen Brief geschrieben zu haben. Ihr nächster Gedanke: Sie wollte ihn auf die Probe stellen.

«Hol Robert», befahl Mama Darsam.

Robert kam, rieb sich die Augen. Wäre Darsam nicht dagewesen, hätte er sich eindeutig gar nicht bemüht. Da stand er also und sagte kein Wort, sondern schaute gelangweilt in die Gegend.

«Wie oft und an wen hast du anonyme Briefe geschickt?»

Er antwortete nicht. Darsam trat zu ihm:

«Antworten Sie, *Nyo*», befahl der *Pendekar*.

Annelies hielt sich noch immer an ihrer Mutter fest, als ob sie eine Stütze brauchte.

«Ich habe nichts mit anonymen Briefen zu tun», sagte er scharf und schaute dabei Darsam an. «Sehe ich so aus wie einer, der anonyme Briefe schreibt?»

«Antworten Sie *Nyai*, nicht mir», schnauzte Darsam.

«Ich habe keinen einzigen geschrieben und verschickt schon gar nicht», diesmal wandte er sein Gesicht Mama zu.

«Gut. Ich versuche stets zu glauben, was du sagst. Warum haßt du Minke? Weil er besser und gebildeter ist als du?»

«Minke geht mich nichts an, er ist nur ein Eingeborener.»

«Gerade du hast es nötig, Eingeborene zu hassen.»

«Wozu ist denn das europäische Blut gut?» sagte er herausfordernd.

«Gut. Du haßt ihn also nur, weil er ein *Pribumi* ist, während in deinen Adern europäisches Blut fließt. Gut. Ich bring's nicht fertig, dich zu belehren und dich zu erziehen. Das können in deinem Fall nur Europäer. Gut, Rob. Also, ich, deine Mutter, diese *Pribumi* hier, bin mir bewußt, daß jemand mit europäischem Blut ganz bestimmt klüger, gescheiter ist als ein Eingeborener. Du verstehst, was ich meine. Nun wende ich mich an den *Pribumi* in dir – nicht an den Europäer – und bitte dich, geh auf die Polizeiwache in Surabaya und laß dir Auskunft geben über Minke. Darsam kann das unmöglich tun. Ich auch nicht; die Arbeit hier erlaubt es nicht. Du kannst gut Holländisch, und du kannst lesen und schreiben, Darsam nicht. Ich möchte wissen, ob du endlich auch mal was zustande bringst. Reite, damit's schneller geht.» Robert antwortete nicht.

«Marsch, *Nyo!*» befahl Darsam.

Ohne zu antworten, machte Robert Mellema kehrt, ging schlurfend in sein Zimmer und kam nicht mehr heraus. «Ermahne ihn, Darsam.»

Darsam folgte Robert in sein Zimmer. Draußen war es bereits ziemlich hell. Robert verließ das Zimmer in Begleitung des maduranischen *Pendekar*. Er ging nach hinten zum Pferdestall. Er trug Reithosen und Schnürstiefel, und in der Hand hielt er eine lederne Peitsche.

«Leg dich schlafen, Ann», redete *Nyai* ihrer Tochter zu.

«Nein.»

Nyai fühlte, daß Annelies' Temperatur gestiegen war. Sie wurde tatsächlich krank. Und *Nyai* war sehr beunruhigt.

«Bring das Sofa ins Kontor, Darsam. Ich paß auf sie auf während der Arbeit. Vergiß die Decke nicht. Und dann hol Dr. Martinet.» Sie richtete ihre Tochter im Stuhl auf. «Geduld, Ann, Geduld. Liebst du ihn wirklich?»

«Mama, du meine Mama», flüsterte Annelies.

«Du bist ja richtig krank, Ann. Nein, ich verbiete dir nicht, ihn zu lieben. Bestimmt nicht, Liebling. Du darfst ihn heiraten, wann immer du magst und wenn er es will. Nur jetzt hab Geduld.»

«Mama», bettelte Annelies mit geschlossenen Augen. «Deine Wange, Ma, ich möchte dich küssen.» Und sie küßte ihre Mutter auf die Wange.

«Du darfst nicht krank werden, Liebling.»

«Ich will ja gar nicht krank werden.»

«Dein Körper ist schon ganz heiß, Ann. Sei vernünftig, Kind, in einer solchen Situation kann der Mensch nur versuchen, sein möglichstes zu tun und geduldig das Ergebnis abwarten.»

Darsam trug das Sofa allein in das Kontor. Annelies wollte sich nicht eher rühren, bis sie Robert wegreiten gesehen hatte. Aber ihr Bruder zeigte sich immer noch nicht.

«Darsam, schau nach, was Robert macht!» schrie Mama.

Darsam rannte nach hinten. Zehn Minuten später ritt der große, elegante junge Mann vorbei, steuerte, ohne sich umzudrehen, auf die Hauptstraße zu. Und eine Viertelstunde später fuhr Darsam mit einem *Bendi* los, um Dr. Martinet zu holen.

Erst jetzt ließ sich Annelies ins Kontor führen. *Nyai* machte ihr Umschläge mit Essig und Zwiebeln.

«Verzeih, Ann, ich kann dich nicht mehr tragen. Schlaf jetzt. Bald kommt der Arzt, und Robert wird auch Nachricht bringen.» *Nyai* wusch sich das Gesicht und kämmte sich. In die Decke eingewickelt fragte Annelies flüsternd:

«Magst du ihn, Ma?»

«Sicher, Ann, er ist ein netter Junge», antwortete *Nyai*, während sie sich kämmte. «Wie könnte ich nicht, wo du ihn bereits ins Herz geschlossen hast. Eltern können nur stolz sein auf einen solchen Sohn. Und welches Mädchen wäre nicht stolz darauf, seine Frau zu werden? Ich werde stolz sein, ihn zum Schwiegersohn zu haben.»

«Ach, Mama, liebste Mama.»

«Du brauchst also keine Bedenken zu haben.»

«Ob er mich mag?»

«Welcher junge Mann würde nicht einen Narren fressen an dir? Ob Europäer, *Indo* oder *Pribumi*. Jeder, glaub mir. Es gibt kein zweites Mädchen, das so hübsch ist wie du. Schlaf jetzt. Laß das Grübeln, schließ die Augen.»

Annelies hatte ihre Augen schon seit einer Weile geschlossen. Sie fragte:

«Wenn seine Eltern es verbieten, Ma?»

«Laß das Grübeln, sag ich. Ich werde alles ins richtige Lot bringen. Schlaf jetzt. Ich werde dir Milch holen lassen. Vergiß nicht, du mußt gesund werden. Was wird Minke sagen, wenn du schlapp und abstoßend aussiehst? Selbst das schönste Mädchen wirkt nicht mehr anziehend, wenn es krank ist.»

Vom Kontor aus rief *Nyai* nach dem Küchenmädchen. Nicht lange danach erschien die Gerufene und brachte warme Milch.

«Na, trink jetzt. Ich geh baden. Dann versuch zu schlafen.»

Nyai nahm ein Bad. Als sie zurückkehrte, brachte sie warmes Wasser mit und ein Handtuch für ihre Tochter. Annelies sagte kein Wort mehr. Dr. Martinet erschien, untersuchte Annelies kurz und verabreichte ihr Medizin. Außer seinem Filzhut war er ganz in Weiß gekleidet. Am rechten Auge trug er ein Monokel, das mit einer goldenen Kette am obersten Knopfloch befestigt war.

Darsam trug das Frühstück für den Herrn Doktor auf, und der Gast frühstückte zusammen mit *Nyai* im Kontor.

«Ich komme heute nachmittag nochmals vorbei, *Nyai*. Geben Sie ihr ein leichtes Frühstück, bevor sie einschläft. Sorgen Sie dafür, daß sie Ruhe hat. Schlaf ist die beste Medizin. Bringen Sie sie in ihr eigenes Zimmer, hier im Kontor ist doch keine Ruhe. Oder lassen Sie das Sofa wenigstens ins mittlere Zimmer stellen. Schließen Sie Tür und Fenster.»

Und was tat Robert Mellema? Anhand von Angaben einiger *Boerderij*-Angestellten sowie den Aussagen der Zeugen und des Angeklagten bei der späteren Gerichtsverhandlung reimte ich mir folgendes zusammen:

Nachdem er den Stall verlassen hatte, ritt er zur Landstraße, wo er nach rechts, Richtung Surabaya, abbog. Auf der Straße angekommen, hielt er inne, sah sich um und ließ das Pferd langsam weitertrotten, während er die morgendliche Stimmung genoß. Möglicherweise war er schlecht gelaunt, weil er dieses Abenteurers Minke wegen so früh hatte aufstehen müssen und dazu noch auf die Polizeiwache gehen sollte!

Das Pferd trottete lustlos dahin, weil es noch nichts gefressen hatte. Auch Robert hatte noch nicht gefrühstückt, und da sollte er bereits schuften.

Es war ungewöhnlich kühl an jenem Morgen. Die Karren, die normalerweise morgens Erdölfässer von *Wonokromo* abtransportierten und in einer fast endlosen Schlange die Straße säumten, zeigten sich noch immer nicht. Nur die Händler aus den Dörfern, ihr Gemüse geschultert, waren schon unterwegs zu den Märkten in Surabaya und schritten hintereinander her.

Langsam trottete das Pferd des Weges. Roberts Gedanken schweiften umher. Da ließ sich hinter der Hecke auf der rechten Seite eine Stimme vernehmen:

«Guten Tag, *Sinyo* Lobelllllt.»

Er hielt sein Pferd an, spähte über die Hecke. Er erblickte einen Chinesen in einem gestreiften Pyjama. Sein Haar war so spärlich, daß auch sein Zopf nur ganz dünn war. Als er lächelte, zogen sich seine Wangen nach oben, und seine Augen wurden noch schmaler.

Sein dünner, langer Schnauzbart hing schlaff neben den Mundwinkeln herunter. Sein Bart war ebenfalls dünn, nur einem Muttermal entsproß ein dichteres, etwas dunkleres Büschel.

«Guten Tag, *Nyo*», wiederholte er, als er sah, daß Robert unschlüssig war, ob er zurückgrüßen sollte oder nicht.

«Guten Tag, *Babah* Ah Tjong!» antwortete Robert höflich und nickte lächelnd.

«Guten Tag, guten Tag, *Nyo*. Wie geht's del *Nyai*?»

«Gut, danke, *Babah*. Ich seh Sie heute zum erstenmal, *Babah*. Wo waren Sie denn die ganze Zeit?»

«Es gibt immel viel zu tun. Wie geht's *Tuan*?»

«Gut, *Babah*.»

«Ich hab ihn schon lange nicht mehl gesehen.»

«Er hat immer viel zu tun, *Bah*. Bei Ihnen steht heute die Tür offen, auch die Fenster. Was ist denn los, *Bah*? Etwas ganz Besonderes wohl?»

«Schönel Tag heute, was? Ein lichtigel Fleudentag. Kommen Sie doch bitte lein.» Ah Tjongs Lächeln ließ Robert seinen Ärger vergessen, auch seinen Haß gegen alles, was chinesisch war. Nie zuvor hatte er den Wunsch verspürt, mit Chinesen Bekanntschaft zu schließen. Er hätte nicht einmal ihren Gruß erwidert und schon gar nicht ihren Hof oder ihr Haus betreten. Aber jetzt war er ehrlich neugierig.

«Gut, ich komm einen Augenblick rein», sagte er und ritt in den Hof.

Er hatte *Babah* Ah Tjong noch nie gesehen, doch er war überzeugt, daß er es war. Bevor er überhaupt abgestiegen war, kam sein Nachbar bereits auf ihn zugeeilt. Er sah, wie der Mann mit dem Zopf in die Hände klatschte, worauf ein alter chinesischer Gärtner erschien, der ihm die Zügel aus der Hand nahm und das Pferd nach hinten führte.

Robert und Ah Tjong gingen langsam nebeneinander über den mit Steinplatten ausgelegten Weg auf das Gebäude zu, dessen Tür und Fenster sonst geschlossen waren, und gingen hinein. Die Treppenstufen waren mit geflochtenen Kokosmatten belegt. Das Haus besaß keine Veranda, so daß sie gleich in den geräumigen Vorraum kamen, wo mehrere geschnitzte Sitzgruppen aus Teak-

holz standen. In einer Ecke befand sich eine Sitzgruppe aus ge-
flecktem Bambus. An den Wänden hingen Spiegel verschiedener
Größen, die mit roten chinesischen Schriftzeichen bemalt waren.
Der Korridor, der sich genau in der Mitte des Gebäudes befand,
war durch einen geschnitzten Raumteiler verdeckt. Große, leere
Porzellanvasen schmückten den Raum; sie standen auf niedrigen
Sockeln, deren Füße sich windende Drachen darstellten. Es waren
keine Muscheln oder Blumen vorhanden, selbst das Porträt der
Königin Wilhelmina fehlte.

Ah Tjong führte Robert zu der Bambussitzgruppe – drei Sessel
und eine lange, auf den Hof gerichtete Bank. Der Hausherr setzte
sich auf die Bank und Robert sich ihm gegenüber.

«Ja, *Nyo*, wil sind schon so lange Nachbaln, und Sie sind noch
nie helgekommen.»

«Wie soll man kommen, wenn Tür und Fenster ständig geschlossen sind.»

«Ah, *Nyo*, das stimmt nun abel nicht. Das Haus hiel ist doch
nicht ständig geschlossen.»

«Ich seh heute zum erstenmal Tür und Fenster offenstehen.»

«Wenn Tül und Fenstel offen sind, dann bin ich bestimmt zu
Hause, *Nyo* Lobellllllt.»

«Und wenn nicht, in welchem Haus sind Sie dann?»

«In welchem?» Er lachte vergnügt. «Was tlinken Sie, *Nyo*? Was
tlinken Sie nolmalelweise? Whisky, Blandy, Cognac, *Ciu* oder gewöhnlichen Allak? *Sausing* vielleicht? Weißen, gelben, walm odel
kalt? Odel tlocken? Malaga vielleicht?»

«Ui, *Bah*, so früh am Morgen?»

«Na und, schadet doch nicht. Mit Eldnüssen?»

«Einverstanden, *Bah*, einverstanden.»

«So ist's lichtig, *Nyo*. Einen Gast wie Sie bewilet man geln:
elegant, stattlich, nicht schüchteln, jung… Sie haben alles.
Leich… oho.» Er klatschte mit würdevoller Miene in die Hände,
ohne sich von seinem Gast abzuwenden. Hinter der spanischen
Wand trat ein chinesisches Mädchen in einem langen, ärmellosen
Kleid hervor. Das Kleid war seitlich hoch geschlitzt, so daß ihre
Beine teilweise sichtbar waren. Sie hatte ihr Haar zu zwei Zöpfen
geflochten. Robert wallte das Blut auf, als er das marmorhäutige

Mädchen erblickte. Seine Augen hafteten an den Schlitzen, bis das Mädchen ganz nah neben ihm stand, eine Whiskyflasche, Likörgläser und geröstete Erdnüsse auf den Tisch stellte.

Ah Tjong sagte etwas auf chinesisch zu ihr, worauf sie sich aufrecht vor Robert hinstellte.

«Nun, *Nyo*, gefällt sie Ihnen?»

Robert brachte vor Verlegenheit kein Wort hervor. Er wandte Augen und Gesicht in eine andere Richtung, als hätte der Teufel sie angezogen.

«Das ist Min Hwa. Gefällt sie Ihnen nicht?» Er räusperte sich. «Sie ist eben elst aus Hongkong angekommen.»

Min Hwa verneigte sich, stellte ihr Tablett auf den Tisch und setzte sich neben Robert.

«Sie kann leidel nicht Malaiisch, auch nicht Holländisch odel Javanisch. Nul Chinesisch. Walum sagen Sie nichts, *Nyo*? Da sitzt sie ja schon neben Ihnen. Ei, ei, *Sinyo*, tun Sie nicht, als ob Sie keine Elfahlung hätten in solchen Sachen. Also, *Nyo*, vol mil blauchen Sie sich doch nicht zu genielen.»

Min Hwa hielt Robert ein Glas Whisky an die Lippen, das er wenig beherzt entgegennahm.

Ah Tjong lächelte. Min Hwa lachte kokett und schrill, reckte den Hals. Sie machte den Mund weit auf, ließ ihre perlenartigen Zähne, deren sie einen zuviel hatte, blinken. Dann palaverte sie laut und schnell drauflos, ohne Punkt und Komma. Robert verstand nichts; er büßte seine Beherztheit noch mehr ein, als das Mädchen ihren Stuhl zu ihm heranrückte.

Als sie sah, daß Robert erblaßte und das Glas in seiner Hand zu Boden zu fallen drohte, schob Min Hwa dem großen Jüngling das Whiskyglas an die Lippen. Robert schluckte den Inhalt, ohne zu zögern. Plötzlich hustete er – er hatte noch nie Alkohol getrunken. Der Whisky spritzte Ah Tjong und Min Hwa ins Gesicht. Aber die beiden wurden nicht böse, im Gegenteil, sie lachten vergnügt.

«Noch ein Glas, *Nyo*», bot der Hausherr an.

Min Hwa schenkte Whisky ein und forderte den jungen Gast zum Trinken auf. Robert lehnte ab und wischte sich den Mund mit seinem Taschentuch. Er wurde immer verlegener. «Abel, *Sinyo*, tun Sie nicht, als hätten Sie noch nie Whisky getlunken.» Und dann spöttelte er: «Sie mögen wedel Whisky noch Min Hwa?» Er machte eine lässige Handbewegung, worauf das Mädchen sich entfernte und sich hinter die spanische Wand zurückzog. Ah Tjong klatschte abermals in die Hände.

Jetzt erschien eine andere Chinesin, in farb- und motivreicher Seidenbluse und Hose. Ein Bambustablett mit Gebäck auf der Hand, ging sie hüftenschwenkend auf die Sitzgruppe zu und stellte es auf das Tablett, das Min Hwa zurückgelassen hatte.

Sie verneigte sich vor Robert und lächelte ihm einnehmend zu. Sie hatte wie Min Hwa die Lippen rot bemalt. Noch bevor sie das Gebäck fertig angeordnet hatte, kam Min Hwa mit einem Glas Wasser auf einem Kristalltablett zurück, das sie vor Robert hinstellte. Dann setzte sie sich wieder an ihren vorherigen Platz.

«Na, *Nyo*, zwei sogal. Welche gefällt Ihnen bessel? Bitte, genielen Sie sich nicht. Das ist Sie-Sie.»

Vor dem Haus fuhren einige Kutschen vor. Gäste traten ohne Umschweife ein; sie trugen entweder chinesische Tracht oder Pyjamas. Es waren lauter Männer, und alle hatten Zöpfe. Ohne danach zu fragen, ob der Hausherr da sei oder nicht, setzten sie sich in aller Selbstverständlichkeit hin und fingen lautstark an zu schnattern, zu spucken und zu spielen.

«Sie mögen anscheinend keine von beiden», grollte Ah Tjong und schickte sie mit einer Geste weg, um die Gäste zu bedienen. «Auch Sie-Sie gefällt Ihnen nicht.» Er stand auf und rief Sie-Sie zurück. Als die Chinesin kam, zog Ah Tjong sie näher heran und drückte sie auf den Stuhl neben Robert.

«Vielleicht mögen Sie sie doch.»

Robert schämte sich bodenlos, wurde zwischen Verlangen und Angst hin- und hergerissen. *Babah* lachte wieder, ergötzte sich an dem verwirrten Jüngling. Die übrigen Gäste schenkten den dreien in der Ecke keinerlei Beachtung.

Jetzt kicherte Sie-Sie schnell und aus vollem Hals, fing an, an ihm herumzufingern. Sie zupfte ihm Hemd und Gürtel zurecht und strich ihm das Hemd glatt. *Babah* schaute zu und lachte. Robert wurde noch verlegener. Und der Chinese und die Chinesin disputierten laut miteinander, wovon Robert kein Wort verstand.

Sprüche vom Geld

«Wo Geld ist ...

...da ist der Teufel, wo keins ist, da sind neunundneunzig», heißt es in einem Sprichwort aus dem 16. Jahrhundert.

Und es ist ja wahr: Mit einem bißchen Geld ist das Leben schon leichter zu ertragen. Und wer dann noch dafür sorgt, daß es sicher angelegt ist und gute Zinsen bringt, der braucht vor den neunund-neunzig Teufeln keine Angst zu haben.

Pfandbrief und Kommunalobligation

Meistgekaufte deutsche Wertpapiere - hoher Zinsertrag - bei allen Banken und Sparkassen

Verbriefte Sicherheit

«Gut, *Nyo*, wenn Sie keine del beiden mögen.» Sie-Sie stand auf und verschwand. Ah Tjong klatschte viermal hintereinander. Robert bereute seine Zimperlichkeit. Er senkte den Kopf.

Hinter der spanischen Wand trat eine Japanerin in einem groß-geblümten Kimono auf; ihr rundliches Gesicht war etwas gerötet, ihre Lippen waren mit Lippenrot bemalt und lächelten ununterbrochen. Sie hatte ihr Haar aufgesteckt. Sie setzte sich direkt neben den Hausherrn. Als sie lachte, kam ein goldener Schneidezahn zum Vorschein.

«Nun, *Nyo*, da ist noch eine.»

Wohl um nicht wieder bereuen zu müssen, faßte sich Robert ein Herz und schaute der Japanerin ins Gesicht.

«Na, *Nyo*, das ist Maiko. Sie ist elst vol zwei Monaten aus Japan gekommen.»

Noch bevor er seinen Satz zu Ende gesprochen hatte, fing sie bereits schnell und mit hoher Stimme auf japanisch zu reden an. Auch das verstand Robert nicht, doch er sah sie tapfer an. Ah Tjong hielt der Japanerin die Hand auf den Mund und sagte:

«Sie gehölt mil pelsönlich, abel bitte, wenn Sie Ihnen gefällt... Setzen Sie sich nul hielhel neben Maiko.»

Wie ein Hund, dem die Stockschläge seines Herrn drohen, stand Robert auf und wechselte langsam hinüber auf die Bank zu Maiko. «Haben Sie sich entschlossen? Maiko? Gut», er lachte verständnisvoll: «Dann ziehe ich mich bessel zulück. Tun Sie nul, wie Ihnen beliebt.»

Der Gast folgte dem sich entfernenden Hausherrn mit den Augen. Ah Tjong mischte sich unter die Gäste, die immer zahlreicher wurden und Karten, Karambole oder *Mahyong* spielten. Er spazierte langsam durch den Raum, hielt bei jedem Tisch eine Weile inne und kehrte dann zu der Bambussitzgruppe zurück, wo er sich vor das Pärchen stellte, das sich nicht unterhalten konnte.

«Tja, etwas komplizielt, nicht? Maiko velsteht nicht Malaiisch, Holländisch schon gal nicht. Haben Sie denn noch nie mit japanischen Fläuleins velkehlt? Sind Sie denn noch nie in *Kembang Jepun* gewesen?»

«Ich seh überhaupt zum erstenmal eine Japanerin, *Bah*», ließ sich Robert endlich vernehmen.

«Da haben Sie etwas velpaßt, *Nyo*, wo Sie doch jung und leich sind. Fast in jedem chinesischen Fleudenhaus wie in diesem hiel gibt es japanische Fläuleins. Sie haben wilklich etwas velpaßt, *Nyo*. Gehen Sie denn nie ins Haus del loten Latelne in del Stadt? Odel in *Kembang Jepun*? In Batavia? Wie können Sie sich so etwas entgehen lassen, *Nyo* Lobellllllt… Da gibt's viele Japanelinnen. Schade. Na ja… Bitte, seien Sie so gut», er forderte ihn mit einer kaiserlichen Geste auf, ihm zu folgen.

Zu dritt gingen sie nach hinten. Voraus *Babah*, Robert Mellema hinter ihm und zum Schluß Maiko. Ah Tjongs dünner Zopf pendelte leicht bei jedem Schritt und streifte dabei seinen Pyjama. Sie gingen an der spanischen Wand vorbei. Maiko redete unaufhörlich mit einnehmender Stimme und trippelte geschwind mit kurzen Schrittchen. Ihr Parfum erfüllte die Luft.

Sie kamen in den Korridor, wo sich links und rechts die Zimmer befanden. Der Korridor war unmöbliert, nur an den Wänden hingen einige Bilder. Hier und da standen einige Chinesinnen herum, die miteinander schwatzten. Sie waren alle gepflegt gekleidet und herausgeputzt, grüßten Ah Tjong und Robert äußerst ehrfürchtig, nicht so Maiko.

Robert schaute sich alle an. Die großen und kleinen, schlanken und dicken, fülligen und dürren, sie hatten alle rotbemalte Lippen, lächelten oder lachten.

«Solch hübsche Flauen gehölen zum Lebensgenuß, *Nyo*. Schade, daß Sie keine Chinesinnen mögen», er lachte hämisch. «Na, die Zimmel liegen einandel dilekt gegenübel. Sie können benutzen, welches Sie wünschen, außel die, die abgeschlossen sind.»

Er öffnete eine Tür und präsentierte den Raum. Das Zimmer war sauber und konnte sich, was die Möbel betraf, durchaus mit Roberts eigenem messen; es war allerdings nicht so geräumig, aber dafür war das Bett um so prächtiger.

«Fül Sie habe ich ein fülstliches Zimmel, ein Ehlenzimmel, wenn Sie wollen.» Er ging einige Schritte weiter und öffnete eine andere Tür. «Hiel, das ist das Fülstenzimmel. Nul *Tuan Majool* dalf sonst dieses Zimmel benutzen. El ist zufällig in Hongkong.»

Die Möbel waren alle ganz neu und in einem Stil, dessen Name Robert nicht kannte. In der Tür stehend, fragte *Babah*, was er dazu meine. Robert hatte keine Meinung, bestätigte nur, daß das Zimmer schön sei. Ah Tjong trat ein, Robert und Maiko folgten ihm.

«Beste Möbel, *Nyo*, ganz neu, flanzösischel Stil. *Tuan Majool* ist von allem, was flanzösisch ist, sehl angetan. Das sind die teuelsten Möbel im ganzen Haus, *Nyo*. In dem kleinen Schlank dolt übel dem Ecktisch, da ist Whisky dlin und Sake, alles, was Sie nul wollen. Sitzgluppe, Hängeschlank, Sofa, Liegestuhl», zählte er auf und zeigte auf die Möbel. «In einem so feinen Bett schläft es sich luhig und angenehm. Nicht wahl, Maiko?»

Maiko antwortete mit einer Verbeugung und sagte etwas mit leiser Stimme, schnell und kokett wie eine Elster.

«Nun, *Nyo*, viel Spaß.»

Ah Tjong verließ das Zimmer, und Robert beobachtete seinen Zopf, bis der Chinese hinter der Tür verschwand.

10

Ebenfalls der Folgerichtigkeit wegen habe ich untenstehenden Abschnitt zusammengestellt. Das Material dazu stammt aus dem Prozeß, der in Wirklichkeit erst später stattfand. Ich beziehe mich vor allem auf Maikos Aussagen, die von einem vereidigten Übersetzer übertragen wurden:

Ich stamme aus Nagoya in Japan und ging als Prostituierte nach Hongkong. Mein erster Herr war ein Japaner, der mich an einen Chinesen in Hongkong verkaufte. Ich kann mich nicht an den Namen jenes zweiten Herrn erinnern. Die wenigen Wochen, die ich bei ihm war, waren zu kurz, als daß ich mich an seinen schwer auszusprechenden Namen erinnern könnte. Er verkaufte mich an einen anderen Chinesen weiter, der mich nach Singapur brachte. Dieser dritte Herr hieß Ming. Er war sehr zufrieden mit mir und mochte mich gut leiden, weil mein Körper und meine Dienste ihm viele Kunden verschafften.

Mein vierter Herr war ein in Singapur ansässiger Japaner. Er war ganz scharf darauf, mich zu besitzen. Es wurde lange gefeilscht, und schließlich erstand er mich für fünfundsiebzig Singapur-Dollar. In Singapur war das der Höchstpreis für ein japanisches Freudenmädchen. Ich war stolz darauf, daß ich teurer verkauft wurde als sundanesische Prostituierte, die normalerweise die höchsten Preise erzielen und in den Freudenhäusern Südostasiens am angesehensten sind.

Mein Stolz währte nur fünf Monate. Mein Herr, der Japaner, fing an, mich zu hassen, weil meine Kundschaft zurückgegangen war. Er schlug mich oft; einmal drückte er sogar eine brennende Zigarette auf meiner Haut aus. Das Übel, das mich befallen hatte, war nicht die gewöhnliche Syphilis. In Prostituiertenkreisen wird sie ‹birmanische› Syphilis genannt. Warum, weiß ich nicht. Sie ist berüchtigt für ihre Unheilbarkeit. Männer werden von ihr schneller ruiniert und haben mehr Schmerzen; Frauen spüren oft lange Zeit nichts davon.

So verkaufte mich mein Herr für zwanzig Dollar einem Chinesen, meinem fünften Herrn, der mich dann nach Batavia brachte. Bevor die Transaktion vollzogen wurde, führte mich mein früherer Herr in ein Zimmer und schlug mich auf die Brust und aufs Kreuz, bis ich ohnmächtig wurde. Als ich wieder zu mir kam, zog er mir die Kleider aus und behandelte mich mit Akupressur an Punkten, die zur Abtötung der Sinneslust geeignet sind. Er hieß Nakagawa. Erst am darauffolgenden Tag trat er mich an meinen neuen Herrn ab. Der neue Herr wollte mich gleich am ersten Tag ausprobieren. Ich verweigerte mich ihm. Wenn er herausfand, daß ich an dieser verfluchten Krankheit litt, würde ich bestimmt weitere Folterungen zu erleiden haben, vielleicht sogar den letzten Atemzug tun. Es ist nichts Außergewöhnliches, daß eine Prostituierte von ihrem Herrn umgebracht wird, der die Leiche danach irgendwo verscharrt oder sie zerstückelt. Prostituierte sind schutz- und rechtlos. Außerdem spürte ich bereits, wie meine Erregbarkeit nachließ. Ich bat ihn, einen chinesischen Akupressurkundigen zu rufen. Ich erhielt drei Behandlungen, worauf meine Sinneslust wieder zurückkehrte. Trotzdem verweigerte ich mich meinem Herrn weiterhin. Zum Glück ließ er von mir ab. Nach drei Monaten allerdings wußte auch er von meiner Krankheit. Er wurde böse darüber. Das schloß ich aus seinem Gesichtsausdruck und aus seiner Stimme, denn ich verstand ja kein Chinesisch. Meine Kundenzahl nahm immer mehr ab. Die Männer wollten sich nicht mit mir einlassen, und das ärgerte ihn. Ich betete Tag und Nacht, daß er mich nicht foltere oder mir gar meine Ersparnisse wegnahm. Ich hoffte nämlich, nach einem Jahr nach Japan zurückkehren zu können und Nakatani zu heiraten, der auf mich und mein Geld wartete.

Er folterte mich nicht, nahm mir auch meine Ersparnisse nicht ab. Als er mich für zehn Singapur-Dollar an *Babah* Ah Tjong verkaufte, schenkte er mir einen halben Gulden Trinkgeld und sagte in gebrochenem Japanisch:

«Eigentlich hätte ich dich gern als Mätresse gehabt.»

Seine Worte stimmten mich traurig. Mätressen hatten es leichter als Prostituierte und konnten einigermaßen vernünftig leben. Sie hatten es einfacher als japanische Ehefrauen, von denen der zukünftige Mann verlangte, daß sie Kapital in die Ehe mitbrachten.

Babah Ah Tjong war sehr geil nach mir. Ich versuchte, ihn mir vom Leib zu halten, denn ich befürchtete ein neues Unheil. Wenn meine Krankheit auch diesmal wieder ans Licht kam, dann war mein Körper vielleicht nur noch fünf Dollar wert, und ich wäre nichts weiter als Straßenabfall in einem fremden Land. Darum bat ich ihn, mich von einem Akupressurkundigen behandeln zu lassen. Jener versicherte, daß ich wieder gesund werden könnte, wenn ich eine vierwöchige Kur mit Akupressurbehandlungen an zehn Stellen vor Sonnenuntergang erhielte. *Babah* war das zu lange und die Kosten dafür zu hoch. Er ließ mich nur einmal behandeln, versuchsweise.

Ich konnte ihn nicht mehr abwimmeln, und er gebrauchte mich schon in Batavia zu seinem eigenen Vergnügen. In seinem Freudenhaus in *Wonokromo* wies er mir das beste Zimmer zu.

Immer, wenn *Babah* in seinem Freudenhaus ist, hält er sich meistens in meinem Zimmer auf, kaum je in den anderen.

Er schien von meiner Krankheit nicht angesteckt zu werden. Ich fühlte mich erleichtert. Es gibt tatsächlich Männer, die gegen Geschlechtskrankheiten immun sind. Vielleicht war die Krankheit

schon nach der einmaligen Akupressurbehandlung nicht mehr gefährlich und nicht mehr ansteckend, und dann würde der Preis für
mich wieder steigen. Hätte *Babah* mich als Mätresse genommen,
wäre ich ihm sehr dankbar gewesen dafür, und ich hätte ihm ge-
dient, so gut es eine Mätresse nur konnte. Und sonst brauchte ich
nur noch elf Monate Prostituierte zu sein und könnte dann nach
Hause zurückkehren. Auf jeden Fall besaß ich bereits genug Geld,
um mich von meinem letzten Herrn loszukaufen.

Ein Monat verging. *Babah* war anscheinend doch von der bir-
manischen Syphilis angesteckt worden. Er wußte nichts davon,
denn er kannte diese merkwürdige Krankheit nicht. Er verdächtigte mich auch nicht, denn es gab in seinem Freudenleben viele
andere Frauen. Außerdem konnten wir gar nicht miteinander reden.

Daß er eine Krankheit erwischt hatte, konnte ich mir denken,
als er eines Tages seine vierzehn Prostituierten in einer Reihe nackt
vor sich aufstellte und einzeln über ihre Krankheiten ausfragte. In
der rechten Hand hielt er eine lederne Peitsche, und mit der linken
prüfte er die Temperatur ihrer Geschlechtsteile.

Als Japanerin war ich die einzige, die er nicht verdächtigte. Unter allen Prostituierten der Welt gelten Japanerinnen als die sauber-
sten und sind dafür bekannt, daß sie auf ihre Gesundheit achten;
man hält uns für garantiert frei von Krankheiten. Darum untersuchte er mich nicht.

Drei Mädchen mußten aus der Reihe treten. Den andern, außer
mir, befahl Ah Tjong, die drei mit Stricken zu fesseln. Man ver-
stopfte ihnen den Mund. Ah Tjong schlug sie eigenhändig mit der
Peitsche; sie konnten keinen Laut von sich geben. Sie büßten an
meiner Stelle – und ich meldete mich nicht.

Prostituierte zu sein, ist wirklich kein Zuckerlecken. Wer eine
schmutzige Krankheit bekommt, muß sich sofort melden, und der
Herr wird sie ohne Umschweife foltern. Besser, man schweigt, bis
er es durch Zufall erfährt. Aber die Schläge bleiben nicht aus.

Nachdem jene drei Frauen sich von den Folterungen erholt hatten, verkaufte *Babah* sie an einen Händler aus Singapur, der sie
nach Medan brachte. Ich lebte weiterhin unangefochten in Ah
Tjongs Freudenhaus. Bis dahin mußte ich nur ihn bedienen und

brauchte mich daher nicht übermäßig anzustrengen. Meine Krankheit schien langsam abzuklingen; ich gewann auch meine Schönheit wieder zurück.

Eines Tages rief mich Ah Tjong schon am frühen Morgen nach vorne. Morgens wird normalerweise nur gespielt, erst der Nachmittag und der Abend sind fürs Pläsier vorgesehen. Im Vorraum waren bereits einige Gäste anwesend, spielten Karten, Karambole und *Mahyong*.

Ich befürchtete schon lange, daß mich mein Herr bei einem solchen Anlaß seinen Gästen überlassen könnte. Wie viele hätte ich wohl zu bedienen, wenn *Babah* sich dazu entschließen würde, mich freizugeben?

Er verlangte tatsächlich von mir, daß ich seinen Gast bediente. Es war ein großer, flotter, junger Mann; er sah gesund und anziehend aus – ein europäischer Mischling. Er hieß Robert. Eigentlich ging's mir ans Herz, wenn ich an seine Zukunft dachte. Man sah ihm auf den ersten Blick an, daß er noch ein Grünschnabel war. Wer hätte ohne Mitleid mit ansehen können, daß ein so junger Mensch einer verhängnisvollen Krankheit zum Opfer fallen mußte, nur weil er mich haben wollte, und daß er sein Leben lang dafür zu bezahlen hatte, vielleicht invalid wurde, vielleicht sogar jung sterben mußte?

Ich beobachtete das Gesicht meines Herrn: Spaßte er oder war es im Ernst. Es schien ihn nicht zu reuen, mich Robert zu überlassen. Gleichzeitig fing ich an zu verstehen, daß er wußte, daß ich es war, die ihn mit der Krankheit angesteckt hatte. Bald würde er mich weiterverkaufen oder mich zwingen, mich für weiß Gott wieviel Geld loszukaufen. Ich fühlte mich sehr niedergeschlagen an jenem Morgen.

Nachdem *Babah* Robert und mich ins Zimmer geführt hatte, war mir klar, daß ich zu arbeiten hatte, und zwar so gut ich konnte. Ich mußte meine Traurigkeit und meine Bedenken vergessen.

Robert setzte sich auf den Liegestuhl. Ich kniete vor ihm nieder und zog ihm die Stiefel aus. So früh am Morgen! Seine Strümpfe waren schmutzig und vernachlässigt. Ich holte ein paar Sandalen aus dem Schrank, die jedoch alle zu klein waren. Seine Füße waren unglaublich groß. Ich streifte ihm daher die Strümpfe ab und legte die Sandalen vor ihm auf den Boden, zog sie ihm aber nicht an. Die Strohsandalen wären ja geplatzt, hätte er seine Füße da hineingesteckt.

Er zog sie auch gar nicht an. Er machte den Eindruck eines Menschen, der viel nachdachte.

Ich zog ihm das Hemd aus; es hatte zwei Taschen. Er ließ es sich schweigend gefallen. Ich prüfte die Taschen nach – sie waren leer. Dann bat ich ihn aufzustehen und zog ihm seine Reithose aus, faltete seine Kleider und legte sie in den Schrank, obwohl es mir eigentlich zuwider war, denn sie waren schmutzig und stanken. Seine Unterwäsche hatte er wohl seit mehr als einer Woche nicht gewechselt. Es schien ihm alles etwas peinlich zu sein.

Das also war der junge Robert, der nichts besaß außer seiner Jugend und Gesundheit, Eleganz und Sinneslust. Ich dachte wieder darüber nach, warum *Babah* mich eigentlich diesem Jüngling, der nicht das Geringste besaß, überließ. Vielleicht hatte er doch nicht vor, mich wegen meiner verfluchten Krankheit zu verkaufen oder mich zu zwingen, mich von ihm loszukaufen. So hatte er also doch nichts davon gemerkt. Dieser Gedanke heiterte mich etwas auf und beruhigte mich.

Aus einem anderen Schrank holte ich einen Kimono von Herrn Majoor. Ich zog Robert die Unterwäsche aus und streifte ihm den Kimono über. Er saß immer noch schweigend da. Dann reichte ich ihm einen Schluck Stärkungsmittel, damit er später nicht allzusehr bereute, sich eine für immer in seinem Körper nistende Krankheit geholt zu haben. Sollte ihm sein bevorstehendes Leiden wenigstens eine schöne Erinnerung verschaffen.

Selbst während er den Becher leer trank, beobachtete er mich ununterbrochen mit staunenden Augen. Ich redete ihm mit sanfter Stimme zu, damit er sich geborgen fühlte.

Natürlich verstand er es nicht, aber ich sagte trotzdem nichts Unanständiges. Welcher Mann hört nicht gern Japanerinnen zu, beobachtet nicht gern unsere Art uns zu bewegen, genießt nicht unsere Bedienung im und außerhalb des Zimmers?

Um halb neun Uhr morgens legten wir uns aufs Bett. Robert wollte nicht zu Mittag essen; er besaß unglaubliche Ausdauer. Sein Körper war schweißnaß und sah aus wie eine kupferne Statue.

Hätte er kein Stärkungsmittel getrunken, wären ihm bestimmt die Adern geplatzt, und er hätte nicht mehr aufstehen können. Das war im Grunde einerlei, denn sein kraftstrotzender Körper war ohnehin dem Verderben geweiht. Alles, was er hatte, würde erlöschen: seine Jugend, seine Eleganz, seine Kraft – Gaben, die längst nicht jedem zufallen. Deshalb preßte ich ihn an den Stellen, wo es früher der chinesische Akupressurkundige bei mir getan hatte. Er verstand meine Absicht nicht, ließ es aber geschehen wie ein kleines, dummes Kind.

Erst um vier Uhr nachmittags gab er mich frei und stand auf. Ich stand ebenfalls auf und trocknete seinen schweißgebadeten Körper mit feuchten, in Rosenwasser getränkten Handtüchern ab. Ich brauchte fünf Handtücher! Er hatte sich völlig verausgabt; von seiner Kraft und Schneidigkeit war nichts mehr übriggeblieben. Er hing im Stuhl wie ein abgetragenes Kleidungsstück. Er verlangte nach seinen Kleidern. Ich holte sie und zog sie ihm Stück für Stück an, auch die schmuddelig-stinkenden Strümpfe und die schweren Lederstiefel. Danach frottierte ich ihm das Haar, massierte ihm den Kopf, damit seine Benommenheit etwas nachließ, und kämmte ihn sorgfältig. Schließlich kleidete ich mich selbst an, nachdem ich mich ebenfalls mit einem feuchten Handtuch abgerieben hatte. Er sah sehr zufrieden aus; er faßte nach meinem Arm und zog mich auf seinen Schoß, redete mir langsam mit tiefer Stimme zu. Ich verstand kein Wort, aber seine tiefe Stimme gefiel mir. Ich machte mich von ihm los, weil ich befürchtete, daß seine Leidenschaft wieder aufleben könnte. Ich hatte ja weder gefrühstückt noch zu Mittag gegessen. Er selbst hatte wahrscheinlich auch noch nichts im Magen. Er war derart bleich, als hätte er eben eine Krankheit hinter sich. Es wollte mir das Herz brechen, wenn ich ihn ansah. Ich gab ihm nochmals einen Schluck Stärkungsmittel, damit sein Gesicht wenigstens etwas Farbe bekäme, und dann führte ich ihn aus dem Zimmer.

Er zögerte und stockte in der Tür. Plötzlich kehrte er wieder ins Zimmer zurück, umarmte und küßte mich leidenschaftlich. Ehrerbietig und höflich schob ich ihn hinaus und schloß die Tür von innen ab. Ich war erschöpft…

Hier ein Nachtrag dessen, was ich anhand von *Babah* Ah Tjongs Antworten vor Gericht zusammengestellt habe. Er machte seine Aussagen auf malaiisch, und ein vereidigter Übersetzer übertrug sie ins Holländische:

Ich war gerade in meinem Kontor, als ungefähr um vier Uhr nachmittags die Glocke des Fürstenzimmers klingelte.

Ich persönlich öffnete die Tür. *Sinyo* Robert war mein spezieller Gast. Es ist seltsam, daß es Leute gibt, die nach dem Grund fragen. Er ist der Sohn meines Nachbarn und wird eines Tages mein ebenbürtiger Nachbar sein; unserer Tradition gemäß pflegen wir immer gute Beziehungen zu Nachbarn.

Er trat aus dem Zimmer. Er war sehr blaß. Alles Anziehende an ihm war wie weggespült; er war kaum noch fähig, seinen Kopf aufrecht zu halten. Er war ein junger Mensch, der keine Grenzen kennt, der sich mit Leib und Seele der Leidenschaft verschreiben wird. Aber er machte einen zufriedenen Eindruck. Das war an seinem leutseligen Lächeln abzulesen. Selbstverständlich freute ich mich darüber.

«*Nyo*», sagte ich zu ihm, «von heute an sind wir gute Nachbarn für immer, nicht wahr?»

Da riß er plötzlich die Augen auf und schaute mich mißtrauisch an. Erfahren wie ich bin, wußte ich sofort, was er dachte; er befürchtete, daß er für seinen kurzen Spaß teuer zu bezahlen habe.

«Ich unterschreibe die Rechnung», sagte er zögernd.

«Ei, ei, *Nyo*, wir sind doch gute Nachbarn. Sie brauchen nicht zu bezahlen, keine Angst. Wer weiß, vielleicht werden wir später einmal Geschäftspartner. Sie können jederzeit herkommen. Die Zimmer stehen Ihnen frei zur Verfügung, vorausgesetzt, sie sind nicht abgeschlossen. Tag und Nacht. Suchen Sie sich ruhig eine der Damen aus. Sollten Vordertür und -fenster geschlossen sein, dann benutzen Sie nur die Hintertür. Ich werde dem Gärtner und dem Wächter Bescheid sagen.»

Roberts Unsicherheit legte sich. Prompt antwortete er:

«Vielen Dank, *Babah*. Ich ahnte gar nicht, daß Sie so großzügig sind.»

«Eigentlich hätten Sie schon früher kommen sollen, nicht erst heute.»

«Ich werde bestimmt wiederkommen.»

«Aber gern.»

Einem guten Nachbarn konnte ich die Tür nicht verweigern. Außerdem war er ein junger Mann, der vor Lebenslust strotzte. Ich mußte ihm also Gelegenheit bieten, seine Triebe auszuleben, und ihm sogar Maiko überlassen, bis er sie nicht mehr interessant fand. Er verabschiedete sich und wollte nach Hause gehen.

«Es ist schon bald Abend», sagte er.

Ich hatte nicht im Sinn, ihn aufzuhalten, führte ihn aber vorher noch kurz in mein Kontor. Seine Augen flackerten wild auf, als er dort die anderen Frauen sah. Er war vollkommen verändert, war nicht mehr der scheue Jüngling vom Vormittag. Ich tat, als bemerkte ich es nicht. Ich rief lediglich eine Friseuse herbei und gab ihr Anweisungen, wie sie ihn zu frisieren hatte.

Sinyo lehnte nicht ab. Er wurde nach spanischem Stil frisiert, den Scheitel in der Mitte. Sein Haar wurde mit dem teuersten Haaröl behandelt. Ich schenkte ihm auch ein Glas Arrak ein.

«So sehen Sie wieder frisch aus», sagte ich zu ihm.

Das ist noch längst nicht alles; ich gab ihm sogar einen *Ringgit*, einen echten, funkelnden, nagelneuen *Ringgit*. Er nahm ihn beschämt entgegen, bedankte sich mit einem Nicken und sagte:

«Sie sind wirklich der beste Nachbar.»

Ich begleitete ihn hinaus, an den Gästen vorbei, die immer zahlreicher wurden. Einige von ihnen hielten uns auf, um sich Maiko auszubitten. *Sinyo* kniff die Augenbrauen zusammen, und ich schlug ihre Bitten ab. Erst als sein Pferd auf der Landstraße nach links abbog, ging ich wieder hinein und begab mich zu Maiko. Was dann aus ihm geworden ist, weiß ich nicht.

Und hier, was mir *Nyai* und Annelies über Robert erzählten:

Um zwei Uhr nachmittags wachte Annelies auf. Ihr Fieber war bereits zurückgegangen. Sofort fragte sie, ob Robert zurückgekehrt sei.

«Noch nicht, Ann. Keine Ahnung, wo er sich herumtreibt.»

Nyai war verdrossen und wütend über ihren Ältesten. Sie befahl Darsam, ja nicht wegzugehen, und beauftragte andere Kutscher, Milch, Käse und Butter auszufahren. Selbst die Feldarbeiten wurden von Leuten beaufsichtigt, die sich eigentlich gar nicht als Aufseher eigneten.

«Ich werde vorne auf ihn warten, Ma», meinte Annelies.

«Nein. Ob du hier wartest oder draußen, kommt aufs gleiche heraus. Bleib wenigstens im Vorraum. Da kannst du mir Gesellschaft leisten.»

Nyai half ihr auf und führte sie ins Gästezimmer, wo sie sich nebeneinander in die Rattanstühle setzten.

Robert kam immer noch nicht. Das Ticken der Pendüle machte die Atmosphäre noch gespannter. *Nyai* schaute alle paar Augenblicke auf den Hof hinaus, aber ihr Sohn zeigte sich nicht.

«Wie kannst du dich so in Minke vernarrt haben, Ann, du kennst ihn doch erst so kurz? Eigentlich sollte er in dich vernarrt sein.»

Annelies erwiderte nichts; sie fühlte sich beleidigt.

«Ich hole dir was zu essen, ja?»

«Laß nur, Ma.» *Nyai* ging trotzdem nach hinten, holte zwei Teller gemischten Reis, Gabeln und Löffel und etwas zu trinken. Während sie aß, schob sie Annelies den Löffel in den Mund und zwang sie zu essen.

«Wenn du zu faul bist zu kauen, dann schluck's hinunter», befahl sie.

Und Annelies schluckte das Essen wirklich, ohne es vorher zu kauen. Robert erschien immer noch nicht.

Es kamen zwei Kunden. *Nyai* gab Darsam Anweisung, sie zu bedienen. Annelies saß schweigend da und schaute in die Ferne – weit, weit in die Ferne.

Zwei weitere Stunden verflossen.

«Na, da kommt dieser Verrückte endlich!» ließ sich *Nyai* vernehmen. «Darsam!» rief sie. Als er kam, fuhr sie fort: «Schließ das Kontor ab und stell dich daneben.» Sie zeigte auf die Tür, die vom Vorraum zum Kontor führte.

Robert ritt gemächlich und ohne jegliche Eile daher. Vor dem Haus stieg er ab und ließ das Pferd stehen, ohne es anzubinden, ging die Treppe hinauf und stellte sich vor *Nyai* und Annelies.

Nyai zog die Augenbrauen zusammen, als sie sah, daß die Haare ihres Sohnes geschnitten und in der Mitte gescheitelt waren. Sie bemerkte, daß weder sein Gesicht noch seine Kleider Spuren von Staub aufwiesen. Er hielt keine Reitpeitsche in der Hand und trug auch keinen Hut mehr. Sie wußte nicht, wo er die Dinge gelassen hatte.

«Der gleiche Scheitel», flüsterte *Nyai*, «die gleiche Blässe…» Sie verbarg ihr Gesicht in den Händen. «Schau, Ann, schau dir deinen Bruder an. Genauso kam auch dein Vater von seinem Streifzug nach Hause, nachdem er durchgedreht war. Dieses Parfum… Und wenn er den Mund aufmacht, dann ist es wohl auch der gleiche Arrakgeruch wie vor fünf Jahren…»

Nyai sprach Robert nicht an.

Annelies schaute ihren Bruder mit ungläubigen Augen an. Darsam stand schweigend da. Weil niemand etwas sagte, räusperte er sich. Als hätte er einen Befehl erhalten, wandte sich Robert Darsam und dann seiner Mutter zu:

«Die Polizei ist nicht darüber informiert, wohin Minke gebracht werden soll. Sein Name ist ihnen nicht bekannt.»

Nyai stand auf; sie kochte vor Wut, ihr Gesicht war dunkelrot. Den Zeigefinger auf ihren Ältesten gerichtet, zischte sie:

«Betrüger!»

«Ich hab an allen möglichen Orten nachgefragt.»

«Hör auf. Bemüh dich nicht. Der Geruch aus deinem Mund, das Parfum, der Scheitel… genau wie dein Vater damals, und seither kann man ihn abschreiben. Schau ihn dir genau an, Annelies, so fing es auch bei deinem Vater an. Mach, daß du wegkommst, du Betrüger! Ich habe keinen Sohn, der ein Betrüger ist.»

Darsam vor der Kontortür räusperte sich ein zweites Mal.

«Behalte diesen Tag für immer in Erinnerung, Ann. So kam auch dein Vater damals nach Hause, und seither habe ich nichts mehr mit ihm zu tun. Robert folgt nun *Tuans* Fußstapfen. Soll er eben.»

Annelies erwiderte nichts.

«Deswegen mußt du stark sein, Ann, sonst wird man mit Leichtigkeit von solchen Kerlen übers Ohr gehauen und zu ihrem ständigen Spielball. Oder willst du's etwa deinem Vater und deinem Bruder gleichtun?»

«Du bist mein einziges Vorbild, Mama.»

«Dann tu nicht so verwöhnt und halte den Kopf hoch.»

Annelies hielt sich still, als sie sah, daß *Nyais* Enttäuschung auf dem Höhepunkt war. Das Pferd vor dem Haus wieherte. Robert trat aus seinem Zimmer; er hatte sich umgezogen und sah geschniegelt und gestriegelt aus. Er verließ das Haus, ohne seiner Mutter, seiner Schwester und Darsam die geringste Aufmerksamkeit zu schenken.

Seither ließ er sich kaum mehr zu Hause sehen.

I I

Ich wachte um neun Uhr morgens mit fürchterlichen Kopfschmerzen auf. Zwischen meinen Augen hämmerte mir irgend etwas in der Stirnhöhle herum, als wäre ein Samenkorn, ohne daß ich es gemerkt hatte, durch meine Haut ins Gehirn gedrungen, triebe dort Wurzeln und würde bald zu einem Baum heranwachsen.

Ich dachte an die Zeitungsberichte, die das wirksamste Mittel aller Zeiten gegen Kopfschmerzen priesen. Es soll von Deutschen entdeckt worden sein und nannte sich Aspirin. Aber das Mittel war vorläufig nichts als eine Nachricht; in Ostindien gab es das noch gar nicht, zumindest wußte ich nichts davon. Dieses Ostindien konnte wirklich nichts, als auf die Früchte von Europas Anstrengungen zu warten.

Mevrouw Telinga hatte mir bereits einige Male Essig-Zwiebel-Kompressen gemacht. Das ganze Zimmer stank nach Essig.

«Ist ein Brief da für mich, Mevrouw?»

«Ha, nun fragen Sie plötzlich nach Briefen. Sonst lesen Sie sie nicht einmal. Sie haben sich aber verändert. Gerade vorhin war jemand hier. Ich sagte, daß Sie noch schlafen. Ich habe ihn nicht gefragt, wie er heißt; vielleicht ist er auch bereits weg. Ich sagte zu ihm: *Tuanmuda* wohnt doch in *Wonokromo*. Aber er nahm keine

Notiz davon, sondern sagte, er gehe schnell zu Jean Marais hinüber.»

Die gutherzige Frau zog den Eßtisch an mein Bett, stellte Milchschokolade und Reisfladen darauf.

«Was möchten Sie heute essen, *Tuanmuda*?» «Wie steht's mit Ihrem Einkaufsgeld?»

«Ich melde mich schon, wenn ich keines mehr habe.»

« Ist mal ein Polizist dagewesen, der nach mir gefragt hat?»

«Es war jemand da, aber kein Polizist. Er war ungefähr in Ihrem Alter. Ich dachte, er sei ein Freund von Ihnen, da erzählte ich ihm eben, was ich wußte.»

«War es ein *Indo*, ein Europäer oder ein *Pribumi*?»

«Ein *Pribumi*.»

Ich fragte nicht weiter. Es war bestimmt jener Polizist gewesen.

«Was essen Sie heute, *Tuanmuda*?»

«Makkaronisuppe, Mevrouw.»

«Fein. Das ist das erste Mal, daß Sie sich Makkaronisuppe wünschen. Wissen Sie auch, wieviel eine Tüte Makkaroni kostet? Fünf *Sen, Tuanmuda*.»

«Zwei Tüten reichen bestimmt.»

Sie lachte erleichtert, als ich ihr fünfzehn *Sen* in die Hand drückte, und ging flugs in ihr Königreich, in die Küche.

An jenem Morgen war alles wie ausgestorben. Nur hin und wieder drang das Gebimmel eines vorbeifahrenden Dogcarts zu mir. In meinem Schädel dagegen war einiges los: Mörder und Mörderkandidaten hatten sich in einer Reihe aufgestellt; es waren die verschiedensten Gesichter dabei, und sie trugen die unterschiedlichsten Kostüme. Sogar Magda Peters hielt ein glitzerndes Schwert in der Hand. Ausgerechnet meine Lieblingslehrerin! Es war zum Verrücktwerden. Und alles nur, weil ich wegen einer Nachricht um mein Leben zitterte. Es war unbegreiflich, daß ich mich derart ins Bockshorn jagen ließ. Dabei wußte ich nicht einmal, ob es die Wahrheit war und was eigentlich gespielt wurde! Meine ganze Bildung nützte mir nun nichts mehr. Und falls die Mitteilung wirklich der Wahrheit entsprach, war es denn angebracht, sich so einschüchtern zu lassen?

Wenn sie tatsächlich stimmte, dann war ich doppelt im Nachteil. Erstens, weil ich mich fürchtete, zweitens würde ich sowieso umgebracht. Ein Nachteil reicht doch, Minke, redete ich mir selbst zu. Los, steh auf! Wo steht's denn geschrieben, du müßtest beide Nachteile in Kauf nehmen? Was bist du gebildeter Mensch für ein Dummkopf.

Bei diesem Gedanken mußte ich über mich selbst lachen. Ich stand also auf. Die Welt vor meinen Augen schaukelte. Ich griff nach der Stuhllehne und stellte meine Augen auf Normalsicht. Schließlich verließ ich das Zimmer, setzte mich in den Vorraum und versuchte, die Zeitung zu lesen. Meine Kopfschmerzen hatten zwar etwas nachgelassen, nicht aber der Geruch nach Essig und Zwiebeln.

Ich ging nach hinten und wusch mich mit warmem Wasser, unter Protestsalven der geschwätzigen Mevrouw Telinga. Es war direkt rührend, wie sich diese kinderlose Frau um mich sorgte. Sie war eine *Indo*, sah mehr wie eine *Pribumi* aus als wie eine Europäerin. Von ihrer ehemaligen Schönheit war nichts übriggeblieben: sie war rund wie ein Faß. Sie sprach Holländisch, auch mit ihrem Mann, obwohl sie die Sprache eher schlecht als recht beherrschte. Sie hatte nie eine Schule besucht: Sie war Analphabetin.

Nachdem ich mich umgezogen und gekämmt hatte, ging ich zu Jean Marais hinüber. Das Gemälde von Mays kämpfender Mutter war immer noch nicht fertig. Er versuchte wohl sein Bestes; es sollte sein Hauptwerk werden.

May setzte sich auf meinen Schoß und schmiegte sich an mich. Ich hatte ihr während der vergangenen Tage gefehlt. Meistens brachte ich ihr Bonbons mit, aber diesmal war meine Tasche leer.

«Gehn wir spazieren, *Oom*?»

«Ich fühle mich nicht gut, May.»

«Du bist blaß, Minke», sagte Jean auf französisch.

«Ich merke nichts davon», meinte May, ebenfalls auf französisch.

Sie rutschte von meinem Schoß runter und schaute mich an.

«Stimmt, du bist blaß.»

«Ich hab zu wenig geschlafen», antwortete ich.

«Seit du in *Wonokromo* verkehrst, passiert dir ständig etwas», behauptete Jean. «Du hast schon lange keine neuen Aufträge mehr gesucht.»

«Wenn du wüßtest, was mir alles zugestoßen ist, würdest du nicht so reden. Bestimmt.»

«Du hast also schon wieder Schwierigkeiten», sagte er vorwurfsvoll. «Deine Augen flackern so unruhig, sie sind anders als sonst.»

«Wie kann man jemandes Zustand an den Augen ablesen?»

«May, kauf mal schnell Zigaretten.»

Das kleine Mädchen huschte davon.

«Na, Minke, schieß los. Was hast du auf dem Herzen?»

Ich erzählte ihm von meinem Argwohn dem Dicken gegenüber, und daß ich das Gefühl hatte, jemand warte auf eine günstige Gelegenheit, mich umzubringen. Daß ich glaubte, daß mir jemand überallhin nachspionierte und darauf sann, mir sein Hackmesser in die Rippen zu stoßen.

«Das hab ich kommen sehen. Das ist nun mal das Risiko, wenn jemand bei einer *Nyai* wohnt. Erst hast du dich der öffentlichen Meinung, die sich über die moralische Ebene der *Nyais* ausläßt, angeschlossen. Was habe ich damals gesagt? Laß dich nicht dazu verleiten, über etwas mit zu richten, worüber du nicht eindeutig im Bilde bist. Ich habe dir geraten, zwei-, dreimal hinzugehen und dir als gebildeter Mensch die Situation selbst anzusehen.»

«Ich kann mich erinnern, Jean.»

«Ja, und du bist tatsächlich dorthin gegangen. Aber nicht nur das, du hast dich sogar dort einquartiert.»

«Richtig.»

«Du hast aber nicht dort gewohnt, um die öffentliche Meinung auf ihre Wahrheit hin zu prüfen. Du hast genau das getan, was sich die Leute vorstellen, hast dich auf die niedrigste moralische Stufe runterziehen lassen, und das ziemt sich überhaupt nicht. Jetzt fühlst du dich von jemandem bedroht. Bestimmt von demjenigen, den es am meisten trifft – der durch dich benachteiligt wird. Du glaubst, daß dich jemand verfolgt, aber dich verfolgt im Grunde nur dein schlechtes Gewissen.»

«Was sonst noch, Jean?»

«Habe ich unrecht?»

«Du könntest recht haben.»

«Wieso könnte?»

«Wenn ich wirklich etwas getan hätte, das sich nicht ziemt.»

«Hast du das nicht?»

«Ganz und gar nicht.»

«Ich freue mich, das zu hören, mein Freund.»

«Zudem ist *Nyai* keine gewöhnliche Frau. Sie ist sehr gebildet, Jean, die erste gebildete *Pribumi*, der ich in meinem Leben begegnet bin. Einfach bewundernswert, Jean. Ich nehme dich irgendwann mal mit, stelle sie dir vor. May nehmen wir auch mit. Es wird ihr dort gefallen. Ganz bestimmt.»

«Woher kommt denn dein Gefühl, daß dir jemand nach dem Leben trachtet, wenn du nichts Schlechtes getan hast? Du bist gebildet, versuch deiner inneren Stimme treu zu bleiben. Du selbst bist einer der ersten gebildeten *Pribumis*.»

«Hör auf, Jean. Ich bin tatsächlich in einer kritischen Situation.»

«Nichts als Einbildung.»

May kam zurück mit einem Bündel in Maispapier gedrehter Zigaretten, und Jean paffte los.

«Du rauchst zuviel.»

Er lachte nur.

An jenem Tag war der Franzose alles andere als erbaulich. Er hatte unrecht. Er stichelte plötzlich mit völlig aus der Luft gegriffenen Bezichtigungen. Schon mein Vater hatte mich auf Anhieb verdächtigt. Mutter zweifelte auf ihre eigene Art an mir. Nun schien auch Jean Marais nicht mehr an meine Rechtschaffenheit zu glauben: Er bediente sich letztlich ebenfalls allgemeiner Maßstäbe, hielt mich für einen Versager, der ins Unsittliche abgesackt war. Es hatte keinen Zweck, das Gespräch weiterzuführen.

Ich nahm May bei der Hand und führte sie zu mir nach Hause, wo wir uns auf die Bank auf der Veranda setzten.

«Warum bist du nicht in der Schule, May?» fragte ich.

«Papa will, daß ich ihm beim Malen Gesellschaft leiste.»

«Und was treibst du den ganzen Tag?»

«Ich schau Papa zu, wie er malt, sonst nichts.»

«Spricht er nicht mit dir?»

«Ja, doch. Er hat gesagt: Unter den Bambusstauden muß es recht kühl sein, denn der Wind weht ununterbrochen. Die arme Frau, die von dem *Kompeni* -Soldaten getreten wird.»

Sie wußte nicht, daß die Getretene ihre eigene Mutter war.

«Sing mir was vor, May!» Die Kleine stimmte ohne Umschweife ihr Lieblingslied an.

«Sing ein französisches Lied, May. Die holländischen kenne ich schon alle.»

«Ein französisches?» Sie dachte nach und sang dann das Lied vom ‹*Joli Tambour*›: «Ran, ran pata plan! Ran, plan, plan – du hörst mir ja gar nicht zu, *Oom.*»

Meine Blicke hafteten an einem dicken Mann, der, seinen *Sarung* über die Schulter geschlungen, unter der Tamarinde auf der anderen Straßenseite neben einer Fruchtsalatverkäuferin hockte. Er war barfuß, trug ein *Peci*, ein Baumwollhemd und schwarze, weite Hosen. Sein breiter Ledergürtel hatte viele, dicke Täschchen. Er hatte das Hemd nicht zugeknöpft. Sein Gesicht, seine Haut und seine Schlitzaugen vermochten mich nicht zu täuschen. Das konnte nur mein zukünftiger Mörder sein. Der Dicke! Roberts Helfershelfer, weil es ihm nicht gelungen war, Darsam zu überreden.

Während er seinen Fruchtsalat aß, blickte er alle paar Augenblicke zu uns herüber.

«Hol mal deinen Papa, May!»

Das kleine Mädchen rannte los. Kurz darauf hinkte Jean, groß und mager, an seiner Krücke herbei und setzte sich neben mich.

«Ich bin mir fast ganz sicher, Jean, daß es der dort drüben ist, der mich von B. an bespitzelt hat. Nur trägt er jetzt andere Kleider.»

«Ach was! Das bildest du dir bloß ein, Minke», fuhr er mich an.

In diesem Augenblick kam *Tuan* Telinga unverhofft dazu. In der einen Hand trug er einen Korb, in der anderen hielt er eine meterlange Eisenröhre, die er irgendwo aufgelesen hatte.

«Daag, Jean, Minke. Was ist denn los, daß ihr so früh am Morgen zusammensitzt?» fragte *Tuan* Telinga auf malaiisch.

Jean Marais erzählte ihm von meinen Ängsten und zeigte mit dem Kinn auf die Person, die ich für den Dicken hielt.

Tuan Telinga stellte seinen Korb auf den Boden, der mit halbreifen *Kedondongs* angefüllt war. Die Eisenröhre behielt er in der Hand. Er sandte wilde Blicke über die Straße.

«Den schau ich mir besser aus der Nähe an. Los, Minke, Sie wissen, wie er aussieht. Vielleicht ist er's tatsächlich. Ich schlag ihm den Schädel ein, wenn's sein muß.»

Da ging ich also hinter ihm her, und Jean hinkte uns beiden nach. Je näher ich kam, desto mehr konnte ich mich davon überzeugen, daß es wirklich der Dicke war. Jetzt war es eindeutig, daß er mir nachspionierte. Er gab vor, uns nicht zu bemerken. Er genoß seinen Fruchtsalat, beobachtete uns allerdings wachsam aus den Augenwinkeln. Seine Aufmachung verstärkte meine Annahme nur. «Er ist es», sagte ich voller Überzeugung.

Telinga näherte sich ihm herausfordernd; er hielt die Eisenröhre immer noch in der Hand. Jean Marais hinkte uns in einiger Entfernung nach.

«He, du», donnerte Telinga ihn auf javanisch an, «was bespitzelst du mein Haus?»

Der Dicke gab vor, nichts gehört zu haben, und aß weiter.

«He, stell dich nicht taub!» brüllte der *Kompeni*-Veteran, diesmal auf malaiisch. Er riß ihm das Bananenblatt aus der Hand und warf es zu Boden. Der Dicke schien sich von einem *Indo* nicht einschüchtern zu lassen. Er stand auf, wischte den *Sambal*, der an seiner Hand klebte, an der Tamarinde ab, aß den restlichen Fruchtsalat und wusch sich die Hände im Eimer der Fruchtsalatverkäuferin. Erst dann sagte er ruhig auf *kromo-javanisch*:

«Ich bespitzele nichts und niemanden.» Dabei schielte er verstohlen zu mir und lächelte. Diese Frechheit! Er lächelte mir zu. Mein zukünftiger Mörder! Er lächelte.

«Mach, daß du fortkommst!» herrschte Telinga ihn an.

Die Fruchtsalatverkäuferin, eine alte Frau, trat verängstigt beiseite. In einigem Abstand hatten sich Leute versammelt und schauten neugierig zu. Sie wunderten sich bestimmt, daß ein *Pribumi* es wagte, einem *Indo* die Stirn zu bieten.

«Ich kaufe hier fast täglich Fruchtsalat, *Ndoro Tuan*.»

«Ich habe dich noch nie gesehen. Verschwinde! Oder...» Er schwang seine Röhre.

Der Dicke zeigte keinerlei Angst. Er hielt seinen Kopf gesenkt, nur seine Augen schweiften aufmerksam umher.

«Es ist nicht verboten, hier Fruchtsalat zu essen, *Ndoro Tuan*», sagte er hartnäckig.

«Du willst auftrumpfen? Du weißt wohl nicht, daß ich ein holländischer *Kompeni*-Veteran bin?»

Der Dicke war bestimmt ein *Pendekar*, denn er fürchtete sich nicht vor einem ehemaligen *Kompeni*-Soldaten. Vielleicht war er ein *Silat*- oder *Kuntow*-Meister.

«Es ist aber nicht polizeilich verboten, hier zu sitzen, es gibt auch kein Verbotsschild, *Ndoro Tuan*. Ich darf wohl in Ruhe meinen Fruchtsalat essen. Ich habe ihn noch nicht einmal bezahlt.» Er machte Anstalten, sich wieder zu setzen.

Wir wurden alle stutzig, als er von Verboten sprach. Er schien über gesetzliche Verordnungen unterrichtet zu sein. Telinga hätte vorsichtiger sein sollen. Aber der Veteran, dessen Begriffswelt sich aufs Dreinschlagen beschränkte, hatte ausgeholt, um dem Dicken eine Ohrfeige zu verpassen. Der Dicke parierte den Schlag, ging aber nicht zum Gegenangriff über.

«Hört auf, hört auf», beschwichtigte Jean Marais.

Telinga war außer sich, daß sich jemand erdreistete, sich seiner Person und seinem Befehl zu widersetzen. Er vergaß völlig, worum es eigentlich ging. Sein Prestige als *Indo* und ehemaliger Soldat war verletzt. Seine rechte Hand holte zum lebensgefährlichen Schlag aus; der Aufmuckser trat seelenruhig beiseite. Telingas Hieb schlug ins Leere, und er stolperte nach vorne. Der Dicke hätte seinem Gegner die Rippen zu Brei boxen können, aber er blieb gelassen. Daß er ständig auswich, reizte Telinga um so mehr, und er schlug weiter drauflos. Der Dicke wich mehr und mehr zurück, suchte schließlich das Weite. Telinga lief ihm nach. Der Dicke verschwand in einem kleinen Gäßchen.

«Telinga hat den Verstand verloren!» knirschte Jean Marais. «Er führt sich auf, als wäre er noch immer *Kompeni*-Soldat.»

Dieser setzte seine Jagd fort und verschwand ebenfalls in jenem Gäßchen.

«Was soll das eigentlich? Komm, wir gehen nach Hause. Da hast du was Schönes angestiftet», schalt er mich aus.

Er wollte sich nicht von mir stützen lassen. May und Mevrouw Telinga eilten auf uns zu und fragten, was denn los sei. Jean und ich antworteten nicht, wir setzten uns und warteten mit gemischten Gefühlen auf den Hitzkopf.

Zehn Minuten später kam *Tuan* Telinga zurück, schweißgebadet und mit rotem Kopf. Atemlos ließ er sich in den Liegestuhl aus Zeltstoff fallen.

«Jan», schimpfte seine Frau, «was fällt dir ein? Läßt dich auf Schlägereien ein. Du bist doch kein Zwanzigjähriger mehr.» Sie riß ihm die Eisenröhre aus der Hand und trug sie ins Haus.

Tuan Telinga erwiderte nichts. Es war, als hätten wir heimlich ein Abkommen getroffen. Ich bereute den Vorgang ungemein; ich war heilfroh, daß sich kein größeres Drama ereignet hatte. Zum Glück hatte ich Darsams Geschichte nicht auch erzählt. Ich hätte einen schönen Aufruhr stiften können.

«*Tuanmuda*, Sie sind noch krank», mahnte Mevrouw von drinnen, «sitzen Sie nicht in der Zugluft. Sie legen sich besser hin. Das Essen ist gleich fertig.»

«Geh du schon mal nach Hause, May», befahl Jean, und May ging.

Wir drei saßen schweigend da, bis Telinga wieder zu Atem gekommen war.

«Vergessen wir diesen Vorfall», schlug ich vor. Wenn das nur nicht der Polizei zu Ohren käme und eine langwierige Geschichte daraus würde! «Meine Kopfschmerzen sind wieder stärker, Jean. Verzeihung, *Tuan* Telinga, Jean…»

Ich zog mich in mein Zimmer zurück; ich war jetzt davon überzeugt, daß der Dicke mir nachspionierte. Er war zweifelsohne Roberts Komplize. Ich mußte Darsams Geschichte für bare Münze nehmen und auf der Hut bleiben.

Zum erstenmal riegelte ich die Tür selbst am hellichten Tag von innen ab. Auch das Fenster. Ich stellte einen Stock, einen ehemaligen Schrubberstiel, in die Ecke; er war jederzeit griffbereit. Auch hatte ich früher in T. einmal Selbstverteidigung gelernt, wenn auch nur stümperhaft.

Als gebildeter Mensch mußte ich diese Tatsache akzeptieren: Jemand trachtete mir nach dem Leben. Es der Polizei zu melden, kam nicht in Frage; es wäre unklug gewesen, *Nyai*, Annelies, meinen eben erst zum *Bupati* ernannten Vater und vor allem meine Mutter in Schwierigkeiten zu bringen. Ich mußte der Gefahr ohne Aufhebens, doch wachsam, ins Auge blicken.

Nach vier Tagen waren meine Schmerzen noch immer nicht abgeklungen. Ich schlief zu wenig. Jeden Morgen wurde Milch abgeliefert.

Aber keine Nachricht von Darsam.

Mir schien, ich sei der Schule schon viel zu lange ferngeblieben. Der Arzt hatte mir ein Attest für drei Wochen ausgestellt. Das Samenkorn in meinem Kopf keimte unentwegt weiter und wuchs schließlich, ohne daß ich mich dessen erwehren konnte, zu einem Baum heran. Ich kam zu dem Schluß, daß ich mir *Nyai* und Annelies aus dem Kopf schlagen mußte, die Verbindung zu ihnen abbrechen! Sie brachte lauter Komplikationen. Mein Leben war ohne jene unheimliche und absonderliche Familie kein bißchen ärmer und auf jeden Fall keinen zusätzlichen Schwierigkeiten ausgesetzt.

Ich mußte gesund werden, Aufträge suchen wie zuvor, für die Zeitungen schreiben, das Schlußexamen bestehen, wie es von mir erwartet wurde. Eigentlich ging ich ja gern in die Schule. Ich wollte frei sein, wollte lernen, und es gab ja immer mehr zu lernen. Ich wollte alles, was diese Welt zu bieten hatte, aufnehmen, das Vergangene, das Jetzige, das Zukünftige. Ende des Monats wollte Magda Peters eine Diskussion veranstalten, in der die Menschheit unter allen nur möglichen Aspekten beleuchtet werden sollte. Und ich lag krank im Bett.

Diese unverhofften Ferien brachten nichts ein. Sie waren nichts als Tage und Stunden voll nervöser Spannungen. Manchmal überlegte ich mir, ob ich wirklich in dem Alter schon so große Probleme mit mir herumtragen mußte. Manchmal antwortete ich mir selbst: Es war nicht nötig. Juffrouw Magda Peters hatte einmal von *Multatuli* und dessen Freund, Journalist und Dichter *Roorda van Eysinga*, erzählt: Sie lebten unter großen Spannungen aufgrund ihres tiefen Glaubens und grenzenlosen persönlichen Einsatzes, das Los der ostindischen Völker verbessern zu wollen. Sie lebten unter ständigem Druck von seiten der Europäer als auch der *Pribumis*! Sie wurden aus Ostindien verbannt, und das alles für die hiesigen Völker, die keine Ahnung von der weiten Welt hatten. Sie besaßen keine Freunde, die sie besuchten, niemanden, der ihnen hilfreich die Hand gereicht hätte... Man lese nur das Gedicht von *Roorda van Eysinga*, das er unter dem Pseudonym *Sentot* geschrieben hat: ‹*De Laatste Dag der Hollanders op Java*›. Jedes Wort zeugt von der Gespanntheit eines Individuums, das Ermahnungen in die Welt hinausschreit.

Multatuli und *van Eysinga* waren ständigen Belastungen ausgesetzt wegen ihrer großartigen Taten. Und die Spannungen, die mich quälten? Sie waren nichts als das flegelhafte Gehabe eines Weiberhelden. Ich mußte mich von Annelies lossagen, koste es, was es wolle. Nur mein Herz ließ sich nicht ohne weiteres überzeugen. Dieses hübsche Mädchen! Und *Nyai* – diese bewundernswerte und beeindruckende Persönlichkeit – eine Königin mit Zauberkräften. Ja, ja, Liebe sparte nicht mit Lob, Haß nicht mit Mißbilligung.

Langsam, aber sicher wurde mir klar: Meine Gespanntheit war die Folge davon, daß ich mich weigerte, den Preis für die Welt des Glücks, für die Welt, in der sich die Träume verwirklichten, zu bezahlen. *Multatuli* und *van Eysinga* bezahlten und verlangten keine Gegenleistungen. Was bedeuteten meine Kritzeleien schon, verglichen mit ihren Werken? Und ich erhoffte und begehrte alles für mich allein. Wie beschämend!

Ja, ich mußte mich von Annelies losreißen. Adieu, ma belle! Adieu, du holder Traum, auf Nimmerwiedersehen. Es gab Wichtigeres als nur die Schönheit eines Mädchens und die Würde einer *Nyai*. Was für einen Sinn hatte es, grundlos zu sterben? Mein Leben und mein Körper waren mein einziges Kapital.

Mit diesem Entschluß ließen die Kopfschmerzen nach, wenn auch nicht schlagartig. So war es nun mal mit Krankheiten: Sie kamen auf einmal von selbst, klangen jedoch nur allmählich ab. Die Pflanze, die in meinem Kopf herumwucherte, hörte auf, Wurzeln zu treiben und zu sprießen, und starb endlich ganz ab, als ein Brief von Miriam de la Croix eintraf. Sie hatte eine zierliche, winzig kleine, saubere Handschrift. Sie schrieb:

«Bester Freund, bestimmt sind Sie bereits heil in Surabaya angekommen. Ich warte schon die ganze Zeit auf Nachricht von Ihnen.

Da keine eintrifft, greife ich eben als erste zur Feder. Sie können sich nicht vorstellen, wieviel Interesse Papa Ihnen entgegenbringt. Er fragte bereits einige Male, ob ein Brief von Ihnen eingetroffen sei. Er möchte gerne von Ihren Fortschritten hören. Er war ehrlich beeindruckt von Ihrer Art aufzutreten. Sie seien ein Javaner von einer anderen Sorte, meinte er, aus einem anderen Stoff, ein Avantgardist und gleichzeitig ein Reformist.

Mit Vergnügen schreibe ich Ihnen diesen Brief, ja, ich empfinde es sogar als eine besondere Ehre, Papas Meinung weiterzuleiten. ‹Miriam, Sarah›, sagte er zu uns, ‹so ungefähr werden die Javaner einmal sein, wenn sie unsere Kultur aufgenommen haben, dann werden sie nicht mehr kriechen wie Würmer in der Sonne.› Verzeihen Sie diesen groben Vergleich, Minke, er meint es nicht erniedrigend. Seien Sie nicht böse deswegen. Papa und wir beide hegen keine schlechten Gedanken über die *Pribumis*, über Sie schon gar nicht. Es geht Papa ans Herz, mit ansehen zu müssen, wie tief die Javaner gesunken sind. Lassen Sie mich erzählen, was Papa noch gesagt hat, obwohl er sich weiterhin des groben Vergleichs bediente: ‹Wißt ihr, was dieses Volk von Würmern braucht? Einen Führer, der sie wieder auf eine menschliche Stufe hebt.› Können Sie mir folgen? Ich bitte Sie, entrüsten Sie sich nicht voreilig, bevor Sie erfassen, wie wir das meinen.

Nicht alle Europäer unterstützen oder verursachen den mißlichen Zustand Ihres Volkes. Papa zum Beispiel, obwohl er *Resident-Assistent* ist, gehört nicht zu jener Sorte. Er vermag zwar nichts dagegen zu tun, ebensowenig wie ich selbst und Sarah, obschon wir eigentlich gerne helfen würden. Wir können nur vermuten, was wir tun sollten. Auch Sie mögen *Multatuli*, nicht wahr? Dieser Dichter, der von den Linksliberalen hoch verehrt wird, hat sich sehr um Ihr Volk verdient gemacht. Ja, *Multatuli*, aber auch Domine Baron von Hoëvell und noch einer, den Ihre Lehrerin vielleicht vergessen hat zu erwähnen, *Roorda van Eysinga* nämlich.

Aber sie haben sich nie direkt an Ihr Volk gewandt, nur an ihr eigenes, an die Holländer. Sie appellieren an die Europäer, Ihr Volk auf eine angemessene Art und Weise zu behandeln. Nun, lieber Freund, in Papas Augen ist alles, was sie für Ihr Volk geleistet haben, in diesem ausgehenden Jahrhundert bereits veraltet. Es sei an der Zeit, daß die *Pribumis* sich selbst für ihr eigenes Volk einsetzten. Deshalb war es damals kein Zufall, daß wir Dr. *Snouck Hurgronje* erwähnten. Wir schätzen diesen Gelehrten über alles und halten seine Assoziierungstheorie, die Sie verspotten, für sehr lobenswert. Da werden Sie wohl verstehen, warum Papa so von Ihnen eingenommen ist. Papa und wir beide haben noch nie einen Javaner getroffen wie Sie. Ihre Haltung sei vollkommen europäisch, meint er, frei von der sklavischen Unterwürfigkeit, die den Javanern anhaftet, nachdem sie Niederlage um Niederlage einstecken mußten, seit die Europäer in Ihrem Land Fuß gefaßt haben.

Die stillen Abende in unserem großen, einsamen Haus verbringen wir oft damit, Papas Erzählungen über das Schicksal Ihres Volkes zuzuhören, das in seiner Anstrengung, die europäische Unterdrückung abzuschütteln, Hunderte und Tausende von Helden und Führern geboren hat. Alle sind sie gestürzt, besiegt oder umgebracht worden, mußten sich ergeben, haben durchgedreht, starben als Geächtete oder sind im Exil vergessen worden. Nicht einer hat je einen Krieg gewonnen. Wir sind erschüttert, solches zu hören, aber gleichzeitig verbittert über die Manieren Ihrer Regenten, die der *Kompeni* um eigener Vorteile willen Konzessionen verkaufen, als Beweis ihrer Verkommenheit. Ihre Helden treten immer im Zusammenhang mit Zugeständnissen auf, schon seit Jahrhunderten, und sie verstehen nicht, daß sie nur bereits Geschehenes wiederholen, nur immer unbedeutender und lächerlicher. So steht es um Ihr Volk, das Leib und Seele und Besitz für ein kleines Klümpchen abstrakter Ehre aufs Spiel setzt.

Das javanische Volk sei dazu prädestiniert zu versagen, meint Papa, und das sei um so erschütternder, weil ihm seine Vorbestimmung nicht bewußt sei. Dieses großartige, heldenhafte Volk versuche nichtsdestoweniger, seinen Kopf aus dem Wasser zu heben, und jedesmal drückten ihn die Europäer wieder runter. Die Europäer können es nicht ertragen, daß die *Pribumis* ihren Kopf an die Luft heben und Gottes erhabene Schöpfung erblicken.

Papa ist der Ansicht, daß das Schicksal der Menschheit – heute und in Zukunft – von wissenschaftlichen und geistigen Erkenntnissen abhänge. Ohne sie seien alle, der einzelne Mensch sowie ganze Völker, dem Untergang geweiht. Der Versuch, sich mit denen zu messen, die Technik und Geisteswissenschaft beherrschen, bedeute, sich Tod und Erniedrigung auszuliefern.

Deshalb heißt Papa die Assimilationstheorie gut. Sie sei der einzig förderliche Weg für die *Pribumis*. Er hofft sehr, und wir beide auch, daß Sie, lieber Freund, einmal mit den Europäern auf einer Stufe stehen werden, mit ihnen zusammen dieses Volk und Land entwickeln helfen. Den Anfang dazu haben Sie bereits gemacht. Sie verstehen sicher, was wir meinen. Wir lieben unseren Vater sehr. Er ist mehr als nur ein Vater, auch ein Lehrer, der uns anleitet, die Welt zu betrachten und zu verstehen, ein reifer und lebendiger Freund, ein Administrator, der keinen Gewinn von den Strapazen des kleinen Mannes erwartet.

Lassen Sie mich erzählen, was er sagte, nachdem Sie sich nach Ihrem ersten Besuch verabschiedet hatten. Sie waren aufgebracht, nicht wahr? Wir konnten das verstehen, Sie wußten ja nicht, daß Papa sich absichtlich zurückgezogen hat, damit wir uns unbefangen unterhalten konnten. Leider waren Sie sehr steif und verspannt. Als Sie gegangen waren, fragte er nach unserem Eindruck. Minke war wütend, berichtete Sarah, für sein Gefühl hinkt Dr. *Snouck Hurgronje* mit seiner Theorie dreihundert Jahre hintennach. So haben Sie sich ausgedrückt, nicht wahr? Papa war erstaunt, und ich mußte gezwungenermaßen ausführlicher erzählen.

Daraufhin sagte Papa: ‹Er ist stolz darauf, Javaner zu sein, und das ist gut so. Er besitzt Selbstachtung als Individuum und als Kind seines Volkes. Seine Landsleute halten sich im allgemeinen für das hervorragendste Volk auf Erden, solange sie unter ihresgleichen sind, kriechen aber sofort und trauen sich nicht einmal aufzuschauen, wenn sie Europäern, und sei es nur einem einzigen, gegenübertreten.› Ich schließe mich seinem Lob an, mein Freund.

Dann ertönte das *Gamelan* aus dem benachbarten *Wayang-Orang*-Gebäude. Seit mehr als zwei Jahren hält uns Papa dazu an, auf den Ausdruck der Musik Ihres Volkes zu achten. ‹Ihr habt euch schon lange daran gewöhnt, und vielleicht gefällt sie euch sogar›, sagte er. ‹Hört zu, wie lieblich die Töne auf den Gongschlag hinplätschern und auf ihn warten. So ist die javanische Musik, aber nicht das tägliche Leben, denn diesem erbarmungswürdigen Volk wird kein Gongschlag zuteil, kein Führer, kein weitsichtiger Mann, der fähig wäre, eine Entscheidung zu treffen.›

Lieber Freund, ich bitte Sie inständig, beherzigen Sie diese Ausführungen, wie sie Ihnen sonst von niemandem zuteil werden, auch nicht von dem großen Gelehrten *Snouck Hurgronje*. Wir sind stolz darauf, einen Vater wie ihn zu haben. Er ist überzeugt davon, daß Sie das *Gamelan* mehr lieben als europäische Musik, da Sie ja zu dessen erhabenem Klang geboren wurden und damit aufgewachsen sind.

Minke, mein Freund, wo bleibt denn der javanische Gong des realen Lebens? Werden Sie es sein? ‹Achtet auf das *Gamelan*, fuhr Papa fort, so tönt es seit Jahrhunderten. Aber der Gongschlag im Leben der Javaner trifft und trifft nicht ein. Das *Gamelan* ist wie die Hymne eines Volkes, das sich einen Messias herbeisehnt – ersehnt, nicht sucht oder hervorbringt. Das *Gamelan* übersetzt die javanische Wesensart, die ungern sucht, sich nur im Kreise dreht, wiederholt, wie Gebete und Beschwörungsformeln, einschläfernd, den Geist abtötend, die die Menschen zur Trägheit verleitet, wo kein Platz ist für Charakterstärke.› Das ist die Ansicht eines Europäers; Javaner werden wohl kaum je auf solche Gedanken kommen. Papa meinte außerdem, wenn es in zwanzig Jahren noch immer so klänge, dann könne man daraus schließen, daß diesem Volk noch immer kein Messias zuteil geworden sei.

Ach, Minke, wie wird es um Ihr jetzt so bedauernswertes Volk in zwanzig Jahren stehen? Wir werden demnächst nach Holland zurückkehren. Ich werde mich politisch betätigen. Leider gestattet das holländische Gesetz den Frauen nicht, Mitglied der Zweiten Kammer zu werden. Ich träume davon, mein Freund, falls sich das Gesetz ändern sollte, ein ehrenwertes Mitglied der Zweiten Kammer zu werden und dort viel von Ihrem Volk und Ihrem Land zu reden. Sollte ich dann wieder einmal nach Java kommen, werde ich mir als erstes das *Gamelan* anhören, dieses in seiner Klangeinheit so wunderbare und einzigartige Orchester. Wenn dann das Thema noch dasselbe ist, ein Verlangen ohne Anstrengung, dann bedeutet das, daß immer noch kein Messias gekommen ist, und es bedeutet ebenfalls, daß auch aus Ihnen kein Gong geworden ist, daß sich die Javaner wohl nie aufschwingen werden, sondern immer tiefer sinken im Strom der Wiederholung, sich für immer im Teufelskreis drehen. Hat es sich verändert, dann werde ich Sie aufsuchen und Ihnen voll Hochachtung die Hände drücken.

Werter Freund, zwanzig Jahre! Das ist viel zu lange in diesem Zeitalter, das im Wettstreit dahineilt, es ist auch viel Zeit im Leben eines Menschen. Also, lieber Minke, soweit der erste Brief von Ihrer aufrichtigen und voll guter Hoffnungen erfüllten Freundin Miriam de la Croix.»

Als ich den Brief zusammenfaltete, bemerkte ich, daß meine Tränen stellenweise die Tinte aufgelöst und blaue Flecken gebildet hatten. Warum weinte ich beim Lesen dieses Briefes von einem Mädchen, dem ich erst zweimal begegnet war, das nicht mit mir verwandt war, das nicht einmal der gleichen Rasse angehörte? Sie schätzte mich. Während ich selbst – ja, ich selbst war gerade völlig durcheinander wegen meines unmöglichen Benehmens. Sie erwartete von mir, daß ich ein wertvoller Mensch werde für mein Volk, nicht für das ihrige. Gab es wirklich neue *Multatulis* und *van Eysingas*?

Wie mußte ich diesen wunderbaren Brief beantworten? Dabei empfand ich mich als Dichter, war sogar von *Tuan* Maarten Nijman, Chefredakteur der *S. N. v/d D.*, gelobt worden. Und doch fühlte ich mich zu klein, um Miriams Gedanken Gleichwertiges entgegensetzen zu können. Ich zwang mich aber trotzdem, den Brief zu beantworten. Ich bedankte mich mit einem Schwall von Worten, wohl nicht viel anders als der Schwall der javanischen Musik, die lieblich und erwartungsvoll auf den Gong hinplätscherte. Ich gab meiner Verwunderung Ausdruck, daß sie *Multatuli* und *van Eysinga*, die ich mir eben gerade in Erinnerung gerufen hatte, in ihrem Brief erwähnte. Ob es daher komme, so schrieb ich, weil wir im selben liberalen Zeitalter lebten, im gleichen Strom der Zeit? Ich beendete meinen Brief folgendermaßen:

«Liebe Miriam, wie glücklich bin ich, in Ihnen eine Freundin gefunden zu haben. Ich kann mir nicht vorstellen, was in zwanzig Jahren sein wird. Mir selbst ist noch nie der Gedanke gekommen, daß ich ein Gong werden könnte. Selbst daß ich eine Trommel werden könnte, hätte ich mir nie im Traum gedacht, wäre nicht Ihr wunderbarer und rührender Brief eingetroffen, der mich um so mehr bewegt, als er von einer Person stammt, die nicht meiner eigenen Rasse angehört. Friede und Glück sei mit Ihnen, teuerste Freundin, hoffentlich werden Sie später ein ehrenwertes Mitglied der Zweiten Kammer.»

Ich legte meine Arme auf den Tisch und barg mein Gesicht darin. Ich sog Miriams Brief in mich auf, um ihn mein Leben lang nicht zu vergessen. Freundschaft war tatsächlich etwas Wunderbares. Meine Kopfschmerzen verschwanden schließlich ganz. Miriam, du hast mir nicht nur einen Brief gesandt, sondern auch ein Wundermittel, das meine Spannungen löste. Wenn du nur wüßtest, wie ich mich plötzlich mutig fühlte und die Welt heller und strahlender geworden war. Werde ein Gong! tönte es in mir nach.

«*Tuanmuda*!»

Ich schaute auf. Als ich die Person vor mir erblickte, wucherte die Pflanze in meinem Kopf wieder wie wild und trieb noch mehr Wurzeln und Blüten als je zuvor. Es war Darsam!

«Verzeihung, *Tuanmuda*. Sie scheinen sehr erschrocken zu sein. Sie sind ja ganz blaß.»

Ich versuchte zu lächeln, aber meine Augen wanderten verstohlen zu seinem Hackmesser und seinen Händen. Er lachte wohlwollend und strich seinen Schnauzbart.

«Sie mißtrauen mir, *Tuanmuda*», sagte er, «dabei bin ich Ihr Freund.»

«Was gibt's?» fragte ich heuchlerisch, als ob ich von nichts eine Ahnung hätte.

«Ein Brief von *Nyai*. *Noni* ist schwer krank.»

Ich riß die Augen weit auf. Er stand noch immer gegenüber am Tisch und überreichte mir den Brief. Ich las ihn, während ich hin und wieder auf Darsams Hackmesser und Hände schielte. Richtig, Annelies war schwer krank und wurde von Dr. Martinet betreut. *Nyai* berichtete, wie die Krankheit ihren Anfang genommen hatte, und beschwor mich, umgehend nach *Wonokromo* zu kommen, was auch der Arzt für wünschenswert hielt. Laut Dr. Martinet bestand ohne meine Gegenwart wenig Hoffnung, daß Annelies genesen würde, ihr Zustand werde sich eher verschlimmern.

«Bitte, *Tuanmuda*, kommen Sie nach *Wonokromo*, jetzt gleich.»

In meinem Kopf hämmerte es, als wollte er zerspringen. Ich drohte, vornüber zu fallen; ich hielt mich am Tisch fest und schaute den *Pendekar* mit flimmernden Augen an. Darsam fing mich an den Schultern auf.

«Keine Angst, *Sinyo* Robert wird Ihnen nichts anhaben können. Wozu gibt's denn Darsam? Los.»

Miriam de la Croix existierte plötzlich nicht mehr. Die Zauberkraft aus *Wonokromo* beherrschte alles. Wie von selbst trugen mich meine Beine zum *Bendi*, den Darsam vor dem Haus geparkt hatte.

«Verabschieden Sie sich denn nicht?»

Meine Beine hielten inne. Ich rief nach Mevrouw Telinga und verabschiedete mich. Sie stand in der Tür; es war offensichtlich, daß sie nicht begeistert war.

«Bleiben Sie nicht zu lange, *Tuanmuda*», riet sie. «Denken Sie an Ihre Gesundheit.»

«*Tuanmuda* wird sich in *Wonokromo* schnell erholen», antwortete Darsam.

Sein finsteres Aussehen flößte ihr Angst ein, so daß sie keine weiteren Einsprüche erhob.

«Wo ist Ihr Gepäck, *Tuanmuda*?»

Ich antwortete nicht. Ich könnte nicht sagen, ob ich auf dem *Bendi* ohnmächtig wurde oder nicht. Aber eins war mir klar: Diese Angelegenheit, die mein Leben in so jungen Jahren schon mit solchen Spannungen belastete, war allein das Resultat von Robert Suurhofs Herausforderung. Auf dem ganzen Weg drang nur eine Stimme, nur ein Satz an mein Ohr, aus dem Munde des *Pendekars*:

«Der *Bendi* und das Pferd gehören von jetzt an Ihnen, *Tuanmuda*.»

12

Als Darsam mich die Treppe hinaufführte, kam *Nyai* Ontosoroh Hals über Kopf herbeigeeilt:

«Das ist aber wirklich der Gipfel, *Nyo*, daß du so lange auf dich hast warten lassen. Annelies ist schwer krank aus Sehnsucht nach dir.»

«*Tuanmuda* ist auch krank, *Nyai*. Ich habe ihn trotzdem mitgebracht.»

«Macht nichts. Wenn die beiden sich sehen und beieinander sein können, wird sich alles von selbst geben, dann werden sie von alleine gesund.»

Eigentlich waren die Worte beschämend, aber sie wirkten wie ein Gegengift, das die Wucherpflanze in meinem Kopf zu zerstören begann. *Nyai* faßte mich an den Schultern und flüsterte mir lächelnd ins Ohr:

«Du hast tatsächlich etwas erhöhte Temperatur. Das ist nicht so schlimm. Komm rauf, *Nak*. Annelies wartet schon auf dich; du hast nicht einmal ein Lebenszeichen von dir gegeben.»

Ihre Stimme tönte so sanft, drang mir sofort ins Herz, als wäre die Frau meine eigene Mutter und ich ein kleines, von ihr umsorgtes Kind. Trotzdem schweiften meine Augen hierhin und dorthin. Robert konnte jederzeit aus einem Versteck hervorspringen und mich mit seinen kräftigen Händen erwürgen.

«Wo ist Robert, Ma?» fragte ich auf der Treppe.

«Psst. Laß ihn, er eifert seinem Vater nach.»

Warum wurde ich nur so schwach in den Händen dieser Frau? Als wäre ich ein Lehmklumpen, der sich nach Herzenslust formen ließ. Wieso wehrte ich mich nicht dagegen? Ich hatte nicht einmal die Absicht, mich wenigstens nicht beeinflussen zu lassen. Es war, als ob sie mein Innerstes kannte und beherrschte.

Der obere Stock war noch luxuriöser ausstaffiert. Ein Teppich bedeckte beinahe den ganzen Korridor. Man konnte lautlos gehen wie eine Katze. Die offenen Fenster boten einen weiten Ausblick bis zum fernen Horizont: Reisfelder, Äcker und Wälder lösten einander ab. Ein Grüppchen Leute war mit den restlichen Erntearbeiten beschäftigt. Die noch unbestellten Reisfelder warteten auf das Ende der Trockenzeit.

Wir standen am Bett. *Nyai* zupfte Annelies' Decke zurecht. Ihre Brüste zeichneten sich darunter ab. *Nyai* legte die Hand ihrer Tochter in meine.

«Annelies, Liebes.»

Sie hob mühsam die schweren Lider, drehte den Kopf nicht, sah auch gar nichts. Ihr schlaftrunkener Blick schweifte kurz an die Decke, dann schlossen sich ihre Augen wieder.

«Minke, *Nyo*, behüte sie. Sie bedeutet mir alles», flüsterte *Nyai*. «Wenn du dich selbst krank fühlst, dann werde jetzt gesund. Laß meine Tochter mit genesen.» Es hörte sich an wie ein Gebet.

Sie sah mich mit flehenden Augen an.

«Tu, was du für richtig hältst, *Nak*, wenn sie nur wieder gesund wird... Du bist gebildet, du verstehst, was ich meine.» Sie senkte den Kopf, als schämte sie sich, mich anzusehen. Sie hielt meinen Arm mit beiden Armen fest. Plötzlich drehte sie sich um und verließ das Zimmer.

Ich suchte nach Annelies' Hand unter der Decke. Sie war kalt. Ich neigte mich ganz nah an ihr Ohr und flüsterte ihren Namen. Sie lächelte, aber ihre Augen blieben geschlossen. Ihre Temperatur war nicht übermäßig hoch. In dem Augenblick bemerkte ich, daß die Pflanze in meinem Kopf, die eben noch blühte und gedieh, plötzlich vollkommen verschwunden war.

So nah war sie mir. Mein Herz klopfte auf vollen Touren, pumpte heißes Blut durch den ganzen Körper, und ich fing an zu schwitzen.

«Du hast doch auf mich gewartet, nicht?»

Vielleicht kam es mir nur so vor, aber vielleicht nickte sie tatsächlich schwach mit dem Kopf. Aber ihre Augen und auch ihr Mund blieben geschlossen.

«Hast du dich nach mir gesehnt, Ann? Bestimmt, nicht wahr?

Ich habe mich ja auch nach dir gesehnt. Ehrlich. Wenn du wüßtest, wie sehr ich mir wünsche, für immer in deiner Nähe sein zu können, Ann, dich zur Königin meines Lebens zu machen. Ich würde mich im Besitz der ganzen Welt fühlen, denn du bist mein Glück. Mach die Augen auf, Ann, ich bin bei dir.»

Annelies stöhnte. Aber ihre Augen und Lippen blieben zu. Kannte sie etwa meine Stimme gar nicht mehr? Ich streichelte ihr Gesicht, ihre Wangen, ihr Haar. Sie drehte den Kopf zur Seite und stöhnte nochmals. Würde sie sterben? Dieses wunderhübsche Mädchen? Ich umarmte sie und küßte ihre Lippen. Ich hörte, daß ihr Herz in der Brust sehr langsam schlug. Ihre Finger bewegten sich leicht, kaum spürbar.

«Ann, Annelies!» schrie ich ihr schließlich ins Ohr. «Wach auf, Ann!» Und ich schüttelte sie dabei an den Schultern.

Sie öffnete die Augen, aber diese Augen blickten weit in die Ferne, nicht auf mich.

«Kennst du mich nicht mehr, Ann? Ich bin's, Minke!»

Sie lächelte, sah immer noch an mir vorbei.

«Ann, Ann, tu doch nicht so! Freust du dich denn nicht? Ich bin da. Oder soll ich etwa wieder weggehen? Ann, Annelies!»

Sie würde doch hoffentlich nicht in meinen Armen sterben. Ich richtete mich auf, wischte mir den Schweiß von der Stirn.

«Red weiter, *Nyo*», ermutigte *Nyai* unter der Tür. «Rede ihr weiterhin zu. So hat es auch Dr. Martinet empfohlen.»

Ich drehte mich um. *Nyai* zog die Tür von außen zu. Ihre Aufforderung erleichterte mich; Annelies lag also nicht im Sterben, sie war nur noch nicht bei Bewußtsein. Ich setzte mich auf den Bettrand. Sie hielt ihre Augen noch immer offen, ohne zu sehen.

«So kannst du nicht weitermachen, Ann», sagte ich eher zu meiner eigenen Ermutigung. Ich schob ihre Decke beiseite, zog sie an den Armen hoch und wollte sie zum Sitzen bringen. Aber sie war viel zu schwach und fiel auf das Kissen zurück, sowie ich sie losließ. Ich wiederholte meinen Versuch nicht, es wäre zwecklos gewesen. Was sollte ich denn tun? Ich küßte ihre Lippen ein zweites Mal. Ihre Hände bewegten sich fast unmerklich. Ich legte ihren Kopf auf meinen linken Arm, sprach ihr wieder zu:

«Wer soll denn Mama helfen, wenn du so krank bist? Sie hat

sonst niemanden. Du darfst nicht krank sein. Du mußt gesund werden, damit du wieder arbeiten und mit mir spazierengehen kannst. Reiten, Ann, nach Surabaya spazierenfahren.»

Ich beobachtete ihre Augen, die ins Leere starrten, und konnte mein Gesicht auf ihren dunklen Pupillen sehen, aber sie nahm mich immer noch nicht wahr.

Nyai Ontosoroh brachte zwei Gläser warme Milch. Das eine stellte sie auf den Tisch, das andere hielt sie mir an die Lippen.

«Trink aus, *Nyo, Nak*, Minke.» Ich trank das Glas leer. «Damit du gesund und stark wirst. Krank und schwach kann man niemandem dienlich sein.» Dann sagte sie zu Annelies: «Wach auf, Ann, Minke ist da. Auf wen sonst wartest du noch?»

Sie zog sich wieder zurück, ohne abzuwarten, ob ihre Worte eine Reaktion auslösten oder nicht. Ein wenig später führte *Nyai* Dr. Martinet ins Zimmer. Ich legte Annelies' Kopf auf das Kissen zurück, um ihn begrüßen zu können.

«Das ist Minke, *Tuan* Doktor, er kümmert sich um Annelies.» Wir begrüßten uns. *Nyai* beobachtete uns einen Augenblick, setzte dann hinzu: «Entschuldigung, ich habe unten zu tun.»

«Sie sind also Minke, *H. B. S.*-Schüler? Fein. Der kann sich glücklich preisen, dem die innige Liebe eines so hübschen Mädchens zuteil wird», murmelte er auf holländisch.

«Ich bin seit ungefähr einer Stunde hier, *Tuan* Doktor. Annelies' Zustand hat sich in dieser Zeit nicht verändert. Ich fürchte...»

Der Arzt lachte laut, schüttelte den Kopf und rüttelte mich an den Schultern.

«Sie lieben dieses Mädchen? Antworten Sie aufrichtig.»

«Ja, *Tuan* Doktor.»

«Und Sie haben nicht im Sinn, sie zum Narren zu halten?» Er sah mich durchdringend an.

«Wieso sollte ich?»

«Wieso? Weil *H. B. S.*-Schüler normalerweise das Idol aller Mädchen sind. Das ist so, seit es die Schule gibt, auch in Batavia, auch in Semarang. Also, ich wiederhole, Sie haben nicht im Sinn, sie zum Narren zu halten?» Da ich nicht antwortete, fuhr er fort: «Diesem Mädchen fehlt nur eins: Sie. Außer Ihnen besitzt sie alles.»

Ich senkte den Kopf. Ich geriet innerlich in Aufruhr. Natürlich wollte ich Annelies nicht an der Nase herumführen, aber ich hatte auch noch nie die Absicht gehabt, mich ernsthaft mit einem Mädchen einzulassen. Nun wollte Annelies mich ganz für sich allein. Ich wurde durch mein eigenes Handeln auf die Probe gestellt: Moralische Verpflichtungen zwangen mich zu Konsequenzen, deren ich mir überhaupt noch nicht gewiß war.

«Sie begrüßen es sicher, wenn sie wieder zu sich kommt?»

«Aber ja, *Tuan*, und ob, ich werde sehr dankbar sein.»

«Sie wird wieder zu sich kommen. Ich habe sie die ganze Zeit betäubt. Ohne Sie läuft sie bei Bewußtsein Gefahr zu zerbrechen, aber wenn sie allzulange betäubt werden muß, kann ihr Herz versagen. Es fällt so oder so auf Sie zurück – Sie sind die Ursache.»

Ich erwiderte nichts. Er redete weiter, schließlich sagte er:

«Sie wird bald zu sich kommen, in einer Viertelstunde etwa. Reden Sie mit ihr, sagen Sie ihr irgend etwas Angenehmes, auf keinen Fall etwas Verletzendes oder Grobes. Es hängt alles von Ihnen ab.»

«Ja, *Tuan* Doktor.»

«Sind Sie dieses Jahr versetzt worden?»

«Ja, *Tuan*.»

«Meinen Glückwunsch. Bleiben Sie bei ihr, bis sie zu sich kommt. Wie ist Ihr Familienname, wenn ich fragen darf?»

«Ich habe keinen.»

Er räusperte sich. Sein Blick streifte mein Gesicht, dann trat er ans Fenster, schaute auf die Reisfelder und auf den Garten neben dem Haus.

«Kommen Sie her», sagte er, ohne sich umzudrehen.

Ich stellte mich neben ihn ans Fenster.

«Warum verheimlichen Sie Ihren Familiennamen?»

«Ich habe wirklich keinen.»

«Wie ist Ihr Taufname?»

«Ich habe keinen, *Tuan*.»

«Wie kommen Sie auf die *H. B. S.*, ohne Familiennamen, ohne christlichen Namen. Sie wollen doch nicht etwa behaupten, Sie seien ein *Pribumi*.»

«Ich bin einer, *Tuan*.»

Er wandte sich mir zu.

«*Pribumis* geben sich anders, auch wenn sie auf die *H. B. S.* gehen. Sie verheimlichen irgend etwas.»

«Nein.»

Er schwieg eine Weile, wohl um sich innerlich zu sammeln.

«Noch eine Frage, wenn Sie gestatten. Wollen Sie weiterhin freundlich und aufrichtig zu Annelies sein?»

«Selbstverständlich.»

«Für immer?»

«Wieso, *Tuan*?»

«Das arme Ding kann keine Härte aushalten. Sie sehnt sich nach jemandem, der sie aufrichtig liebt. Sie fühlt sich einsam, schutzlos, von der Welt ausgeschlossen. Sie hat ihre ganze Hoffnung auf Sie gesetzt.» Er übertrieb eindeutig.

«Sie hat ihre Mutter, die sie lenkt, sie erzieht und liebt», warf ich ein.

«Im stillen befürchtet sie, daß sich ihre Mutter schlagartig ändern könnte. Sie wartet jeden Augenblick darauf, daß sich ihre Mutter von ihr abwendet.»

«Aber Mama ist eine vernünftige Frau, *Tuan*.»

«Das kann niemand leugnen. Aber davon ist Annelies im Grunde ihres Herzens nicht überzeugt. Vielleicht wirft sie ihrer Mutter im stillen vor, mehr am Betrieb zu hängen als an ihr. Das bleibt unter uns. Sie verstehen, was ich meine?»

Er schwieg eine Weile, fragte plötzlich nochmals:

«Sie verstehen also?»

«Ungefähr.»

«Also, kein verletzendes, grobes, entmutigendes Wort. Ich weise absichtlich darauf hin, weil *Pribumis* traditionsgemäß nicht sehr zart und höflich mit Frauen umgehen und sie wenig freundlich und aufrichtig behandeln, jedenfalls soviel ich selbst bemerkt, gehört und gelesen habe. Sie haben europäische Sitten gelernt, bestimmt sind Sie im Bilde über die unterschiedliche Einstellung von Europäern und *Pribumis* Frauen gegenüber. Wenn Sie die gleichen Gepflogenheiten haben wie die Javaner im allgemeinen, dann wird sie nicht lange leben. Es ist mein Ernst, *Tuan*, zumindest kann sie lebendig tot sein. Falls, ich meine nur, falls Sie sie heiraten, werden Sie sich auch Nebenfrauen halten?»

«Heiraten?»

«Na ja, das ist ihre große Hoffnung. Sie werden sie doch heiraten? Sie sind doch in der letzten Klasse, nicht?»

«Ich habe noch nicht einmal um ihre Hand angehalten.»

«Das kann ich für Sie übernehmen. Es geht um die Gesundheit von Annelies.»

Ich war sprachlos.

«Sie werden sie also heiraten. Und sich keine Nebenfrauen halten.» Er streckte mir die Hand hin, um mir mein Versprechen abzunehmen. Ich gab ihm die Hand.

Ich hatte überhaupt nie im Sinn gehabt, mehr als eine Frau zu heiraten. Die Worte meiner alten Großmutter klangen mir noch immer lebhaft nach: Jeder Mann, der mehr als eine Frau heiratet, ist ein Betrüger.

«Annelies ist psychisch sehr zerbrechlich, sehr zart; sie verträgt keine Kränkungen, muß ständig behütet, umsorgt und beschützt werden. Es ist, als hätte ihr jemand ihr Selbst entwendet.»

«Entwendet?»

«Ja, jemand, der ihr sehr nahesteht.»

«Wer denn, *Tuan*?»

«Das weiß ich auch nicht. Das werden Sie selber herausfinden. Ihr Herz ist voll von unterdrückten Sorgen. Dabei ist sie noch so jung. Sie läßt nie etwas darüber verlauten. Sie fühlt sich ständig abhängig, ist sich ihrer eigenen Umgebung niemals sicher. Sie braucht jemanden, der sie stützt. Da sie in überquellendem Reichtum aufgewachsen ist, ist sie sich der Macht des Reichtums nicht bewußt, er bedeutet ihr nichts. Sie hören mir zu, *Tuan*?»

Dr. Martinet zog das Monokel aus der Brusttasche und setzte es in sein rechtes Auge. Er sah auf die Uhr, dann fixierte er mich.

«Ich danke Ihnen für Ihre Ernsthaftigkeit, *Tuan*. Schauen Sie, diese ruhige und friedliche Aussicht. Zum Glück lebt dieses Mädchen in solchem Überfluß und solchem Frieden. Ich weiß nicht, was aus ihr würde, hätte sie diese beiden Dinge nicht.»

Nun wucherte eine andere Pflanze in meinem Kopf: Ich fragte mich, was Dr. Martinet eigentlich von mir wollte.

«Verzeihung, ich bin kein Psychiater. Ich habe schon oft versucht, mit ihrer Mutter zu reden. Sie ist eine außergewöhnliche Frau. Jede ihrer Äußerungen zeugt von Höflichkeit, Bildung, Charakterfestigkeit, aber darunter verbirgt sich ein verhärtetes Herz, das kompromißlos auf Rache sinnt. Sie ist wirklich eine sehr gebildete Frau, wie sich kaum eine zweite finden läßt, auch in Europa nicht. Ich glaube, sie ist nicht bewußt so geworden, sondern aufgrund einer gewissen Erfahrung. Sie ist hart und klug. Ihr Erfolg als Geschäftsfrau hat aus ihr eine starke, unbeugsame Persönlichkeit gemacht. Aber auf einem bestimmten Gebiet hat sie versagt. Das ist verständlich, jeder Autodidakt hat seine Schwächen.» Dr. Martinet hielt inne. Er erwartete, daß ich selbst herausfände, was er meinte.

«Annelies kommt langsam zu sich», sagte er plötzlich. Er drehte sich um, ließ mich stehen und wandte sich seiner Patientin zu. Er fühlte ihren Pulsschlag am Handgelenk, winkte mich dann herbei. «*Tuan*, in einigen Minuten wird aus ihr wieder die Annelies, wie Sie sie kennen. Hoffentlich wird sie durch Ihre Anwesenheit wieder völlig gesund. Von dieser Sekunde an ist sie nicht mehr meine Patientin, sondern die Ihrige. Alles weitere überlasse ich Ihnen. Auf Wiedersehen.»

Er verließ das Zimmer, schloß die Tür hinter sich, und weg war er. Jetzt fand ich Gelegenheit, mich selbst zu bemitleiden. Ach, du meine Güte! In den vergangenen Tagen hatte ein aufregendes Erlebnis das andere abgelöst, und nun hatte ich schon wieder ein neues Problem: Annelies!

Große Künstler, Minke, so sagte Jean Marais einmal, ob Maler oder sonst irgend etwas, ob Führer oder Generäle, sind deshalb groß geworden, weil ihr Leben von eindrucksvollen Erlebnissen geprägt war, seien es psychische, geistige oder körperliche. Das sagte er, nachdem ich ihm aus dem Leben der holländischen Dichter *Vondel* und *Multatuli* erzählt hatte. Ohne gewaltige Erlebnisse sei die Größe eines Menschen ein leerer Wahn, ein aus Gewinnsucht aufgeblasenes Trugbild. Jean Marais wußte nichts davon, daß bereits mehrere Essays von mir veröffentlicht worden waren. Wenn seine Worte stimmten, dann konnte aus mir ein großer Schriftsteller werden, ein zweiter Hugo, wie *Nyai* es sich erhoffte, oder ein Führer und Bahnbrecher für die Nation, wie es die Familie de la Croix gerne gesehen hätte. Vielleicht aber auch nur ein Stück vermoderndes Fleisch, wie es sich Robert Mellema und der Dicke wünschten.

Annelies stöhnte und bewegte ihre Finger. Sie würde genesen, sie würde nicht vor meinen Augen sterben. Ich trat vom Bett zurück und setzte mich auf einen Stuhl, um sie zu beobachten. Sie war selbst als bettlägerige Patientin bezaubernd schön: Ihre Haut war so zart, auch ihre Nase, ihre Augenbrauen, ihre Lippen, ihre Zähne, ihre Ohren, ihr Haar... einfach alles. Ich begann an Dr. Martinets Ausführungen über das Innenleben dieses Mädchens zu zweifeln. Wohnte in einem solch wunderschönen Körper wirklich eine so zerbrechliche Seele? Und ich – ein Außenstehender, ein gewöhnlicher Bekannter – war mit verantwortlich? Diese kreolische Schönheit. Wie verschlungen war mein Lebenspfad doch geworden, weil ich mich als Weiberheld aufgespielt hatte.

«Mama!» ließ sich Annelies vernehmen. Sie bewegte ihre Beine.

«Ann!»

Sie öffnete die Augen, und diese Augen schauten noch immer in die Ferne. Sie sei von jetzt an meine Patientin, hatte Dr. Martinet gesagt. Ich begriff, daß er meinte, ich sei nun der Arzt, der sie zu kurieren hatte.

Ich holte das Glas vom Tisch, schob meinen Arm unter ihren Kopf und flößte ihr ein wenig Milch ein. Sie kostete sie und schlürfte hörbar. Tatsächlich, sie kam langsam zu Bewußtsein.

«Ann, meine Annelies, trink aus», sagte ich und flößte ihr mehr Milch ein. Sie schluckte mehrmals hintereinander.

Nyai brachte zwei Portionen Mittagessen.

«Kann das nicht jemand anders für Sie tun, Ma?»

«Das schon, aber ich will keine anderen Leute hier oben. Der Arzt hat also recht gehabt – sie sollte jetzt zu sich kommen.»

«Sie ist dabei, Ma.»

«Ja, Minke, der Arzt meinte, du müßtest sie pflegen. Tu, was du für richtig hältst.» Sie verließ das Zimmer.

Annelies öffnete die Augen abermals und sah mich an.

«Was fehlt dir, Annelies?»

Sie antwortete nicht, schaute mich bloß an. Ich legte ihren Kopf auf das Kissen zurück. Ihre zierliche Nase verleitete mich dazu, sie zu streicheln. Ihre Haarspitzen waren bräunlich und ihre Augenbrauen so dicht, als wären sie vor der Geburt gedüngt worden. Die Augen unter den langen Wimpern strahlten wie zwei Morgensterne aus ihrem klaren Gesicht, klarer als der Himmel.

Wo sonst auf dieser Welt hätte man eine derart vollendete und harmonische kreolische Schönheit finden können, wie ich sie hier vor mir hatte? Solche Schönheit hatte Gott nur einmal, nur bei diesem einen Mädchen geschaffen. Ich werde dich nicht verlassen, Ann, wie's auch immer in dir aussehen mag. Ich bin bereit, allem und jedem die Stirn zu bieten.

«Heute ist unglaublich schönes Wetter, Ann», sagte ich zu ihr. «Es ist zwar heißer als sonst, aber angenehm, nicht zu feucht.»

Sie schaute mich noch immer an, aber sie sagte nichts. Ihre Augenlider bewegten sich nur ganz langsam. Doch ihre Schönheit war und blieb erhaben, weit erhabener als alles, was Menschen je zustande gebracht hatten, weit erhabener, als man es mit Worten ausdrücken konnte. Sie war ein Geschenk Gottes, wie es kein zweites gab, und sie gehörte mir allein. Wach auf, komm zu dir, Lilie Surabayas! Weißt du denn nicht, daß selbst Alexander der Große, sogar Napoleon auf den Knien um deine Liebe würben? Ihr ganzes Volk und Reich würden sie opfern, um deine Haut streicheln zu können. Wach auf, meine Orchidee! Was ist die Welt, wenn du sie nicht ansiehst? Unwillkürlich hatte ich ihr in meinem Eifer einen Kuß auf die Wange gedrückt.

Ihr Atem hauchte mir übers Gesicht. Ich schaute sie wieder an. Sie lächelte, nur sprechen konnte sie noch nicht. So redete ich weiter wie ein Wasserfall, wie Salomon in seinen Lobgesängen vor den hebräischen Jungfrauen: Ich rühmte ihr Kinn, ihre Brüste, ihre Wangen, ihre Waden, ihren Blick und ihre Augen, ihren Hals, ihr Haar, alles. Ich hörte erst auf, als sie ihre Stimme vernehmen ließ:

«*Mas!*»

«Ann, Annelies!» rief ich aus. «Du bist ja wieder gesund. Komm, steh auf, komm, meine Fee.»

Sie rührte sich, machte eine winkende Bewegung mit der Hand. Ich ergriff sie und hielt sie fest.

«Komm, ich trage dich», sagte ich und hob sie auf. Ich trug sie aber nur kurz; ich war zu schwach. Ich war nicht einmal fähig, ein Mädchen zu tragen! Ich stellte sie auf den Boden. Ihre Beine zitterten, sie schwankte. Ich stützte sie. Ich führte sie zum Fenster, wo ich vorher neben Dr. Martinet gestanden hatte und zum Arzt befördert worden war. Die Reisfelder breiteten sich vor unseren Augen aus.

«Schau, Ann, siehst du den Wald, der sich am Horizont abzeichnet? Die Berge, den Himmel, die Erde. Siehst du's, Ann?»

Sie nickte. Ein starker Windstoß schlug uns entgegen. Annelies fröstelte.

«Frierst du, Ann?»

«Nein.»

«Du legst dich am besten wieder schlafen.»

«Ich möchte in deiner Nähe sein. Ganz lange. Du bist so lange weggeblieben.»

«Jetzt bin ich da, Ann.»

«Laß mich nicht los, *Mas*.»

«Du frierst.»

«Mir ist recht warm so. Der Wald dort hinten ist anders als sonst. Auch der Wind und die Berge und die Vögel.»

«Es geht dir wieder besser, Ann. Du bist bald wieder ganz gesund.»

«Ich will nicht krank sein; ich bin auch gar nicht krank. Ich habe nur auf dich gewartet.»

Auch meine Schmerzen waren weg, Ann, sollte dich das interessieren. Irgend etwas bewog mich, mich umzudrehen. Ganz kurz konnte ich *Nyai* und Dr. Martinet durch den Türspalt wahrnehmen. Sie traten nicht ein, sondern schlossen die Tür wieder...

13

Der Rektor verzieh mir, daß ich dem Unterricht länger ferngeblieben war, als auf dem Attest des Arztes angegeben. Der Gruß von *Tuan* Herbert de la Croix stimmte ihn nachsichtig. In wenigen Tagen hatte ich alles Verpaßte mühelos nachgeholt. Meine Großmutter hatte mich dazu erzogen, mir selber zu vertrauen: Du wirst alle Fächer ohne große Schwierigkeiten schaffen, du mußt nur daran glauben, daß es dir gelingt, und dann wird es dir gelingen. Wenn du dir das Lernen leicht vorstellst, dann wird es dir leicht von der Hand gehen. Fürchte dich nicht davor, denn Angst ist der Anfang der Dummheit.

Ich hatte mir ihre Ratschläge zu Herzen genommen und glaubte daran. Nie war ich im Hintertreffen wie viele andere, obwohl ich im Grunde nicht so viel lernte wie sie. Aber diesmal setzte ich mich ernsthaft hinter die Bücher, um das Versäumte nachzuholen.

Mama hatte mir den *Bendi* und einen Kutscher zur Verfügung gestellt, Tag und Nacht. Ich fuhr täglich damit zur Schule, holte unterwegs May ab und brachte sie zu ihrer Schule in *Simpang*.

Alles war verändert, vor allem ich selbst. Auf meinem luxuriösen *Bendi* kam ich mir bedeutender vor auf Surabayas Straßen. Aber auch meine Schulkameraden hatten sich verändert, sie schienen mehr und mehr von mir Abstand zu nehmen. Ich hielt das für ein Zeichen der Ehrfurcht gegenüber jemandem, der im Ansehen gestiegen war. Ich betrachtete das allerdings als provisorische Interpretation, denn ich konnte mich in meiner Selbstbewertung eventuell täuschen. Die Lehrer schienen mich, seit ich mit einem *Bendi* dahergefahren kam, eher wie einen gleichgestellten Unbekannten zu behandeln, aber auch das war eine provisorische Deutung.

Ich fühlte mich nicht mehr als der Minke von früher. Äußerlich war ich zwar derselbe, aber innerlich hatte ich mich verändert. Ich

sah die Welt mit andern Augen an. Ich mochte nicht mehr herum-
schäkern, war ernster, bedächtiger, während meine Schulkameraden sich weiterhin kindlich benahmen. Ich begnügte mich nicht
mehr damit, an der Oberfläche zu schwimmen, sondern wollte
bei Gesprächen oder Unterhaltungen den Dingen auf den Grund
gehen.

Robert Suurhof ging mir aus dem Weg, verdrückte sich jedesmal, wenn wir uns begegneten. Meine Mitschülerinnen mieden
mich ebenfalls, als hätte ich eine ansteckende Krankheit.

Der Rektor rief mich mehr als einmal zu sich, um sich bestätigen
zu lassen, daß ich noch nicht geheiratet hatte, denn wer heiratete,
mußte aus der Schule austreten. Meiner Ansicht nach konnte da
nur Suurhof dahinterstecken, jemand anders kam nicht in Frage.
Er war der einzige, der um den Ursprung dieser Affäre wußte. Mit
der Zeit erfuhr ich denn auch, daß ich mich darin nicht getäuscht
hatte. Er verbreitete lauter dummes Geschwätz, hetzte die anderen Schüler gegen mich auf, damit sie mir die kalte Schulter zeigten. Ich hatte also meine Position anfänglich falsch eingeschätzt:
Ich konnte die Gefühle, die sich hinter den Blicken der andern
verbargen, nicht entziffern.

Ja, alles war anders. Ich wurde in der Schule nicht mehr von
Heiterkeit umgeben, sondern von Einsamkeit, die mich nachdenklich stimmte.

Von allen Lehrern änderte nur eine ihre Haltung nicht, nämlich
Juffrouw Magda Peters, meine Holländischlehrerin. Sie war un-
verheiratet. Sie hatte überall braune Flecken auf der Haut, und
ihre klaren braunen Augen zwinkerten ununterbrochen. Ihr erster
Auftritt löste Gelächter aus; sie machte den Eindruck eines
schreckhaften Affenweibchens. Doch als die Schüler ihre erste
Lektion erlebten, verstummten sie alle. Man hielt sie nicht länger
für ein weißes Affenweibchen, die braunen Flecken auf ihrer Haut
verblaßten. Sie verschaffte sich im Nu Achtung. Als sie frisch aus
Holland angekommen war und zum erstenmal das Klassenzimmer
betrat, sagte sie:

«Guten Tag, *H. B. S.*-ler von Surabaya. Ich heiße Magda Peters,
ich bin Ihre neue Lehrerin für holländische Sprache und Literatur.
Wer Literatur nicht mag, soll die Hand hochhalten.»

Beinahe die ganze Klasse streckte die Hand hoch. Es gab sogar Schüler, die aufstanden, um ihrer Antipathie Nachdruck zu verleihen.

«Schön. Danke. Setzen Sie sich wieder. Selbst die primitivsten Völker, im Herzen Afrikas zum Beispiel, die nie auf der Schulbank gesessen haben, nie im Leben ein Buch gesehen haben, weder schreiben noch lesen können, vermögen Literatur zu lieben, auch wenn es sich um mündlich überlieferte handelt. Es ist ja phantastisch, daß *H. B. S.*-Schüler, die mindestens an die zehn Jahre die Schulbank drücken, es fertigbringen, Literatur und Sprache nicht zu lieben. Ja, wirklich phantastisch.»

Niemand lachte oder spöttelte. Es herrschte tiefste Stille.

«Sie mögen in der Schule bestens vorankommen, eventuell sogar akademische Titel erwerben, aber ohne Liebe zur Literatur bleiben Sie lediglich kluge Ochsen. Die meisten von Ihnen haben Holland noch nie gesehen. Ich bin dort geboren und aufgewachsen und weiß mit Sicherheit, daß jeder Holländer die Werke der niederländischen Dichter liebt und liest. Die Leute lieben auch die Gemälde von van Gogh, Rembrandt und anderen großen holländischen oder internationalen Malern. Wer dafür keine Liebe und kein Verständnis aufzubringen vermag, wer es nicht lernt, solche Werke zu lieben und zu schätzen, den hält man für unkultiviert. Malkunst ist Dichtung mit Farben, Dichtung ist Sprachmalerei. Wer das nicht verstanden hat, soll die Hand hoch halten.»

Um nicht als unkultivierter Holländer zu gelten, hielt es von da an jedermann für notwendig, auf alles zu achten, was sie sagte. Sie hatte alle Schüler im Griff.

Und Juffrouw Magda Peters änderte ihr Verhalten mir gegenüber nicht. Bestimmt waren ihr die Gerüchte, die Robert Suurhof verbreitete, ebenfalls zu Ohren gekommen.

Sie war es, die normalerweise die Schülerdiskussionen an den Samstagnachmittagen leitete. Sie tat es gern und mit großer Begeisterung. Die Schüler durften irgendein beliebiges Thema vorschlagen, sei es allgemeiner oder persönlicher Art, handelte es sich um lokale oder internationale Nachrichten. Wenn von seiten der Schüler kein Gesprächsthema aufgeworfen wurde, trug der Lehrer, der die Diskussion leitete, eins vor. Die Teilnahme an den Diskussionen war freiwillig, doch wenn Magda Peters sie leitete, dann waren fast alle Schüler aus allen Klassen anwesend. Deshalb fand sie in der Aula statt, und die Schüler saßen auf dem Boden, nur wer etwas vorzubringen hatte, stand. Auch die Lehrer setzten sich auf den Boden, mit Ausnahme der Diskussionsleiterin. Bei solchen Gelegenheiten war festzustellen, daß Magda Peters wirklich am ganzen Körper Flecken hatte.

Bei einer solchen Diskussion stellte ich eine Frage zu der Theorie Dr. *Snouck Hurgronjes*. Magda Peters gab die Frage an die Schüler weiter. Niemand wußte etwas darüber. Da wandte sich Juffrouw Peters an die Lehrer, von denen ebenfalls keiner auf das Thema einging. Schließlich führte sie selbst das Wort:

«Ich weiß auch nichts Genaues darüber. Kann sein, daß diese Theorie von der Kolonialpolitik propagiert wird. Wissen Sie, was Kolonialpolitik ist?» Keine Antwort. «Das sind Direktiven oder Anordnungen, um die Macht über die beherrschten Gebiete und Völker abzusichern. Jemand, der diesen Direktiven zustimmt, das Prinzip gutheißt, es verteidigt und dessen Durchführung unterstützt, ist ein Kolonialist. Literarisch verarbeitet, kann dieses Thema sicher sehr interessant sein, wie zum Beispiel bei *Multatuli*, den Sie ja zum Teil bereits kennen. Nun, Minke, erklären Sie uns doch das Was und Wie dieser Theorie von Dr. *Snouck Hurgronje*.»

Ich erzählte, was ich darüber von Miriam de la Croix erfahren hatte und was ich selbst darüber dachte.

«Halt», sagte Magda Peters. «Ein solches Thema darf in der *H. B. S.* noch nicht zur Sprache kommen. Das ist Sache Ihrer Majestät der Königin, der holländischen Regierung, des Generalgouverneurs und der ostindischen Kolonialregierung. Wenn Sie mehr darüber erfahren möchten, dann tun Sie das am besten außerhalb der Schule. Nun, da Ihrerseits kein anderes Thema vorliegt, schlage ich selbst eines vor. Kürzlich habe ich einen Essay gelesen, der vom Leben hier in Ostindien berichtet. Es gibt viel zu wenig Leute, die darüber schreiben. Gerade deswegen hat die Geschichte meine Aufmerksamkeit geweckt. Möglicherweise ist der Schreiber ein *Indo*. Gibt es jemanden unter Ihnen, der ihn auch gelesen hat? Der Titel lautet: ‹*Uit het schoon Leven van een mooie Boerin*›. Der Autor heißt Max Tollenaar.»

Einige Hände hoben sich. Ich stellte mich unbeteiligt. Max Tollenaar war mein Pseudonym. Die Redaktion hatte den Titel meines Essays abgeändert und am Text einige Korrekturen vorgenommen, die ich nicht alle guthieß.

Juffrouw Magda Peters begann zu lesen, rhythmisch und melodisch, als sänge sie. Mein Text hörte sich dadurch weit schöner an, als ich mir vorgestellt hatte. Ja, eher wie ein langes, von Pathos durchdrungenes Gedicht. Die Zuhörer rührten sich nicht, und als die Geschichte zu Ende war, atmeten sie befreit auf. «Schade, daß dieser Essay in Ostindien erschienen ist, von Ostindien, Menschen und Gesellschaft hier handelt, so daß er im Unterricht keine Erwähnung findet. Wer von Ihnen möchte seine Meinung über den Text äußern, seine Interpretation oder eventuell Bewertung vortragen?»

Robert Suurhof stand augenblicklich auf. Er spreizte seine Beine und stemmte sie in den Boden, als befürchtete er, von einem Windstoß umgeworfen zu werden. Aller Augen richteten sich auf ihn, nur ich wußte nicht so recht, was ich tun sollte.

Bevor er ansetzte, schaute er nach allen Seiten, wohl um moralische Unterstützung zu erheischen.

«Ich habe innerhalb kurzer Zeit schon vier Kurzgeschichten von Max Tollenaar gelesen. Thematik und Stil seiner Erzählungen sind immer dieselben, als stünde der Schreiber unter dem Bann einer von außen auf ihn einwirkenden Kraft. Ja, der Dichter ist in einem regelrechten Fieberzustand; er faselt daher wie einer, der einen Spleen hat, der den Boden unter den Füßen verloren hat. Ich weiß nicht, wer dieser Max Tollenaar ist, aber aufgrund seiner Geschichten kann ich mir denken, wer der Schreiber in Wirklichkeit ist, weil ich der einzige Zeuge der in seinen Texten erwähnten Geschehnisse bin. – Juffrouw Peters, mir scheint es unangebracht, über so etwas in der *H. B. S.* zu diskutieren, damit beschmutzt man sich nur. Wenn ich mich nicht täusche, hat der Schreiber nicht einmal einen Familiennamen.»

Er schwieg einen Augenblick, sandte den Schülern, die voller Spannung dasaßen, vielsagende Blicke zu. Er streckte sein Kinn in die Luft, und seine Augen strahlten siegesbewußt. Ich fühlte, der letzte Schuß war noch nicht gefallen.

Juffrouw Magda Peters war sprachlos.

Ich war der einzige unter den Anwesenden, der begriff, was Robert Suurhof vorhatte: Er wollte sich an mir rächen. Mir ging ein Licht auf: Eigentlich hätte er sich selbst gern an Annelies herangemacht. Mich in aller Öffentlichkeit derart anzugreifen und zu demütigen, konnte keinen andern Grund haben als Eifersucht. Er hatte mich damals als Requisit und Zeugen seines eigenen Auftritts mitgenommen. Da ich ein *Pribumi* war, konnte er neben mir besser zur Geltung kommen. Genau wie in vergangenen Zeiten die europäischen Damen von Rang, die überallhin einen Affen mit sich führten, damit sie neben ihm hübscher aussähen. Und Annelies war ausgerechnet Suurhofs Affen in die Arme gelaufen.

«Der Schreiber, Juffrouw Peters», fuhr Suurhof fort, «ist nicht mal ein *Indo*. Er steht niedriger als ein *Indo*, der von seinem Vater nicht anerkannt wird. Er ist ein *Inlander*, ein Eingeborener, der sich als Europäer aufspielen will.»

Er verbeugte sich ehrerbietig vor Magda Peters und den andern Lehrern und setzte sich dann hastig auf den Boden.

«Liebe Schüler, wir haben Robert Suurhofs Meinung über den Schreiber dieser Kurzgeschichten gehört, den wir alle außer ihm nicht kennen. Ich habe eigentlich eine Stellungnahme zum Text erwartet. Wer ist denn Ihrer Ansicht nach der Schreiber?»

Die Schüler schauten einander an, richteten dann ihre Blicke auf diejenigen, die weder Europäer noch *Indos* waren, als ob sie Suurhofs Äußerung Nachdruck verleihen wollten. Die *Pribumis* senkten den Kopf; die Blicke so vieler Leute drückten echt auf den Magen.

Ich wußte genau, daß Suurhof mich anschaute und die anderen seinem Beispiel folgten. Nein, beschwor mich eine innere Stimme, nicht zittern. Zum Teufel noch mal, ich konnte, falls nötig, aus der Schule austreten, unter Umständen gleich.

Suurhof stand wieder auf und sagte bündig:

«Der Schreiber sitzt hier unter uns.»

Sein Geschwätz hatte sich anscheinend bereits in der ganzen Schule verbreitet, denn alle richteten ihre Augen auf mich. Ich schaute Suurhof an, seine Augen sprühten vor Freude über seinen tollen Sieg.

«Wer ist es, Suurhof?» fragte Juffrouw Magda Peters.

Mit Cäsars Finger zeigte er auf mich:

«Minke!»

Magda Peters kramte ein Taschentuch aus der Tasche und wischte sich Hals und Arme ab. Sie schien unschlüssig zu sein, schaute bald zu den Lehrern, bald zu mir, bald zu den anderen Schülern. Schließlich trat sie zu den Lehrern und zum Rektor, der zufälligerweise auch anwesend war. Sie nickte ihnen kurz zu, kehrte in den Kreis zurück, schob die Schüler beiseite und steuerte direkt auf mich zu. Nun würde man mich bloßstellen und vor aller Öffentlichkeit erniedrigen.

Sie blieb einen Augenblick vor mir stehen. Ich konnte die braunen Flecken an ihren Beinen wahrnehmen. Sie rief mich auf:

«Minke!»

«Ja, Juffrouw.»

Ich war aufgestanden. «Ist der Essay wirklich von Ihnen?» Sie hielt mir die *S. N. v / d D.* hin. «Unter dem Pseudonym Max Tollenaar?»

«War das ein Fehler, Juffrouw?»

«Max Tollenaar!» flüsterte sie und streckte mir die Hand hin. «Kommen Sie.» Sie zog mich hinter sich her und führte mich vor den Rektor.

Alle Augen waren auf mich gerichtet. Ich nickte den Lehrern und dem Rektor ehrerbietig zu. Sie nickten gleichzeitig zurück. Schließlich stellte mich Magda Peters vor die Schüler.

Stille.

Meine Lehrerin dachte nicht daran, ihren Arm von meiner Schulter zu nehmen. Bestimmt war ich kreideweiß, ohne daß ich mir einer Schuld bewußt gewesen wäre.

«Liebe Schüler, werte Kollegen, verehrter *Tuan* Rektor, heute stelle ich Ihnen, vor allem den Schülern, Minke, Schüler der *H. B. S.* Surabaya, vor. Natürlich kennen Sie ihn bereits. Ich stelle Ihnen auch nicht den Minke vor, den Sie alle schon kennen, sondern einen anderen, einen, der seine Gefühle und Gedanken meisterhaft auf holländisch auszudrücken vermag, einen Minke, der bereits literarische Werke geschaffen hat. Er hat sich als fähig erwiesen, in fehlerlosem Holländisch zu schreiben, dabei ist das nicht seine Muttersprache. Er hat es geschafft, ein Stück Leben zu veranschaulichen, während andere solches höchstens fühlen, aber nicht verbalisieren können. Ich bin stolz darauf, einen Schüler wie ihn zu haben.»

Sie schüttelte mir die Hand, ließ mich noch immer nicht an meinen Platz zurückkehren. Was im Grunde ein Lob war, setzte mir in Wirklichkeit nur noch härter zu. Der letzte Hieb stand noch aus.

«Minke! Haben Sie tatsächlich keinen Familiennamen?»

«Nein, Juffrouw.»

«Liebe Schüler, Familiennamen zu tragen ist eigentlich nichts weiter als eine Gewohnheit. Bevor Napoleon Bonaparte auf der Bühne der Weltgeschichte auftrat, trugen unsere Vorfahren ebenfalls keine Familiennamen.» Sie erzählte, daß Napoleon ein Gesetz erlassen hatte, das in den unter seiner Herrschaft stehenden Gebieten das Tragen von Familiennamen vorschrieb. Wer keinen passenden finden konnte, dem wurde von den Beamten einfach irgendeiner angehängt, und den Juden gab man Tiernamen. «Aber das Tragen von Familiennamen ist nicht unbedingt eine rein europäische Sitte oder etwa Napoleons eigene Idee. Er hat sie von anderen Völkern übernommen. Lange bevor in Europa eine Zivilisation entstand, trugen die Juden und Chinesen Sippennamen. Einzig durch den Kontakt zu anderen Völkern wurde den Europäern die Bedeutung von Familiennamen bewußt.» Sie hielt inne.

Und ich stand noch immer im Mittelpunkt.

«Stimmt es, daß Sie kein *Indo* sind?» Eine rein formale Frage, die ich nur bejahen konnte.

«Ich bin *Inlander*, Juffrouw, ein Eingeborener.»

«Ja», trompetete sie, «selbst die Europäer, die sich für hundertprozentig reinblütig halten, können nicht mit Sicherheit wissen, wieviel Prozent asiatisches Blut in ihren Adern fließt. Aus dem Geschichtsunterricht ist Ihnen bekannt, daß vor einigen Jahrhunderten verschiedene asiatische Heere in Europa eingefallen sind und auch Nachkommen hinterlassen haben: Araber, Türken, Mongolen. Das war, nachdem sich Rom zum Christentum bekehrt hatte. Vergessen Sie nicht, daß sich in bestimmten von Rom beherrschten Gebieten europäisches Blut mit asiatischem, möglicherweise auch afrikanischem vermischte, da ja etliche asiatische Völker dem römischen Reich unterstanden.: Araber, Juden, Syrer, Ägypter...»

Gähnende Leere hatte sich meiner bemächtigt; mein Körper war wie gelähmt. Ich wünschte mir sehnlichst, mich wieder setzen zu dürfen.

«Viele europäische Wissenschaften nahmen ihren Ursprung in Asien. Sogar die Zahlen, derer Sie sich täglich bedienen, sind arabische Zahlen. Auch die Null. Können Sie sich vorstellen, ohne arabische Zahlen und ohne Null rechnen zu können? Viele Ihrer persönlichen Namen sind asiatische Namen, denn die christliche Religion ist in Asien geboren worden.»

Die Schüler wurden langsam nervös.

«Wenn die *Pribumis* keine Familiennamen tragen, so bedeutet das, daß sie ohne sie auskommen, wenigstens bis jetzt, und das ist keine Schande. Daß Holland keine Tempel wie *Prambanan* und *Borobudur* hat, ist ein Beweis dafür, daß Java früher einmal auf einer höheren Entwicklungsstufe stand als Holland. Und wenn in Holland bis heute keine solchen Tempel gebaut werden, dann, weil es eben keine braucht...»

«Juffrouw Peters», schaltete sich der Rektor ein, «wir brechen diese Diskussion am besten ab.»

Die Schülerdiskussion wurde aufgelöst. Außer Juffrouw Magda Peters machten alle einen Bogen um mich. Kein Gejohle wie üblich, kein Gelächter, kein Rennen. Alle entfernten sich schweigend, den Kopf voller Gedanken.

Jan Dapperste, der eher wie ein echter *Pribumi* aussah, stand am Zaun und folgte mir mit den Augen. Er gab sich als *Indo* aus, aber mir hatte er einmal gestanden, daß er eigentlich ein Einheimischer sei. In freundschaftlichem Vertrauen erzählte er mir, er sei nur der Pflegesohn von Pfarrer Dapperste. Ein Pflegekind! Er war in Wirklichkeit ein reinblütiger *Pribumi*. Er mochte mich, und seit ich einen *Bendi* hatte, bat er mich meistens darum, mitfahren zu dürfen. Nun hielt auch er Abstand.

Dafür wollte jetzt Juffrouw Peters mitfahren. Auf dem Weg sagte sie kein Wort. Ich nahm nicht einmal den Verkehr wahr; ich dachte nur an die Wut der Schüler und Lehrer auf Magda Peters.

Sie hatte deren Europäertum angegriffen. Ein-, zweimal bemerkte ich, daß sie mich von der Seite beobachtete.

«Schade», flüsterte sie in den Wind.

Ich tat, als hätte ich nichts gehört.

Der *Bendi* hielt vor ihrem Haus. Ich stieg ab, um ihr behilflich zu sein, wie es sich nach europäischer Sitte gehörte. Sie bedankte sich und sagte plötzlich:

«Kommen Sie rein, Minke.» Es war das erste Mal, daß sie mich einlud.

Ich begleitete sie ins Haus, und wir setzten uns in die Sessel im Gästezimmer.

«Sie sind großartig, Minke. Sie haben die Geschichte wirklich selbst geschrieben?»

«Ja, Juffrouw.»

«Sie sind mein erfolgreichster Schüler. Seit fünf Jahren unterrichte ich holländische Sprache und Literatur, davon beinahe vier Jahre in Holland. Kein einziger meiner Schüler hat es je fertiggebracht, so phantastisch gut zu schreiben wie Sie – und Ihre Texte werden sogar veröffentlicht. Bestimmt mögen Sie mich, nicht wahr?»

«Sie sind meine liebste Lehrerin.»

«Stimmt das, Minke?»

«So wahr ich hier sitze, Juffrouw.»

«Das habe ich mir gedacht. Sicher folgen Sie meinem Unterricht mit größter Aufmerksamkeit, mit Verstand und Gefühl. Sonst könnten Sie nicht so vortrefflich schreiben. Sie sind Suurhof hoffentlich nicht böse, nicht?»

«Nein, Juffrouw.»

«Sie haben recht. Sie sind wertvoller als er, Sie haben Ihre Fähigkeiten bewiesen.»

Ich wurde richtig verlegen ob all dieser Schmeicheleien. Sie hieß mich aufstehen.

«Auf jeden Fall hat meine Mühe in den fünf Jahren auch ihre Früchte gebracht», sie zog mich an sich.

Erschrocken fand ich mich in ihrer Umarmung wieder, und sie küßte mich, daß mir der Atem verging.

Ich ging täglich bei Jean Marais vorbei, wenn auch nur für ein paar Minuten, entweder um May abzuholen und wieder nach Hause zu bringen oder um neue Aufträge abzuliefern. Ich mußte auch hin und wieder bei meiner Pensionsmutter reinschauen. Mit einem eigenen *Bendi* ging mir die Arbeit – Aufträge zu suchen, Annoncen aufzugeben, Manuskripte abzuliefern – leichter vonstatten.

Wenn ich in *Wonokromo* ankam, war ich immer erschöpft und mußte mich erst eine Weile ausruhen. Meistens weckte mich Annelies dann auf, brachte ein frisches Handtuch und schickte mich ins Bad. Danach saßen wir plaudernd beieinander, lasen ostindische Zeitungen oder holländische Zeitschriften.

Abends lernte ich oder schrieb, während ich Annelies in ihrem Zimmer Gesellschaft leistete. Ihre Gesundheit besserte sich zusehends. Mama war tagsüber viel zu beschäftigt mit ihrer Arbeit im Kontor oder auf dem Hof, um für uns Zeit zu haben.

An jenem Abend saß ich wie üblich am Tisch in Annelies' Zimmer. Sie las ‹*Die Abenteuer von Robinson Crusoe*› auf holländisch; die Buchseiten waren in zwei Spalten aufgeteilt. Ich hatte eine Liste von Büchern zusammengestellt, die sie lesen sollte. Es waren alles Jugendbücher: Dumas und Stevenson. Sie sollte innerhalb eines Monats damit fertig sein. Neben ihr lag das Wörterbuch, das Mama früher täglich benutzt hatte – ein altes Wörterbuch, das über die neuesten Entwicklungen der vergangenen zehn Jahre gar keine Auskunft zu geben vermochte.

Ich saß ihr gegenüber und las Miriams und Sarahs Briefe. Danach gedachte ich, einen Essay mit dem Titel ‹*Vaters Sohn*› zu schreiben, womit Robert Mellema gemeint war.

Miriams Brief war diesmal noch interessanter:

«Erinnern Sie sich an den ‹Anderen›? Ich habe einen Brief aus Holland erhalten, von einem Freund, der gut unterrichtet ist über die Zustände in Südafrika, über die Gegend von Transvaal. Mein Freund ist nach Holland zurückgekehrt, weil er bei einem kurzen Gefecht verwundet worden ist. Er war in derselben Kompanie wie jener ‹Andere›. Seine Truppeneinheit unterstand dem Kommando eines jungen, energischen und draufgängerischen, ehrgeizigen Ingenieurs namens Mellema.

Werter Freund, ich habe mich sehr gefreut über seinen Brief, nicht weniger als über den Ihrigen. Was er zu berichten weiß, könnte möglicherweise auch Sie interessieren. Jener ‹Andere›, der nur ein paar Jahre älter ist als Sie, folgte dem Aufruf der Holländer in Südafrika, ihnen gegen die Engländer beizustehen, um ihre Freiheit zurückzuerkämpfen. Er ist, ohne lange zu überlegen, abgereist... und hat eine große Enttäuschung erlebt.

In den ostindischen Zeitungen steht zwar hin und wieder auch etwas über den Krieg in Südafrika, aber vieles wird nie ins richtige Licht gestellt. Die Holländer sind dort Immigranten und haben die einheimische Bevölkerung unterjocht. Diese holländischen Immigranten wurden dann ihrerseits von den Engländern – ebenfalls europäische Eindringlinge – unterworfen. Eine Schichtung von Macht, wobei die Einheimischen auf der untersten Stufe stehen. Können Sie sich vorstellen, ist es nicht dasselbe wie hier in Ostindien? So wenigstens hat Papa es geschildert. Es besteht wohl ein kleiner Unterschied, aber der fällt kaum ins Gewicht. Werden die hiesigen *Pribumis* nicht von ihren Würdenträgern beherrscht? Von ihren Fürsten, Sultanen und *Bupatis*? Und die Regierung der Braunen untersteht ihrerseits der weißen Regierung. Die von den Fürsten, Sultanen und *Bupatis* und deren Apparaten ausgeübte Macht entspricht derjenigen der holländischen Immigranten in Südafrika.

Nun, lieber Freund, der ‹Andere› fühlt sich deshalb enttäuscht, weil er erfahren mußte, daß es im Krieg zwischen den Engländern und Buren – so werden die holländischen Immigranten dort genannt – lediglich um die Vorherrschaft über Land, Gold und die Eingeborenen geht. Die holländischen Jünglinge, die aus aller Welt zusammengetrommelt wurden, werden zu Invaliden oder lassen gar ihr Leben für eine Angelegenheit, die mit Holland an sich nichts zu tun hat. Jener ‹Andere›, so schreibt mein Freund, bewertet die Situation der Einheimischen in Südafrika als viel schlimmer als die der hiesigen, sie seien weit schlechter dran als die *Acehaner*. Er komme sich vor wie ein *Kompeni*-Soldat in *Aceh*.

Eine recht verspätete Einsicht! Er verdankt sie einer Begegnung mit einem dortigen Einwohner, der Mard Wongs heißt und weder ein Schwarzer noch ein Weißer ist. Dieser Mard Wongs ist einer der vielen nicht-einheimischen Großbauern, dessen Muttersprache Javanisch ist, ein *Slameier*, ein Landsmann von Ihnen, auch wenn er unterdessen Afrikaans gelernt hat. Mard Wongs ist die afrikanische Version seines ursprünglichen Namens, der meiner Ansicht nach einmal Mardi Wongso gelautet hat. Die *Slameier* stammen entweder aus Java, Makassar oder Madura und sind von der *Kompeni* nach Südafrika verschleppt worden.

Interessant, nicht wahr?

Also, lieber Minke, Mellemas Truppe – berichtet mein Freund – betrat Mard Wongs' großes Haus und bat ihn um ein Nachtlager. Der bereits völlig ergraute Greis schlug ihnen diese Bitte nicht nur ab, sondern wies ihnen wutentbrannt die Tür. Mellema platzte der Kragen, und er drohte ihm, ihn zu erschießen.

Mard Wongs zeterte: ‹Was wollt ihr Holländer noch alles? Auf Java macht ihr euch über unser Eigentum her, hier bettelt ihr bei mir um Unterkunft. Hat man Ihnen denn nie beigebracht, was Rauben und Betteln heißt? Schießen Sie! Hier ist meine Brust, Mard Wongs' Brust? Nicht den Schatten eines Ziegels, nicht den Schutz eines Brettes gönn ich Ihnen. Raus hier!›

Kaum zu glauben, Minke, Mellema gab nach und übernachtete mit seiner Truppe unter freiem Himmel.

Diese Begebenheit war es, die dem ‹Anderen› die Augen öffnete. Da verstand er den Haß der ostindischen *Pribumis* auf die Holländer. Er sah ein, daß er und seine Kameraden nicht für edle Ziele kämpften, sondern für kolonialistische Zwecke. Er schämte sich, sich so falsch plaziert zu haben. Er wurde darüber recht verwirrt. Er hatte davon geträumt, ein Held zu werden, der Menschheit einen Dienst zu leisten, und sah sich plötzlich von Tyrannei umgeben.

Am darauffolgenden Morgen überfiel seine Kompanie ein Gebiet, das von englischen Truppen, den South-African Light Horse, besetzt worden war. Diese Truppen sollen Leutnant W. Ch. unterstehen. Auf der anderen Seite hatten die Buren bereits in großer Zahl angegriffen. Die Engländer drängten sie zurück, hätten sie um ein Haar umzingelt und vernichtet, wäre Mellema dem Feind nicht ausgerechnet in dem Augenblick in den Rücken gefallen. Die Engländer erschraken, ihre Truppen wurden auseinandergesprengt, und sie nahmen schließlich Reißaus. Das Gebiet fiel den

Buren zu. Allein, der ‹Andere› wurde dabei angeschossen und gefangengenommen. Mein Freund schreibt, daß er wahrscheinlich als Kriegsgefangener nach England verschifft worden sei. Er habe in den wenigen Tagen davor seine Dummheit nicht genügend bereuen können.

Ich erzähle Ihnen das, damit Sie sich ein Bild machen können von Dingen, über die hier in Ostindien kaum berichtet wird. Sie lesen in den Zeitungen doch nur von der Grausamkeit der Engländer und den Siegen der Holländer. Andererseits, sagt Papa, schreiben die englischen Zeitungen über die rohe und gemeine Art, wie die Holländer die Einheimischen behandeln. Keine einzige Zeitung, weder in Holland noch in England, von Ostindien ganz zu schweigen, berichtet über die südafrikanischen *Pribumis* oder etwa über die *Slameier*.

Da sind die Javaner doch noch etwas besser dran. Es gibt wenigstens bereits ein paar Leute, die sich für sie einsetzen, obschon ihre Stimmen vorläufig noch im Trubel der Bürokratie untergehen. Darüber haben wir uns noch gar nicht unterhalten. Das werden wir ein andermal nachholen. Einverstanden?

Nun, Minke, lieber Freund, lassen Sie mich nicht allzulange auf Ihren Brief warten. Miriam de la Croix.»

Sarah rückte mit einem anderen Thema an:

«Es ist durchaus verständlich, wenn Juffrouw Magda Peters nichts über die Assimilationstheorie weiß. Miriam und ich wissen darüber auch nicht mehr, als wir Ihnen damals erzählt haben.

Ich habe Papa davon berichtet, daß Sie noch nie davon gehört hatten. Er lachte laut heraus und sagte: ‹Du weißt ja selbst auch nicht mehr. Ihr habt euch aber ziemlich aufgespielt als Senioren.›

Nachdem wir Ihren Brief gelesen hatten, erzählte ich Papa, daß auch Juffrouw Magda Peters nicht orientiert sei und daß keiner Ihrer Lehrer eine Erklärung dazu gegeben habe. Ob sie keine Lust hatten, sich absichtlich zurückhielten oder tatsächlich nicht im Bilde waren? Und was sagte Papa? Nicht jedermann interessiere sich für Fragen des Kolonialismus, so wie sich nicht jedermann fürs Kochen interessiere. Außerdem seien zur Zeit alle Leute in Ostindien von der Größe, Autorität, Umsichtigkeit, Gerechtigkeit und Großzügigkeit des Gouvernements überzeugt. Es gebe keine Bettler, die auf der Straße verhungerten; das Gouvernement kümmere sich auch um sie. Es gebe keine Ausländer, die überfallen und ermordet würden, nur weil sie Ausländer seien; das Gesetz des Gouvernements beschütze auch diese.

Ich möchte Ihnen gern etwas mitteilen. Papa meinte, so jemand wie Sie sollte eigentlich in Holland an der Universität weiterstudieren, am besten Jura. Auch wenn Sie es nicht schafften, bekämen Sie wenigstens einen Begriff davon, was Recht nach europäischer Auffassung sei.

Was meinen Sie dazu? Können *Pribumis* es bis zum Universitätsgrad an einer europäischen Fakultät bringen? Papa bezweifelt es. Papa meint – bitte entrüsten Sie sich nicht wie damals –, daß die *Pribumis* psychisch noch nicht so verfeinert seien wie die Europäer, sie würden allzu schnell aus dem Gleichgewicht geraten, weil sie sich von Trieben leiten ließen. Ich selbst vermag nicht zu sagen, ob das stimmt oder nicht. Es entspricht zwar den Tatsachen, vor allem, was die oberen Schichten hier betrifft. Sie denken am besten selbst darüber nach.

Dann kann ich Ihnen noch etwas anderes mitteilen: Einer der Jünglinge, die sich Dr. *Snouck Hurgronje* zu seinen Versuchen ausgewählt hat, heißt Achmad und stammt aus *Banten*. Wer weiß, vielleicht treffen Sie ihn eines Tages, lernen ihn kennen und können mit ihm korrespondieren...»

«Was seufzt du denn?» fragte Annelies plötzlich.

«Da platzt nächstens was.»

«Was soll da platzen?»

«Mein Kopf. Ständig ist etwas los. Man läßt mich nicht einen Augenblick lang in Ruhe, dabei habe ich ohnehin schon viel zu tun. Lies!» Ich schob ihr die Briefe hin.

«Sie sind nicht für mich, *Mas*.»

«Es ist auch für dich wichtig.» Annelies begann zu lesen, langsam und vorsichtig.

«Du scheinst bei vielen Leuten beliebt zu sein. Leider verstehe ich das alles nicht so recht.»

«Beliebt ist nicht das richtige Wort. Sie möchten mich gern belehren.»

«Das ist doch positiv.»

Jetzt redete sie auch schon so! Natürlich war es positiv, belehrt zu werden; Wissen konnte nie schaden. Aber ich hatte das Gefühl, sie hätten es gern gesehen, wenn ich durch ihre Verdienste zu einer wichtigen Persönlichkeit würde. Konnten sie nicht für ihre eigene Karriere sorgen?

«Langweilige Lehren sind eine Qual.»

«Du brauchst die Briefe ja nicht zu beantworten.»

«Das wiederum gehört sich nicht. Nun habe ich die Briefe schon gelesen. Sie erwarten eine Antwort.»

Sarah schlug wirklich etwas über die Stränge mit ihren Fragen über Triebe. Und sie bestand darauf, eine Antwort zu erhalten. Ob sie glaubte, ich würde mich vor ihr entblößen? Über so etwas sprach man selbst in Europa nicht unverblümt, das gehörte zur Privatsphäre und wurde streng gehütet. Diese beiden de la Croix-Gören nahmen sich einiges heraus.

Annelies las weiter. Sie wurde etwas nervös, als sie merkte, daß die Briefe von zwei Schwestern stammten. Sie legte die Briefbögen auf den Tisch, faltete sie sorgsam und steckte sie in die Umschläge zurück. Sie gab keinen Kommentar mehr.

Wir schwiegen eine Zeitlang.

«Ann», begann ich, «es scheint dir wieder recht gut zu gehen.»

«Vielen Dank für deine Pflege, *Mas* Doktor.»

«Du brauchst ab morgen keinen Betreuer mehr.»

Sie schaute mich argwöhnisch an.

«Du kehrst doch nicht etwa nach *Kranggan* zurück?»

«Wenn du willst, daß ich hierbleibe, selbstverständlich nicht, Ann.»

Sie zog die Augenbrauen zusammen, warf einen kurzen Blick auf die Briefe von Sarah und Miriam.

«Hast du's satt, mir Gesellschaft zu leisten?» fragte sie weinerlich.

«Aber natürlich nicht, Ann, solange du krank bist.»

«Muß ich wieder krank werden?»

«Ann, was soll das?» Dr. Martinets Worte gingen mir durch den Kopf. Ich war davon überzeugt, nichts Grobes gesagt zu haben, fügte aber schnell hinzu: «Du mußt richtig gesund werden, Mama braucht dich sehr.»

226

«Magst du mir denn nicht Gesellschaft leisten, wenn ich nicht krank bin?» fragte sie stotternd.

«Also Ann, damit du mich richtig verstehst: Du bist jetzt wieder gesund. Wenn du willst, daß ich hierbleibe, dann werde ich selbstverständlich nicht nach *Kranggan* zurückkehren. Glaub mir. Ich werde so lange hier wohnen, wie es dir lieb ist, aber nicht in deinem Zimmer. Ab morgen werde ich in meinem Zimmer unten im Parterre schlafen und arbeiten. Wenn du dich einsam fühlst, dann kannst du zu mir kommen. Das kommt ja aufs gleiche heraus, nicht?»

«Wenn's sowieso aufs gleiche herauskommt, dann kann's ebensogut bleiben, wie's war. Du bleibst hier.»

«Außenstehende haben im oberen Stock nichts zu suchen. Diese Anordnung soll man doch respektieren?» Und ich fügte an die zwanzig weitere Sätze hinzu.

Sie unterbrach mich nicht, schaute in immer fernere Fernen. Annelies war eifersüchtig.

Am darauffolgenden Tag besuchte ich Jean Marais. Ich wollte mit ihm über das Thema Südafrika reden. Er hörte mir schweigend zu, dann sagte er:

«Weißt du, Minke, als Europäer schäme ich mich furchtbar, daß ich bei diesen Kolonialkriegen mitgemacht habe. Nicht viel anders als jener uns beiden unbekannte junge Mann. Ich habe in *Aceh* mitgekämpft, weil ich annahm, die *Pribumis* seien unfähig, Widerstand zu leisten, und würden es deshalb gar nicht tun. Aber sie leisteten Widerstand, und wie. Ebenso heldenhaft und mutig wie die Menschen in den großen Kriegen in Europa. Es ist so beschämend, was ich in *Aceh* erlebt habe, wo man mit den neuesten europäischen Waffen auf Menschen losging, die nur unzureichend bewaffnet waren. Da du mich schon mal gefragt hast, werde ich dir antworten, aber dann komm mir nicht mehr mit solchen Themen, die mein Gewissen plagen.»

Tuan Telinga hatte, ohne daß wir es bemerkten, aus einiger Entfernung mitgehört. Jetzt trat er näher und setzte sich an den Tisch. Er schien darauf zu brennen mitzureden.

«Der Kolonialkrieg in den letzten fünfundzwanzig Jahren wird allein aus Kapitalgründen geführt, um das Kapital für die Zukunft abzusichern. Kapital ist eine enorme Macht geworden, fast allmächtig. Es bestimmt, was die Menschheit von heute zu tun hat.»

«Im Krieg geht es darum, Kraft und Taktik zu messen, um dabei als Sieger hervorzugehen», warf Telinga ein.

«Nein, *Tuan* Telinga», widersprach Marais, «es wird nie Krieg um des Krieges willen geführt. Viele Völker kämpfen, nicht, um als Sieger hervorzugehen. Sie rücken ins Feld vor und werden zerstückelt, wie zum Beispiel die *Acehaner* zur Zeit... Sie verteidigen etwas, das wertvoller ist als sterben oder leben, siegen oder verlieren.»

«Das kommt letzten Endes auf dasselbe heraus, Jean, es werden Kraft und Taktik gemessen, um den Sieger zu bestimmen.»

«Das ist lediglich die Folge, *Tuan* Telinga. Gesetzt den Fall, die *Acehaner* gewinnen, würde Holland dann den *Acehanern* gehören?»

«Die *Acehaner* können unmöglich gewinnen.»

«Eben. Die *Acehaner* sind sich selbst auch bewußt, daß sie verlieren werden, so, wie die Holländer genau wissen, daß sie gewinnen werden. Trotzdem, *Tuan*, trotzdem kämpfen die *Acehaner*. Sie kämpfen also nicht, um zu gewinnen, nicht wie die Holländer. Schätzten die Holländer die *Acehaner* als gleich stark ein, hätten sie nie angegriffen, sich nie in einen Krieg eingelassen. Es geht eindeutig um Kapitalfragen. Ginge es lediglich darum zu gewinnen, könnte Holland ebensogut Luxemburg angreifen, oder Belgien, die näher und reicher sind.»

«Sie sind Franzose, Jean, für Sie hat Ostindien keine Bedeutung.»

«Vielleicht. Auf jeden Fall bereue ich es, daß ich hier mitgekämpft habe.»

«Aber die Pension akzeptieren Sie anstandslos, wie ich auch.»

«Ja, wie Sie auch. Diese Entschädigung steht mir zu, wie Ihnen auch. Ich habe ein Bein verloren, Sie haben Ihre Gesundheit eingebüßt. Das ist es, was wir im Krieg gegen *Aceh* gewonnen haben.»

«Damals in der Kompanie haben Sie ganz anders geredet!» warf *Tuan* Telinga ihm vor.

«In der Kompanie war ich Ihr Untergebener, jetzt nicht mehr.»

«Was soll diese Auseinandersetzung?» schaltete ich mich ein. «Ich habe nach der Situation in Südafrika gefragt. Auf Wiedersehen.» Danach ging ich zu Juffrouw Magda Peters. Sie schüttelte den Kopf.

«Südafrika? Wollen Sie denn Politiker werden?» fragte sie mich.

«Was ist das eigentlich, ein Politiker, Juffrouw?»

Sie schüttelte wieder den Kopf und schaute mich traurig an.

«Später mal, wenn Sie das Examen bestanden haben, dann können wir uns in Ruhe darüber unterhalten. Jetzt lieber nicht. Sehen Sie zu, daß Sie die Abschlußprüfung bestehen. Ihre Noten sind zwar nicht schlecht, aber Sie bringen besser erst mal die Prüfung hinter sich. Lassen Sie alles andere vorläufig beiseite. Übrigens, Minke, stimmt die Geschichte, daß Sie mit einer *Nyai* zusammenleben?»

«Ja, Juffrouw.»

«Wissen Sie, wie man darüber denkt?»

«Ja, Juffrouw.»

«Und warum tun Sie's trotzdem?»

«Weil der Wohnort an sich nichts zu bedeuten hat. Außerdem ist diese Frau, die man als *Nyai* verachtet, sehr gebildet, sie ist sozusagen meine Lehrerin.»

«Ihre Lehrerin? Was unterrichtet sie denn?»

«Wie sich ein Mensch als Autodidakt von Null aus hocharbeiten kann.»

«In welcher Hinsicht ist sie denn Autodidaktin?»

«Sie hat es geschafft, sich selbst in die Hand zu nehmen, sie führt den großen Betrieb ...»

«Verteidigen Sie sich nicht mit Lügen.»

«Ich habe Sie, glaub ich, noch nie belogen.»

«Nein, außer jetzt.» Sie zwinkerte schnell; ein Zeichen, daß sie scharf nachdachte (so nahm ich wenigstens an). «Enttäuschen Sie mich nicht, Minke. Sie sind gebildet. Das geht doch nicht, daß Sie auf die Stufe eines Analphabeten hinabsinken.»

«Ich habe als gebildeter Mensch geantwortet, Juffrouw.»

Ihre Augen beruhigten sich etwas. Sie zwinkerte zwar immer noch schnell, aber nicht mehr so komisch wie zuvor.

«Erklären Sie mir bitte, wie eine *Nyai* dazu kommt, Autodidaktin zu sein. Sie meinen das doch im europäischen Sinn, nicht?»

«Mir scheint es auf jeden Fall so. Vielleicht bin ich falsch unterrichtet, Juffrouw. Sie können in einer freien Stunde ja mal vorbeikommen, abends zum Beispiel. *Nyai* empfängt eigentlich keine Gäste, Sie sind dann einfach mein Gast.»

«Gut», antwortete sie auf die Herausforderung, und ich war sicher, daß sie kommen würde.

«Möchten Sie vielleicht jetzt gleich mitkommen?»

«Gerne. Wissen Sie, ich brauche klare Informationen, die ich bei der Lehrerversammlung unterbreiten kann. Es ist nicht ausgeschlossen, daß man Ihnen etwas in den Weg legt.»

Wir brachen auf. Um fünf Uhr nachmittags waren wir am Ziel. Ich führte sie ins Gästezimmer, bat sie, sich zu setzen, und beobachtete sie.

«Ganz anders, als ich es mir vorgestellt habe», flüsterte sie. «Genauso sehen die Häuser in Holland, in Europa aus... Hier also wohnen Sie?» Ich nickte. «So ohne weiteres kommt man nicht zu einem solchen Haus. In einem solchen Haus zu wohnen... Also, Minke, genau wie in Europa.»

Annelies, in ihrem Samtkleid, war ins Gästezimmer getreten.

«Ann, das ist meine Lehrerin, Juffrouw Magda Peters.»

Annelies ging auf sie zu, verbeugte sich, lächelte und streckte ihr die Hand hin. Meine Lehrerin war wie betäubt, sie vergaß sogar zu zwinkern. Sie erhob sich und schüttelte Annelies die Hand, ihr Mund stand halb offen.

«Annelies Mellema, Juffrouw, sie ist gerade krank gewesen. Ann, willst du mal Mama Bescheid sagen?»

Annelies verbeugte sich entschuldigend und entfernte sich wortlos.

«Wie eine Königin, Minke. Ihr Gesicht ist so zart. Sie sieht aus wie eine italienische Primadonna. Das ist die Tochter der *Nyai*?» Ich nickte. «Sie scheint gut erzogen zu sein, so höflich und erhaben ist sie. Ihretwegen wohnen Sie hier?» Ich sagte nichts; keine Antwort war auch eine Antwort. «Sie ist wohl die Figur Ihrer Geschichte ‹*Uit het schoon Leven van een mooie Boerin*›?»

«Ja, sie ist es, Juffrouw.»

«Sie ist hübscher als italienische und spanische Primadonnen, französische und russische Ballerinen», sagte sie, als betrauerte sie ihr eigenes Schicksal, dann eher zu sich selbst: «Kein Wunder, daß so viele Leute die kreolische Schönheit preisen. Nur, ein solches Kleid trägt man eigentlich abends.»

Mama erschien; sie trug wie üblich eine weiße *Kebaya* mit Spitzen und einen grün-rot-braun gemusterten *Kain*. Sie bot meinem Gast die Hand.

«Das ist Mama, Juffrouw, und das ist meine Lehrerin, Mama. Juffrouw Magda Peters. Mama empfängt nie Besuch, Juffrouw», sagte ich, mich bei den beiden entschuldigend, daß ich meine Lehrerin mitgebracht hatte, ohne *Nyai* vorher zu fragen.

Mama war nicht beleidigt, daß ich mich so vorwitzig benommen hatte. Im Gegenteil, sie legte sofort los:

«Macht Minke gute Fortschritte, Juffrouw?»

«Er könnte noch mehr, wenn er wollte», antwortete sie höflich.

«Wir haben tatsächlich nie Besuch», bestätigte *Nyai* in bestem Holländisch. «Wir freuen uns sehr, daß Sie gekommen sind.»

«Mevrouw, mein Besuch hängt eigentlich mit dem Unterricht zusammen. Wir möchten Gewißheit darüber haben, ob Minke hier die richtige Gelegenheit zum Lernen hat.»

«Er verläßt morgens das Haus und kommt nachmittags wieder heim. Abends liest er, lernt und schreibt. Verzeihung, Juffrouw, nennen Sie mich nicht ‹Mevrouw›, ich bin keine. Diese Anrede ist unpassend. Es steht mir auch nicht zu, so angesprochen zu werden. Nennen Sie mich einfach ‹Nyai›, wie alle andern, denn das bin ich ja, Juffrouw.»

Magda Peters zwinkerte schnell. Ich konnte verstehen, daß diese Aufforderung sie schockierte.

«Das ist doch nichts Anstößiges oder etwa eine Beleidigung?»

«Nein, anstößig ist es nicht, auch keine Beleidigung, aber es entspricht nicht der Realität, ist auch nicht unbedingt legitim. Ich bin ja nicht verheiratet, sondern lediglich jemandes Eigentum.» Die ganze Bitterkeit ihrer Erfahrungen schwang in ihrer Stimme mit. Es klang scharf, wie ein Protest gegen die Menschheit.

«Eigentum?»

«Ja, Juffrouw. Als Europäerin erschaudern sie wahrscheinlich, so etwas zu hören.»

Ich fühlte mich unwohl bei diesem Gespräch. Mama schien diese Begegnung auszunutzen, um die Wunden ihrer Vergangenheit wettzumachen. Wirklich ein unangenehmes Gespräch, sowohl für den Zuhörer als auch für die daran Beteiligten.

«Die Sklaverei ist doch in Ostindien schon vor ungefähr dreißig Jahren abgeschafft worden, *Nyai*», erwiderte Magda Peters, auf das Thema eingehend.

«Stimmt, Juffrouw, solange keine Meldungen darüber gemacht werden. Ich habe jedoch gelesen, daß es überall in Ostindien noch Sklaverei gibt.»

«Von Missionaren?»

«Ich bin sozusagen eine Sklavin.»

Magda Peters schwieg eine geraume Weile, während sie nervös mit den Augen zwinkerte. Schließlich meinte sie: «Sie sind keine Sklavin, Mevrouw, Sie erwecken auch nicht diesen Eindruck.»

«*Nyai*, Juffrouw», berichtigte Mama. «Ein Sklave bleibt ein Sklave, selbst wenn er im Kaiserpalast wohnt.»

«Wie kommt es, daß Sie sich als Sklavin fühlen?»

Mamas persönlicher Gram, den sie die ganze Zeit über geschluckt hatte, drängte jetzt, da sie mit dieser Europäerin konfrontiert war, nach außen. Sie wollte endlich protestieren, anklagen, verfluchen, Aufmerksamkeit heischen, beschuldigen, verurteilen, richten. Ich wurde immer nervöser und suchte angestrengt nach einem Ausweg, während *Nyai* erst recht mit ihrer Vergangenheit auspackte.

«Ein Europäer, ein echter Europäer, hat mich meinen Eltern abgekauft», ihre Stimme klang bitter, voll Haß, der selbst mit fünf Palästen nicht aufzuwiegen war. «Er hat mich gekauft, um aus mir die Mutter seiner Kinder zu machen.»

Magda Peters verschlug es die Sprache. Ich empfahl mich schnell. Sollten sie ihre Standpunkte ohne mich diskutieren. Ich ging nach oben. Annelies saß am Fenster und las.

«Warum kommst du nicht runter, Ann?»

«Ich will dieses Buch fertig lesen.»

«Das muß ja nicht gleich jetzt sein.»

«Eigentlich mag ich es viel lieber, wenn du mir Geschichten erzählst. Du erzählst mir so selten. Warum schiebst du mir die Geschichten anderer – diese Bücher – zu? Du hast doch nichts dagegen, mir zu erzählen?»

«Bestimmt nicht.»

Sie vertiefte sich wieder in ihr Buch. Plötzlich drehte sie sich um:

«Wieso kommst du überhaupt hier rauf? Außenstehende haben doch im oberen Stock nichts zu suchen?»

«Komm runter, Ann, Juffrouw möchte mit dir sprechen.»

Sie antwortete nicht, sondern wandte sich wieder ihrem Buch zu. Ich trat zu ihr und streichelte ihr übers Haar. Sie reagierte überhaupt nicht. Als ich ihr das Buch aus der Hand nahm, folgte sie ihm nicht mit den Augen. Sie las also nicht, sie wollte nur ihr Gesicht verstecken.

«Was ist denn, Ann? Bist du böse?» Keine Antwort. «Sicher interessant, was du gerade liest.»

Sie ließ den Kopf hängen, und ich fühlte, daß ihre Schultern zuckten; sie unterdrückte das Weinen. Ich drehte sie zu mir um. Ganz plötzlich klammerte sie sich an mir fest und schluchzte los.

«Was ist denn, Ann? Ich habe dich doch nicht verletzt?»

Dutzende, Hunderte von Sätzen ließ ich mir einfallen, um sie zu trösten. Sie sagte kein Wort. Sie hielt mich fest umschlungen, als fürchtete sie, ich könnte mich von ihr lösen und in den Himmel entschwinden... Sie war eifersüchtig.

Durch die angelehnte Tür wurden zwei Stimmen hörbar, sie kamen vom Korridor. Mama rief mich, und Annelies ließ mich los. Ich öffnete die Tür. Juffrouw und *Nyai* standen im Korridor und warteten auf mich.

«Juffrouw möchte unsere Bibliothek sehen, Minke. Bitte!» *Nyai* öffnete die Tür zu einem Zimmer, das ich noch nie betreten hatte. Es war Herman Mellemas Bibliothek. Der Raum war ebenso groß wie Annelies' Zimmer. Darin standen drei Schränke, in denen sich prunkvoll eingebundene Bücher reihten. In einem der Schränke lag ein Glaskästchen mit *Tuan* Mellemas Pfeifenkollektion. Alles war blitzsauber, kein Stäubchen auf den Möbeln. Der Fußboden bestand aus gewöhnlichen Brettern, kein Parkett, und hatte keinen Teppich; er war auch nicht gewachst. Außer den Schränken gab es nur einen Tisch, einen Stuhl und einen Sessel. Auf dem Tisch stand ein Kerzenständer mit vierzehn Kerzen. Ein Buch, das heißt eine gebundene Zeitschriftensammlung, lag offen auf dem Tisch.

«Schön ist es hier, sauber und ruhig», sagte Magda Peters und schaute zu den Fenstern hinaus in die Landschaft. Dann ging sie geradewegs auf den Tisch zu und nahm jenen Zeitschriftenband in die Hände. Ohne uns dabei anzusehen, fragte sie: «Wer liest die ‹Indische Gids›?»

«Das ist meine Bettlektüre, Juffrouw.»

«Bettlektüre?» Sie starrte *Nyai* entgeistert an.

«Der Arzt hat mir geraten, vor dem Einschlafen zu lesen.»

«Haben Sie Schwierigkeiten einzuschlafen?»

«Ja.»

«Schon lange?»

«Seit fünf Jahren, Juffrouw.»

«Leiden Sie nicht darunter?»

Mama schüttelte lächelnd den Kopf.

«Was lesen Sie sonst noch vor dem Einschlafen?» fragte Magda Peters wie ein Staatsanwalt.

«Alles, was mir in die Hände kommt, Juffrouw. Ich bin nicht wählerisch.»

Magda Peters zwinkerte wieder schnell.

«Was mögen Sie am liebsten, *Nyai*?»

«Das, was ich verstehe.»

«Wissen Sie etwas über die Theorie von *Snouck Hurgronje*?»

«Entschuldigen Sie», *Nyai* nahm ihr die Zeitschriften aus der Hand, suchte eine bestimmte Stelle heraus und zeigte sie Magda Peters.

Meine Lehrerin überflog den Text, nickte, schaute mich an und sagte:

«Warum haben Sie dieses Thema in der Schuldiskussion vorgebracht? Sie fragen besser *Nyai*.»

«Ich wollte mehr darüber erfahren», antwortete ich, obwohl ich gar nicht gewußt hatte, daß es in diesem Haus eine Bibliothek gab und sogar Zeitschriften über dieses Thema.

Magda Peters wandte sich den Schränken zu, in denen hauptsächlich gebundene Zeitschriften standen. Sie schien sich wenig
dafür zu interessieren; es war größtenteils Literatur über Viehzucht, Landwirtschaft, Handel, Forstwirtschaft, auch Frauenzeitschriften und allgemeine Zeitschriften aus Ostindien, Holland
und Deutschland waren darunter. Den größten Teil der Bibliothek
überflog sie nur, kehrte dann zu den gebundenen Kolonial-
Zeitschriften zurück und verweilte schließlich lange bei der ins
Holländische übersetzten Weltliteratur.

«Da ist keine holländische Literatur dabei, *Nyai*.»

«*Tuan* hat nicht viel übrig dafür, außer für die flämischen Dichter vielleicht.»

«Dann lesen Sie wohl auch flämische Bücher.»

«Ja, zum Teil.»

«Warum mag *Tuan* Mellema die holländischen Dichter nicht,
wenn ich fragen darf?»

«Ich weiß nicht, Juffrouw. Er sagte nur einmal, ihre Werke ver-
lören sich in Details, sie hätten keine Begeisterung, kein Temperament.»

Magda Peters räusperte sich und schluckte. Sie stellte keine
weiteren Fragen mehr. Dafür nahm sie den Gesamtbestand der
Bibliothek nochmals in Augenschein, als wollte sie den Eindruck
erwecken, sie könnte sich jetzt ein Bild machen über das kulturelle
Niveau von Mamas Familie, die seit einiger Zeit das Gesprächsthema in der Schule bildete.

«Darf ich mit Annelies Mellema sprechen?»

«Ann, Annelies!» rief Mama.

Ich ging zu ihr ins Zimmer. Sie saß am Fenster und starrte in die
Ferne, auf die Berge und Wälder am Horizont.

«Willst du nicht kommen, Ann?»

Sie war noch immer verstimmt, antwortete nicht einmal.

«Gut, dann bleib eben in deinem Zimmer», sagte ich und entfernte mich.

«Ann!» rief *Nyai* nochmals, ganz milde.

«Sie fühlt sich nicht wohl. Verzeihung, Juffrouw, sie ist eben
erst krank gewesen.»

Die beiden Frauen stiegen heftig diskutierend die Treppe hinunter. Keine Ahnung, worüber sie sprachen. Eine Stunde später brachte ich meine Lehrerin mit meinem *Bendi* zurück nach Surabaya. Sie hieß mich eintreten; auf dem ganzen Weg hatte sie geschwiegen.

«Also, Minke, seit ich diese Familie kennengelernt habe, möchte ich eigentlich häufiger zu euch kommen. Ihre Mama ist wirklich eine phantastische Frau. Wie sie sich kleidet, wie sie sich gibt, einfach ihre ganze Art. Aber psychisch ist sie sehr komplex. Von den Spitzen an ihrer *Kebaya* und ihrer Sprache abgesehen, ist sie eine hundertprozentige *Pribumi*; doch in ihrer Persönlichkeit unterscheidet sie sich kaum von den fortgeschrittensten und aufgeschlossensten Europäern. Sie weiß wirklich viel, eigentlich zu viel für eine *Pribumi*. Sie haben recht, von ihr können Sie viel lernen. Nur die Bitterkeit, die aus ihrer Stimme und ihren Worten zu spüren ist… Ich halte das kaum aus. Hätte sie dieses Rachegefühl nicht, wäre sie wirklich brillant. Zum erstenmal in meinem Leben habe ich eine Person getroffen, eine Frau sogar, die nicht vor ihrem Schicksal kapituliert.» Sie holte tief Luft. «Merkwürdig, sie hat einen großen Sinn für Gerechtigkeit.»

Ich schwieg; ich verstand nicht alles, was sie da sagte. Bei Gelegenheit wollte ich Jean Marais danach fragen.

«Das ist ja wie ein Märchen aus ‹Tausendundeine Nacht›. Man stelle sich vor, sie hält es für treffender, mit *Nyai* angesprochen zu werden. Ich glaube, damit will sie ihrem Rachegefühl Nachdruck verleihen, obwohl *Nyai* im Grunde schon die übliche hiesige Anrede für Mätressen von Nicht-*Pribumis* ist. Sie will nicht geschmeichelt werden, sie steht zu ihrer Position – auf eine bewundernswerte Art und Weise, wenn auch etwas verbittert.»

Ich gab keinen Kommentar. Sie schilderte Mama wie eine Romanfigur und analysierte ihren Charakter, als stünde sie vor der Klasse. «Sie ist es gewohnt, Anweisungen zu geben, auf eine wohlüberlegte Art. Sie wäre ohne weiteres fähig, einen noch viel größeren Betrieb zu leiten. Mir ist noch nie eine so grandiose Geschäftsfrau begegnet. Selbst Leute mit Handelshochschule machen ihr das nicht so leicht nach. Es ist, wie Sie gesagt haben, sie ist eine erfolgreiche Autodidaktin. Jetzt rede ich sogar schon über Geschäftsführung. Mein Gott!» Sie schnalzte. «Das nennt man einen historischen Sprung, Minke, für eine *Pribumi.* Sie ist ein Jahrhundert zu früh geboren worden.»

Ich sagte noch immer nichts.

«Was Literatur und Sprache betrifft, könnte sie allerdings noch einiges lernen von Ihnen, obschon sie auch auf diesem Gebiet bewundernswert ist. Wissen Sie, was das eigentlich Bewundernswerte an ihr ist? Sie traut sich, ihre Meinung zu sagen, auch wenn sie nicht unbedingt richtig ist. Sie fürchtet sich nicht davor, Fehler zu machen, bleibt unverzagt und ist bereit, aus ihren eigenen Fehlern zu lernen.»

Ich war weiterhin ganz Ohr, unterbrach sie nicht.

«Wie gerne würde ich über sie schreiben, aber das kann ich leider nicht so gut wie Sie, Minke. Im Grunde stimmt es ja, mit Begeisterung und Temperament ist es bei den Holländern nicht weit her. Den Drang habe ich zwar, aber dabei bleibt es dann auch. Da sind Sie besser dran, Sie können schreiben. Und diese Theorie, Minke, die wird geradezu bedeutungslos wegen dieser einen *Pribumi,* Ihrer Mama. Gäbe es nur tausend solcher *Pribumis* hier, dann könnte Holländisch-Ostindien abdanken, Minke. Na ja, mag sein, daß ich etwas übertreibe, aber das ist nun mal mein erster Eindruck. Bedenken Sie, die ersten Eindrücke, so bedeutungsvoll sie auch sein mögen, erweisen sich nicht unbedingt immer als richtig.»

Sie schwieg einen Augenblick, atmete wieder tief, aber sie blinzelte nicht.

«Sie könnte es noch viel weiter bringen. Schade, so jemand wie sie kann unmöglich unter ihresgleichen leben. Sie ist eher wie ein Meteorit, der einsam im Weltall dahinfliegt, um dann irgendwo zu landen, auf einem anderen Planeten, oder der zurück auf die Erde fällt oder in der Unendlichkeit verschwindet.»

«Sie überhäufen sie ja geradezu mit Lob, Juffrouw.»

«Weil sie eine *Pribumi* ist, eine Frau, und weil sie eben bewundernswert ist...»

«Kommen Sie doch hin und wieder zu Besuch.»

«Schade. Das geht leider nicht.»

«Sie können gerne als mein Gast mitkommen.»

«Unmöglich, Minke.»

«Mama ist immer recht beschäftigt.»

«Das ist es nicht, aber Ihre Primadonna scheint mich nicht zu mögen, Minke. Verzeihung, vielen Dank jedenfalls für die Einladung. Sie liebt Sie sehr, Minke, diese Primadonna. Sie können sich glücklich schätzen. Ich verstehe jetzt, was das mit all dem Klatsch auf sich hat.»

14

Ich fühlte mich bereits sicher und geborgen in *Wonokromo*. Robert tauchte nie mehr auf. Mama und Annelies schien das egal zu sein. Ich hatte deswegen nicht etwa die Absicht, seinen Platz einzunehmen. Ich strengte mich an, so gut ich konnte, Außenstehende davon zu überzeugen, daß ich kein Bandit war und auch nicht im Sinn hatte, einer zu werden, sondern lediglich ein Gast, dem jederzeit die Tür gewiesen werden konnte.

An jenem Abend schrieb ich absichtlich nicht. Ich wollte mich erst ausruhen und dann lernen. Keine Ahnung, warum ich plötzlich so fleißig lernte. Irgendwie hatte ich den Drang, in der Schule gut abzuschneiden. Ich tat es auf jeden Fall nicht meiner Familie oder Annelies zuliebe.

Ich glaube auch nicht, daß ich mich durch Mutters Briefe angestachelt fühlte, die sich immer vergewissern wollte, daß ich keine Schwierigkeiten hätte. Ihren vierten Brief beantwortete ich endlich und bat sie, mir in Zukunft kein Geld mehr zu schicken, sondern es für meine jüngeren Schwestern zu verwenden.

Briefe zu schreiben strengte mich am meisten an. Als Absender gab ich immer noch Telingas Adresse an. Nur die Briefe von Miriam und Sarah kamen direkt nach *Wonokromo*. Ich fragte nie, woher sie diese Adresse wußten.

Ich war mit den Algebra-Aufgaben fertig. Die Pendüle schlug neunmal. Sowie das Echo verstummte, klopfte es an meiner Zimmertür. Bevor ich antworten konnte, stand Annelies schon im Zimmer.

«Du solltest doch um neun Uhr im Bett sein», mahnte ich.

«Nein», murrte sie, «ich will nicht schlafen, wenn du nicht in meinem Zimmer lernst wie bisher.»

«Du wirst immer verwöhnter, Ann.» Wirklich, Dr. Martinet wäre mit einer derart schwierigen Patientin sicher nicht zu Rande gekommen. Ich wußte genau, sie würde sich nicht schlafen legen, wenn ihr Wunsch nicht in Erfüllung ging.

«Komm doch rauf. Erzähl mir eine Geschichte, bis ich einschlafe, wie du es sonst auch immer getan hast.»

«Ich weiß aber im Moment keine Geschichte.»

«Ich kann aber sonst nicht einschlafen, *Mas*.»

«Mama weiß viele Geschichten, Ann.»

«Die von dir gefallen mir besser.» Sie klappte die Bücher auf meinem Tisch zu und zog mich hoch.

Als seiner Patientin treu ergebener Arzt gab ich nach, folgte ihr in den oberen Stock, an Mamas Zimmer und an der Bibliothek vorbei, in ihre Kammer. Ich hatte sie in den vorangegangenen paar Tagen nicht mehr zugedeckt und auch das Moskitonetz nicht heruntergelassen. Seit es ihr wieder einigermaßen gut ging, mußte sie das selber tun. Sie legte sich sogleich aufs Bett und befahl:

«Deck mich zu, *Mas*.»

«Willst du dich in alle Ewigkeit von mir verhätscheln lassen?» protestierte ich.

«Von wem sonst soll ich mich denn verhätscheln lassen, wenn nicht von dir? Also, erzähl mir was. Steh nicht rum, setz dich hierher.»

Da saß ich also auf dem Bettrand und wußte nicht, was ich in der Nähe dieser genesenden Schönheitsgöttin hätte tun sollen.

«Los, erzähl mir eine schöne Geschichte, schöner als die ‹Schatzinsel› und ‹Entführt› von Stevenson oder ‹Unser gemeinsamer Freund› von Dickens. Das sind ja doch nur stumme Geschichten.»

Ihrer Gesundheit zuliebe mußte ich ständig nachgeben.

«Was für eine Geschichte willst du denn hören? Eine javanische oder eine europäische?»

«Irgendeine. Ich möchte deine Stimme hören, ich mag das so gern, wenn du mir ins Ohr flüsterst und ich deinen Atem spüren kann.»

«Wie soll ich denn reden, javanisch oder holländisch?»

«Du bist ein Schwätzer, *Mas*. Erzähl jetzt endlich.»

Und so suchte ich nach einer Geschichte. Ich hatte keine auf Lager; es kam mir keine in den Sinn. Erst dachte ich an die Liebesgeschichte zwischen der Frau von *Amangkurat IV* und *Raden Sukra*. Aber die war zu grausam, und das war nicht gut für ihre Gesundheit. Dr. Martinet hatte ja betont: Sie dürfen ihr nur Angenehmes erzählen, nichts über Grausamkeiten. Dieses Mädchen ist recht seltsam, hatte er damals gesagt, sie ist physisch absolut normal entwickelt, auch geistig, nur psychisch ist sie wie ein zehnjähriges Kind. Betreuen Sie sie gut! Nur Sie können sie gesund machen. Sorgen Sie dafür, daß sie Ihnen vertraut. Sie träumt von einer Herrlichkeit, die es nicht gibt auf dieser Welt, vielleicht weil sie zu früh mit großer Verantwortung belastet worden ist. Sie sehnt sich nach Freiheit ohne Verantwortung. Minke, solch unvergleichliche Schönheit darf nicht erlöschen. Tun Sie Ihr Bestes! Wenn Sie's geschafft haben, daß sie Ihnen vertraut, dann können Sie ihr Selbstvertrauen aufbauen. Lassen Sie nichts unversucht!

Ich fing aufs Geratewohl zu erzählen an. Ich konnte mir selbst noch nicht vorstellen, wie die Geschichte enden würde. Ich würde mir die Personen nach Bedarf erschaffen; sollten sie sich selbständig zu einem Ablauf entwickeln.

«In einem fernen, fernen Land», begann ich. «Stören dich die Mücken nicht?»

«Nein. Was haben denn die Mücken mit jenem Land zu tun?» lachte sie, und ihre Zähne funkelten im Kerzenlicht.

«In jenem fernen, fernen Land gab es keine Mücken wie hier. Es gab auch keine Eidechsen an den Hauswänden, die ihnen hätten auflauern können. In jenem Land war es außerordentlich sauber.» Sie schaute mich an wie immer, und ihre Augen glänzten verträumt. Als sie noch krank war, war es genauso.

«...Jenes Land war sehr fruchtbar und immer grün. Was immer auch die Leute pflanzten, es gedieh. Es gab keine Mißernten, keine Seuchen, keine Armut. Die Menschen lebten zufrieden und glück-

lich. Sie waren alle sehr klug, sangen und tanzten gerne. Sie besaßen alle ihr eigenes Pferd; es gab weiße, rote, schwarze, braune,
gelbe, blaue, rosafarbene und graue Pferde. Nur gescheckte gab es
nicht.»

«Kk-kk-kk», Annelies unterdrückte das Lachen, «blaue und
schwarze Pferde», wiederholte sie langsam für sich selbst.

«In jenem Land wohnte eine unvergleichbar schöne Prinzessin.
Ihre Haut war wie elfenbeinfarbener Samt. Ihre Augen wie zwei
Morgensterne, und wer ihr zu lange in die Augen schaute, lief
Gefahr, sich zu verlieren. Über ihren Augen schwang sich ein Paar
Augenbrauen, die so dicht waren wie die Wälder dort auf den Hü-
geln. Ihre Gestalt entsprach dem Traumbild jedes Mannes. Alle
Leute im Land liebten diese Prinzessin. Ihre Stimme klang sanft,
bezauberte alle, die ihr zuhörten. Wenn sie lächelte, schlug jedem
Mann das Herz höher, ohne Ausnahme. Und wenn sie lachte,
wurde eine Reihe funkelnder Zähne sichtbar, und sie erfüllte alle
Verehrer mit Hoffnungen. Wenn sie zornig war, starrte sie vor sich
hin, und das Blut stieg ihr in den Kopf... Komisch, sie wurde
dadurch noch schöner und bezaubernder.

Eines Tages ritt sie auf ihrem weißen Pferd durch den Park.»

«Wie hieß sie denn, *Mas*?»

Ich hatte noch keinen passenden Namen gefunden, da ich mich
noch gar nicht entschlossen hatte, ob die Geschichte in Europa,
Ostindien, China oder Persien stattfinden sollte. Also redete ich
einfach weiter:

«Die Blumen im Park ließen die Köpfe hängen, beugten ihre
Stengel tief nach unten. Sie schämten sich nämlich, weil sie gegen
die Schönheit der Prinzessin nicht ankamen. Sie wurden alle ganz
blaß, verloren ihren Glanz und ihre Farbe. Erst als die Prinzessin
vorbeigeritten war, richteten sie sich wieder auf, reckten sich und
klagten dem Sonnengott ihr Leid: ‹O *Bhatara Surya*, warum nur
müssen wir solche Schande erleben? Hast du uns damals nicht als
die schönsten Geschöpfe der ganzen Natur auf die Erde gesandt
und uns aufgetragen, der Menschen Leben zu verschönern? Wieso
gibt es nun doch ein schöneres Wesen als uns?›

Der Sonnengott schämte sich, solche Klagen hören zu müssen,
und versteckte sich aus Verlegenheit hinter den Wolken. Es kam

ein Wind auf, der die verstimmten und von Trauer erfüllten Blumen schüttelte. Nicht viel später klatschte Regen auf die farbigen Blütenblätter, und sie verwelkten. – Die Prinzessin ritt weiter; sie merkte nichts von dem, was sich hinter ihr ereignete. Der Regen und der Wind brachten es nicht übers Herz, sie zu behelligen. Die Leute, die ihr begegneten, standen still, um sie zu bewundern...»

Ich stellte fest, daß Annelies die Augen geschlossen hatte. Ich nahm den Rutenbesen und verscheuchte die Mücken, um danach das Moskitonetz herunterzulassen.

«*Mas*», mahnte sie, öffnete die Augen und faßte nach meiner Hand, so daß ich mein Vorhaben nicht zu Ende führen konnte.

«Ja, die Prinzessin ritt also weiter. Wer sie sah, hätte sich glücklich gepriesen, hätten ihn die Götter in ihr Pferd verwandelt. Allein, die Prinzessin ahnte nichts von den Gefühlen der anderen. Sie hielt sich für gleich wie ihre Mitmenschen; sie kam sich nicht hübscher vor als diese.»

«Wie hieß sie denn eigentlich?»

«Hmmm...»

«Hieß sie etwa Annelies?»

«Ja, ja, ja, sie hieß Annelies», und somit war sie die Hauptfigur meiner Geschichte geworden. «Sie besaß allerlei Kleider, aber am liebsten mochte sie ihr schwarzes Samtkleid, das sie zu allen möglichen und unmöglichen Zeiten trug.»

«Ah.»

«Die Prinzessin sehnte sich nach romantischer Liebe, romantischer als in allen Geschichten, die man über die Götter und Göttinnen im Himmel zu erzählen wußte. Sie wartete sehnsüchtig darauf, daß ein schmucker, kühner Prinz des Weges käme, der erhabener war als ein Gott.

Eines schönen Tages ging ihr Wunsch in Erfüllung. Es kam tatsächlich ein Prinz daher; er war wirklich schmuck und auch kühn. Nur ein Pferd besaß er nicht, er konnte nicht einmal reiten.»

Annelies kicherte belustigt.

«Er fuhr mit einem gemieteten Dogcart vor, einem mit gefederten Rädern. Er trug kein Schwert an den Hüften, denn er war noch nie in den Krieg gezogen. Er hatte nur einen Bleistift, eine Feder und Papier bei sich.»

Annelies gickelte abermals.

«Was lachst du denn, Ann?»

«Der Prinz hieß Minke?»

«Ja, Minke.»

Annelies schloß die Augen, aber sie ließ meinen Arm nicht los, aus Furcht, ich könnte sie verlassen.

«Also, der Prinz kam und betrat das Schloß der Prinzessin, als hätte er eben gerade eine Schlacht gewonnen. Die beiden saßen zusammen und plauderten miteinander. Die Prinzessin verliebte sich auf den ersten Blick in den Prinzen. Das mußte ja so kommen.»

«Nein», protestierte Annelies, «der Prinz hat die Prinzessin zuerst geküßt.»

«O ja, beinahe hätte der Prinz das vergessen. Nun, er küßte die Prinzessin, und sie plauderte es ihrer Mutter aus. Doch die Mutter machte sich nicht viel daraus.»

«Das stimmt ganz und gar nicht, *Mas*. Sie machte sich wohl etwas daraus. Mehr als das, sie schimpfte.»

«Was, sie schimpfte? Was sagte sie denn?»

«Sie sagte: Warum plauderst du das aus? Du hast es dir ja gewünscht, daß er dich küßt.»

Nun konnte ich mir das Lachen kaum verbeißen. Um sie nicht zu verletzen, fuhr ich schnell fort:

«Wie dumm dieser Prinz doch ist, er hat bereits zweimal etwas ganz Verkehrtes erzählt. Die Prinzessin also wünschte und wartete darauf, von ihm geküßt zu werden.»

«Ach, Quatsch! Sie wünschte es nicht und wartete auch nicht darauf. Sie war überhaupt nicht auf so etwas gefaßt. Da kam ein Prinz daher, der nicht einmal reiten konnte, ja sich sogar vor Pferden fürchtete. Er kam auf Besuch und küßte die Prinzessin einfach so.»

«Und die Prinzessin hatte nichts dagegen. Ja, sie verlor dabei sogar eine Sandale…»

«Du lügst, *Mas*! Du lügst!» Sie zog mich heftig am Arm, aus Protest dagegen, daß der Ablauf der Geschichte nicht den Tatsachen entsprach.

Ich fiel vornüber in ihre zarte Umarmung. Mein Herz wogte

plötzlich wie das Meer im Westwind. Das Blut schoß mir in den Kopf, und vergessen war meine Pflicht als Arzt. Ganz von alleine erwiderte ich ihre Umarmung. Ich hörte, daß sie schnell atmete, wie ich auch; oder vielleicht war nur ich es, der keuchte, ohne daß ich mir darüber im klaren gewesen wäre. Die Welt, die Natur löste sich ins Nichts auf. Es gab nur noch uns beide, die von einer übermächtigen Kraft, die aus uns zwei Urtiere machte, vergewaltigt wurden. Und da lagen wir kraftlos nebeneinander. Wir hatten etwas verloren. Die Welt war plötzlich leer und nichtig geworden. Das Herz pochte nicht mehr. Ein Schwarm schwarzer Punkte schwirrte vor meinen Augen. Was war das?

Annelies umklammerte wieder meine Hand. Sie schwieg. Wir schwiegen beide, als hätten wir uns zerstritten.

«Bereust du's, *Mas*?» fragte sie, als ich ausatmete.

Und wie ich es bereute, ich gebildeter Mensch, den man als Arzt beauftragt hatte. Ich bereute auch noch etwas anderes, etwas, das nichts mit mir zu tun hatte.

Annelies forderte eine Antwort. Sie setzte sich auf und schüttelte mich, wiederholte ihre Frage. Ich hätte nie gedacht, daß sie so viel Kraft besaß. Ich antwortete mit einem langen, tiefen Atemzug. Sie beugte sich über mich, um mich deutlicher sehen zu können. Ich wußte, sie brauchte meine Antwort.

«Antworte, *Mas*!» forderte sie.

Ohne sie dabei anzusehen, fragte ich:

«Ich bin nicht der erste, nicht wahr, Ann?»

Sie warf sich mit dem Gesicht zur Wand und schluchzte leise. Ich bereute es nicht, ihr diese verletzende Frage gestellt zu haben. Sie schluchzte noch immer, und ich ließ es dabei.

«Du bereust es, *Mas*, du bereust es», sie weinte nun richtig.

Ich erinnerte mich an meine Pflicht.

«Verzeih mir», sagte ich und streichelte ihr dichtes Haar, so wie sie immer die Mähne ihres Pferdes streichelte. Sie beruhigte sich etwas.

«Ich wußte es ja», zwang sie sich zu sprechen, «daß der Mann, den ich liebe, eines Tages diese Frage stellen würde.» Sie beruhigte sich mehr und mehr und fuhr fort: «Ich habe mich innerlich mit ganzer Kraft darauf vorbereitet, diese Frage gestellt zu bekommen

244

und sie zu beantworten. Und ich habe trotzdem solche Angst. Ich
habe Angst, daß du mich verläßt. Wirst du mich verlassen, *Mas*?»
fragte sie, den Rücken zu mir gewandt.

«Nein, Annelies, Liebes», tröstete der Arzt.

«Wirst du mich heiraten, *Mas*?»

«Ja.»

Sie begann wieder zu weinen, ganz leise. Ihre Schultern zitterten. Ich wartete, bis sie sich beruhigte. Mir noch immer abge-
wandt, brachte sie brockenweise, fast flüsternd, hervor:

«Du tust mir leid, *Mas*, weil du nicht der erste bist. Aber dafür
kann ich nichts – das war ein Unglück, ich konnte es nicht vermei-
den.»

«Wer war es?» fragte ich kühl.

Sie antwortete nicht. Erst nach einer Weile fragte sie:

«Haßt du ihn deswegen, *Mas*?»

«Wer ist es?»

«Es ist so beschämend.» Sie lag noch immer mit dem Gesicht
zur Wand.

Langsam aber sicher wurde mir bewußt: Ich war eifersüchtig.

«Dieses Schwein!» Sie boxte an die Wand. «Der Robert!»

«Robert!» zischte ich scharf. «Der Suurhof. Das kann nicht
wahr sein.»

«Nicht Suurhof», sie schlug wieder an die Wand. «Nein. Mellema.»

«Dein Bruder?» Ich schnellte hoch.

Sie weinte wieder. Ich drehte sie unsanft um. Sie bedeckte
schnell ihr Gesicht mit dem Arm; es war tränenüberströmt.

«Du lügst!» beschuldigte ich sie, als wäre es mein volles Recht,
sie so zu behandeln.

Sie schüttelte den Kopf, ohne den Arm vom Gesicht zu nehmen. Ich riß ihr den Arm weg. Sie wehrte sich heftig.

«Versteck dein Gesicht nicht, wenn du nicht lügst!»

«Ich schäme mich vor dir, vor mir selbst.»

«Wie oft hast du das getan?»

«Nur einmal. Wirklich. Das war ein Unglück.»

«Du lügst.»

«Bring mich um, wenn ich lüge», antwortete sie entschlossen.

«Dann wirst du die Wahrheit erfahren. Was kann mir das Leben schon bedeuten, wenn du mir nicht glaubst?»

«Wer sonst noch außer Robert Mellema?»

«Niemand. Du.»

Ich ließ ihren Arm los. Was sie da gesagt hatte, war schockierend. War das die Moral in *Nyai*-Familien? Ich war drauf und dran, die Frage zu bejahen, da kam mir Jean Marais in den Sinn: Ein gebildeter Mensch muß gerecht denken. In meiner Vorstellung sah ich Jean Marais mit dem Finger auf mich zeigen und mir vorwerfen: Deine Moral ist kein bißchen besser, Minke. Da schämte ich mich vor mir selbst. Sie, Annelies, war nicht schlechter als Minke.

Lange schwiegen wir; jeder war mit sich selbst beschäftigt. Dann ließ sie sich vernehmen:

«Ich erzähle dir am besten, was geschehen ist», sagte sie ruhig. Sie hatte ein Recht darauf, sich zu verteidigen. Sie hatte aufgehört zu weinen und schien sich gefaßt zu haben.

«Ich kann mich noch genau an den Tag und an das Datum erinnern. Ich habe den Tag im Wandkalender rot angestrichen. Es ist ungefähr ein halbes Jahr her. Mama trug mir auf, Darsam zu suchen. Die Leute sagten, er sei in die *Kampungs* gegangen. Ich sattelte mein Pferd und machte mich auf. Ich klopfte alle *Kampungs* ab und rief ununterbrochen nach ihm. Die *Kampung*-Leute halfen mir dabei, aber wir fanden ihn nirgends.

Jemand sagte, er sei bei den Erdnußplantagen. Ich ritt also dorthin, doch da war er auch nicht. Erdnußstauden sind ja nicht sehr hoch, und ich hätte ihn sofort entdeckt, seiner schwarzen Kleider wegen ist er normalerweise leicht zu sehen. Er war nicht dort.

Ein Kind, dem ich begegnete, sagte mir, er sei hinter dem Sumpf. Da fiel mir ein, daß er ein Stück Land, wo damals noch dichtes Gebüsch stand, roden wollte. Auf dem Feld sollten Luzerne und Gerste angepflanzt werden, als Futter für die neuen Kühe, die Mama aus Australien bestellt hatte. Der Blick dorthin wurde von Schilfrohrstauden verdeckt. Erinnerst du dich an jenes Schilfrohr, bei dessen Anblick ich mit dir weitergehen wollte?»

«Ja», vor meinen Augen tauchte das Schilfrohr auf, dicht und hoch. Sie hatte sich damals geweigert, dorthin zu gehen. Ich erinnerte mich noch genau, wie sie geschaudert hatte.

«Ich ritt also zum Sumpf und rief nach Darsam. Keine Antwort. Ich bog in den kleinen Weg ein, der durchs Schilf führt. Dort traf ich Robert.

‹Ann›, sagte Robert und schaute mich dabei ganz komisch an. Er warf sein Gewehr und die Wildenten, die er geschossen und zusammengebunden hatte, zu Boden. ‹Darsam ist gerade hier vorbeigeritten, er will zu Mama. Er sagte, er habe ganz vergessen, daß sie ihn auf neun Uhr bestellt habe. Er ist zwei Stunden zu spät dran›, sagte Robert.

Ich war erleichtert. ‹Hast du viel erbeutet?› fragte ich ihn. Er hob die Wildenten wieder auf und zeigte sie mir. ‹Das ist noch gar nichts›, meinte er, ‹nichts Besonderes. Heute habe ich ein merkwürdiges Tier erlegt. Steig mal ab.›

Er ging einige Meter ins Schilf hinein und hob eine große, schwarze Wildkatze auf. Ich stieg vom Pferd.

‹Das ist keine gewöhnliche Katze›, erklärte er. ‹Das ist eine richtige Wildkatze.›

Ich streichelte dem toten Tier über das weiche Fell. Es hatte eine Schlagwunde am Kopf.

‹Ich habe sie nicht erschossen. Sie lag zusammengerollt unter einem Baum und schlief, da hab ich ihr eins über den Kopf gehauen.›

Er faßte mich mit seinen schmutzigen Händen an den Schultern, und ich schimpfte. Er benahm sich wie ein geiler Stier, *Mas*. Ich verlor das Gleichgewicht und fiel hin. Zum Glück war da gerade kein spitzer Stumpf, sonst wäre ich wohl aufgespießt worden. Er stürzte sich auf mich, umfaßte mich mit seinem linken Arm und hielt mir mit der Hand den Mund zu. Ich dachte, er wolle mich umbringen. Ich wehrte mich und zerkratzte ihm das Gesicht, aber ich war ihm nicht gewachsen. Ich schrie nach Mama und Darsam, aber meine Stimme erstickte in seiner Hand. Ich erinnerte mich, daß Mama mir geraten hatte, Abstand von ihm zu halten. Da erst verstand ich, was sie meinte, doch es war bereits zu spät. Mama hatte öfter darauf angespielt, er hätte es auf Papas Erbschaft abgesehen.

Ich begriff, daß er mich vorher vergewaltigen wollte. Er zerriß mir die Kleider, nahm seine Hand nicht von meinem Mund. Mein

Pferd wieherte. Wie hoffte ich, daß es mir zu Hilfe käme! Ich preßte meine Beine zusammen und schlug sie übereinander, aber er zwang sie mit seinen starken Knien auseinander. Und so geschah es eben… Ein Unglück, *Mas*», sie schwieg eine Zeitlang. Ich erwiderte nichts, war damit beschäftigt, mir die Geschichte vorzustellen.

«Mein Pferd wieherte abermals, kam dann herbei und biß Robert in den Hintern. Er schrie vor Schmerzen auf und sprang hoch. Das Pferd setzte ihm ein Stück weit nach. Er rannte davon. Ich griff nach seinem Gewehr, verließ das Schilf ebenfalls. Ich zielte und schoß. Ich weiß nicht, ob ich ihn getroffen habe oder nicht. Ich sah nur, daß seine Hose ganz voll Blut war und das Blut an den Hosenbeinen herunterlief. Das war vom Pferdebiß.

Ich warf das Gewehr weg. Mir tat alles weh; das Blut in meinem Mund schmeckte salzig. Ich war nicht fähig, in den Sattel zu steigen. Als ich in die Nähe der *Kampungs* kam, mußte ich schließlich doch aufsteigen, damit man nicht sah, daß meine Kleider zerrissen waren.»

«Annelies!» rief ich aus und umarmte sie. «Ich glaub dir, Ann, ich glaub dir.»

«Davon hängt mein Leben ab, *Mas*, das wußte ich von Anfang an.»

Wir schwiegen eine Weile. Ich zweifelte langsam an Dr. Martinets Worten. Ann war erwachsen genug; sie wußte sich zu verteidigen, obwohl es ihr mißlungen war. Sie wußte, was sterben und glauben bedeutete.

«Warum hast du es nicht Mama erzählt?»

«Was hätte das genützt? Meine Situation wäre dadurch nicht besser geworden. Hätte Mama davon erfahren, dann wäre Robert bestimmt von Darsam aus dem Weg geräumt worden, und das hätte alles zerstört. Auch Mama. Auch mich. Die Leute würden dann unseren Betrieb meiden. Unser Haus wäre in ihren Augen eine richtige Teufelshöhle.»

Ihre abschließenden Worte zeugten von innerer Kraft. Aber plötzlich war diese verpufft, sie umarmte mich und weinte wieder.

«Habe ich falsch gehandelt, *Mas*?»

Ich umarmte sie ebenfalls. Und plötzlich schlug mein Herz Wellen wie die See im Ostwind. Wir konnten nicht anders, wir wurden wieder zwei Urtiere und lagen schließlich nebeneinander da. Diesmal schwirrten keine schwarzen Punkte herum. Wir umarmten uns, und Annelies schlief ein.

Im Halbschlaf bemerkte ich, daß Mama ins Zimmer kam. Sie stand einen Augenblick lang am Bett, verscheuchte die Mücken und murmelte:

«Wie sie sich umarmen, wie zwei Krebse.»

Ich spürte, wie sie uns zudeckte, das Moskitonetz herunterließ und die Kerze löschte. Dann ging sie leise aus dem Zimmer und schloß die Tür.

15

Meine Schulkameraden mieden mich inzwischen durch die Bank. Die einzige Ausnahme bildete Jan Dapperste. Er bewunderte mich und hielt mich für ein Maikind, einen Glückspilz, für jemanden, dem schlicht kein Unglück zustoßen konnte. Obwohl er fleißig lernte, hatte er immer schlechtere Noten als ich. Ich gab ihm täglich etwas Taschengeld, vielleicht hielt er mich deswegen für seinen älteren Bruder. Wir gingen in die gleiche Klasse. Jan Dapperste trug mir immer die Gerüchte zu, die über mich zirkulierten. So war ich darüber informiert, was für Gemeinheiten Suurhof gegen mich im Schilde führte. Von Jan erfuhr ich auch, daß Suurhof mich beim Rektor angeschwärzt hatte. Na ja, dachte ich, sollte man mich eben rauswerfen. Bitte. In der Schule konnte ich sowieso nicht viel ausrichten, während ich anderswo so viel Bewegungsfreiheit hatte, wie ich nur wollte.

Der Rektor rief mich dann auch einmal zu sich und fragte mich, warum ich so schweigsam geworden sei und die Schulkameraden mich anscheinend nicht leiden mochten. Ich antwortete, daß ich sie alle gern habe, aber sie nicht dazu zwingen könnte, mich ebenfalls zu mögen. Es habe bestimmt seinen Grund, daß sie mich mieden, meinte er. Sicher, *Tuan* Rektor. Was für einen denn, forschte er. Das wisse ich selbst nicht so richtig, antwortete ich, ich wisse nur, daß Suurhof allerlei Gerüchte über mich verbreite.

«Sie stehen abseits, Sie gehören nicht mehr zu ihnen. Sie sind irgendwie anders geworden.»

Mir war sofort klar, daß das eine Anspielung auf meine bevorstehende Entlassung war. Gut – ich war also darauf vorbereitet und brauchte nicht zu erschrecken. Es machte mir nichts aus, wenn ich die Schule nicht mehr besuchen durfte. Was bedeutete sie schon, außer, daß sie den Tagesablauf bestimmte? Ein Schulabschluß war sicher nicht schlecht, aber ohne ging es auch.

«Wir hoffen, Sie bessern sich. Sie haben eine Karriere vor sich. Sie genießen europäische Erziehung, sollten eigentlich in Europa weiterstudieren. Wollen Sie nicht *Bupati* werden?»

«Nein, *Tuan* Rektor.»

«Nicht?» Er schaute mich eindringlich an. «Ach, ja, Sie möchten es wohl weiterhin als Schriftsteller oder Journalist versuchen. Aber auch dafür ist ein anständiger Lebenswandel erforderlich. Muß ich etwa *Tuan Bupati* von B. einen Brief schreiben, oder *Tuan Resident-Assistent* Herbert de la Croix?»

«Wenn Sie meinen, daß das zweckdienlich ist, habe ich nichts dagegen einzuwenden.»

«Sie sind also damit einverstanden, daß ich schreibe?»

«Ich habe nichts dagegen. Das ist Ihre Angelegenheit, nicht die meinige.»

«Nicht?» er schaute mich verwundert an. Etwas verunsichert fuhr er fort: «Wem stehe ich jetzt gegenüber? Minke oder Max Tollenaar?»

«Das kommt auf dasselbe heraus. Hinter beiden Namen steht dieselbe Person.»

Er schickte mich weg und beorderte mich von da an nicht mehr zu sich.

Auch Juffrouw Magda Peters schien Abstand zu halten, obwohl sie mich immer noch wohlwollend betrachtete, aber ich traf mit ihr nur im Unterricht zusammen. Die Schuldiskussionen waren auf Befehl des Rektors eingestellt worden.

Eigenartigerweise hatte ich das Gefühl, von niemandem abhängig zu sein, was auch immer geschehen würde. Ich fühlte mich stark. Meine Essays fanden immer mehr Leser, immer mehr davon wurden veröffentlicht, auch wenn ich bis dahin noch keinen Groschen dafür erhalten hatte. Hätte die Öffentlichkeit erfahren, daß ich nur ein *Pribumi* war, hätten die Leute meinen Essays wahrscheinlich keine Aufmerksamkeit geschenkt, ja, sich möglicherweise sogar betrogen gefühlt. Was, nur ein *Pribumi*! Auch darauf war ich vorbereitet. Jan Dapperste erzählte mir, daß Suurhof mich vor aller Öffentlichkeit bloßstellen wollte.

Das Gespräch mit dem Rektor damals war nicht das einzige Ereignis in jenen Wochen. Nicht lange nachdem mir Jan Dapperste von Suurhofs Vorhaben erzählt hatte, erhielt ich einen Brief von der *S. N. v/d D.* mit der Bitte, in die Redaktion zu kommen, der verantwortliche Chefredakteur wolle mich kennenlernen.

Ich bat Jan Dapperste mitzukommen, was er auch tat. *Tuan* Maarten Nijman empfing uns und zeigte mir einen Leserbrief. Es war genau, wie Jan gesagt hatte: Max Tollenaar ist nur ein Eingeborener. Wir erkannten die Schrift sofort; Jan nickte bestätigend.

«Haben Sie mich herbestellt, um aufgrund dieses Briefes eine Entschädigung zu verlangen?» fragte ich.

«Dann stimmt es also, was in dem Brief steht?»

«Ja.»

«Eigentlich müßten wir tatsächlich eine Entschädigung verlangen», er lächelte liebenswürdig. «Wir können Ihnen unsere Forderung auch gleich mitteilen. Sie wissen wohl, was wir von Ihnen erwarten?»

« Nein.»

«*Tuan* Tollenaar, wir verlangen, daß Sie unser fester Mitarbeiter werden.» Damit legte er mir eine Quittung vor und händigte mir das Honorar für die bereits erschienenen Essays aus. «Als fester Mitarbeiter steht Ihnen selbstverständlich mehr zu.»

«Worin besteht meine Arbeit?»

«Schreiben Sie über irgend etwas. Viel Erfolg, *Tuan*!»

Wir fuhren mit dem *Bendi* zu einem Restaurant. Jan Dapperste beglückwünschte mich. Er aß mit großem Appetit, als hätte er sein Leben lang gehungert.

Das dritte Erlebnis in jener Zeit hatte ich mit Dr. Martinet, den ich gleich nach unserer Mahlzeit ebenfalls zusammen mit Jan Dapperste aufsuchte. Der Arzt empfing uns auf der Veranda und meinte, er habe etwas mit mir allein zu besprechen.

«Nun, Doktor», begann er, «wie geht es Ihrer Patientin?»

«Gut, *Tuan* Doktor.»

«Was heißt das?»

«Es geht ihr bereits recht gut, sie arbeitet wieder wie früher, in ihrer Freizeit liest sie viel. Sie reitet wieder auf die Felder. Sie hält sich an den von mir aufgestellten Leseplan. Hin und wieder sitzen wir zu dritt beisammen und hören Schallplatten.»

«Sie haben recht, es scheint ihr wieder gut zu gehen.»

Jan Dapperste blieb allein auf der Veranda zurück.

«Es scheint? Ihr Zustand entspricht also noch nicht Ihren Erwartungen?»

«Nun, *Tuan* Minke, ich habe sie in der letzten Zeit fünf-, sechsmal untersucht. Anfänglich ist mir weiter nicht viel aufgefallen. Beim drittenmal erst wurde mir bewußt, daß sie jedesmal erschauderte und eine Gänsehaut bekam, wenn ich sie berührte. Ich wurde skeptisch. Was war mit ihr los? Ich nahm an, daß in ihrem Unterbewußtsein irgend etwas nicht ganz in Ordnung sei. Ich versuchte, der Sache auf den Grund zu kommen. Erst dachte ich, sie ekle sich vor mir. Vielleicht war ich in ihren Augen ein tierisches Wesen, das in der Tat ekelerregend war. Ich schaute in den Spiegel und betrachtete mein Gesicht eingehend. Ich habe mich in den vergangenen zehn Jahren kaum verändert, außer, daß ich jetzt ein Monokel trage am rechten Auge. Ich sehe doch völlig normal aus, sogar einigermaßen gut?»

«Nicht nur einigermaßen, *Tuan* Doktor.»

«Na ja, einigermaßen gutaussehend reicht für mich, Sie sehen entschieden besser aus. Deshalb hat sie ja Sie gewählt und nicht mich.»

«Aber, *Tuan* Doktor», protestierte ich.

«Ja, Doktor Minke», er lachte, «seit ich Sie kennengelernt habe, ist mir klar, daß sie nicht an meinem Aussehen Anstoß nimmt, sondern an meiner Haut, an meiner weißen Haut.»

«Ihr Vater hat weiße Haut, er ist ja Europäer.»

«Nun ja, das ist vorläufig nur eine Vermutung von mir. Hören Sie, ich habe Sie herbestellt, um mir bei der Lösung dieser Frage behilflich zu sein. Ja, ihr Vater ist Europäer. Das ist es genau. Wie viele Kinder auf dieser Welt ekeln sich vor ihren Eltern, zum Teil sehr stark, zum Teil nur ein bißchen, manche ihr ganzes Leben lang, andere nur vorübergehend. Man hat zwar keine Zahlen darüber, wie viele es sind, aber es gibt welche und ganz bestimmt nicht wenige. Ein Grund dafür kann zum Beispiel das Benehmen der Eltern sein. Haben die Eltern zufälligerweise dieselbe Hautfarbe wie das Kind, wird es sich natürlich nicht an der Hautfarbe stoßen.»

«Annelies hat auch helle Haut.»

«Ja, aber mit der Zartheit einer *Pribumi*. Ich selbst habe auch einmal von Annelies geträumt. Komisch, nicht wahr, Doktor Minke? Schade, sie ist viel zu jung für mich. Das war ja auch nur eine Wunschvorstellung. Nehmen Sie's mir nicht übel, ich habe nie ernsthafte Absichten gehabt. Außerdem scheint sie sich vor mir zu ekeln. Stimmt, sie hat helle Haut. Ich habe mir folgendes zusammengereimt: Ein starker Einfluß von außen, den sie nicht abzuwehren vermochte, hat bewirkt, daß sie sich ein falsches Bild von sich selbst macht. Sie fühlt sich als echte *Pribumi*. Vielleicht hat ihre Mutter ihr den Eindruck vermittelt, daß alle Europäer abscheulich seien und sich schandhaft benehmen. Zu dieser Annahme kam ich aufgrund von Gesprächen mit *Nyai* und Annelies. *Nyai* ist sicher eine außergewöhnliche Frau, das muß wohl jedermann zugeben. Habe ich Ihnen nicht einmal gesagt, sie sei eine Autodidaktin, ohne sich dessen bewußt zu sein, und daß sie deswegen auf einem bestimmten Gebiet versagt habe? Sie versteht es nicht, ihre Kinder zu erziehen; sie hat sie in ihre persönlichen Konflikte hineingezogen. Das war mehr als nur ein Fehler – sie hat als Erzieherin eindeutig versagt, *Tuan* Minke.»

Es schien ein langes Gespräch zu werden. Ich entschuldigte mich für einen Augenblick und trug dem Kutscher auf, Jan Dapperste nach Hause zu fahren.

«Annelies ist ja völlig weltfremd und akzeptiert deshalb alles, was ihr vorgesetzt wird, als einen Teil von sich selbst», fuhr Dr. Martinet fort.

«Aber Mama haßt die Europäer gar nicht. Sie hat sehr oft mit Europäern zu tun. Sie liest auch europäische Bücher.»

«Stimmt, sofern das für sie von Nutzen ist. Denken Sie an die Beziehung zwischen ihr und *Tuan* Mellema. Sie hat es ihm zu verdanken, daß sie es so weit gebracht hat, aber ihr Unterbewußtsein bleibt ihm gegenüber reserviert und mißtrauisch. Jedermann aus der oberen Schicht weiß um das tragische Schicksal *Tuan* Mellemas und seiner Mätresse, nur Annelies wahrscheinlich nicht. Unbewußt hat sie Annelies zu ihrem zweiten Ich geformt. Das Mädchen kann ohne die Gegenwart ihrer Mutter keine Initiative entwickeln. Die Initiative wird immer von ihrer Mutter ausgehen, in Form von Befehlen, die nicht zu umgehen sind. So hübsch sie ist, sie muß einem leid tun. Sie denkt mit dem Kopf ihrer Mutter.»

Ich hörte ihm staunend zu. Was er da auf verschlungene, umständliche Art darlegte, war mir vollkommen neu, aber ich fand es sehr interessant und einleuchtend. Erstaunlich, wie jemand ins Innere eines Menschen schauen konnte, als wäre es ein Uhrwerk.

«Ihre Mutter ist eine zu starke Persönlichkeit. Sie besitzt weit mehr Allgemeinwissen, als es das Leben inmitten dieser Wüste der Unwissenheit hier in Ostindien erfordert. Die Leute meiden sie, weil sie befürchten, daß sie sich ihrem Einfluß nicht entziehen könnten. Ich selbst komme manchmal kaum dagegen an. Wäre sie eine gewöhnliche *Nyai*, bei dem Reichtum, der Schönheit und einem Ehemann, von dem keiner weiß, wo er sich herumtreibt – es würden wohl viele Vögel daherschwirren und ihren Balzgesang vernehmen lassen. Doch nichts dergleichen passiert. Niemand wagt es, niemand wirbt um sie – jedenfalls soviel ich weiß. Weder Europäer noch *Indos*, *Pribumis* würden sich sowieso nicht trauen. Sie wissen genau, daß sie es mit einer Löwin aufzunehmen hätten. Wenn die nur einmal brüllt, stürzt eine ganze Schar Grillen Hals über Kopf davon.»

«Wirklich, *Tuan* Doktor?»

«Denken Sie mit darüber nach.»

«Glauben Sie, daß ein *H. B. S.*-ler wie ich da Schritt halten kann?»

«Aber gerade für Sie ist das außerordentlich wichtig. Doktor Minke, glauben Sie denn, es liegt mir etwas daran, Geschichten zu erfinden? Sie sind gebildet, beweisen Sie, daß ich unrecht habe. Deshalb habe ich Sie hergebeten. Sie stehen den beiden näher. Eigentlich sollten Sie das selbständig ergründen, um dahinterblikken zu können. Ich versuche lediglich, Ihnen Anhaltspunkte zu geben. Sie sind erwachsen, und Sie sind der einzige, der Annelies kurieren kann, nicht Dr. Martinet. Das Mädchen liebt Sie, und Liebe ist eine Kraftquelle sondergleichen. Sie vermag alles zu ändern, sie kann zerstören und vernichten oder aber aufrichten und Kraft geben. Ich sehe nur eine Möglichkeit, wie sich Annelies von ihrer Mutter loslösen und sie selbst werden kann, nämlich durch die Liebe zu Ihnen. Anhand dessen, was ich in letzter Zeit so beobachtet habe, was sie im Fieber redet, aus dem Glanz ihrer Augen, schließe ich, daß sie Ihnen vollkommen ergeben ist. Das ist keine Vermutung, kein bloßes Gefühl von mir…»

Ich fand seine Ausführungen immer interessanter – vor allem, weil er nun auch meine Person mit einbezog.

«Ist sie einmal so weit, ihrer Mutter zu widersprechen, dann ist das ein Hinweis, daß sie innerlich eine Veränderung durchmacht. Das wird schmerzhaft sein, wie jede Geburt. *Nyai* selbst hat unbewußt den Anstoß zu dieser seelischen Neugeburt ihrer Tochter gegeben, indem sie ihre Beziehung zu Ihnen nicht untersagt, sie sogar unterstützt und fördert. Aber da ist noch etwas anderes, was Annelies zu schaffen macht. Annelies hat offenbar ein Problem, das ihre labile Psyche schwer belastet. Ihre Mutter hat ihr zwar alle Wege geebnet. Sie scheinen ihr als zukünftiger Schwiegersohn willkommen zu sein, und Sie selbst scheinen damit einverstanden zu sein. Aber Annelies fühlt sich trotzdem keineswegs erleichtert. Sie hat Ihre Zuneigung gewonnen, wenn ich mich nicht täusche, eigentlich sollte sie sich glücklich preisen. Doch im Gegenteil, sie leidet sehr: sie hat Angst, Sie zu verlieren, den Menschen, den sie aufrichtigen Herzens liebt. Nun, ist das nicht eine komplexe Seelenqual? Dadurch kann ein Mensch verrückt werden, *Tuan*, damit ist nicht zu spaßen. Dabei kann jemand wirklich durchdrehen, den Verstand verlieren, von Sinnen kommen, einen Knacks kriegen…»

Er hielt inne, holte ein Taschentuch aus seiner Tasche und wischte sich damit Gesicht und Hals ab.

«Heiß ist es», meinte er. Er stand auf und ging in die Ecke, um den Ventilator anzukurbeln. Nachdem der Ventilator sich zu drehen begonnen hatte, setzte er sich wieder. «Für mich persönlich ist das ein sehr interessanter Fall, aber gleichzeitig geht's mir ans Herz, so ein junges und hübsches Geschöpf von Ungewißheit und Angst geplagt zu sehen. Verstehen Sie, was ich meine, *Tuan*?»

«Nicht so richtig, *Tuan*, das mit der Angst...»

«Wir werden noch darauf zurückkommen. Wahrscheinlich ist es seit Adam und Eva so, daß Schönheit die Mängel und Fehler eines Menschen verzeihlich macht. Schönheit hebt eine Frau über ihresgleichen, sie ist dadurch erhabener, ehrwürdiger. Allein, Schönheit, ja das Leben an sich, wird wertlos, wenn ein Mensch von Ängsten beherrscht wird. Genau das ist der Punkt, falls Sie mich noch immer nicht verstanden haben: Sie muß von diesen Ängsten befreit werden.»

«Ja, *Tuan*.»

«Sagen Sie nicht einfach ja, ja, ja! Sie sind gebildet, Sie sind doch kein Ja-Sager. Wenn Sie anderer Meinung sind, dann sagen Sie das ruhig. Es ist noch lange nicht gesagt, daß ich recht habe, ich bin ja kein Psychiater. Also, wenn Sie anderer Meinung sind, dann gestehen Sie das offen, damit Annelies besser geholfen werden kann.»

«Ich habe keine Meinung, *Tuan*.»

«Das gibt es nicht. Schießen Sie los.» Ich schwieg. «Es ist doch nicht mehr so schwül? Schauen Sie, *Tuan* Minke, der Wissenschaft ist das Wörtchen ‹Scham› unbekannt. Man braucht sich eines Irrtums oder Fehlers nicht zu schämen. Irrtümer und Fehler lassen die Wahrheit deutlicher hervortreten und sind somit für eine Untersuchung ebenfalls von Bedeutung.»

«Wirklich, *Tuan*, ich habe keine Meinung.»

«Ich weiß, daß Sie etwas verheimlichen. Ein gebildeter Mensch hat seine eigene Meinung, auch wenn sie falsch sein sollte. Bitte, lassen Sie hören.»

Er schaute mich an – seine Augen waren grau und glasklar wie Murmeln – und legte mir die Hände auf die Schultern:

«Schauen Sie mir in die Augen, sprechen Sie aufrichtig. Machen Sie's mir nicht so schwer.»

Ich schaute ihm in die Augen. Sie waren so klar, daß ich das Gefühl hatte, ich könnte durch sie hindurchsehen bis in sein Gehirn hinein.

«Ich bitte Sie, reden Sie, machen Sie meine Arbeit nicht zunichte.»

«*Tuan*», bettelte ich, «ehrlich, das ist das erste Mal, daß ich solche Dinge höre, die Sie eben dargelegt haben. Ich kann nur staunen, wie soll ich da so schnell zu einer Folgerung kommen? Ich habe schon das Gefühl, daß Mama und Annelies gewisse Probleme haben. Vor allem mit Robert. Ich fühle irgendwie, daß Sie wohl nicht unrecht haben. Es hilft mir, vieles besser zu verstehen. Oder sehe ich das falsch?»

«Das genügt, das ist nicht falsch. In der Wissenschaft ist Bescheidenheit manchmal, ich betone, manchmal, nötig. Aber um eine Frage zu beantworten, brauchen Sie nicht bescheiden zu sein. Verzeihen Sie, daß ich mich wie ein Staatsanwalt aufführe, aber ich bin überzeugt davon, daß das auch für Sie von Nutzen ist.»

Der Ventilator drehte sich immer langsamer. Dr. Martinet ging in die Ecke und kurbelte ihn erneut an.

«Gut», sagte er im Stehen, «passen Sie auf, vielleicht können Sie zu Hause in Ruhe darüber nachdenken. Erstens, über Annelies' Angst, Sie zu verlieren. Das hängt einzig und allein von Ihnen ab, da kann sich niemand anders einmischen. Sowie sie Anzeichen spürt, daß Sie sie verlassen wollen, wird sie unruhig. Sie dürfen also nie den Anschein erwecken, es tun zu wollen, oder es tatsächlich tun. Wenn Sie es tun, wird sie zerbrechen.» Er nahm einen Bleistift vom Tisch. «So», und er brach den Bleistift entzwei. «Einen zerbrochenen Bleistift kann man zwar noch gebrauchen, eine gebrochene Seele nicht, *Tuan* Minke. Wenn sie weiterlebt, wird sie allen eine Last. Stirbt sie, wird man sich Gewissensbisse machen. Habe ich Ihnen nicht bereits gesagt, Sie seien der eigentliche Arzt? Sie können ebensogut ihr Mörder werden, dann nämlich, wenn Sie ihre Liebe enttäuschen. Nun, ich habe mich so deutlich wie nur möglich ausgedrückt, ohne Scheu, ohne Angst, ohne Vorbehalte. Es bleibt Ihnen überlassen, ob Sie ein Arzt oder ein Mörder werden.»

Er setzte sich; er legte die beiden Bleistiftteile auf den Tisch und schaute mich wieder an, wohl um seinem Ernst Nachdruck zu verleihen.

«Ja, *Tuan* Doktor.»

«Andererseits, *Tuan* Minke, fängt sie an, eine Persönlichkeit zu entwickeln, gerade weil sie sich in Sie verliebt hat, denn das ist eine ganz persönliche Angelegenheit, in der andere Leute keine Kommandos erteilen können. Ihre Geburt als neue Person hat sie krank gemacht.»

Jetzt kam ich wirklich nicht mehr mit. Ich schaute ihm ruhig in die Augen. Irgendwie wurde ich ihm gegenüber plötzlich mißtrauisch, weil er Europäer war. Er schien das zu bemerken und setzte eilig hinzu:

«Ich betone, *Tuan* Minke, es ist nicht unbedingt gesagt, daß ich recht habe, vielleicht nicht einmal zum Teil. Doch solange Sie keine eigene Meinung haben, sollten Sie das als Anhaltspunkt nehmen, damit Sie sich vorläufig wenigstens orientieren können.»

Er hielt mit seinem Vortrag für eine Weile inne. Vermutlich fing er an zu zweifeln. Das bot mir Gelegenheit, Atem zu schöpfen. Er hatte mich zwar nur mit Worten überschüttet, aber was ich dabei mitmachte! Ich hatte das Gefühl, von ihm gewaltsam als Amboß benutzt zu werden, auf dem er mit seinem Hammer Verständnis schmieden wollte.

«Ja, *Tuan* Doktor», sagte ich schließlich, eher als Hinweis, daß ich kein lebloser Amboß sei.

«Ja», erwiderte er mit einem schweren Seufzer, «ja, das sind ja vorläufig bloß Vermutungen aufgrund dessen, was ich beobachtet habe. Ich werde nicht fortfahren, bis Sie sich endlich auch dazu äußern. Sagen Sie, in welchem Zimmer schlafen Sie?»

Er konnte sich ausrechnen, daß ich vor Verlegenheit vergehen würde. Selbst in der Schule hätte mir niemand eine so freche Frage gestellt.

«In der Wissenschaft hat Verlegenheit nicht den geringsten Wert, *Tuan*, unterstützen Sie mich bitte. Nur wir beide können diese andere Angst aus dem Weg räumen. Also, wo schlafen Sie?» Ich antwortete nicht. «Gut, Sie genieren sich – ein wertloses Gefühl. Damit bestätigen Sie nur meine Annahme. Sie schlafen also in Annelies' Zimmer. Stimmt doch, nicht?»

Ich war unfähig, ihm länger ins Gesicht zu schauen.

«Fassen Sie das nicht falsch auf», sagte er hastig. «Ich habe nicht die Absicht, mich in Ihre Angelegenheiten einzumischen. Für mich, ich kann das nicht genug betonen, geht es allein um das Wohlbefinden von Annelies als meiner Patientin und zwangsläufig auch um das Ihrige und das der *Nyai*. Ich erwarte von Ihnen lediglich Unterstützung und Verständnis. Nur so kann ich mein vorläufiges Bild berichtigen, und das ist die beste Medizin für Annelies. Ihre persönlichen Geheimnisse und die von allen Patienten werden vertraulich behandelt. Ich bin der eigentliche Arzt, Sie sind es nur vorübergehend. Bitte, erzählen Sie.»

Um mir Gelegenheit zu geben, mich vorzubereiten, ging er nach hinten. Er kam zurück mit Limonade und schenkte mir ein Glas davon ein.

«Wieso bedienen Sie mich selbst?»

«Es ist sonst niemand hier im Haus. Ich bin allein.»

«Haben Sie kein Dienstmädchen oder einen Diener?»

«Nein.»

«Sie erledigen alles selbst?»

«Das Dienstmädchen kommt für drei Stunden pro Tag, dann geht sie nach Hause.»

«Wer kocht für Sie?»

«Dafür ist ein Restaurant zuständig. Also, kehren wir zu unserem Thema zurück. Trinken Sie erst einmal. Ich verstehe, daß Sie erst Mut sammeln müssen», er lächelte einnehmend.

Ich sammelte keinen Mut.

«In bestimmten Situationen», begann er mir Ratschläge zu erteilen, «müssen Sie Mut haben zu lernen und sich dazu aufraffen, sich selbst als dritte Person zu betrachten. Nicht so, wie Sie das im Sprachunterricht lernen, natürlich. Als erste Person denken, planen und befehlen Sie; als zweite gehen Sie mit sich zu Rate, verwerfen und akzeptieren Ihre erste Person. Als dritte Person betrachten Sie sich aus der Warte eines Außenstehenden, als Fall.» Er klopfte mit den Fingerspitzen auf den Tischrand. «Als Ausführenden, als das Spiegelbild einer anderen Person. Nun, erzählen Sie jetzt über Ihre dritte Person, wie Sie sich als erste und zweite wahrnehmen.»

«Was denn soll ich erzählen?»

«Irgend etwas, was mit Ihrer Beziehung zu Ihrer Patientin im Zusammenhang steht.»

«Wo soll ich beginnen?»

«Sie sind also dazu bereit? Ich werde Ihnen helfen. Eigentlich könnten Sie den Anfang geradesogut selbst machen, aber Ihre zweite Person wehrt sich dagegen. Sie wohnen also im selben Zimmer wie Annelies. Ja, fahren Sie selbst fort.»

«Ja, *Tuan*.»

«Schön. *Nyai* hat Ihnen das nicht verboten oder Ihnen deswegen Vorwürfe gemacht.»

«Sie haben recht, *Tuan* Doktor.»

«Nicht ich, *Nyai* hat recht. Sie weiß, wie sie ihrer Tochter helfen kann. Sie hat also meinen Ratschlag befolgt. Nun, fahren Sie fort, schlafen Sie getrennt oder in einem Bett?»

«Nicht getrennt.»

«Seit wann?»

«Seit zwei, drei Monaten.» «Lang genug, um über Annelies' Ängste informiert zu sein. Na, haben Sie schon mit Annelies geschlafen?»

Ich zitterte.

«Wieso zittern Sie? Glauben Sie mir, es geht hier um Wichtigeres. Wer weiß, vielleicht stehen Sie später einer ähnlichen Situation gegenüber. Möchten Sie noch etwas trinken?»

«Verzeihung, *Tuan* Doktor, kann ich mal ins Badezimmer?»

«Bitte», er begleitete mich nach hinten.

Weder im noch hinter dem Haus war jemand anzutreffen. Es war still wie auf dem Friedhof.

Im Badezimmer wusch ich mir das Gesicht und näßte mir das Haar. Das kühle Wasser erfrischte mich äußerlich und innerlich. Ich wischte mir mit einem Taschentuch die Tropfen ab und bediente mich des Spiegels und des Kamms, die dort lagen.

Sowie ich Dr. Martinet wieder gegenübersaß, fuhr er fort:

«Je mehr Sie versuchen, etwas zu verheimlichen, desto angespannter werden Sie.»

Er sah immer tiefer in mich hinein. Ich wurde wieder nervös. Es gab nichts, hinter dem ich mein Gesicht hätte verstecken können.

«Also, bitte. Damit ich Ihnen auch wirklich dankbar sein kann. Ich muß Sie doch nicht mehr fragen? Reden Sie aus freien Stükken.»

Ich schüttelte den Kopf. Ich brachte es nicht über mich.

«Gut, anscheinend benötigen Sie meinen Beistand weiterhin. Sie schlafen also im selben Bett. Sie haben auch bereits mit ihr geschlafen, und da haben Sie festgestellt, daß sie keine Jungfrau mehr ist. Es ist Ihnen jemand zuvorgekommen.»

«*Tuan* Doktor!» schrie ich auf. Ich konnte nichts dafür, ich hielt es nicht mehr aus und weinte los.

«Ja, weinen Sie nur, *Tuan*, weinen Sie wie ein neugeborenes, unschuldiges Kind.»

Wie konnte ich nur so weinen? In Gegenwart eines Fremden? Warum geriet ich aus der Fassung? Ertrug ich es nicht, daß jemand anders um mein, um unser Geheimnis wußte?

«Dann habe ich also richtig vermutet. Sie lieben Annelies; ihr Verlust ist auch der Ihrige. Ihnen ist etwas vorenthalten geblieben, und Sie bemühen sich, Ihre Enttäuschung vor der Welt zu verbergen. Sie ist keine unschuldige Jungfrau mehr. Ja, weinen Sie ruhig, aber beantworten Sie meine Frage, es ist sowieso nicht meine letzte. Es ist wichtig, ein Bild von ihrem ersten Erlebnis zu haben, um sich vorstellen zu können, was für einen Eindruck das bei ihr hinterlassen hat. Das erste sexuelle Erlebnis hinterläßt in jedem Menschen starke Eindrücke und *kann* unter Umständen sein Sexualverhalten beeinflussen. Hat Annelies Ihnen je erzählt, wer es war, der Ihnen zuvorgekommen ist?»

«Ich kann nicht, *Tuan* Doktor», ächzte ich.

«Lassen Sie Ihre dritte Person in den Vordergrund treten. Es ist ja noch nicht die letzte Frage. Wer war es?»

Ich antwortete nicht.

«Sie wissen also, wer es war, respektive welche es waren?»

«War, nicht waren.»

«Gut, einer!» Er schloß die Augen, als wollte er etwas in sich aufsaugen. Seine wißbegierige Frage ließ mich aufschrecken: «Ja, einer. Einer war es. Wer?»

«Ach, *Tuan* Doktor, *Tuan* Doktor!»

«Gut, Sie brauchen seinen Namen nicht zu erwähnen. Wie

schätzen Sie ihn ein, als guten oder schlechten Menschen? Ich meine nicht seine sexuelle Tat, sondern seine Art, wie er sich alltäglich benimmt.»

«Ich traue mich nicht, *Tuan* Doktor, ich traue mich nicht, ihn zu bewerten.»

«Für Sie scheint alles ein persönliches Geheimnis zu sein, ein Familiengeheimnis, oder besser ein Geheimnis Ihrer zukünftigen Familie. Ihre Art ist rührend – Ihre Solidarität gegenüber Ihren zukünftigen Familienmitgliedern.»

Er wandte sein Gesicht ab, als wollte er mir Gelegenheit geben, mein eigenes Gesicht wahren zu können. «Auf jeden Fall kann ich mir ungefähr vorstellen, wer es war, ja, Ihre Art ist für mich sehr aufschlußreich. Sie sind noch jung, noch sehr jung, aber Sie sind – wenn auch nur vorübergehend – Annelies' eigentlicher Arzt. Sie müssen stark sein. Sie mögen sie, um nicht zu sagen, Sie lieben sie. Mir persönlich ist der zweite Ausdruck lieber. Sie haben sich als fähig erwiesen, die Folgen ihrer Unvollständigkeit auf sich zu nehmen, haben Ihre Bereitschaft bezeugt, die Verantwortung für ihre Rettung zu tragen. Sie werden sie nicht verlassen, denn dann werden sich Tausende von Adlern auf sie stürzen. Sie sieht ja so bezaubernd aus, von solch kreolischer Schönheit ist die ganze Welt entzückt. Wie dem auch sei. Sie werden sie heiraten. Seien Sie ein guter Arzt, jetzt und in aller Zukunft. Je älter man wird, desto komplexer wird das Leben, und der Mensch muß ihm um so mutiger entgegentreten.»

Während er sprach, sah ich Robert Mellema immer deutlicher vor mir. Er verspottete mich und drohte mir, schielte mich an und ballte dazu die Fäuste.

«Ja, Ihre Art bestärkt meine Annahme nur. Nun gut, wenn Sie meine Vermutung weder bestätigen noch berichtigen wollen, tja...»

«*Tuan* Doktor, *Tuan* Doktor... es war ihr Bruder, Robert Mellema.»

Das Glas fiel ihm aus der Hand und zerbrach. Ich schoß vom Stuhl und rannte hinaus auf den *Bendi*.

Dr. Martinet kam weiterhin gelegentlich zu Besuch, meistens nachmittags, wenn *Nyai* und Annelies mit ihrer Arbeit fertig waren. Sie saßen dann vor dem Haus, plauderten miteinander oder hörten Schallplatten. Er war normalerweise bereits da, wenn ich zurückkam. Ich setzte mich jeweils auch dazu, nachdem ich zuerst ein Bad genommen hatte.

Nach jenem Gespräch mit ihm, das mir ziemlich unter die Haut gegangen war und dessen Inhalt ich niemandem anvertraute außer meinem Tagebuch, respektierte ich ihn mehr als zuvor und aufrichtiger. Er war in meinen Augen nicht nur ein tüchtiger Arzt und humanistischer Gelehrter, sondern vor allem jemand, der mir neue Kraft gegeben hatte. Wie er sich anstrengte, andere zu verstehen! Und wie er hilfreich seine Hand bot – als Arzt, als Mensch, als Lehrer. Er war ein «Menschenfreund», wie Magda Peters ihn später einmal nannte. Er verstand es, seine Freundschaft auf viele Arten kundzutun und das Vertrauen seines Gegenübers zu wecken. Manchmal schämte ich mich ein wenig, daß ich ihm anfänglich mißtraute.

Nachdem ich ihn eingehender beobachtet hatte, schätzte ich ihn älter ein. Er war nicht um die Vierzig, sondern wohl bereits in den Fünfzigern. Sein rötliches Gesicht sah immer frisch und jugendlich aus und wies kein einziges Altersfältchen auf. Was er sagte, war interessant und gehaltvoll. Er konnte gut erzählen und notierte, ohne daß man es merkte, die Meinung anderer über das, was er erzählte, wodurch er seine Patienten besser kennen und verstehen lernte. So jedenfalls stellte ich es mir vor. Möglich, daß ich mich irrte.

Eines Tages suchte ich einen hochgestellten Beamten auf, der bei Jean Marais ein Familienporträt bestellen wollte. Der Herr saß auf der Veranda und las in einer englischen Zeitschrift. Als er hineinging, um etwas zu holen, blätterte ich darin und fand einen Artikel von Dr. Martinet, dessen Titel lautete: *‹Das neue Zeitalter und soziale Verschiebungen als Ursache neuer Krankheiten›*. In einem eingerahmten Abschnitt stand die These, jemanden ohne Rücksicht auf seinen sozialen Hintergrund zu behandeln, sei eine mittelalterliche Methode.

Der Hausherr kam zurück, und ich legte die Zeitschrift wieder hin. Durch diesen Zufall erfuhr ich, daß Dr. Martinet auch schrieb, allerdings keine Essays wie ich, sondern wissenschaftliche Artikel. Als er am Nachmittag wieder zu uns kam, versuchte ich, ihn eingehender zu beobachten. Ich brauchte nicht mehr davor zu beben, er könnte mich durchschauen.

Die Geschichte, die er zum besten gab, hatte , wie üblich, einen tieferen Sinn, obwohl er sie scherzend vortrug. Er erzählte von Zwillingen, die von klein auf aus demselben Teller gegessen und aus demselben Glas getrunken hätten. Sie hätten sich zu zwei grundverschiedenen Menschen entwickelt, obschon sie genau gleich ausgesehen hätten. Sie seien anders geworden, weil sie unterschiedliche Wünsche und Träume hegten. Der Ursprung ihrer Träume und Wünsche sei derselbe gewesen: Unzufriedenheit mit der Realität. Aber ihr Bild von sich selbst sei nicht das gleiche gewesen, ihr Wunschbild, was sie gerne sein wollten.

Erst verstand ich nicht, was er damit meinte. Mama und Annelies schwiegen. Vielleicht fühlten sie sich gelangweilt, aber er fügte schnell hinzu:

«Genau wie Juffrouw Annelies. Sie besitzen alles: Geld, eine Mutter, die Sie liebt, unvergleichliche Schönheit, Sie sind geschickt bei der Arbeit. Ihr Gefühl jedoch sagt Ihnen, daß es etwas gibt, das Sie nicht oder noch nicht besitzen. Sie müssen sich Klarheit verschaffen über Ihre Wünsche, ansonsten können Sie davon krank werden. Unbewußte Wünsche beherrschen den Körper auf eine grausame Weise, erbarmungslos. Sie beherrschen und lenken Gefühle und Gedanken. Wer sich dessen nicht bewußt ist, benimmt sich wie ein Kranker, er kann völlig durcheinanderkommen. Tja, Juffrouw, was hegen Sie für geheime Wünsche, daß Sie so krank geworden sind?»

«Keine. Wirklich nicht.»

«Und warum erröten Sie dann plötzlich? Wünschen Sie sich denn nicht *Tuan* Minke?»

Annelies blickte aus den Augenwinkeln zu mir, senkte dann den Kopf.

«Ja, *Nyai*, wenn ich einen Ratschlag geben darf, lassen Sie die beiden bei der erstbesten Gelegenheit heiraten.» Er schaute mich an. «Und *Tuan* Minke? Sie haben doch bereits gelernt, mutig zu sein? Mut zum Lernen zu haben?...» Er sprach nicht weiter.

Eine Mietskutsche kam angefahren. Der Kutscher half dem Fahrgast beim Absteigen, es war Jean Marais. May sprang vom Wagen und führte dann ihren Vater.

Ich stellte die beiden den andern vor.

«Jean Marais, Kunstmaler und Möbelschreiner, er ist Franzose, ein Freund von mir. Er spricht nicht Holländisch.»

Die Atmosphäre änderte sich. Dr. Martinet verstand kein Malaiisch. Mama und Annelies konnten nicht Französisch, was Dr. Martinet wiederum konnte. Nur May und ich konnten alle ihre Sprachen. May hängte sich sofort wie eine Klette an Annelies.

Dr. Martinet nickte zustimmend, als er sah, wie Annelies und May sich freuten, daß sie nun beide eine Schwester hatten. Er schaute Jean Marais an und fragte ihn auf französisch:

«Wie viele Kinder haben Sie?»

«May hat leider keine Geschwister, *Tuan* Doktor», antwortete er, und seine Augen drückten Mißfallen über diese Frage aus.

Martinet, der andere mit Leichtigkeit durchschaute, setzte sich darüber hinweg und sagte auf holländisch:

«Die beiden sollten eigentlich öfter zusammenkommen. Warum hat man nicht schon früher daran gedacht?»

Annelies hatte unterdessen May ins Haus geführt, und dort blieben sie. Man hörte sie lachen und miteinander schwatzen, mal malaiisch, mal javanisch oder holländisch.

Jean Marais schüttelte den Kopf, als er die Stimme seines Töchterchens hörte. Sein Gesicht strahlte.

Die Stimmung unter uns hingegen blieb steif, was Dr. Martinet mißmutig machte. Er verabschiedete sich und fuhr mit seiner Kutsche, die neben dem Haus abgestellt war, davon.

«*Tuan* Martinet ist ein sehr tüchtiger Arzt», sagte ich auf malaiisch. «Er hat Annelies behandelt. Wir sind ihm sehr zu Dank verpflichtet. Mama, mein Freund hier möchte gern ein Porträt von Ihnen malen, wenn Sie damit einverstanden sind und Zeit haben.»

«Wozu denn?»

«Mevrouw», setzte Jean an.

«*Nyai, Tuan*, nicht Mevrouw.»

«Minke bewundert Sie sehr, Mevrouw...»

«*Nyai, Tuan.*»

«...Sie seien eine außergewöhnliche *Pribumi*. Er rühmt Sie immer sehr, Mevrouw, darum...»

«*Nyai, Tuan.*»

«...darum dachten wir uns, Sie sollten in einem Bild verewigt werden, damit man Sie später noch kennt und verehren kann.»

«Verzeihung, ich habe nicht den Wunsch, verehrt zu werden.»

«Das ist begreiflich. Nur...»

«Tut mir leid, *Tuan*. Ich mag nicht. Ich mag mich auch nicht fotografieren lassen.»

«Schade. Dann... darf ich Sie wenigstens anschauen und mir Ihr Gesicht einprägen?» fragte er höflich und verlegen. *Nyai* errötete. «Damit ich Ihr Porträt zu Hause malen kann.»

Nyai schaute zu mir, dann zum Haus, dann zum Firmenschild vorne an der Straße, schließlich zum Gartentisch. Sie war befangen und benahm sich etwas ungeschickt.

«Lieber nicht, *Tuan*, lieber nicht», sagte sie geniert. «Und du, Minke, was erzählst du alles über mich?»

«Nichts Schlechtes, Mevrouw, er lobt Sie nur.»

Um *Nyai* aus ihrer Verlegenheit zu helfen, fügte ich schnell hinzu:

«Mama kommt das etwas ungelegen. Vielleicht ein andermal.»

«Auch ein andermal nicht.»

«Er ist ein guter Freund von mir, Mama.»

Jean Marais, der sowieso empfindlich war, was vielleicht mit seiner Invalidität zusammenhing, wurde nervös und schien aufbrechen zu wollen. Verwirrt suchte er mit den Augen nach seiner Tochter, die man im Haus singen hörte.

«Sie ist drinnen, *Tuan*», sagte *Nyai*. «Kommen Sie bitte rein.»

Wir gingen hinein. Die Stimmen von May und Annelies, die fröhlich miteinander sangen, wurden deutlicher. *Nyai* freute sich anscheinend darüber. Ich hatte Annelies all die Zeit, in der ich in *Wonokromo* lebte, noch nie singen hören. Sie schien in ihre Kindheit zurückversetzt zu sein, die ja viel zu kurz gewesen war, da sie von Verantwortung und Arbeit frühzeitig abgebrochen wurde! Jean saß still in sich versunken da.

«*Tuan* Marais», sagte Mama, nachdem wir eine Weile schweigend im Gästezimmer saßen, «Ihre Tochter bringt uns frische Stimmung ins Haus. Wie wär's, wenn sie öfter herkäme, wie Dr. Martinet vorhin schon angeraten hat?»

«Wenn sie mag, habe ich nichts dagegen einzuwenden.» Seine Stimme klang mürrisch, als hätte er Angst, seine Tochter zu verlieren.

«Minke, *Nyo*, lade *Tuan* Marais doch ein, hier zu übernachten.»

«Bist du einverstanden, Jean?»

Zum soundsovieltenmal konnte ich beobachten, wie befangen dieser Künstler in Wirklichkeit war. Er brachte es nicht einmal fertig, eine so einfache Frage zu beantworten. Er schaute mich ratlos an.

«Ja, Jean, du übernachtest am besten hier. Ich bringe dich morgen früh genug nach Hause, damit du deine Werkstatt rechtzeitig öffnen kannst.»

Er nickte bejahend, vergaß darüber, für die freundliche Einladung zu danken.

Abends, als wir im Bett lagen, versuchte ich es auf Dr. Martinets Art und fragte ihn:

«Jean, du siehst immer so lustlos aus. Trauerst du immer noch deiner Vergangenheit nach? Verzeihung.»

«So kann nur ein Schriftsteller fragen, Minke. Du bist wirklich schon ein hundertprozentiger Dichter.»

«Aber nein, Jean. Verzeih mir. Ich bin zwar viel jünger als du, habe auch viel weniger Erfahrung und weiß nicht so viel wie du. Aber willst du mir nicht trotzdem antworten?»

«Das ist eine sehr persönliche Angelegenheit. Ich werde einen Strich darunter ziehen mit dem Bild, an dem ich jetzt male. Hast du vor, über mich zu schreiben?»

«Ja, wenn es mir gelingt. Du bist ein sehr interessanter Mensch. Was wünschst du dir eigentlich, Jean?»

«Was ich mir wünsche? Mein Gott! Du bist ein Künstler. Ich auch. Jeder Künstler wünscht sich Erfolg. Erfolg! Und bereitet sich mit aller Kraft darauf vor, sich nachher auf der Höhe halten zu können – Erfolg ist strapaziös.»

«Du sagst das so finster, als glaubtest du nicht so richtig an deinen Erfolg.»

«Deine Frage – du bist tatsächlich schon ein richtiger Künstler. Ich hoffe, sie entspringt deinem eigenen seelischen Ringen, ist ein Resultat deiner eigenen Arbeit. Das ist noch keine Frage für dein Alter. Das ist eine essentielle Frage. Bist du sicher, daß sie von dir kommt?»

Ich war verdutzt. So diplomatisch wie möglich fragte ich:

«Was meinst du mit essentiell?»

«Daß jemand auch versteht, was er fragt.»

Mein Versuch hatte eindeutig fehlgeschlagen, um so mehr, als er sich weigerte weiterzureden.

In jener Nacht tauchte ich in so zahlreichen Problemen unter und fühlte deutlich, daß ich meiner sonnigen und erfolgreichen Jugendzeit Lebewohl sagen mußte. Für andere war das wohl belanglos, was ich erreicht hatte und als Erfolg bezeichnen durfte. Der größte meiner Erfolge war Annelies' Liebe, obschon sie in Wirklichkeit eine recht zerbrechliche Puppe war.

Nur das Ticken der Pendüle durchdrang die nächtliche Stille.

Ich erinnerte mich an Dr. Martinets Worte:

«*Nyais* Kühe brauchen lediglich dreizehn, vierzehn Monate, um sich zu ausgewachsenen, vollwertigen Kühen zu entwickeln. Einige Monate! Der Mensch braucht Jahrzehnte, um erwachsen zu werden und seine Qualitäten und Fähigkeiten voll entwickeln zu können. Es gibt Menschen, die gar nie erwachsen werden und nur von der Unterstützung anderer oder der Gesellschaft leben. Ob ein Mensch richtig erwachsen wird oder nicht, ob er ein wertvoller Mensch wird, hängt davon ab, durch wie große und wie viele Prüfungen er geht. Wer Prüfungen und Hindernissen immer ausweicht wie die Kriminellen oder die Geisteskranken, wird nie erwachsen werden. Kühe brauchen nur dreizehn, vierzehn Monate, ohne Prüfungen, ohne Hindernisse...»

Ja, Allah, Du hast mir in meinen jungen Jahren bereits so viele Proben und Prüfungen auferlegt. Ich bin in eine Lage geraten, in der ich mich frühzeitig mit Problemen herumschlagen muß, von denen ich eigentlich noch gar nichts wissen sollte. Gib mir Kraft, Deine Prüfungen und Proben auf mich zu nehmen, wie Du es bei den vor mir lebenden Menschen auch getan hast... Ich bin kein Geisteskranker! Auch kein Krimineller! Und ich will es nicht werden!

16

Es war ein strahlender Sonntagmorgen. Die Sonne lachte. Nur mein Herz lachte nicht. Schwere Wolken hatten sich in meiner Brust zusammengeballt und ließen ein Gewitter ahnen. Als ich am Tag vorher mit Annelies über die Felder ritt – ich hatte bereits reiten gelernt –, sah ich flüchtig den Dicken. Seither fühlte ich mich beklommen.

Er war gerade dabei, einen der *Kampungs* zu verlassen, der zum Betrieb gehörte. Er ritt auf einem ziemlich klapprigen Gaul. Abends, als Darsam zu mir ins Zimmer kam, um lesen, schreiben und rechnen zu lernen, ließ ich den Unterricht ausfallen. Ich erzählte ihm von dem verdächtigen Dicken, der mir damals von B. an gefolgt war. Ich erinnerte mich plötzlich sehr genau, daß er den Fahrschein am Schalter in B. gleich nach mir gekauft hatte, und auch, daß er vor mir am Bahnhof war, an einer Perronsäule lehnte und sich mit jemandem unterhielt.

«Hat er Schlitzaugen, *Tuanmuda*?» fragte Darsam.

«Ja, aber nicht sehr ausgeprägt», bestätigte ich.

«Ja, ich habe ihn bereits etliche Male in den *Kampungs* gesehen», fuhr Darsam fort. Er hielt ihn anscheinend für einen gewöhnlichen Geldleiher.

«Wäre er ein Geldleiher, hätte er bestimmt einen Zopf, aber er hat keinen», sagte ich. «Vielleicht ist er von Robert angeheuert.»

Darsam erwiderte nichts.

Wo hielt sich Robert jetzt auf? Seit ich aus B. zurückgekehrt war, hatte er sich nie mehr gezeigt.

«Er traut sich bestimmt nicht, nach Hause zu kommen. Erin-

nern Sie sich an meine Geschichte, *Tuanmuda*? Er wollte mir befehlen, Sie umzubringen, und ich sagte zu ihm: ich gehorche *Nyai* und
Noni, deren Freunde sind auch meine. Wenn Sie vorhaben, *Tuanmuda* umzubringen, dann bringe ich wohl besser Sie selbst um. Sie
sind nicht mein Herr, nehmen Sie sich in acht, *Sinyo*, hier ist mein
Hackmesser. Da rannte er auf und davon.»

Das war am Samstag. Daß der Dicke wieder aufgetaucht war,
bedrückte mich sehr. Die Morgensonne vermochte mein Gemüt
nicht aufzuheitern.

«Du hast den Dicken also auch schon gesehen», hatte ich Darsam
gefragt. «Was hast du vor zu tun, wenn du ihm wieder begegnest?»

«Wenn er wirklich mit Robert unter einer Decke steckt, dann soll
er zu Staub werden.»

«Stell nichts Dummes an», mahnte ich ihn. «Das kannst du nicht
tun. Wenn du das tust, dann hängen wir alle mit. Du darfst nicht,
Darsam, du darfst nicht. Verstanden?»

«Gut, *Tuanmuda*, dann eben nicht. Dann werde ich ihm eine
Lektion erteilen, daß er für den Rest seines Lebens daran denkt.»

«Nein, wir wissen ja noch gar nicht mit Bestimmtheit, was er
vorhat. Wenn sich nachher die Polizei einschaltet, wer soll Mama
zur Seite stehen? Ich kann es nicht. Unmöglich.»

Darsam schwieg. Schließlich sagte er langsam und zögernd:
«Gut, ich werde auf Sie hören.»

«Ja, du mußt auf mich hören. Ich will kein Unglück über die
Familie hier bringen. Übrigens... es darf niemand etwas davon
erfahren.»

Am darauffolgenden Morgen sah ich Darsam unruhig hin und her
gehen. Er blieb absichtlich in meiner Sichtweite, damit ich ihn jederzeit rufen konnte, wenn ich ihn brauchte. Er wollte mich vor
dem Dicken schützen.

Mama, Annelies und ich saßen vor dem Haus und hörten Csár-
dás. Die Töne hüpften wie Flußkrebse bei einer Überschwem-
mung. Mein Herz hüpfte nicht mit. Ich spürte, daß irgend etwas
geschehen würde.

Ich beobachtete abwechselnd Annelies und Mama. Mama wurde
durch Darsams ungewöhnliches Gebaren argwöhnisch.

«Sie sehen heute so besorgt aus», sagte ich.

«So geht's mir immer, wenn Darsam hin und her huscht wie eine Küchenmaus, dann wird mir unwohl. Dann passiert bestimmt etwas. Ich fühle mich schon seit gestern abend besorgt. Darsam!»

Darsam trat herbei und grüßte.

«Was gehst du ständig hier auf und ab?» fragte Mama ihn auf maduranisch.

«Meine Beine jucken so, sie bewegen sich von selbst, *Nyai*.»

«Du kannst deine Beine ebensogut hinten auf dem Hof jucken lassen.»

«Ja, *Nyai*, den Beinen gefällt's hier vorne aber besser.»

«Schon gut. Aber du schaust so finster drein, so grimmig und spähst so angriffslustig in der Gegend herum.»

Darsam zwang sich zu einem lauten Lachen und verschwand, nachdem er die Hände zum Gruß erhoben hatte. Sein Schnauzbart wippte auf und ab, als ob der Mund darunter Beschwörungsformeln murmelte, und er hatte seine Augen weit aufgerissen.

«Warum sagst du nichts, Ann?» fragte Mama.

«Was soll ich denn sagen?» Sie stand auf, ging zum Grammophon und stellte es ab.

«Warum stellst du es ab?» fragte Mama.

«Ich weiß nicht, ich kann dieses Gedudel heute nicht ertragen.»

«Minke möchte vielleicht weiterhören.»

«Lassen Sie nur, Mama. Ann, erinnerst du dich an den Mann, den wir gestern beim Reiten gesehen haben?»

«Der in dem braungestreiften Pyjama?»

Ich nickte. «Wer war das?»

«Wen habt ihr reiten gesehen? Wo?» fragte Mama hastig.

«Im *Kampung*, Ma», erklärte Annelies.

«Hier reitet nie jemand in den *Kampungs* herum, außer der Sohn von *Mbok* Karyo, der als Wächter bei der *D.P.M.* arbeitet.»

«Er war es nicht, Ma, der trägt ja auch keinen Pyjama, wenn er seine Eltern besucht. Der, den wir gestern gesehen haben, ist recht dick, hat helle Haut und leichte Schlitzaugen.»

«Darsam!» rief Mama.

«Na, *Nyai*, meine Beine jucken nicht umsonst.»

Mama ging nicht auf den Scherz ein, sondern fragte:

«Wer war dieser Dicke, der gestern durch die *Kampungs* ritt?»

«Ein Geldleiher, *Nyai*.»

«Unsinn. Seit wann reitet ein Geldleiher? Du bist heute unmöglich. Selbst wenn er sich ein Pferd mieten würde, könnte er nicht mal aufsteigen. Hatte er einen Zopf?»

Darsam lachte abermals laut auf, was er sonst nie tat, um sein Geheimnis zu verbergen. Dann:

«Seit wann vertrauen Sie mir nicht mehr, *Nyai*?» und fuhr sich mit dem Handrücken über den Schnauzbart.

«Darsam, du stellst dich heute wirklich blöd an.»

Der maduranische *Pendekar* lachte wieder, empfahl sich abermals und trollte sich.

«Er verheimlicht etwas!» murmelte Mama. «Mir wird immer unwohler. Kommt, wir gehen rein.»

Sie mochte nicht lesen wie sonst, sondern stand auf und ging ins Haus.

«*Mas*, Darsam und Mama sind heute so komisch? Was ist denn los?»

«Kann ich doch nicht wissen. Komm, gehen wir rein.»

Annelies ging hinein. Ich stand noch da und blickte suchend umher. Da sah ich Darsam, das Hackmesser in der rechten Hand, auf das Tor zurennen. Dort war der Dicke zu sehen. Er ging auf der Hauptstraße in Richtung Surabaya. Er trug einen elfenbeinfarbenen Anzug, einen weißen Hut, weiße Schuhe und hatte einen Spazierstock. Den Gedanken, daß er ein Beamter des *Majoor der Chineezen* sein könnte, hatte ich längst aufgegeben.

Als ich Darsam sah, schrie ich automatisch:

«Nein, Darsam. Nein!» Und ich rannte hinter ihm her.

Darsam hörte nicht auf mich, er rannte weiter hinter dem Dikken her. Es blieb mir nichts anderes übrig, als ebenfalls zu rennen, um Darsam aufzuhalten. Es durfte nichts geschehen. Aber Darsam ließ nicht von seiner Verfolgung ab, und ich rannte ihm rufend nach, so schnell und so laut ich nur konnte.

Hinter mir hörte ich Annelies schreien:

«*Mas! Mas!*»

Ich drehte mich kurz um. Sie stürzte mir nach.

Der Dicke hatte gemerkt, daß ihm jemand nachstellte und nahm die Beine in die Hand, um seine Fettwülste vor dem Hackmesser des *Pendekars* in Sicherheit zu bringen.

«Dicker! Dicker! Halt an!» schrie Darsam heiser.

Der Dicke beugte sich nach vorne und rannte schneller.

«Darsam! Kehr um! Kehr um!» rief ich.

«*Mas, Mas*, laß daaas», schrie Annelies grell.

Ich war bereits am Tor. Zuvorderst spurtete der Dicke in Richtung Surabaya. Darsam holte ihn mehr und mehr ein.

«Anneliiiiies! Ann! Anneliiiiies! Kehr um!» hörte ich *Nyai* kreischen. Als ich über die Schulter blickte, sah ich *Nyai* hinter ihrer Tochter herrennen. Sie hatte ihren *Kain* bis zu den Knien hochgezogen, ihr Haarknoten hatte sich gelöst. Der Dicke rannte um sein Leben. Darsam fegte hinter dem Dicken her. Ich hinter Darsam, Annelies hinter mir und *Nyai* hinter ihrer Tochter.

«Darsam! Was soll das! Beherrsch dich!» rief ich. Er scherte sich nicht darum. Bald würde er den Dicken eingeholt haben, und dann war es um dessen Kopf geschehen.

«*Mas! Mas!* Halt dich raus!» schrie Annelies.

«Ann, Anneliiiies, komm zurück!» schrie Mama.

Wenn der Dicke weiterhin in Richtung Surabaya rannte, dann würde er ganz bestimmt umkommen. Die Straße war an Sonntagen wie ausgestorben, links und rechts gab es nur Reisfelder, dann kam Ah Tjongs Bordell, dann wieder *Nyais* Reisfelder und Äcker, noch mehr Reisfelder und erst nach einer geraumen Distanz Wald. Er schien sich auszukennen. Seine einzige Rettung bestand darin, in Ah Tjongs Hof einzubiegen, und das tat er. Ich verlor ihn aus den Augen.

«Geradeaus!» befahl Darsam seinem zukünftigen Opfer.

«Darsam! Zum Donnerwetter nochmal, Darsam!» brüllte ich.

Dann bog der *Pendekar* ebenfalls ab und entzog sich meiner Sicht.

«Nicht dort hinein!» hörte ich *Nyai* rufen.

Ich war eben dabei, auch auf Ah Tjongs Hof einzubiegen. Der Dicke war nicht zu sehen, nur Darsam stand unschlüssig da.

Fronttür und -fenster waren geschlossen wie üblich. Ich holte Darsam ein. Wir waren beide außer Atem.

«Das Schwein ist verschwunden, *Tuanmuda*.»

«Schon gut, komm jetzt nach Hause, hör auf damit.»

«Nein, das geht nicht. Der braucht eine Lektion.»

Er ließ sich nicht umstimmen. Er ging seitlich an den Fenstern des Hauses vorbei.

«*Mas!* Geh nicht in dieses Haus!» rief Annelies vom Tor her. «Mama verbietet es.» Sie selbst hastete auch bereits über den Hof.

Darsam schaute nach rechts und links. Ich zog ihn am Arm, um ihn zum Umkehren zu bewegen. Er reagierte nicht. Er hatte sein Hackmesser noch immer nicht eingesteckt. Schließlich spähte auch ich umher.

Babah Ah Tjongs Haus war größer und länger, als man von der Straße aus hätte ahnen können. Dahinter schloß sich ein langer Pavillon an. Der Garten war mit Obstbäumen und Blumen bepflanzt. Alles sah gut gepflegt aus. Kleine, mit Flußsteinen gepflasterte Wege schlängelten sich durch den Garten. Überall standen hölzerne Bänke, dick, schwerfällig, schwarz gestrichen.

Flüchtig sah ich ein Pärchen. Sie bemerkten uns nicht. Von außen war der Garten nicht sichtbar, die hohe, dichte Hecke verdeckte die Sicht.

Darsam bog nach rechts ab, schlich an der Mauer des Hauptgebäudes entlang. Es war kein Mensch anzutreffen. Eine der Hintertüren stand weit offen. *Nyais* Stimme war nun schon deutlicher vernehmbar.

«Geht da nicht rein, geht nicht in dieses Haus!»

Ohne zu zögern trat Darsam durch die offene Hintertür. Er blieb stehen und schaute sich um; sein Hackmesser hielt er noch immer in der Hand.

Ich ging ebenfalls hinein.

Vor mir breitete sich ein großer Raum aus, das Eßzimmer, das komplett möbliert war: Tisch und Stühle, ein Buffet mit Geschirr. An der Wand hingen ein Spiegel mit chinesischen Schriftzeichen sowie einige Rollbilder mit Aquarellen, die Hummer, Bambusstauden und Pferde darstellten.

Plötzlich schreckte Darsam zurück und starrte auf den Boden. Er streckte seine Arme aus, um mich aufzuhalten. Ich ging trotzdem weiter. In der Ecke lag ein Europäer. Er war groß und dick.

Sein spärliches, blondes Haar war teilweise bereits ergraut. Er hatte seinen rechten Arm über dem Kopf ausgestreckt, sein linker Arm lag auf der Brust. Anscheinend hatte er sich übergeben, denn an Hals und Nacken klebte gelblicher Schleim. Alkoholgeruch erfüllte den ganzen Raum. Sein Hemd und seine Hosen waren bestimmt seit einem Monat nicht mehr gewaschen worden.

«*Tuan*!» flüsterte Darsam. «*Tuan* Mellema!»

Ich erschauderte, als ich den Namen hörte, noch mehr, als ich mich dem in der Ecke liegenden Fleischkloß näherte. Entweder er war stockbetrunken oder er war eingeschlafen, nachdem er sich übergeben hatte.

Darsam trat zu ihm, bückte sich und betastete seinen Körper mit der linken Hand. In der rechten hielt er noch immer das Hackmesser. Der Körper rührte sich nicht. Darsam schüttelte ihn und befühlte seine Brust.

Ich trat hinzu. Es war zweifelsohne Mellema.

«Tot!» zischte der *Pendekar*. Er drehte sich nach mir um und wiederholte: «*Tuan* Mellema ist tot.» Die Grimmigkeit verschwand aus seinem Gesicht.

Annelies erschien in der Tür. Sie war außer Atem und rief mit heiserer Stimme:

«*Mas*, du sollst dieses Haus nicht betreten.»

Ich ging hinaus und stieg die Treppe hinunter, zog sie dabei an der Schulter mit. Mama hatte uns eingeholt. Sie war ebenfalls ganz außer Atem. Ihr Gesicht war rot, das Haar war zerzaust und klebte ihr an den Ohren, im Gesicht, an Hals und Rücken. Sie war schweißgebadet.

«Los, kommt nach Hause! Alle! Geht nicht in dieses verfluchte Haus hinein», flüsterte sie keuchend.

«*Tuanmuda*!» rief Darsam von drinnen.

«Bleibt draußen!» Jetzt war ich es, der Annelies und Mama Verbote erteilte. Darsam rüttelte *Tuan* Mellema; er hatte sein Messer noch immer in der Hand.

«Er ist tot», sagte er, «er atmet nicht mehr, sein Herz schlägt auch nicht mehr.»

Annelies und Mama standen bereits hinter mir.

«Papa?» flüsterte Annelies.

«Ja, Ann, dein Papa.»

«Er ist tot, *Nyai, Noni. Tuan* Mellema ist tot.»

Die beiden taten einen Schritt vorwärts und hielten bestürzt inne.

«Dieser Alkoholgestank!» flüsterte *Nyai*.

«Ma?»

«Ann, dieser Geruch», wiederholte *Nyai*, ohne sich weiter zu nähern, «kannst du dich daran erinnern?»

«Wie Robert, ja?»

«Ja, als auch er anfing durchzudrehen», ergänzte *Nyai*, «genau, wie es mit *Tuan* anfing. Tritt nicht näher, Ann.»

Wir blickten alle unvermittelt auf, als die Schritte einer Frau hörbar wurden. Es war eine Japanerin. Sie trug einen gelben Kimono mit großen roten und schwarzen Blumen. Ihre Haut war eher weiß als gelb. Sie trippelte schnell herbei und redete mit klarer, einnehmender Stimme auf uns ein. Wir verstanden nicht das geringste.

Als Antwort zeigte ich auf die Leiche, die im Eßzimmer in der Ecke lag. Sie schüttelte den Kopf und schauderte, machte dann kehrt und entfernte sich durch den Korridor, noch schneller trippelnd als zuvor.

Wir schauten ihr erstaunt nach. Ich sah zum erstenmal eine Japanerin. Ich werde ihr rundes Gesicht nie vergessen, ihre Schlitzaugen und den hellrot geschminkten Mund mit Goldzahn.

Nicht lange danach tauchte im Korridor eine lange, männliche Gestalt auf, ein *Indo*. Er war mager und hatte eingefallene Augen.

«Mama», flüsterte Annelies, «Robert!»

Da erst erkannte ich den einst so kräftigen Jüngling wieder. Es war Robert. Er hatte sich schrecklich verändert.

Sowie der Name Robert fiel, sprang Darsam hoch, er vergaß darüber *Tuan* Mellemas Leiche.

«*Nyo*!» schrie er.

Robert stand augenblicklich still und riß die Augen weit auf. Als er Darsam mit seinem Hackmesser in der Hand erkannte, drehte er sich um und rannte davon. Darsam lief ihm nach.

Annelies, *Nyai* und ich standen da, wie am Boden angewachsen. Wir waren wie betäubt. Ich sah Robert schon mit Stichwunden, in

Blut gebadet, vor mir liegen. Doch nein! Darsam kehrte zurück. Er wischte sich den Schnauzbart mit dem Ärmel ab, und er machte ein finsteres Gesicht.

«Er ist geflohen, *Nyai*. Er rannte in ein Zimmer und sprang aus dem Fenster, weiß der Kuckuck, wohin.»

«Schon gut, Darsam, schon gut.» *Nyai* hatte sich etwas gefaßt. «Treib's nicht allzu bunt, Darsam. Er ist immerhin mein Sohn.» Ihre Stimme zitterte. «Kümmere dich um deinen Herrn.»

«Gut, *Nyai*.»

Annelies klammerte sich am Arm ihrer Mutter fest.

«Tja», knirschte *Nyai*, ihren Zorn unterdrückend, «nichts geht seinen normalen Lauf. Geh nach Haus, Ann. Hab ich nicht gesagt, ihr sollt nicht in dieses sündige, verfluchte Haus hineingehen? Schaff deinen Herrn nach Hause, Darsam.»

«Laß dir einen Wagen leihen, Darsam», schlug ich vor.

Da erst steckte der *Pendekar* sein Hackmesser endlich ein und ging hinaus.

Der Anblick ihres Herrn schien *Nyai* jetzt doch zuzusetzen, während Annelies ihr Gesicht an der Brust ihrer Mutter verbarg. «Dabei hätte er ein anständiges Zuhause gehabt. Er fühlte sich wohler bei Nachbarn. Ah Tjong! Ah Tjong!» rief *Nyai*. «Ah Tjong! *Babah*!» Der Hausherr zeigte sich nicht.

Darsam kehrte zurück, er grollte:

«So eine Frechheit! Der Wächter will mir keinen Wagen ausleihen ohne Einwilligung des Besitzers.»

«Wo ist *Babah*?»

«Er sei nicht da, sagte der Wächter.»

«Hol einen Wagen von zu Hause.»

«Laß mich das erledigen», sagte ich.

«Ihr beide bleibt hier», sagte *Nyai*. «Ich gehe nach Hause. Komm, Ann!» Und sie zog ihre Tochter mit sich.

Mutter und Tochter faßten sich bei der Hand und führten sich gegenseitig. Sie verließen Ah Tjongs Freudenhaus durch die Hintertür, ohne sich nach *Tuan* Mellemas Leiche umzudrehen, die ausgestreckt und mit offenem Mund dalag.

Ich spürte deutlich, wie gefühllos *Nyai* ihrem Herrn gegenüber war. Sie brachte es nicht einmal über sich, ihn zu berühren, dabei war der Tote der Vater ihrer Kinder. Sie konnte ihm nicht verzeihen.

«Dabei hat alles so gut angefangen, *Tuanmuda*, und jetzt nimmt das ein so schlimmes Ende», brummte Darsam. «Das kommt davon, wenn man in die Ferne schweift.»

Erst jetzt wurde es in den Zimmern lebendig, und kurz darauf hörte man Frauen hin- und herlaufen.

«Das sind Ah Tjongs Huren», zischte Darsam. «Fünf Jahre lang hat *Tuan* Mellema hier gehaust, und hier ist er gestorben. Gestorben im Hurenhaus. Ach, *Tuan* Mellema! Fünf Jahre lang hat *Nyai* ihren Zorn geschluckt. Sogar sein Tod läßt sie unberührt. Dieser Lump!» Darsam spuckte auf den Boden.

«Robert wohnt auch hier.»

«Unter demselben Dach, mit denselben Huren zusammen. Diese Schufte!»

«Muß Mama dafür bezahlen?»

«Die Rechnung kommt jeden Monat.»

«Rühr die Leiche nicht an», verbot ich ihm im nachhinein.

Eine Kutsche fuhr vor, aber weder Annelies noch Mama waren darin, dafür vier Polizisten und ein Kommandant, ein *Indo*. Sie fingen unverzüglich mit der Untersuchung an. Einer der Polizisten notierte alles, was der Kommandant sagte.

«Ist die Position der Leiche geändert worden?» fragte er auf malaiisch.

«Ein wenig. Ich habe ihn gerüttelt», antwortete Darsam auf maduranisch.

«Wo ist der Besitzer?»

«Er ist nicht im Haus.»

«Wer wohnt hier?» Der Kommandant kramte eine Taschenuhr hervor, um festzustellen, wie spät es war.

Die Bewohner und Bewohnerinnen des Hauses zeigten sich nicht.

«Wer hat die Leiche entdeckt?»

Darsam räusperte sich als Antwort.

«Wie kommt es, daß die ganze *Boerderij* hier ist?» fragte der Kommandant auf maduranisch.

Mein Herz schlug schneller. Nun würde die ganze Geschichte also doch der Polizei bekannt werden, und wir würden alle mithängen.

«Ich suchte den Dicken.»

«Welchen Dicken?»

«Der Kerl ist mir verdächtig. Er nahm Reißaus, und ich bin ihm nachgerannt. Dann ist er hier verschwunden», erklärte Darsam.

«Du bist hier in einem fremden Haus. Hast du eine Erlaubnis dazu?»

«Es war niemand da, als wir kamen. Außerdem kann sowieso jedermann hier rein, ohne vorher um Erlaubnis zu fragen. Das ist ein Freudenhaus.»

«Ihr seid aber nicht als Kunden hergekommen.»

«Ich hab doch eben gesagt», Darsam fühlte sich beleidigt, «daß ich herkam, um den Dicken zu suchen. Vielleicht ist der ein Kunde von hier.»

Der Kommandant lachte spöttisch. Die Polizisten wollten die Leiche aufheben, aber sie schafften es nicht. Darsam faßte mit an, nur um weiteren Fragen auszuweichen.

«Gut. Wie heißt ihr beiden?»

Darsam und ich wurden mitsamt der Leiche im Gouvernements-Wagen abgeführt. Wir sollten eingehender verhört werden. Und... Vater würde den Namen seines Sohnes, des klügsten Kindes in der Familie, auf das jeder stolz war, im Zusammenhang mit einer dubiosen Affäre, die sich dazu noch in einem Freudenhaus zugetragen hatte, in der Zeitung lesen können – er hatte es ja vorausgesehen. Noch am selben Tag wurde mit Sicherheit festgestellt, daß *Tuan* Mellema an einer Vergiftung gestorben war. Das bewiesen Untersuchungen der erbrochenen Flüssigkeit sowie die Tatsache, daß seine Speicheldrüsen beschädigt waren. Laut Dr. Martinet, der das Attest ausstellte, hatte der Tote über längere Zeit Gift in kleinen Dosen aufgenommen, so daß er sich daran gewöhnt hatte. Kurz vor dem Hinscheiden habe er eine zwei- bis dreimal stärkere Dosis geschluckt.

Wie erwartet, stand die Begebenheit bereits in den Zeitungen: *Tuan* Mellema, einer der reichsten Großgrundbesitzer Surabayas, Besitzer der *Boerderij* Buitenzorg, tot aufgefunden; gestorben im

Bordell von *Babah* Ah Tjong in *Wonokromo*; die erbrochene Flüssigkeit enthielt Alkohol und Gift! Und unsere Namen wurden mehrmals erwähnt.

Die Reporter kamen scharenweise zu uns: *Pribumis*, Chinesen, *Indos*, Europäer. Mama und Annelies gaben keinerlei Auskunft. Ich hatte ihnen verboten, auch nur ein Wort zu sagen. Die Leute versammelten sich vor dem Tor und beobachteten unser Haus. Wir waren eine Sehenswürdigkeit geworden.

Keiner von uns wurde inhaftiert. Das gab mir Gelegenheit, wahrheitsgetreue Berichte über den Vorfall zu schreiben, die dann in der *S. N. v/d D.* veröffentlicht wurden. Nachträglich erfuhr ich, daß die Zeitung meiner Artikel wegen ihre Auflage erhöhen konnte. Aus vielen anderen Städten wurde diese surabayische Tageszeitung bestellt, weil man sie für die glaubwürdigste Quelle hielt. Der unnatürliche Tod eines Reichen ließ immer allerlei Vermutungen und Verdächtigungen aufkommen.

In der einwöchigen Beurlaubung von der Schule tat ich nichts als Schreiben, um falsche und tendenziöse Berichte zu widerlegen. Es erschienen auch Artikel, die sich auf polizeiliche Angaben beriefen, nämlich, daß nach dem Dicken und nach Robert Mellema gefahndet werde, weil sie der Beteiligung am Mord verdächtigt würden.

‹Wer war dieser Dicke?› fragte eine malaiisch-chinesische Zeitung. Sie vermutete, es sei ein illegaler chinesischer Immigrant, der sich eben erst nach Java abgesetzt habe. Vielleicht sei er einer jener jungen Revoluzzer, die das Kaisertum untergraben wollten. Er sei daran zu erkennen, daß er keinen Zopf habe, was ja zutraf. Möglicherweise sei er nach Java geflüchtet, weil er von der englischen Polizei in Hongkong und Singapur gesucht werde, und würde jetzt in Surabaya Unruhe stiften. Scharfe Maßnahmen gegen illegale Einwanderer seien wünschenswert, vor allem gegen den Zopflosen, der eindeutig schlechte Absichten habe.

Das sei völlig aus der Luft gegriffen, antwortete ich auf den Artikel in jener malaiisch-chinesischen Zeitung. Er habe zwar Schlitzaugen, das bedeute aber nicht unbedingt, daß er Chinese sei; er trage wie erwähnt keinen Zopf, was ihn aber nicht a priori zum antikaiserlichen Revolutionär mache.

Als Folge meines Artikels untersuchte die Polizei die *S. N. v / d D.* wegen des Dicken. Maarten Nijman weigerte sich, Auskunft zu geben, unter anderem, weil er gar nicht im Bild war darüber. Er mußte deswegen drei Tage und drei Nächte im Gefängnis sitzen.

Miriam und Sarah de la Croix drückten uns ihre Sympathie aus und versicherten, sie seien von unserer Unschuld überzeugt. Herbert de la Croix hatte eigenhändig einen Gruß unter den Brief geschrieben und gab seiner Hoffnung Ausdruck, daß wir dem Schicksalsschlag unverzagt gegenüberträten und ihn gut überstünden.

Mutter schrieb einen rührenden Brief und bekundete ihr Beileid. Gleichzeitig teilte sie mir mit, Vater sei außer sich vor Wut. Er habe gesagt, daß er mich nicht mehr als seinen Sohn anerkenne und dem Rektor der *H. B. S.* Surabaya geschrieben habe, daß er mich von der Schule nehme.

Kurz danach kam ein weiterer Brief von ihr, wie der erste auf javanisch und in javanischer Schrift. Sie meinte, es sei ja noch gar nicht bewiesen, daß ich schuldig sei. Hoffentlich sei gerade ich derjenige, der den Fall aufklären könne. *Tuan Resident-Assistent* habe meinen Vater besucht und ihn beruhigt. Er habe ihm gesagt, daß ich nicht unbedingt schmutzige Absichten habe, nur weil ich in der *Boerderij* Buitenzorg wohnte. Ein solcher Vorfall sei nicht selten lediglich ein Unglück. Niemand könne im voraus ahnen, wann ein solcher Unglücksfall eintreffe. Vater habe ihm nicht widersprochen. Zu meinen Geschwistern habe er gesagt, wer von seinen Kindern mit der Polizei zu tun habe, bereite ihm Unehre und sei somit seiner unwürdig. Ich beantwortete alle diese Briefe, zu den Worten meines Vaters gab ich folgenden Kommentar: Wenn er es so betrachte, dann könne ich nichts dagegen tun. Von jetzt an würde ich nur noch Mutter huldigen.

Mein Bruder schrieb daraufhin, Mutter habe sich beim Lesen meines Briefes die Augen rotgeweint wegen meiner Arroganz. Wieso ich mich meinem ohnehin entrüsteten Vater gegenüber so geringschätzig benehme, als ob er sich nicht das Beste wünsche für seinen Sohn. Ich sei sein Sohn, der jüngere, und müsse nachgeben.

Den Brief meines Bruders ließ ich unbeantwortet. Sollte Vater nach Lust und Laune zürnen und tun, was er für richtig hielt. Ich kannte ihn sowieso kaum. Ich hatte von klein an bei Großvater gewohnt. Vater war für mich nicht viel mehr als ein Name. Bei jeder Begegnung wollte er seine väterliche Autorität respektiert wissen. Sollte er doch tun, was ihm gefiel! Seine Wut und seine Einstellung berührten mich nicht. Vater mochte wohl ein Recht haben, mich von der Schule zu nehmen. Ein *Pribumi* konnte die *H. B. S.* nur besuchen, wenn jemand in gehobener Position für ihn bürgte. Es war allerdings nicht mein Vater gewesen, der das bei meinem Eintritt in die Schule getan hatte, sondern mein verstorbener Großvater. Es war gut möglich, daß der Rektor dem Wunsch meines Vaters nicht nachkommen konnte, und wenn schon. Ich hatte bereits eine ausreichende Grundlage, um allein weiterlernen zu können. Ich fühlte mich stark genug, meinen eigenen Weg zu gehen.

Vier Tage nachdem seine Leiche aufgefunden worden war, wurde *Tuan* Mellema auf dem europäischen Friedhof *Penèlèh* begraben. Wir waren alle anwesend. Der größte Teil des Leichenzuges bestand aus Bewohnern der *Kampungs*, die zum Betrieb gehörten. Nicht weniger als sieben Journalisten begleiteten uns. Auch Dr. Martinet, Jean Marais und Telinga fehlten nicht. Die Beerdigung war dem Bestattungsunternehmen Verbrugge übergeben worden.

Dr. Martinet übernahm die Funktion des Vertreters der Familie. In seiner Grabrede sprach er sein Mitgefühl aus für die Familie Mellema, die ein so schweres Schicksal zu tragen habe, vor allem *Nyai* Ontosoroh und Annelies, und das schon seit fünf Jahren. Nur wirklich starke Menschen könnten das aushalten. Diese Frau sei noch dazu eine Eingeborene und werde in ihren Anstrengungen nur von ihrer tüchtigen und begabten Tochter unterstützt. Die Prüfungen seien noch nicht zu Ende, denn die Gerichtsverhandlung stehe noch bevor.

Diese Rede, die von tiefster Sympathie zeugte, fand in der kolonialen Presse, der malaiischen wie der holländischen, ein großes Echo. Dr. Martinet wurde Zielscheibe der Journalisten, die von ihm nähere Erklärungen verlangten. Da er genau wußte, daß seine Erläuterungen zu einem sensationellen Fortsetzungsroman aufgebauscht würden, schwieg er. So ließen sich die holländischen Kolonialzeitungen über Dr. Martinet aus und rügten seine Sympathie einer Eingeborenen gegenüber, dazu noch einer Mätresse, deren Unschuld noch zu beweisen war. Schon viele *Nyais* hätten nachweislich mit Außenstehenden gemeinsame Sache gemacht und ihren Herrn aus Habgier und unsittlicher Absichten wegen umgebracht. Allein im neunzehnten Jahrhundert seien nicht weniger als fünf *Nyais* aufzuführen, die aus diesen Gründen an den Galgen gekommen seien. Der Artikel schloß mit dem Ratschlag, eine eingehende Untersuchung gegen *Nyai* Ontosoroh einzuleiten. Eine batavische Zeitung benannte mich als die Person, der besondere Aufmerksamkeit gewidmet werden sollte.

Dr. Martinet und Maarten Nijman hatten ganze Stapel von Zeitungen aus anderen Städten gesammelt und überreichten sie uns.

Während sie solche Kommentare und Ratschläge las, sagte *Nyai* einmal:

«Sie können's nicht sehen, wenn *Pribumis* sich nicht von ihnen zertreten lassen. In ihren Augen müssen die Eingeborenen im Unrecht sein und die Europäer eine saubere Weste haben, somit sind die Eingeborenen schon im vorhinein im Unrecht. Als *Pribumi* geboren zu werden ist einer der größten Fehler. Wir sind in einer schwierigen Lage, Minke, mein Sohn!» Zum erstenmal nannte sie mich «mein Sohn». «Wirst du uns verlassen?»

«Nein, Ma. Wir werden allem gemeinsam gegenübertreten. Wir haben auch Freunde, Ma. Halte mich bitte nicht für einen Kriminellen.»

«Sie besitzen alle Mittel, uns als Sündenböcke hinzustellen. Doch solange niemand von uns inhaftiert ist – auch Darsam nicht –, ist die Polizei anscheinend unvoreingenommen.»

In einem Artikel, der eindeutig von Robert Suurhof stammte, wurde mir vorgehalten, ich sei ein schamloser Blutsauger, der sich zudem noch wie ein unschuldiger Domspatz aufführe, dabei hätte ich keinen Familiennamen, sei ein Niemand, würde nur auf einem Gebiet hervorstechen, als Schürzenjäger nämlich.

Der Artikel erschien allerdings nicht in der *S. N. v/d D.*, sondern in einer billigen Tageszeitung, die für ihre Sensationslust bekannt war und deren Reporter an Skandalomanie litten. Dr. Martinet besuchte mich, um mir seine Sympathie zu beweisen: «Boven water houden, Kopf hoch!»

Auf welche Art man mich auch zu trösten versuchte, der Artikel verletzte mich zutiefst. Ich fühlte den Stich bis ins Innerste.

«Ich werde Klage einreichen, Mama.»

«Nein!» verbot *Nyai*. «Du wirst den kürzeren ziehen.»

«Wenn Sie ihm nicht recht geben, gewinne ich.»

«Ich stehe auf deiner Seite», sagte sie. «Aber vor Gericht wirst du nie gewinnen. Du stehst Europäern gegenüber, *Nyo*. Selbst der Staatsanwalt und der Richter werden über dich herfallen, und außerdem hast du gar keine Erfahrung mit dem Gericht. Nicht alle Anwälte und Advokaten sind vertrauenswürdig, schon gar nicht, wenn ein *Pribumi* Klage gegen einen Europäer erhebt. Beantworte den Artikel mit einem anderen Artikel. Fordere ihn mit der Feder heraus.»

Es sei durchaus möglich, daß der Schreiber, der vorgebe, mich zu kennen, tatsächlich ein Bekannter von mir sei, ein Freund oder ein Feind, schrieb ich als Antwort. Warum sich der Herr nicht zu erkennen gebe, sondern sich lieber hinter einer Maske verstecke und mit seinem Kot um sich schmeiße! Zeigen Sie doch Ihr wahres Gesicht, *Tuan*. Warum schämen Sie sich Ihres Gesichts, Ihres eigenen Namens und Ihrer eigenen Tat?

Wieviel ich dem verstorbenen *Tuan* Mellema bereits entwendet hätte? Er solle es bitte bekanntgeben, so detailliert wie möglich. Er könne in dieser Angelegenheit die Hinterbliebenen um Unterstützung angehen; ich selbst würde ihm ebenfalls behilflich sein. Man könne auch einen Bücherrevisor mit der Nachprüfung beauftragen.

Es war kaum zu glauben. Die Angriffe prasselten nur so auf mich nieder. Mama hatte recht gehabt – dabei hatte ich die Angelegenheit noch gar nicht vor Gericht gebracht. Es drehte sich im Grunde nicht mehr darum, ob ich mich tatsächlich an *Tuan* Mellemas Hab und Gut bereichert hatte oder nicht. Im Brennpunkt stand jetzt der Hautunterschied: Europäer kontra *Pribumi*. Die Zeitungen der anderen Städte schalteten sich ebenfalls ein. Während eines ganzen Monats fand ich keine Gelegenheit, mich in der Schule zu zeigen. Ich verbrachte meine Zeit damit, die Boshaftigkeiten anderer Leute zu parieren. Maarten Nijman schob mir alle Angriffe zu, damit ich sie beantworte.

Juffrouw Magda Peters besuchte uns, um ihre Sympathie zu bekunden:

«So ist das koloniale Klima überall: in Asien, in Afrika, Amerika, Australien. Alles Nicht-Europäische und alles Nicht-Kolonialistische wird unterdrückt, verlacht, erniedrigt, nur um die Überlegenheit Europas und seine koloniale Macht zur Schau zu stellen. Vergessen Sie nicht, Minke, diejenigen, die hier nach Ostindien kommen, sind nichts als Abenteurer, die es in Europa zu nichts gebracht haben. Hier führen sie sich päpstlicher auf als der Papst. Dieses Gesindel.»

Wir hörten uns ihre Beschimpfungen schweigend an.

Wir versuchten, Annelies aus diesem Aufruhr herauszuhalten, was uns auch recht gut gelang. So entstand zwischen *Nyai* und mir eine Art Verschwörungsbund gegen die Welt außerhalb des Hauses.

«Wenn du mir schon beistehen willst, Minke, mein Sohn, dann tu es bis zum Schluß. Wenn's ihnen zu bunt wird – ich warne dich –, dann werden sie über uns herfallen. Das ist schon mehr als einmal passiert. Wagst du's?»

«Man muß sich den Problemen stellen, Ma. Ich bin doch kein Krimineller, ich werde mich nicht drücken.»

«Gut. Dann brauchst du vorläufig nicht zur Schule zu gehen. Dieses Gefecht ist wichtiger als die Schule. Dort werden sie sich sowieso nur über dich hermachen und dir körperlich und seelisch eins auswischen, wo sie können. Bei dieser Angelegenheit hier lernst du Selbstverteidigung und Angriffstaktik, und das vor den Augen aller Nationen. Du kannst dir ein Diplom holen, das sich Berühmtheit nennt.»

Ganz unerwartet veröffentlichte eine von Europäern auf malaiisch herausgegebene Zeitung einen Artikel, der mich verteidigte.

Wenn doch dieser Minke alias Max Tollenaar gegen das Gesetz verstoßen habe, warum dann keiner seiner Ankläger den Fall vor Gericht bringe? Ob sie das Gefühl hätten, das Gesetz in Ostindien verschaffe ihnen nicht genügend Rechte? Oder wollten sie das Gesetz absichtlich herabwürdigen und damit ausdrücken, daß es keine redlichen Justizbeamten gäbe? Oder gedachten diese Herren, auf diesem Weg neue Gesetze einzuführen?

Schließlich mischten sich einige Rechtsgelehrte in den Streit ein, so daß die Angriffe auf meine Person ein Ende nahmen. Aus dem Diplom, das sich Berühmtheit nannte, wie *Nyai* es mir in Aussicht gestellt hatte, war nichts geworden.

Nyai Ontosoroh schien ruhig auf alles gefaßt zu sein. In dieser turbulenten Zeit ging Annelies mit immer größerem Eifer an ihre Arbeit. Sie überließ uns alle Angelegenheiten außerhalb des Hauses. So war ich unversehens das einzige männliche – illegal, versteht sich – Familienmitglied geworden.

Die Gerichtsverhandlung war nicht zu umgehen. Robert Mellema und der Dicke blieben unauffindbar, so sollte eben *Babah* Ah Tjong auf der Anklagebank sitzen. Der Prozeß fand am weißen, das heißt europäischen, Gerichtshof statt. Nicht daß *Babah* Ah Tjong Anspruch auf das *Forum privilegatium* gehabt hätte, sondern man hatte – wie ich nachträglich erfuhr – die Möglichkeit einer Mittäterschaft Robert Mellemas in Betracht gezogen und die Tatkomplexe zusammengefügt. Ah Tjong wurde angelastet, Herman Mellema mit Überlegung langsam vergiftet zu haben.

Das war wohl der größte Gerichtsprozeß in Surabaya seit langer Zeit. Durch Berichte und Polemik in den Zeitungen angeregt, strömten Einwohner aller Rassen in Scharen herbei, um der Verhandlung beizuwohnen. Selbst aus anderen Städten sollen sich Zuschauer eingefunden haben. *Nyais* Bruder aus *Tulangan* war ebenfalls anwesend.

Es soll nicht nur der größte, sondern auch der teuerste Prozeß gewesen sein. Nicht weniger als vier vereidigte Übersetzer wurden benötigt: für Javanisch, Maduranisch, Chinesisch, Japanisch und Malaiisch. Alle Übersetzer waren reine Europäer.

Auch *Tuan* Telinga, Jean Marais und Kommer fehlten nicht. Kommer meinte, soweit er sich in seiner Laufbahn als Journalist erinnern könne, habe dieses sonst so gefürchtete Gebäude noch nie einen derartigen Zulauf erlebt.

Die *H.B.S.* Surabaya wurde zum erstenmal seit Bestehen geschlossen; Schüler und Lehrer tauschten das Klassenzimmer mit dem Hof vor dem Gerichtsgebäude.

Dr. Martinet wurde als Sachverständiger vorgeladen.

Babah Ah Tjong bediente sich eines Verteidigers, den er aus China herbestellt hatte. Dieser Verteidiger sprach englisch, was einen zusätzlichen Übersetzer erforderlich machte. Die Leute meinten, daß zum erstenmal ein Chinese vor ein weißes Gericht geführt worden sei.

Anfangs verliefen die Verhandlungen recht flüssig. Es wurde holländisch gesprochen. Ah Tjong wollte mit seinem Tatmotiv nicht herausrücken, obwohl er schließlich gestand, sein Opfer mit einem chinesischen Mittel, das der westlichen Medizin unbekannt war, vergiftet zu haben. Er weigerte sich, genaue Angaben über das Mittel zu machen, erklärte lediglich, was für Folgen es hatte. Es bewirkte Gleichgewichtsstörungen, was anhand von Versuchen bei zehn des Mordes für schuldig befundenen Sträflingen im Gefängnis *Kalisosok* festgestellt worden war.

Babah Ah Tjong versuchte erst abzustreiten, daß dieses Mittel zerstörerische Wirkungen habe; es diene lediglich als aromatische Beigabe für Arrak. Ein chinesischer Arzt, den man als Sachverständigen herangezogen hatte, widerlegte diese Aussage, was den Angeklagten in die Enge trieb und ihn zwang, seinen Mord einzugestehen.

Was aber hatte ihn dazu bewogen?

Ah Tjong gab anfänglich vor, er sei seines Gastes, der seit über fünf Jahren bei ihm wohnte und keine Miene machte, endlich auszuziehen, überdrüssig geworden. Aber er vermochte keine Antwort zu geben auf die Frage, wie er eines Gastes überdrüssig werden könne, solange ihm dieser Gewinn einbringe, und wieso er danach auch Robert Mellema bewirtet habe.

Das Verhör mit *Nyai* Ontosoroh, die sozusagen der Star des Prozesses war, brachte diese Frau beinahe zur Weißglut. Man erlaubte ihr nicht, holländisch zu sprechen, sondern verlangte, daß sie ihre Aussagen auf javanisch mache. Sie weigerte sich und sprach malaiisch. Sie erklärte, der verstorbene Herman Mellema habe Ah Tjong monatlich eine Rechnung in Höhe von fünfundvierzig Gulden bezahlt, die jeweils von einem Dienstboten im Betriebskontor quittiert worden sei. In der letzten Zeit sei eine zusätzliche Rechnung für Robert Mellema im Betrag von sechzig Gulden pro Monat beglichen worden.

Warum mußte Robert mehr bezahlen?

Weil, so antwortete Ah Tjong, *Sinyo* Robert nur Maiko haben wollte, für die der höchste Tarif galt und die eigentlich nur für seinen Eigengebrauch bestimmt war.

Bediente Maiko tatsächlich nur Robert Mellema? Maiko widersprach. Sie bediente jeden beliebigen Gast, wenn *Babah* Ah Tjong sie dazu aufforderte, und stand selbstverständlich auch ihm zur Verfügung, vor allem, da Robert Mellema immer schwächer wurde und weniger Lust verspürte.

Maiko wurde eine Frage gestellt, die einigen Interessenten sehr gelegen kam: Ob sie sich in ihrer Karriere als Prostituierte je mit einer Geschlechtskrankheit angesteckt habe. Der Sachverständige Dr. Martinet gab zur Kenntnis, Maiko leide an Syphilis.

Ob Maiko keine Gewissensbisse habe, eine solche Krankheit in einem fremden Land zu verbreiten? Sie antwortete, sie habe sich ja nicht absichtlich anstecken lassen, sie habe die Krankheit nicht selbst gemacht. Als Prostituierte sei sie verpflichtet, Kunden zu bedienen.

Ob *Babah* Ah Tjong *Nyai* seinen Überdruß je mitgeteilt habe? *Nyai* antwortete, sie sei ihrem Nachbarn ihr Leben lang noch nie begegnet, lediglich seinen Rechnungen; sie habe ihn zum erstenmal bei dieser Gerichtsverhandlung getroffen.

Das Verfahren stieß schließlich auf etliche Probleme, die nicht geklärt werden konnten, was die Öffentlichkeit sehr verärgerte. Die Abwesenheit Robert Mellemas und des Dicken stellte ein grundlegendes Hindernis dar. Als demütigend empfand ich die Fragen im Zusammenhang mit meiner Beziehung zu Annelies, die für die Anwesenden Anlaß zu Gelächter und Kichern boten, da sowohl der Richter als auch der Staatsanwalt keine Gelegenheit ungenutzt ließen, sich vor aller Öffentlichkeit darüber lustig zu machen. Mit schmutzigen und niederträchtigen Fragen spielten sie auch auf ein Verhältnis zwischen *Nyai* und mir an. Ich wunderte mich, wie sich Europäer, meine Lehrer und Vorbilder, für solche Gemeinheiten hergeben konnten.

Zum Glück verharrte man nicht allzulange bei diesem Thema, obwohl mir klar war, daß sie lediglich darauf aus waren, festzustellen, ob zwischen Annelies und mir Geschlechtsverkehr stattgefunden hatte oder nicht, um das als Hinweis für unsere Mitbeteiligung am Mord zu deuten.

Ah Tjong entlastete uns durch seine Aussage, so daß weder *Nyai*, ich, Annelies, Darsam noch sonst jemand etwas damit zu tun hatten, weshalb man uns freisprach.

Der Prozeß dauerte zwei Wochen, ohne daß Ah Tjong das eigentliche Tatmotiv offenbart hätte. Der Richter schob den Urteilsspruch auf und beauftragte den Staatsanwalt, weiterhin nach Robert Mellema zu fahnden und ihn zu verhaften, damit er zur Rechenschaft gezogen werden könne. Die Öffentlichkeit war enttäuscht über diesen Beschluß. Die meisten Leute hatten erwartet, der Richter werde die Todesstrafe verhängen, weil ein nicht-einheimischer Asiate einen Europäer vorsätzlich umgebracht hatte.

Der Richter beschloß lediglich, daß Ah Tjong weiterhin in Untersuchungshaft zu bleiben habe. Seine Komplizen wurden zu drei bis fünf Jahren Gefängnisstrafe verurteilt. Maiko wurde auf Kosten ihres Arbeitgebers ins Krankenhaus geschickt, wo sie unter ärztlicher Kontrolle auf die Fortsetzung der Verhandlungen, wenn Robert Mellema und der Dicke aufgefunden worden waren, warten sollte.

17

Wir hatten den Prozeß vorläufig hinter uns. Ich ging wieder zur Schule.

Die anderen Schüler waren bereits auf dem Hof anwesend, als mein *Bendi* am Tor vorfuhr. Sie beobachteten mich und sahen mir nach, als ich vorbeiging.

Noch bevor ich das Klassenzimmer betreten hatte, wurde ich zum Rektor beordert.

«Minke», sagte er, «sowohl persönlich als auch im Namen aller Lehrer und Schüler beglückwünsche ich Sie zu Ihrem Freispruch. Ganz persönlich möchte ich Ihnen zu Ihrer Entschlossenheit, sich gegen die Angriffe der Öffentlichkeit zu wehren, gratulieren. Wir alle sind sehr stolz darauf, einen so begabten Schüler wie Sie zu haben. Schüler und Lehrer haben dem Prozeß beigewohnt; das haben Sie ja wohl mitbekommen. Da Sie ein Schüler unserer Schule sind, war es selbstverständlich, daß wir Ihnen unsere ganze Aufmerksamkeit schenkten. Nun, ich möchte Ihnen mitteilen, was die Lehrerversammlung nach langwierigen Diskussionen hinsichtlich Ihrer Person beschlossen hat. Aufgrund Ihrer Antworten vor Gericht, ich meine, was Ihre Beziehung zu Annelies Mellema betrifft, schließt die Lehrerschaft, daß Sie bereits zu erwachsen sind, um weiterhin mit den Schülern hier zu verkehren, da Sie vor allem einen schlechten Einfluß auf die Schülerinnen haben könnten. Die Lehrerschaft wagte es nicht, den Eltern für eine gesunde Entwicklung unserer Schülerinnen zu garantieren. Sie verstehen?»

«Und ob, *Tuan* Rektor.»

«Schade, dabei wären Sie in ein paar Monaten fertig gewesen.»

«Nun ja, darüber haben Sie allein zu bestimmen.»

Er reichte mir die Hand und sagte:

«Pech in der Schule, Minke, Erfolg in der Liebe und im Leben.»

Als ich sein Zimmer verließ, hatte der Unterricht bereits begonnen. Sie standen alle an den Fenstern und schauten mir nach. Ich winkte ihnen zu, und sie winkten zurück. Und gerade weil sie zurückwinkten, wurde mir plötzlich schwer ums Herz. Sie schienen den *Pribumi* trotz allem nicht ganz zu ignorieren.

Kutscher und *Bendi* standen noch da; ich stieg unverzüglich auf. Der *Bendi* setzte sich in Bewegung, aber ich ließ ihn gleich wieder anhalten, weil jemand rufend auf mich zulief. Es war Juffrouw Magda Peters.

«Minke, ich hab's leider nicht geschafft, das zu verhindern. Ich habe mich eingesetzt, so gut ich konnte. Das war ja wirklich eine unerhörte Frechheit, daß die bei Gericht Ihre privaten Angelegenheiten ausfragen mußten.»

«Danke, Juffrouw.»

Sie entfernte sich. Ich stieg wieder auf und befahl dem Kutscher, langsam zu fahren.

Ja, bei den Verhandlungen hatte man sich tatsächlich einige Frechheiten erlaubt. Der Staatsanwalt hatte vor aller Öffentlichkeit in unserem Privatleben herumgewühlt, ganz im Stil Robert Suurhofs.

Als wiederholte er Dr. Martinets Worte, erkundigte sich der Staatsanwalt auf holländisch: Minke, in welchem Zimmer schlafen Sie? Ein Übersetzer übertrug die Frage ins Javanische. Ich weigerte mich, diese hintergründige Frage zu beantworten. Da wandte er sich blitzschnell und ohne sich des Übersetzers zu bedienen an Annelies: Mit wem schlafen Sie, Juffrouw Annelies Mellema? Annelies vermochte sich der Antwort nicht zu entziehen. Das Publikum lachte demütigend, provozierend.

Die darauffolgende Frage galt *Nyai* Ontosoroh: *Nyai* Ontosoroh, alias Sanikem, Konkubine des verstorbenen *Tuan* Herman Mellema, wie können Sie solche Unsittlichkeiten zwischen Ihrem Gast und Ihrer Tochter billigen?

Noch lautere Lachsalven, spöttisch, noch demonstrativer. Selbst der Staatsanwalt und auch der Richter lächelten zufrieden, daß sie der von Europäerinnen und *Indos* weit und breit beneideten *Pribumi* eins auswischen konnten.

Mit lauter Stimme und in bestem holländisch – die Anordnung des Richters, daß sie nur javanisch sprechen durfte, außer acht lassend, auch seine Hammerschläge ignorierend – gab *Nyai* ihre Meinung kund:

«Hochverehrter Herr Richter, hochverehrter Herr Staatsanwalt, da meine Familienverhältnisse schon einmal zur Sprache gebracht worden sind... (Hammerschlag, sie wurde aufgefordert, direkt zu antworten). Ich, *Nyai* Ontosoroh, alias Sanikem, Konkubine des verstorbenen *Tuan* Mellema, habe mein eigenes Urteil über die Beziehung zwischen meiner Tochter und meinem Gast. Sanikem ist nur eine Konkubine. Als Konkubine habe ich Annelies geboren. Kein Mensch protestierte gegen die Beziehung zwischen dem verstorbenen *Tuan* Mellema und mir, weil er eben ein Europäer war. Warum stößt man sich an der Beziehung zwischen meiner Tochter und *Tuan* Minke? Weil *Tuan* Minke ein *Pribumi* ist? Warum spricht man nicht über die Eltern von *Indos*? Meine Beziehung zu *Tuan* Mellema war die einer Sklavin zu ihrem Herrn, und das hat noch kein Gericht beanstandet. Meine Tochter und *Tuan* Minke verbindet gegenseitige, aufrichtige Liebe, auch wenn diese Verbindung noch nicht rechtskräftig ist. Ich habe meine Kinder geboren, ohne legal verheiratet zu sein, danach hat kein Hahn gekräht. Europäer können sich *Pribumis* wie mich kaufen. Ist ein solcher Kauf tolerierbarer als aufrichtige Liebe? Wenn Europäer, gestützt auf ihre finanzielle Überlegenheit und ihre Macht, tun dürfen, was ihnen beliebt, warum verlacht man *Pribumis* ausgerechnet, weil sie sich zu ehrlicher Liebe bekennen?»

Die Gerichtsverhandlung geriet ziemlich aus dem Gleis. *Nyai* redete drauflos, ohne sich um die Hammerschläge des Richters zu kümmern. Sie wurde gezwungen zuzugeben, daß Annelies keine *Pribumi*, sondern eine *Indo* war. Der Staatsanwalt donnerte: «Sie ist eine *Indo*, sie steht über Ihnen. Minke ist zwar ein *Pribumi*, doch er hat Anspruch auf das *Forum privilegatium* und steht somit ebenfalls höher als Sie, *Nyai*. Minkes Ausnahmestellung kann jederzeit aufgehoben werden, aber Juffrouw Annelies ist und bleibt höher als eine *Pribumi*.»

«*Tuan*, Annelies, meine Tochter, ist nur eine *Indo* und soll deshalb nicht tun dürfen, was ihr Vater tat? Ich habe sie geboren, versorgt und erzogen ohne einen einzigen *Sen* Unterstützung von Ihnen, werte Herren. Oder war es etwa nicht ich, die bis dahin die Verantwortung für sie trug? Sie haben sich noch nie für sie abgemüht. Warum mischen Sie sich jetzt unnötig ein?»

Nyai setzte sich weiterhin über die gerichtliche Autorität hinweg. Ein Polizist wurde beauftragt, sie aus dem Saal zu schaffen. Er zog sie von ihrem Platz, ohne daß sie sich dagegen wehren konnte. Aber sie hörte nicht auf zu zetern und ließ ihrer Rachelust freien Lauf:

«Wer hat mich zu einer Konkubine gemacht? Wer macht die anderen unzähligen Frauen zu *Nyais*? Die Herren Europäer, die uns beherrschen. Warum lacht man uns in einem öffentlichen Forum aus und demütigt uns? Haben Sie, verehrte Herren, etwa im Sinn, aus meiner Tochter auch eine Mätresse zu machen?»

Ihre Stimme hallte durchs ganze Gebäude. Alle Anwesenden schwiegen. Der Polizist beeilte sich, sie wegzuziehen. *Nyai* war eine inoffizielle Anwältin geworden und setzte die Europäer auf die Anklagebank.

Sie schimpfte selbst außerhalb des Gerichtssaales weiter.

Und jetzt fuhr mein *Bendi* langsam im morgendlichen Verkehr, der immer lebendiger wurde, dahin. Der Prozeß war vorbei, und auch in der Schule war der Hammer gefallen: Ich war nicht mehr so wie meine Mitschüler, war gefährlich für die Schülerinnen, war als Persona non grata von der Schule verwiesen worden. Hätte man die Privatgeheimnisse der Lehrer in einer Gerichtsverhandlung lüften, sie schonungslos enthüllen können, wer würde garantieren, daß sie weniger verkommen waren als alle übrigen? Jeder Mensch besaß doch Privatgeheimnisse, die er sogar mit ins Grab nahm. Wer wußte denn, ob nicht der Richter oder der Staatsanwalt, die keine Gnade kannten, sich nicht auch offen oder heimlich eine Konkubine hielten? Vielleicht waren sie ohne öffentliche und rechtliche Kontrolle weit gemeiner als Herman Mellema Sanikem gegenüber.

So auf meinem *Bendi* dahinfahrend, hatte ich das Gefühl, daß alle, die mir begegneten, mit dem Zeigefinger auf mich wiesen: Das ist jener Minke, der mit Annelies, mit der er noch gar nicht verheiratet ist, im selben Zimmer schläft. Das ist jener Minke, der anders ist als seine Kameraden – hat man das nicht in der Gerichtsverhandlung erfahren?

Ich fühlte mich so klein, so jämmerlich, so elend – ich hatte das Gefühl, allein zu sein inmitten meiner Mitmenschen. Jeder von ihnen war der Sonnenhitze ausgesetzt, aber die Hitze, die das Herz versengen wollte, mußte ich allein ertragen. Es gab nur noch einen Weg, den zu den Herzen jener, die das gleiche Schicksal zu tragen hatten, gleiche Werte besaßen, das gleiche Los hatten: *Nyai* Ontosoroh, Annelies, Jean Marais, Darsam.

Ich ging zu Jean Marais.

«Du siehst niedergeschlagen aus. Bist du von der Schule geflogen? Kopf hoch!»

Gerade er, der selber den Kopf immer hängen ließ, riet mir jetzt: «Kopf hoch!» Mein ganzer Vorrat an Fröhlichkeit war aufgebraucht.

«Die Schule ist zu klein geworden für dich, Minke. Wenn der Minke schon gebrochen ist, dann gibt's doch noch einen Max Tollenaar.» Er stellte sich vor, ich hätte eine Reserve-Seele. Er war sich nicht bewußt, daß ein gebrochener Minke ihm kaum neue Aufträge einbringen konnte. Ich sagte es ihm. Er schwieg einen Augenblick. Ganz plötzlich lachte er laut los. Ich fühlte mich verletzt.

«Weißt du, Minke, das ist doch witzig.»

«Ich find's überhaupt nicht witzig», sagte ich mißmutig.

«Doch. Weißt du was? Gegen deine Schwierigkeiten gibt's nur ein Mittel. Du mußt Annelies heiraten. Zeig der Welt, daß du dich selbst vor dem Teufel nicht fürchtest. Damit du wieder einer von ihnen wirst. Sie stellen ja keine großen Ansprüche, sie möchten dich nur als zu ihnen gehörig empfinden, diese kulturlosen Dummköpfe.»

«Magda Peters meint, es sei eine Frechheit gewesen, sich so über uns herzumachen.»

«Ja, sehr unkultiviert. Das trifft's wohl am besten. Eine malaiisch-holländische Zeitung schrieb so etwas, nur nicht so deutlich. Solche Fragen sollten eigentlich nur in geschlossenen Verhandlungen gestellt werden.»

«Ja. Aber in einer holländischen Zeitung steht, es sei eine Frechheit von Mama gewesen, den Ablauf der Verhandlung zu stören. Doch ihre Worte wurden nicht aufgeführt.»

«Lies, was Kommer geschrieben hat. Er tobt wie ein verwundeter Löwe. Er steht auf deiner Seite.»

«Erzähl, ich hab keine Lust zu lesen.»

«Er schreibt, der Richter und der Staatsanwalt hätten durch ihren Unflat alle *Indos*, die aus einem Verhältnis mit Konkubinen geboren werden, erniedrigt. Diese Kinder seien, wenn der Vater sie anerkenne, keine *Pribumis*, wenn der Vater sie nicht anerkenne, seien sie *Pribumis*. *Pribumis* seien also gleichwertig mit Kindern von Mätressen, die von ihrem Vater nicht anerkannt werden. Er verurteilte auch, daß so persönliche Angelegenheiten zur Sprache gebracht wurden. Staatsanwalt und Richter hätten sich ganz im Gegensatz zum europäischen Geist verhalten, schlimmer, als *Wiroguno* mit *Pronocitro* verfahren sei vor zirka zweihundertfünfzig Jahren. Wer waren die beiden, Minke? Ich habe keine Ahnung.»

«Das erzähle ich dir ein andermal.»

Zu Hause angekommen, ging ich ohne Umschweife ins Kontor, erzählte Mama von der neuesten Katastrophe und fügte hinzu:

«Ma, was meinen Sie dazu, wenn wir heiraten?»

«Geduld. Warum hast du's plötzlich so eilig?»

Ich legte ihr meine Schwierigkeiten dar, auf die ich bei der Suche nach neuen Aufträgen stoßen würde, und daß Jean Marais das wohl auch zu spüren bekäme.

«Es tut mir leid, mein Sohn, daß ich deinem Wunsch noch nicht nachgeben kann. Der Prozeß hat dem Betrieb großen Verlust gebracht. Wir müssen den Rückgang erst wieder wettmachen. Wenn der Betrieb nicht gut läuft, verliert die Familie hier ihr Ansehen. Ich hoffe, du verstehst das.»

Ich beobachtete *Nyai*, die ruhig und gefaßt sprach. Sie hoffte wirklich auf mein Verständnis.

«Minke, ich habe schon lange über dieses seltsame Leben nachgedacht. Wenn es mir nicht gelingt, den Betrieb aufrechtzuhalten, dann sinke ich ab auf die Stufe einer ganz gewöhnlichen *Nyai*, die von jedermann gedemütigt werden darf, die man mit schiefen Blicken ansieht. Annelies wird sehr darunter zu leiden haben. Was nütze ich ihr dann als Mutter? Sie soll geachteter sein als irgend sonst ein *Indo*-Mädchen, sie soll eine geachtete *Pribumi* werden inmitten ihrer Landsleute. Nur der Betrieb kann ihr diese Achtung verschaffen. Ja, es ist merkwürdig, mein Sohn, aber das ist nun mal der Lauf der Welt.»

Annelies war gerade hinten bei der Arbeit.

Als ich so im Kontor saß, verstand ich plötzlich die Probleme zwischen Europäern, *Indos* und *Pribumis*. Mein eigenes Elend trat dabei in den Hintergrund. Diese verschiedenen Elemente waren miteinander verwoben wie die Fäden eines Spinnennetzes, und in der Mitte saß die Spinne: die Konkubine, die *Nyai*. Aber diese Spinne konnte keine Opfer einfangen, im Gegenteil, an ihren Fäden klebten nichts als Demütigungen, die sie allein zu schlucken hatte. Sie war keine Herrin, obwohl sie im selben Zimmer schlief wie ihr Herr. Sie gehörte nicht zur selben Rasse wie die Kinder, die sie gebar. Sie war keine Europäerin, keine *Indo* und eigentlich auch keine *Pribumi* mehr. Sie saß zwischen allen Stühlen.

Ich fing an zu schreiben. Diesmal bildeten Kommers Gedanken das Rückgrat meines Artikels. Die Sonne ging langsam unter, mein Text nahm mehr und mehr Gestalt an.

Zehn Tage nachdem Max Tollenaars Artikel zum Thema Europäer, *Indos* und *Pribumis* erschienen war, kam Magda Peters während der Unterrichtszeit zu uns. Der Rektor wünsche, mich zu sprechen. Ich weigerte mich zu gehen, da ich nichts mehr mit der Schule zu tun hätte.

Nyai war ebenfalls dagegen, daß ich ging. Annelies flüchtete in ihr Zimmer.

«Es ist etwas geschehen», meinte Magda Peters. «Sie müssen auf jeden Fall kommen. Doch zuerst möchte ich Ihnen gratulieren. Ihr letzter Artikel war ein echter Aufruf an die Menschlichkeit. Sie haben den Leuten ins Gewissen geredet, damit sie endlich etwas vernünftiger über dieses Problem denken.»

Ich ging also schließlich doch. Unterwegs hörte Magda Peters nicht auf, ihrem Stolz Ausdruck zu geben, einen Schüler wie mich zu haben. Ich fühlte mich getröstet, nach all den turbulenten Erfahrungen der letzten Zeit.

Der Rektor empfing mich mit einem freundlichen Lächeln. Die Schüler wurden nach Hause geschickt, die Lehrer versammelten sich. Sollte hier ein Freigericht stattfinden? Weshalb bemühte man sich so um mich? Wer war ich denn?

Der Rektor eröffnete die Versammlung, und Magda Peters legte los:

«Es ist eine alte europäische Tradition, kulturelle Leistungen und deren Schöpfer zu ehren. Auch in Surabaya soll diese Tradition aufrechterhalten bleiben. Wir brauchen nicht zu fragen, wie dieser Kulturmensch ist, denn das ist eine persönliche Angelegenheit. Man muß seine Leistung bewerten, das, was er seinen Mitmenschen präsentiert.»

Das war die Brücke zu meinem letzten Artikel:

«Ergreifend, er bewegt jedes aufrichtige Herz. Mehr als das: Es ist die Wahrheit. Europas Humanismus, in der Geschichte der *Pribumis* Ostindiens unbekannt, beginnt in Max Tollenaar zu erwachen, in unserem, Ihrer aller Schüler: Minke.»

Ich wußte nicht so recht, was europäischer Humanismus bedeutete.

«Es sind bereits sieben Briefe eingetroffen, zwei davon von Gelehrten, die gegen unseren Beschluß, Minke von der Schule zu verweisen, protestieren. In einem steht, daß man einen solchen Schüler unterstützen sollte, nicht rausschmeißen, auch wenn man damit vom Normalweg abweiche. *Tuan Resident-Assistent* von B. ist eigens nach Surabaya gekommen, um *Tuan Resident* in dieser Angelegenheit zu sprechen. *Tuan Resident* hat sich weiter nicht darüber geäußert, aber *Tuan Resident-Assistent* ist bereit, die Bürgschaft für Minke als Schüler unserer *H. B. S.* zu übernehmen. Er wird sich an den Direktor des Erziehungs- und Kulturministeriums wenden, falls seine derzeitigen Bemühungen erfolglos bleiben sollten.

Nun, zum erstenmal wird einer unserer Beschlüsse kritisiert und stößt auf Widerstand. Allerdings ist nicht das der eigentliche Grund, der uns bewogen hat, unseren Entschluß nochmals zu überdenken, sondern unser europäisches Gewissen, das sich Humanismus nennt, unsere Tradition und unsere heutige Kultur.

Hier also ist Minke, Max Tollenaar, um unserer Versammlung beizuwohnen, in der wir die Angelegenheit nochmals überlegen und unseren Beschluß revidieren.»

Magda Peters fauchte und fletschte die Zähne wie eine Löwenmutter, die ihr Junges verteidigt. Die Flecken auf ihrer Haut wurden um so deutlicher. Schließlich beendete sie ihre Rede und sagte mit gedämpfter Stimme, langsam und jedes Wort betonend:

«Erziehung und Unterricht sind humanitäre Aufgaben. Wenn sich ein Schüler außerhalb des Unterrichts zu einer derart sozial bewußten Persönlichkeit entwickelt wie Minke, was er mit seinen letzten Artikeln bewiesen hat, das Menschsein in seiner Tiefe erfaßt und danach lebt, dann sollten wir eigentlich dankbar sein, obwohl unser Beitrag zu seiner Entwicklung nur klein war. Außergewöhnliche Persönlichkeiten wie Minke werden es aufgrund außergewöhnlicher Situationen und Konditionen. Deshalb schlage ich vor, daß Minke wieder aufgenommen wird, um ihm ein noch stärkeres Fundament für seine weitere Entwicklung vermitteln zu können.»

Ich sah überhaupt nicht ein, warum ich als stummer Angeklagter bei dieser Sitzung dabeizusein hatte. Man beschloß, mich wieder zum Unterricht zuzulassen, unter speziellen Bedingungen allerdings: Ich mußte allein und abgesondert von den andern in einer Bank sitzen, und ich durfte weder im noch außerhalb des Klassenzimmers mit meinen Mitschülern sprechen.

«Was meinen Sie dazu, Minke, nachdem Sie diesen Beschluß mit angehört haben?» fragte der Rektor, der sich anscheinend die Hände in Unschuld waschen wollte.

«Solange sich mir eine Möglichkeit bietet, werde ich weiterlernen, wie ich das schon immer vorhatte. Wenn mir die Tür wieder geöffnet werden soll, werde ich selbstverständlich nicht daran vorbeigehen! Bleibt sie mir verschlossen, werde ich dem nicht nachtrauern. Ich danke Ihnen für Ihre Bemühungen.»

Die Versammlung wurde aufgehoben. Die Lehrer, außer Magda Peters, machten finstere Mienen, als sie mir die Hand schüttelten, um mich zu beglückwünschen. Meine Sprachlehrerin war ungemein zufrieden: sie buchte alles als ihren eigenen Erfolg.

Zum Abschied überreichte mir der Rektor zwei unfrankierte Briefe von Miriam und Sarah de la Croix.

Die Schule war wie ausgestorben. Das Gebäude, der Hof, die Kieselsteine, alles an dieser *H.B.S.* war mir so fremd geworden. Ich hatte das Gefühl, als sähe ich sie zum erstenmal. Die Blicke der Lehrer kitzelten mich im Rücken. Ich ging, ohne mich umzudrehen, geradewegs auf meinen *Bendi* zu.

«Fahr langsam», befahl ich meinem Kutscher. «Zur Redaktion.»

Unterwegs ließ er scheu verlauten:

«*Ndoro* sehen so blaß und dünn aus.»

«Ja.»

«Warum spannen Sie nicht aus?»

«Später, in ein paar Monaten, wenn ich mit der Schule fertig bin.»

«In drei Monaten, *Ndoro*?»

«Ja, ich muß noch drei weitere Monate durchhalten.»

«Warum gehen Sie überhaupt noch zur Schule, *Ndoro*, Sie haben doch alles, was Sie wollen?»

«Tja, warum eigentlich? Wenn ich diese Schule nicht fertig mache, Juki, dann bring ich's wohl nie zu etwas.»

«Sie haben doch bereits alles erreicht.»

«Was denn?»

«Oh, das sagen die Leute jedenfalls. *Noni*... der Reichtum, Sie sind gescheit, Sie kennen viele hochgestellte Personen, Holländer. Das ist doch beachtlich.»

«Das sagen die Leute?»

«Ja, *Ndoro*, und Sie sind so flott und noch so jung. Sie werden bestimmt demnächst *Bupati*.»

«Vergiß das, Juki, vergiß das.»

Maarten Nijman bot mir an, als fester Mitarbeiter bei der *S. N. v/d D.* tätig zu sein. Die Arbeit sei sehr interessant, meinte er, wenn auch das Honorar nur zwölfeinhalb Gulden betrage. Als Antwort teilte ich ihm den Beschluß der Lehrerversammlung mit, die gerade stattgefunden hatte.

«Juffrouw Magda Peters hat Sie so leidenschaftlich verteidigt? Haben Sie nähere Beziehungen zu ihr?»

«Sie ist meine aufgeschlossenste Lehrerin.»

«Hmm. Ich glaube, Sie halten besser etwas Abstand.»

«Sie ist sehr liebenswürdig.»

«Liebenswürdig? Das ist wohl ihre Art, Leute ins Verderben zu stürzen, denke ich.»

«Ins Verderben stürzen?»

«Das ist wohl neu für Sie, daß man jemanden mit Liebenswürdigkeit ins Verderben stürzen kann?»

«Wie denn?»

«Sie ist eine fanatische Liberale; sie gehört zu den Aktivisten ‹Ostindien für Ostindien›. Haben Sie mal davon gehört?» Ich schüttelte den Kopf. «Sie stellt sich vor, Ostindien sei mit Holland zu vergleichen. Das ist typisch für die Radikalen hier. Sie wollen nicht einsehen, daß hier vieles eingeschränkt ist. Leute, die gegen diese Schranken anlaufen oder sie gar mißachten, bringen nichts als Unheil. Liberal zu sein ist weiter nicht schlimm, wenn man sich an die Grenzen hält und keinen Aufruhr stiftet. Sie müssen sich darüber im klaren sein. Zum Glück haben sich ihnen noch keine *Pribumis* angeschlossen. Stellen Sie sich vor, Sie würden da mitmachen. Wenn die Liberalen bei der Regierung in Ungnade fallen – egal, aus was für Gründen –, dann werden reine Europäer höchstens ausgewiesen werden. Für *Indos* wird es schlimmer aussehen, sie werden ihre Arbeit verlieren. Ein *Pribumi*, glaube ich, wird seine Freiheit einbüßen. Man wird ihn ohne Prozeß einsperren, weil es für solche Fälle keine speziellen Gesetze gibt. Ja, *Tuan*, passen Sie auf, nicht daß Sie da mithängen. Sie sind hier nicht in Holland, in Europa, sondern in Ostindien. Wenn Sie da reinrutschen, wird Ihnen kein einziger von den Liberalen beistehen können oder wollen.»

«Aber sie ist doch meine Lehrerin, *Tuan* Nijman.»

«Hören Sie, *Tuan* Minke, hier in Ostindien orientiert man sich nach Gerüchten, und auf die Gerüchte, die in den oberen Schichten zirkulieren, kann man sich verlassen. Man hört da einiges über Juffrouw Magda Peters. Sie haben in letzter Zeit genügend Schwierigkeiten gehabt, suchen Sie sich keine zusätzlichen, *Tuan*.»

Er erzählte mir ausführlich über die Aktivitäten der Liberalen. Aus seinen Worten waren Ablehnung und Mißbilligung, ja zum Teil sogar Verurteilung, herauszuhören. Sie wollten Stabilität, Ordnung und Frieden in Ostindien zerstören, in der das Volk in Ruhe seinen Lebensunterhalt verdienen könne und ihm ausreichender Schutz gewährleistet sei.

«*Tuan*, unter der Alleinherrschaft der einheimischen Fürsten wird Ihr Volk nie Sicherheit und Frieden kennen, es wird nie rechtlichen Schutz genießen, weil es keine Gesetze gibt. Die ostindische Regierung ist doch soweit ganz in Ordnung. Die Liberalen haben wirklich recht utopische Ansichten über Ostindien.»

«Aber es sind doch auch Europäer», warf ich ein.

Als ich auf dem *Bendi* saß, dachte ich darüber nach, wie verworren doch alles war, wegen der vielen Gegensätze. Nun gab es auch noch das Problem Europäer kontra Europäer, von den Spannungen mit anderen asiatischen, nicht-einheimischen Nationalitäten nicht zu reden. Dabei war Maarten Nijman auch für den Humanismus, aber mit dem Liberalismus war er anscheinend nicht einverstanden. Je mehr Leute ich kennenlernte, desto mehr Problemkreise, von deren Existenz ich nie etwas geahnt hatte, offenbarten sich mir. Sie schossen fast wie Pilze aus dem Boden in meiner Umgebung.

Nijman hatte mir geraten, meiner Zukunft zuliebe vorsichtig zu sein. Es könnte gut möglich sein, daß Magda Peters aus Ostindien ausgewiesen würde. Nicht nur möglich, sondern sogar höchstwahrscheinlich. Es würden rege Gerüchte darüber zirkulieren, ich solle mich da besser heraushalten, meinte er. «Magda Peters wird man lediglich des Landes verweisen, aber Sie wird man an einem Plätzchen einquartieren, wo Sie nicht so schnell wieder rauskommen.» Nijman äußerte sich nicht darüber, was für Schranken er eigentlich meinte. Nun ja, so würde ich eben andere Leute danach fragen, von denen ich glaubte, daß sie mir Antwort geben könnten.

Bei Telingas wartete ein Brief von Mutter auf mich. Er war wie üblich auf javanisch und in javanischer Schrift geschrieben:

«*Gus*, wir haben uns sehr gesorgt wegen alldem, was über Dich in den Zeitungen stand. Wie tapfer Du bist, mein Sohn! Das freut mich. Du mußt ja allein fertig werden mit Deinen Angelegenheiten, aber vergiß nicht, was ich Dir aufgetragen habe: Lauf nicht einfach davon. Wenn Du das tust, dann war all die Mühe, die es kostete, Dich auf die Schule zu schicken und ausbilden zu lassen, vergeblich, dann bist Du nichts anderes als ein Krimineller. Wenn Du die Tochter der *Nyai* Ontosoroh liebst, ist das Deine Sache. Aber wie gesagt, mach Dich nicht plötzlich auf und davon, verteidige Dich, wie es sich für einen Mann gehört. Schöne Frauen sind für echte Männer geschaffen. Benimm Dich, wie es sich gehört, und werd nicht einer von denen, die sich eine Frau nur um des Reichtums und Standes willen erobern. So ein Mann ist ebenfalls ein Krimineller, und die Frau, die er so gewinnt, ist nur eine Hure.

Von Leuten, die holländische Zeitungen lesen, habe ich erfahren, Du seist ein Schriftsteller geworden. Ach, *Gus*, warum dichtest Du in einer Sprache, die Deine Mutter nicht versteht? Schreib Deine Liebesgeschichte doch in den Versen Deiner Ahnen, damit Deine Mutter und das ganze Land sie singen können.

Laß Dich durch Deinen Vater nicht aus der Fassung bringen, er hat seine eigenen Verse...»

Oh, Mutter, wie sehr bist du mir zugetan! Nie hast du den Stab über mich gebrochen, nie hast du mich verurteilt. Du tadelst mich auch nicht wegen meiner Beziehung zu Annelies. Ich soll Javanisch schreiben, die Sprache, die du verstehst. Wie habe ich dich doch enttäuscht, weil ich keine javanischen Verse zu schreiben vermag. Mein Lebensrhythmus ist ja derart außer Rand und Band geraten, er läßt sich nicht in javanischen Versen wiedergeben.

Mevrouw Telinga kam mit ihrem üblichen Anliegen und machte der stillen Zwiesprache mit meiner Mutter ein Ende.

«*Tuanmuda*, wenn ich morgen nicht auf den Markt gehe...» Das bedeutete, daß ich am besten mindestens einen *Talen* springen lassen mußte.

Ich ging zu Jean Marais hinüber. May schlief in ihrem Zimmer auf der Pritsche, die jetzt zwar eine Matratze hatte, aber vorläufig noch kein Leintuch. Jean träumte vor sich hin. In der Werkstatt hinter dem Haus ging es ruhig zu.

«Jean, morgen kannst du mit Mamas Porträt beginnen. Du malst sie am besten, während sie im Kontor Schreibarbeiten erledigt. Morgen gehe ich wieder zur Schule. May kann, solange du malst, bei uns wohnen.»

«Ich werde kommen, Minke», es klang nicht sehr begeistert, «aber eigentlich habe ich jetzt keine große Lust zu malen.»

«Du hast es doch damals selbst vorgeschlagen.»

«Sie ist eine bemerkenswerte Frau. Ich bewundere sie sehr, seit diesem Prozeß erst recht. Sie ist entschlossen, sie hat ein Konzept. Ich fürchte, ich gehe in ihrer Gegenwart unter.»

Ich schaute ihn ruhig an. Wollte er damit sagen, er habe sich in Mama verliebt, sah aber keine Möglichkeit, ihr das zu sagen?

Er sprach nicht weiter.

«Hast du je darunter gelitten, daß du jemanden geliebt hast, Jean?» fragte ich.

Er hob den Kopf und lächelte.

«Hast du je etwas über den großen französischen Maler Toulouse-Lautrec gehört, dessen unvergängliche Werke im Louvre hängen?» fragte er zurück.

«Wie sollte ich!»

«Er hat im Grunde alles erreicht, was man im Leben erreichen kann.»

«Was denn, Jean?»

Er lächelte seltsam und schwieg.

May kuschelte sich gähnend auf meinen Schoß.

«Geh dich waschen, May. Dann geht's auf nach *Wonokromo*. Morgen früh fahren wir miteinander in die Schule.»

«Fahren wir mit dem *Bendi* aus *Wonokromo*?» fragte sie und schaute ihren Vater groß an.

Jean Marais nickte bejahend.

«Du auch, Jean, komm gleich mit. Brauchst nicht bis morgen zu warten.»

Zu dritt brachen wir auf. Es war eng auf dem *Bendi*. Marjuki protestierte, aber ich versprach ihm, daß es nicht mehr vorkommen würde.

Abends, mit Jean Marais als Zeugen, wurde beschlossen, daß Annelies und ich gleich nach meinem Schlußexamen heiraten würden.

Welt und Herz reichten sich die Hand.

18

Die Schlußfeier war für mich ein doppeltes Fest. Während der letzten drei Monate hatte ich nichts anderes getan als zu lernen. Ich schrieb nicht, arbeitete nicht, ich lernte nur. Für mein Gefühl nahm mein Leben wieder seinen normalen Lauf.

Bei der Schlußfeier mußte ich mich nicht mehr von meinen Schulfreunden absondern. Ich war wieder einer von ihnen, wenn auch nur für kurze Zeit; aber es war trotzdem ein bedeutungsvoller Augenblick, bevor wir auseinandergingen ins freie Leben.

Die Eltern waren in großer Zahl anwesend, um der Feier beizuwohnen: Europäer, *Indos* und auch einige Chinesen, aber kein einziger *Pribumi* war dabei.

Mama hatte es abgelehnt mitzukommen, so gingen Annelies

und ich allein. Zum erstenmal in ihrem Leben wohnte sie einem Fest bei. Sie trug ihr Lieblingskleid aus schwarzem Samt und eine dreireihige Perlenkette mit einem Anhänger aus Brillanten, dazu einen passenden Armreif. Mit ihrer Schönheit und Anmut stellte sie eindeutig selbst die Königin in den Schatten.

Ich selbst, wie auch alle anderen Schüler, die das Diplom in Empfang nehmen würden, trug einen weißen Anzug wie die Staatsbeamten, allerdings ohne Messingknöpfe mit eingestanztem W.

Als wir den Festsaal betraten, kam uns Magda Peters entgegen, um uns zu begrüßen. Sie war ebenfalls ganz formell gekleidet und brach bei Annelies' Anblick in helle Begeisterung aus:

«Primadonna! Sie sind die Königin auf unserem Fest!»

Unter den neugierigen Blicken der Anwesenden führte sie Annelies auf einen freien Platz unter den Gästen, was Annelies bereitwillig mit sich geschehen ließ. Die Schüler und Schülerinnen drehten sich ostentativ nach meiner Königin um. Jetzt wußten sie's endlich: Die Welt war mein Königreich, und ich hatte es mir nicht ohne Einsatz und Kampf erobert. Ich hielt nach Suurhof Ausschau, um ihm keine Gelegenheit zu geben, sein Gesicht zu verstecken. Doch ich sah ausgerechnet Jan Dapperste. Er winkte mir zu; ich antwortete mit einem Kopfnicken.

Als ich so dasaß, dachte ich an meine Mutter. Wie schön wäre es gewesen, wenn diese edle Frau miterlebt hätte, wie ihr Sohn, auf den sie so stolz war, das *H. B. S.*-Diplom in Empfang nahm. Aber sie war nicht da, so daß ich die Größe und Freude dieses Anlasses eben doch als unvollständig empfand.

Das Gemurmel im Saal, der mit rot-weiß-blauen Fahnen und Bändern festlich geschmückt war, verstummte, und dann ertönte die holländische Nationalhymne, bei der die Anwesenden feierlich mitsangen. Anschließend hielt der Direktor eine kurze Rede. Er gratulierte den Abiturienten zum Bestehen des Examens, gab ihnen seine Glückwünsche mit auf ihren hoffentlich glorreichen Weg in die Gesellschaft und wünschte ihnen viel Erfolg in der Zukunft. Denjenigen, die in Holland weiterstudieren wollten, wünschte er viel Glück beim Lernen und gab seiner Hoffnung Ausdruck, daß sie für Holland, Ostindien und die ganze Welt nützliche Gelehrte würden.

Der Schulrat hielt keine Rede.

Man ging zur Bekanntgabe der erfolgreichen Absolventen der Reifeprüfung des Jahres 1899 über. Die Lehrer stellten sich in eine Reihe hinter den Rektor.

Es wurde mäuschenstill, und alle warteten gespannt.

«Ende dieses Schuljahres, am Tor der Jahrhundertwende, haben sich in Ostindien im ganzen fünfundvierzig Schüler der Abiturprüfung unterzogen. Das beste Resultat ist von einem Schüler der *H. B. S.* Batavia erzielt worden. Elf Kandidaten haben die Prüfung leider nicht bestanden, haben jedoch die Möglichkeit, sie nächstes Jahr mit hoffentlich besserem Erfolg zu wiederholen. Den zweiten Rang nimmt ein Schüler aus Surabaya ein, der somit gleichzeitig unser bester Abiturient ist.»

Die Anwesenden applaudierten begeistert.

Ich konnte mir ausmalen, daß jeder Schüler Herzklopfen bekam und sich gerne als zweitbesten ganz Ostindiens und besten Absolventen Surabayas gesehen hätte.

«Der zweitbeste Absolvent ganz Ostindiens und also der beste in Surabaya ist unser Schüler – Min-ke.»

Ich zitterte. Das hätte ich nicht erwartet. Ein *Pribumi* wäre nie auf die Idee gekommen, daß er weiße Schüler ausstechen dürfte. So etwas war tabu in Ostindien.

«Minke», rief mich der Rektor auf.

Ich fand nicht genügend Kraft aufzustehen. Die beiden neben mir sitzenden Schüler halfen mir auf die Beine.

«Minke!» rief Magda Peters und winkte mich herbei.

Ich stand also schließlich doch, wenn auch auf wackligen Füßen. Bestimmt war mein erbärmlicher Zustand von allen deutlich wahrnehmbar. Niemand klatschte mehr, um seine Freude darüber kundzutun, daß der Aufgerufene ein *Pribumi* war. Nicht einmal die Lehrer. Nur eine einzige Person applaudierte schwach: Magda Peters. Wahrscheinlich klatschte auch Annelies nicht, weil sie noch nie bei derartigen Anlässen dabei gewesen war. Sicher saß sie verloren auf ihrem Stuhl und staunte bloß.

Ich stieg auf die Bühne, um das Diplom in Empfang zu nehmen und mich beglückwünschen zu lassen. Meine Hände zitterten noch immer.

«Nur mit der Ruhe, Minke», flüsterte mir der Rektor zu.

Langsam schritt ich an meinen Platz zurück, unter schwachem Beifall der Lehrer, in den schließlich auch die Schüler und ein Teil der Gäste einstimmten.

Als fünfter wurde Robert Suurhof aufgerufen und als letzter Jan Dapperste. Als er an seinen Platz zurückkehrte, stand Pfarrer Dapperste, ein Holländer, auf und umarmte ihn innig.

Man ging zum unterhaltsamen Teil über. Die Schüler der ersten und zweiten Klasse wollten ein Theaterstück aufführen, die Bibelgeschichte ‹David und Bethseba›. Den Text dazu soll ein Lehrer geschrieben haben.

Vor der Vorstellung kam der Rektor auf uns beide zu und überreichte mir ein Telegramm aus B.: Glückwünsche von Miriam, Sarah und Herbert de la Croix. Anscheinend hatten sie eher davon erfahren als ich selbst, den es betraf. Der Rektor begrüßte Annelies freundlich. Ich blieb auf der Hut, ob er nicht etwa mit irgendeiner Demütigung anrückte, sei es eindeutig oder durch die Blume. Doch er sagte nichts dergleichen, sondern schien sie aufrichtigen Herzens zu begrüßen.

«*Tuan* Rektor, wir möchten Sie, die Lehrer und die Schüler zu unserer Hochzeit am kommenden Mittwoch einladen. Die Feier beginnt um sieben Uhr abends.»

«So schnell schon?» Er beglückwünschte uns ein zweites Mal. Annelies reagierte kühl auf seinen Händedruck, was nur verständlich war, wenn man Dr. Martinets Erläuterungen in Betracht zog.

Mir schüttelte er kräftig die Hand und klatschte dann laut, so daß sich alle Leute nach uns umdrehten.

«Darf ich das nachher bekanntgeben?»

«Vielen Dank, *Tuan* Rektor, selbstverständlich, das ist eine offizielle Einladung, wenn auch nur mündlich.»

«Warum lassen Sie keine Einladungen drucken?»

«Nach alldem, was wir in letzter Zeit erlebt haben, *Tuan*...»

Magda Peters, die in der Nähe saß, beglückwünschte uns ebenfalls, ohne weiteren Kommentar. Was sie sich wohl dachte?

Der Rektor entfernte sich. Von der Bühne wurde angekündigt, der erste Akt werde gleich beginnen. Der Vorhang öffnete sich langsam. Eine steinige Landschaft wurde sichtbar, wo nachher der

Prophet David die badende Bethseba entdecken würde. Aber weder Bethseba noch David traten auf. Die Leute reckten ihre Hälse, um nach der schönen Bethseba zu spähen. Statt dessen tauchte der Rektor zwischen den Steinen auf und nahm sich lächelnd die Lorgnette ab.

Der ganze Raum brach in Gelächter aus. Dem Rektor blieb nichts anderes übrig, als ebenfalls zu lachen, wenn auch mit etwas schiefem Mund. Dieser unkostümierte David ohne Kopfbedeckung, dafür mit Lorgnette, mußte notgedrungen die Anwesenden um Entschuldigung bitten, daß er ausgerechnet jetzt etwas zu sagen habe. Nach der Vorstellung würde es an Bedeutung verlieren. Und dann gab er unsere Einladung bekannt. Zögernder Beifall.

«Die Einladung gilt für Nichtlehrer, Nichtschüler und Nichtabiturienten nicht.»

Schallendes Gelächter ertönte.

«Im Namen aller, die der Feier nicht beiwohnen können, sei es, weil sie unverzüglich nach Hause zurückkehren oder weil sie bereits etwas anderes geplant haben, gratuliere ich als Rektor der *H. B. S.* Surabaya dem künftigen Brautpaar herzlichst. Mögen die beiden auf ewig glücklich werden. Danke schön.»

Er verließ die Bühne, wobei er mit der Bethseba zusammenstieß, die verstohlen hinter dem Vorhang hervorguckte.

Anfänglich hatten wir geplant, unsere Hochzeit in sehr einfachem Rahmen zu feiern, aber wegen der spontanen Einladung bei der Diplomfeier würde es nun doch ein sehr großes Fest geben. *Nyai* hatte nichts dagegen. Sie freute sich sehr, als Annelies ihr erzählte, wie der Rektor die Einladung bekanntgegeben hatte.

«Mit dem Fest feiern wir gleichzeitig deinen erfolgreichen Abschluß. Du hast trotz aller Schwierigkeiten so glänzend abgeschnitten.»

Einige Tage vor der Hochzeit kam Mutter. Sie war die einzige Vertreterin meiner Familie. *Nyai* empfing sie mit großer Freude, als sei sie eine alte Freundin. Mutter schloß Annelies gleich beim ersten Anblick in ihr Herz. Sie wollte nicht mehr von ihrer Seite weichen und konnte die Schönheit ihrer zukünftigen Schwiegertochter nicht genügend bewundern.

«Ach, *Dik*», sagte sie zu *Nyai*, der zukünftigen Schwiegermutter ihres Sohnes, «wie hübsch sie ist, wie *Nawangwulan*. Sie ist bestimmt viel bezaubernder, als man es *Banowati* nachsagt. Ach du meine Güte, *Dik*, ich habe Sie nicht einmal vorher gefragt, ob Ihnen mein Sohn überhaupt als Schwiegersohn genehm ist. Das werde ich Ihnen nie vergessen, *Dik*.»

«Aber, *Mbakyu*, die beiden haben ja selber zueinandergefunden. Nur, verzeihen Sie mir, daß meine Tochter aus so verrufenen Verhältnissen kommt, sie...»

«Ah, *Dik*, ein so schönes Mädchen hat doch alles, was es braucht.»

Am Abend flüsterte mir Mutter zu:

«*Gus*, das Schicksal meint es aber gut mit dir, daß es dir eine so hübsche Frau schenkt. Zur Zeit deiner Vorväter hätte ein so wunderschönes Mädchen sicher einen *Bharatayuddha*-Krieg hervorgerufen.»

«Glauben Sie ja nicht, ich hätte nicht um sie gekämpft.»

«Ja, ja, *Gus*, du hast recht. Und du hast einen glänzenden Sieg davongetragen.»

Wir heirateten islamisch. Darsam war Zeuge und Brautführer. Die Zeremonie begann Punkt neun Uhr. Traditionsgemäß und auch aus echter Dankbarkeit knieten wir zwei vor Mutter und Mama nieder, um ihnen zu huldigen.

Den beiden liefen dabei die Tränen über die Wangen, und sie erteilten uns ihren Segen mit stockender Stimme. Annelies weinte auch. Vielleicht war sie traurig, daß kein Vater anwesend war, der sich eigentlich an einem so wichtigen Tag auch hätte mitfreuen sollen. Vielleicht.

Mutter und Mama legten einander die Hände auf die Schultern und schauten sich mit tränenerfüllten Augen an. Dann umarmten sie sich. Ja, sie weinten vor Ergriffenheit. Ist nicht Ergriffenheit die Offenbarung echter menschlicher Gefühle, aber gleichzeitig auch ein Ausdruck von Schmerz, den der Mensch tief in seinem Innersten fühlt, weil er mit seinem eigenen Menschsein konfrontiert wird, vorbehaltlos und ohne Kulturschale?

Es folgte ein einfaches, religiöses Festmahl und anschließend das eigentliche Fest.

Für die *Kampung*-Bewohner des Betriebs war unsere Hochzeit ein großer Feiertag. Auf dem Hof, wo sonst Reis und andere Ernteerträge zum Trocknen ausgebreitet wurden, war ein großes Festzelt errichtet worden. Alle Arbeitskräfte bekamen frei bei vollem Lohn. Diejenigen, die Stalldienst hatten, erhielten dreifache Bezahlung. Fünf Kälber und dreihundert Hühner wurden geschlachtet. Zweitausendundfünfundzwanzig Eier sowie der ganze Milchertrag kamen in die Küche. Alle Fahrzeuge, selbst die, die gar nicht benutzt wurden, waren mit farbigen Papierschleifen geschmückt worden. Die Einwohner von *Wonokromo* hatten noch nie ein so großes Hochzeitsfest erlebt.

Annelies hatte mir einmal erzählt, Mama habe ihr versprochen, ihr hinsichtlich ihres Hochzeitstages jeden Wunsch zu erfüllen. Sie möchte so viele Leute wie nur möglich um ihre Tochter sehen, die sich mit ihr freuen, damit sie ihr Leben lang nichts zu bereuen habe.

Weder Annelies noch Mama verlangten einen Brautpreis. Was sollten wir uns noch wünschen, hatte Mama gesagt, Annelies verdankt ihrem Bräutigam alles. Annelies meinte, wenn's schon nicht ohne Mitgift ginge, dann wünsche sie sich etwas, was ich ihr bis dahin vorenthalten habe; das Versprechen, ihr ein Leben lang treu zu bleiben. Das habe ich ihr während der Trauungszeremonie auch gegeben.

Um fünf Uhr nachmittags klopfte es an meine Zimmertür. Jan Dapperste trat ein. Er war festlich und sauber gekleidet, wenn auch etwas altmodisch.

«Verzeih, Minke, daß ich jetzt schon eintrudle. Ich komme absichtlich etwas früher, damit ich dir behilflich sein kann.» Er setzte sich. «Du bist wirklich ein Maikind, du kommst zu allem, was du erstrebst. Was du auch in Angriff nimmst, es gelingt dir. In ein paar Jahren bist du ganz bestimmt schon *Bupati*.»

«Du redest wie der größte Pechvogel.»

«Da hast du recht. Ich bin Mama und Papa davongerannt. Als das Schiff, mit dem wir nach Europa fahren sollten, sich in Bewegung setzte, bin ich über Bord gesprungen und an Land geschwommen.»

«Du lügst. Du kommst ja richtig in Schale daher.»

«Ein Freund von mir hat mir die Kleider ausgeliehen.»

«Sonst will jeder nach Europa gehen, bloß du nicht.»

«Wir hätten da sowieso nur Zwischenstation gemacht, um dann nach Surinam weiterzureisen. Ja, Minke, es gehört sich im Grunde gar nicht, was ich getan habe. Sie haben sich meiner angenommen, und ich bin ihnen nicht einmal dankbar dafür.»

«Solche Selbstvorwürfe hör ich jetzt mindestens zum drittenmal.»

«Verzeih, und das an deinem schönsten Tag des Lebens. Das gehört sich wirklich nicht, aber du mußt mir helfen, Minke. Ich will nicht weggehen aus Java, ich bin weder Holländer noch *Indo*.»

«Das hast du mir schon oft gesagt.»

«Ja, und den Namen Dapperste habe ich auch nie gemocht.»

Das Pfarrerehepaar Dapperste war kinderlos. Sie hatten Jan als kleinen Jungen angenommen, ihn getauft und ihren Familiennamen dem seinigen angehängt. Seinen früheren Namen wußte er nicht. Der Pfarrer hatte versucht, ihn rechtmäßig zu adoptieren, aber das ging nicht, weil das holländische Zivilrecht keine Adoption kannte. Der Name blieb ein Name, der zwar von der Gesellschaft akzeptiert wurde, aber nicht so vom Gesetz.

«Ich war schon immer ein Angsthase, das weißt du ja selber. Ich habe die ganze Zeit nur gelitten unter dem Namen Dapperste.»

Ja, das wußten alle in der Schule. Man hatte Dapperste sogar in Lafste abgewandelt – Jan de Lafste. Wenn seine Geschichte stimmte, dann war er jetzt plötzlich mutig geworden, nur um seinen Namen loszuwerden: er war ins Meer gesprungen und seinen Pflegeeltern davongelaufen. Ich konnte es kaum glauben.

«Wo wohnst du denn jetzt?» fragte ich ihn.

«Mal hier, mal dort. Zum Glück habe ich ja das *H. B. S.*-Diplom, ich möchte mir in Surabaya Arbeit suchen. Aber da steht natürlich Dapperste drin. Muß ich denn den Namen durchs ganze Leben tragen?»

«Du kannst deinen Namen ändern.»

«Ja, weiß ich. Ich hab mir in diesem Jahr alle Informationen geholt über die Prozedur.»

«Und wie geht diese Prozedur?»

«Man muß dem Residenten einen schriftlichen Antrag stellen, und der wird ihn dann an den General-Gouverneur weiterleiten.»

«Warum tust du das nicht?»

Er schaute mich ganz dumm an, überhaupt nicht wie ein ehemaliger *H. B. S.*-ler. Er schnalzte und wandte sich ab.

«Kannst du das nicht? Es gibt doch Vorlagen, wie man offizielle Briefe schreibt?»

«Die Siegelmarke, Minke, die kostet eine schöne Stange Geld. Der Antrag allein kostet anderthalb Gulden und der Beschluß noch mal anderthalb Gulden, ebenfalls in Siegelmarken. Ich überleg's mir schon die ganze Zeit.»

«Und wieso bemühst du dich nicht endlich darum?»

«Verstehst du denn nicht, Minke? Woher krieg ich drei Gulden? Woher nehm ich das Geld für das Porto?»

«Hättest ja gleich sagen können, daß du Geld brauchst. Das ist doch einfacher.»

«Verzeih mir, aber es gehört sich ja im Grunde wirklich nicht, ausgerechnet an deinem glücklichsten Tag über derartige Dinge zu sprechen.»

«Du stößt dich doch nicht etwa an meinem Glück?»

«Aber nein, ganz und gar nicht. Ich freue mich aufrichtig und aus ganzem Herzen mit.»

«Dann sei glücklich mit mir.»

«Deswegen bin ich ja gekommen.»

«Hör zu, Jan, nach dem Fest will Mama den Betrieb vergrößern: sie will einen Gewürzhandel aufziehen. Da kannst du Erfahrungen sammeln, während du auf deine Namensänderung wartest. Einverstanden?»

«Danke, Minke, du bist immer so gut und so großzügig. Nur – ich habe ja noch gar keinen Antrag gestellt.»

«Der neue Zweig des Betriebs untersteht einem *Indo*, van Doornenbosch. Ich werde dich ihm vorstellen. Ich werde mich dann selber um die Angelegenheit kümmern.»

Er faßte mich an der Hand und beugte seinen Kopf tief. Er sagte nichts.

«Was soll das? Rede, solange ich noch Zeit habe.»

«Danke, Minke. Aber das ist noch nicht alles. Meine Pension, Minke, für ungefähr eine Woche, und der Transport hin und zurück nach Surabaya während der Zeit.»

Mutter trat ins Zimmer, um mich herzurichten. Diese edle Frau hatte alles darangesetzt, das eigenhändig erledigen zu können. Niemand anders als sie durfte ihren Sohn als Bräutigam schmükken für das Fest. In der rechten Hand hielt sie einen Papierkoffer und in der linken einen Korb voller Blumen, die zu Ketten aufgereiht waren.

Sie zögerte, als sie Jan Dapperste sah, der sie verächtlich anschaute.

«Meine Mutter, Jan», sagte ich.

Da erst rang er sich ein Lächeln ab und verneigte sich ehrerbietig.

«Mutter spricht kein Holländisch», fügte ich hinzu.

Zu meinem Erstaunen begann Jan Dapperste, fließend *Kromo-Javanisch* zu reden. Ich erklärte Mutter, daß er ein ehemaliger Schulkamerad von mir sei, ein Pfarrerssohn.

«Ehemaliger Pflegesohn eines Pfarrers», berichtigte er.

«*Nak*, ich möchte meinen Sohn schmücken. Entschuldigen Sie.»

«Kann ich Ihnen behilflich sein, *Ibu*?»

«Tausend Dank, *Nak*, das ist nicht nötig. Das ist das letzte Mal, daß ich etwas für meinen Sohn tun kann, das muß ich alleine erledigen. Macht's Ihnen etwas aus, in der Zwischenzeit anderswo zu warten?»

Jan schaute mich hilfesuchend an. Ich wußte genau, daß er müde war und hungrig dazu. Ich kannte sein Gehabe auswendig. Ich nahm einen Zettel und schrieb eine Notiz an Darsam, er solle sich um ihn kümmern.

«Geh zu Darsam», sagte ich. Er nahm den Zettel entgegen und verschwand.

Es war bereits so dunkel, daß ich die Gaslampe anzündete: es war also sechs Uhr. Die Gaszentrale, die von Darsam bedient wurde, befand sich in einem kleinen Backsteinhäuschen hinter dem Haus. Er hatte das Gas schon gepumpt, es wurde hell im Zimmer.

Mutter rieb mir Gesicht, Hals, Brust und Arme mit einer Flüssigkeit ein, deren Namen ich nicht kannte.

«Früher», begann Mutter und sprach zu mir wie zu einem kleinen Jungen, «hätten sich Länder große Fehden geliefert wegen einer so bezaubernden Prinzessin, wie meine Schwiegertochter es ist. Damals wurde noch Krieg geführt, nur um sich schöner Frauen zu bemächtigen. Heutzutage lebt man vollkommen in Sicherheit, nicht wie zu meiner Kinderzeit oder zu Zeiten deiner Großmutter. Es heißt, man fürchte sich allgemein vor den Holländern und die Lage sei deshalb so sicher. Die Holländer sind anders als deine Vorfahren. So mächtig sie sind, sie entführen nicht die Frauen oder Töchter anderer Leute, wie es die Fürsten deiner Vorfahren getan haben. Ja, *Nak*, hättest du damals gelebt, dann hättest du wohl andauernd in den Krieg ziehen müssen, damit man dir deine Frau nicht raubt. Wie eine Fee sieht sie aus, oder noch schöner. Ihre Wangen, ihre Lippen, ihre Stirn, ihre Nase, ja selbst die Ohren, alles ist wie aus Wachs gegossen, genau nach dem Idealbild der Menschen geformt. Wie stolz bin ich, *Gus*, eine Schwiegertochter wie sie zu haben. Du machst mich so glücklich.»

«Mutter, Ihre Schwiegertochter ist keine echte Javanerin.»

«Aber du liebst sie doch? Du mochtest sie doch gleich von Anfang an, *Gus*? Im übrigen bleibst du auch in Zukunft vorsichtig – ein so hübsches Mädchen... Da werden selbst die Götter nicht untätig bleiben.»

Sie hörte nicht auf zu reden, während sie mich herrichtete.

«Du kannst dich glücklich preisen, daß du nicht ununterbrochen kämpfen mußt wie deine Vorfahren.»

«Mutter.»

«Ach, könnte ich euch nach B. mitnehmen, *Gus*. Kommt ihr nachher nach B.?»

«Nein, Mutter.»

«Ja, ja, ich verstehe. Ich werde wohl nachgeben und immer zu euch kommen müssen, wenn ich dich, meine Schwiegertochter und meine Enkel sehen will.»

«Vater hätte bestimmt etwas dagegen, Mutter.»

«Wieso willst du nicht, daß die Zähne deiner Frau gefeilt werden? Stört es dich nicht, wenn ihre Zähne spitz sind?»

313

«Die Zähne meiner Frau sollen so bleiben, wie sie sind, Mutter.»

«Wie die Zähne der Holländerinnen oder der Riesen, die werden auch nicht gefeilt.»

«Warum schrubben Sie derart an mir herum, Mutter, als wüsche ich mich nie?»

«Sst. An deinem Hochzeitstag sollst du aussehen wie ein Göttersohn.»

«Was hat man davon, wie ein Göttersohn auszusehen?»

«Du brauchst überhaupt nichts davon zu haben. An einem Hochzeitsfest finden sich alle Ahnen ein, um ihren Segen zu erteilen. Ich werde das später auch tun, wenn deine Kinder einmal heiraten. Ich werde die Gelegenheit, meine Nachkommen zu sehen, nicht ungenutzt lassen. Stell dir vor, wie mir wohl zumute sein wird, wenn ich meine Enkel den Brautthron besteigen sehe, und sie sehen nicht wie javanische Ritter aus. Was werde ich da sagen, wenn meine Enkel nicht javanisch sind, nur weil sich die Eltern zu wenig darum gekümmert haben?»

«Sind die holländischen Ahnen bei der Hochzeit ihrer Nachkommen auch anwesend, Mutter?»

«Was gehen dich die Holländer an? Du bist ja schon so unjavanisch, daß du nicht einmal deine eigenen Vorfahren ernst nimmst. Da sagen die Leute, du seist ein Dichter geworden, und wo bleiben die Verse, die ich abends singen kann, wenn ich mich nach dir sehne?»

«Ich kann nicht auf javanisch schreiben, Mutter.»

«Na, wärst du ein echter Javaner, dann könntest du es. Aber du schreibst holländisch, *Gus*, weil du kein Javaner sein magst. Du schreibst lieber für die Holländer. Was schenkst du ihnen so große Beachtung? Essen und trinken sie nicht von Javas Erde, du jedenfalls ißt und trinkst nicht von Hollands Erde. Also, was hast du denn den Narren gefressen an ihnen?»

«Ach, Mutter.»

«Deine Vorfahren, die javanischen Fürsten, haben alle javanisch geschrieben. Schämst du dich, Javaner zu sein? Schämst du dich, weil du kein Holländer bist?»

Es wäre wirklich stumpfsinnig gewesen, hätte ich Mutters Fragen beantwortet, die, so zart sie sie aussprach, beispiellose Schärfe

enthielten. Jeder stellte Forderungen an mich, jetzt sogar auch
meine Mutter. Sie wußte genausogut wie ich, daß ich nicht antworten würde. Sie sprach eher zu den Ahnen, damit diese mir,
ihrem Lieblingssohn, vergeben würden: die Ahnen durften mir
nicht zürnen.

«So, zieh dir jetzt diesen Batik-*Kain* an. Ich habe ihn selbst gebatikt für den heutigen Anlaß. Jahrelang habe ich ihn in einer speziellen Truhe aufbewahrt und jede Woche frische Jasminblüten dar-
übergestreut. Als mir die Leute erzählten, was sie in den Zeitungen über jenen Prozeß lasen, habe ich die *Kains*, deinen und den
für meine Schwiegertochter, sofort geläutert. Schau dir die Arbeit
deiner Mutter mal richtig an, riech den jahrealten Jasminduft.»
    Ich schaute mir den *Kain* genauer an und roch daran.
    «Herrlich, Mutter, wunderbar. Wie das duftet! Und der Geruch
ist bis in die Fäden gedrungen.»
    «Ha, was verstehst du schon von Batik!» Sie schaute absichtlich
beiseite, wohl wissend, daß ich mein Gesicht schmerzlich verzog.
«Ich habe ihn eigenhändig mit Indigo und Soga gefärbt, *Gus*. Den
Indigo und Soga dazu habe ich ebenfalls selbst hergestellt. Riech
nochmals daran, der Soga duftet immer noch», und sie hielt mir
den *Kain* unter die Nase.
    «Hm, fein, Mutter.»
    «Ach du! Aber ich genieße es ja, *Gus*, daß du so gut heucheln
kannst, um mir alten Frau eine Freude zu bereiten.» Sie wollte
auch diesmal nicht sehen, wie ich das Gesicht verzog. «Ich hab's
gespürt, daß meine zukünftige Schwiegertochter und ihre Mutter
wohl nicht batiken können, darum habe ich es getan. Als ich klein
war, *Gus*, konnten nur ganz dumme Mädchen nicht batiken.»
    «Ihre Batik ist unwahrscheinlich fein, Mutter. Sie haben be-
stimmt einen ganzen Monat daran gearbeitet.»
    «Zwei, *Gus*, es sind ja zwei *Kains*, und das nur für diesen einen
Tag. Du kannst ihn nachher fortwerfen, wenn du willst.»
    «Ich werde ihn mein Leben lang aufheben, Mutter.»
    «Du verstehst, mir zu schmeicheln. So gehört es sich für einen
ergebenen Sohn... Auch die Blumenketten habe ich selbst gemacht. Der *Keris* ist ein Erbstück von deinem Großvater. Er ist

bereits einige hundert Jahre alt, stammt aus der Zeit vor *Mataram*, vor *Pajang*, er stammt aus der Zeit von *Majapahit, Gus*.»

«Woher wissen Sie das, Mutter?»

«Im Hause deines Großvaters gab's doch einen Stammbaum. Du hast ihn nie erzählen hören, das fehlt dir. Du hältst wohl nur für wertvoll, was die Holländer sagen. Diesen *Keris* haben alle deine Vorfahren getragen, außer deinem Vater. Großvater hat ihn für dich bestimmt. Ach, wie soll man denn mit dir reden? Ich weiß es wirklich nicht, *Gus*. Verzeih dieser alten Frau, die nichts weiß.»

«Mutter.»

«Kein Holländer kann einen *Keris* herstellen. Sie werden es nie können. Zieh ihn mal aus der Scheide, dann kannst du die Daumenabdrücke des ehrenwerten Schmiedes sehen.»

Ich war gerade dabei, mir den *Kain* umzuwickeln, und so sagte ich:

«Verzeihen Sie, Mutter, ziehen Sie den *Keris* bitte aus der Scheide, damit ich ihn sehen kann.»

«Aber so was! Du bist wirklich kein Javaner mehr. Glaubst du denn, das sei ein Küchenmesser?»

Ich sah, daß sie Tränen in den Augen hatte; schnell steckte ich den *Kain* fest und huldigte ihr:

«Verzeihen Sie mir, Mutter, ich wollte Sie nicht verletzen. Ich bitte Sie tausendmal um Verzeihung.»

Mutter drehte ihr Gesicht weg und wischte sich die Tränen an der Schulter ab.

«Übertreib's nicht, *Gus*, verleugne dein javanisches Wesen nicht ganz. Seit wann darf eine Frau einen *Keris* aus der Scheide ziehen? *Keris* sind nur für Männer. Benimm dich nicht so flegelhaft. Du jedenfalls brächtest keinen *Keris* zustande. Ehre den Mann, der mehr gekonnt hat als du. Schau dich nachher nur im Spiegel an. Wenn du den *Keris* am Rücken trägst, dann wirst du dich verändern, du wirst deinen Ahnen ähnlicher sein, deinem Ursprung näher.»

Mutter redete in einem fort. Schließlich nahm die Herrichterei doch ein Ende.

«So, setz dich jetzt auf den Boden. Senk den Kopf.» Ich begriff, daß nun die traditionellen Ratschläge vor der Hochzeit folgen würden. «Du bist ein Nachfahre der alten javanischen Ritter... der Gründer und Zerstörer vieler Königreiche... Du hast Ritterblut in dir, du bist ein Ritter... Was gehört zu einem javanischen Ritter?»

«Ich weiß es nicht, Mutter.»

«Na, aber du verschreibst dich allem, was holländisch ist. Es gibt fünf Dinge, die zu einem javanischen Ritter gehören: *wisma*, *anita*, *turangga*, *ukila* und *curiga*. Kannst du das behalten?»

«Aber sicher, Mutter.»

«Weißt du, was die Worte bedeuten?»

«Ja, Mutter.»

«Weißt du, was sie symbolisieren?»

«Nein, Mutter.»

«Du hast wirklich keine Ahnung, wo du herkommst. Hör zu und sag es später deinen Kindern weiter...»

«Sehr wohl, Mutter.»

«Erstens *wisma*, *Gus*, das Haus. Ohne Haus kann jemand kein Ritter sein, höchstens ein Vagabund. Das Haus ist der Ort, von wo ein Ritter aufbricht und wohin er wieder zurückkehrt. Das Haus ist nicht etwa nur eine Adresse, *Gus*, es ist die Stätte der gemeinsamen Geborgenheit für alle, die darin leben. Langweilt dich das?»

«Ich höre.»

Sie zupfte mich am Ohr:

«Du hast noch nie auf deine Eltern gehört...»

«Wirklich, Mutter, ich höre Ihnen zu.»

«Zweitens *wanita*, *Gus*. Ohne Frau verstößt der Ritter als Mann gegen das Naturgesetz. Die Frau ist das Symbol des Seins und Werdens, der Fruchtbarkeit, des Gedeihens, der Geborgenheit. Sie ist nicht einfach eine Ehefrau für den Mann, sie ist der Pol, um den sich alles dreht, die Quelle, der alles entspringt, Dasein und Sein. In diesem Sinne sollst du auch deine nun schon so alte Mutter sehen, und in diesem Sinne mußt du deine Töchter erziehen.»

«Ja, Mutter.»

«Die Holländer wissen von alldem nichts. Aber du mußt es wissen, du bist Javaner.»

«Jawohl, Mutter, sie wissen es nicht.»

«Drittens *turangga*, das Pferd, *Gus*. Es kann dich überallhin bringen, zum Wissen, zur Erkenntnis, zum Können, auch zum Fortschritt. Ohne Pferd kommst du nicht weit, und dein Blickfeld bleibt beschränkt.»

Ich nickte bejahend, begriff, daß diese Weisheit auf jahrhundertealter Erfahrung beruhte. Doch mir war nicht klar, wer sie in Worte gefaßt hatte, ob meine Ahnen oder Mutter selbst.

«Viertens *kukila*, der Vogel, symbolisiert Schönheit, Muße, alles, was nicht direkt mit dem Lebensunterhalt zu tun hat und lediglich der inneren Befriedigung dient. Ohne das ist der Mensch ein lebloser Stein.

Und fünftens *curiga*, der *Keris, Gus*, ist ein Symbol für Vorsicht, Wachsamkeit, Heroismus. Er ist das Werkzeug, mit dem die anderen vier verteidigt werden. Ohne *Keris* können die anderen vier mit Leichtigkeit zu Trümmern werden, wenn etwas an sie herantritt... Na, du *H. B. S.*-ler, solches haben dir deine Lehrer, jene Holländer, bestimmt noch nie erklärt. Jetzt weißt du also, was ein Ritter zu wissen hat. Wenn dir eins dieser fünf Dinge fehlt, dann sieh zu, daß du's erreichst. Vernachlässige keines, jedes von ihnen ist ein Kennzeichen deiner selbst. Hör auf deine Ahnen. Wenn du sonst nichts befolgst, dann wenigstens das. Hörst du, *Gus?*»

«Ja, Mutter.»

«Meditiere jetzt, bitte deine Ahnen um ihren Segen und um Vergebung, damit sie dich vor Leid, Verleumdung und Mißgunst schützen.»

Ich saß noch immer auf dem Boden und hielt den Kopf gesenkt.

«Aber doch nicht so. Setz dich anständig, im Lotussitz, die Hände lose im Schoß. Sei ein richtiger Javaner, wenn auch nur für kurz und nur dieses eine Mal. Beug den Kopf tiefer, *Gus*.»

Ich tat, wie sie wünschte und befahl. Ich bat meine Ahnen, die ich weder kannte noch mir vorstellen konnte, um Vergebung. Das Gesicht des Dicken tauchte kurz vor meinen Augen auf.

Mutter kniete vor mir hin und legte mir die Jasminketten um den Hals. Sie schluchzte auf. Dann legte sie mir zwei kurze Blumenketten in die Hände. Sie drückte mir die Finger zusammen, damit ich die Blumen festhielte. Sie küßte mich auf die Stirn unter meinem *Blangkon* und schluchzte immer mehr. Ihre Tränen fielen mir auf die Wangen. Und plötzlich weinte ich auch.

Das Bild von meinen Ahnen verschwand, bevor es überhaupt Gestalt angenommen hatte, machte meinen Gefühlen Platz, die mir die Brust aufwühlten und mich weinen ließen.

«Segnet dieses Kind, euer Blut, euren Liebling. Behütet es vor Unheil, vor Leid, Verleumdung und Mißgunst, denn er ist mir von allen Kindern das liebste, ich habe ihn mit Schmerzen geboren, die mich dem Tod nahe brachten...»

«Mutter!» Ich ließ mich zu Boden fallen und umarmte ihre Knie.

«... und jetzt darf ich diesen Tag doch miterleben. Er ist euer eigen Fleisch und Blut. Führt ihn zu Größe und Ruhm.»

Ich fühlte, daß Mutter mir ihre Hände auf die Schultern legte; sie hatte aufgehört zu schluchzen. Sie rückte mich zurecht, ebenso die Jasminketten in meinen Händen und um meinen Hals. Dann wischte sie mir die Tränen mit einem *Kebaya*-Zipfel ab und drückte mein Kinn nach unten, das ich wohl etwas zu hoch hielt.

«Meditiere nun alleine, *Gus*, ohne mich.»

Das Gästezimmer, das mittlere sowie der Nebenraum füllten sich allmählich mit herbeiströmenden Gästen, während mein Herz noch immer beschäftigt war mit dem Eindruck, den Mutters Zeremonie, bevor ich den Brautthron besteigen sollte, in mir hinterlassen hatte. Diese Art von Zeremonie für einen Bräutigam war mir neu. Vielleicht war es Mutters eigene Improvisation, vielleicht war es eine spezielle Zeremonie für Söhne, die von der ganzen Familie als Querulanten bezeichnet wurden, außer von der Mutter.

Kommer, der eine persönliche Einladung erhalten hatte, erschien um fünf vor sieben. Festen Schrittes steuerte er auf mich zu und schüttelte mir kameradschaftlich die Hand.

«Mit Ihrer Hochzeit wird den Leuten endlich ihr schmutziges Maul gestopft, *Tuan* Minke. Mehr noch, Sie haben alles, was Sie in Angriff genommen haben, zu einem guten Ende geführt. Wir werden doch in Zukunft zusammenarbeiten?»

«Sicher, *Tuan*, sehr gerne. Wir können gute Verbündete werden. Vielen Dank für Ihre Glückwünsche, *Tuan*.»

Er war ein freundlicher Mann, ein *Indo*. Europäisch waren nur seine Kopfform und seine lange Nase, der Rest war ganz *Pribumi*, wohl auch sein Inneres. Er war mindestens zehn oder gar fünfzehn Jahre älter als ich. Seine Bewegungen waren behende.

Jean Marais, May, Telinga und Mevrouw fuhren mit einer Mietkutsche vor. Magda Peters und meine Schulkameraden kamen ebenfalls mit Mietwagen angefahren. *Tuan* Maarten Nijman und seine Frau kamen mit ihrer eigenen Kutsche.

Der Rektor und die übrigen Lehrer erschienen nicht; sie ließen ihre Glückwünsche durch Magda Peters ausrichten.

Eine Minute vor sieben traf ein Telegramm ein von Miriam, Sarah und Herbert de la Croix. Ich wunderte mich, woher sie von meiner Hochzeit erfahren hatten.

Robert Suurhof tauchte wie erwartet nicht auf. Seine Abwesenheit bot den anderen Schülern reichlich Gesprächsstoff.

Der seines Namens überdrüssige Jan Dapperste ging geschäftig hin und her und betätigte sich als freiwilliger Diener.

Die Anzahl meiner persönlichen Gäste war recht groß, wobei Jan Dapperste der einzige *Pribumi* war. Mamas Geschäftspartner kamen in Scharen daher wie Termiten. Der Prozeß, bei dem sie ein richtiger Star geworden war, erwies sich als interessante und wirksame Reklame.

Dr. Martinet mit seiner gewandten Art leitete das Protokoll. Punkt acht Uhr setzte er zu einer Rede an. Zu Beginn sprach er davon, was für Orkanen unsere Beziehung ausgesetzt war, wie es ihm sonst von keinem anderen Liebespaar je zu Ohren gekommen sei – es würde sich direkt lohnen, ein Buch darüber zu schreiben. Seine Rede war es denn auch gewesen, die mir den Anstoß gegeben hat, meine Erlebnisse in dieser Form wiederzugeben.

«Ihre Liebesgeschichte ist einzigartig», meinte er, «so etwas gibt es kein zweites Mal.»

Der eloquente Arzt versetzte seine Zuhörer bald in andächtiges Schweigen, bald brachte er sie zum Lachen. Was er für wichtig hielt, unterstrich er mit Handbewegungen. Schade, daß er nicht malaiisch sprach, so daß viele Gäste ihn leider nicht verstanden.

Nach seiner schönen Schilderung unserer Liebesgeschichte ging er auf ein ganz unerwartetes Thema über:

«Schauen Sie dieses Porträt an, das hier über dem glücklichen Brautpaar hängt.»

Mit einer eleganten Geste führte er die Augen der Anwesenden zu Mamas Porträt, das über uns hing.

Das Bild, erklärte er, stelle eine für ihre Zeit außergewöhnliche *Pribumi* dar, *Nyai* Ontosoroh, eine kluge Frau, Brautmutter und Schwiegermutter *Tuan* Minkes. Sie sei eine phantastische Persönlichkeit, sei mit einem Kapitän zu vergleichen, der sich mit Sicherheit dafür einsetze, daß sein Schiff keinen Schaden erleide auf See oder gar untergehe. Allein ihren Fähigkeiten als Kapitän sei es zuzuschreiben, daß dieses glückliche Ereignis stattfinde, die Vereinigung weiblicher Schönheit mit dem glänzenden Talent eines jungen Dichters; ihren Fähigkeiten als Kapitän sei es zu verdanken, daß sich dieses Paar die Hände reiche, um miteinander in die verheißungsvolle Zukunft zu schreiten.

«Wissen Sie, werte Anwesende, wer dieses herrliche Porträt, das dort oben hängt, gemalt hat? Es stammt von einem äußerst begabten Maler, nicht von einem Irgend-Jemand. Bei näherer Betrachtung dieses Gemäldes spürt man deutlich, daß der Maler das Innere der Dargestellten kennt und sie bewundert. Ich glaube, mit meiner Annahme nicht fehlzugehen. So ist es doch, nicht wahr, *Tuan* Jean Marais? Ja, werte Anwesende, der Maler ist Franzose, stammt aus dem Land, das für seine Tradition in der darstellenden Kunst bekannt ist. *Tuan* Marais, wollen Sie sich bitte erheben?»

Ich sah, wie Telinga Jean Marais aufstehen half, und die Gäste jubelten ihm lautstark zu. Der Franzose war rot vor Verlegenheit; er setzte sich schnell wieder auf seinen Stuhl.

Die kurze Rede schmeichelte uns wirklich. Es war eindeutig, daß er absichtlich Werbung für Mama und Jean Marais gemacht hatte.

Nicht weit von uns entfernt stand Darsam. Er war ganz in Schwarz gekleidet. Sein dichter Schnauzbart zwirbelte sich nach oben. Seine Augen schweiften unaufhörlich umher. Er trug kein Hackmesser, aber ich war sicher, daß er unter sein Hemd ein paar Dolche gesteckt hatte.

Nyai Ontosoroh, meine Schwiegermutter, saß im Nebenraum hinter dem Brautthron und hörte nicht auf zu weinen. Mutter stand neben ihrer Schwiegertochter und wedelte pausenlos mit einem Fächer aus Pfauenfedern.

Mevrouw Telinga kümmerte sich um die weiblichen Gäste im Nebengemach.

Vor unseren Füßen türmten sich immer mehr Geschenke, und die Blumensträuße links und rechts von uns bildeten eine immer längere Reihe.

Um neun Uhr begann das Tanzfest für die *Kampung*-Leute, man hörte das *Gamelan* aufspielen. Hin und wieder ertönten laute Beifallsrufe.

Darsams *Pendekar*-Gehilfen hatten die Aufgabe, nach dem Rechten zu sehen, damit kein Streit und keine Schlägerei ausbreche. Palmwein stand in Hülle und Fülle bereit und floß ohne Unterlaß. Um halb zehn fingen die Gäste an aufzubrechen. Als erster verabschiedete sich Dr. Martinet, der gerufen wurde, weil jemand erkrankt war. Wenige Minuten danach erschien ein junger Mann, der ganz in Schwarz gekleidet war. Sein Haar glänzte. Ein phantasievolles Taschentuch schmückte seine Brusttasche, und eine goldene Kette deutete darauf hin, daß in seiner Tasche eine Uhr steckte. Er schritt aufrecht und würdevoll durch die im Aufbruch begriffenen Gäste und steuerte direkt auf uns beide zu. Kein Zweifel: Robert Suurhof.

Mit übertriebener Höflichkeit reichte er mir die Hand, um mich zu beglückwünschen. Dann sagte er zu Annelies:

«Verzeihen Sie, Mevrouw, daß ich etwas verspätet komme», er verbeugte sich noch höflicher.

«Wir freuen uns, daß du gekommen bist, Rob», sagte ich.

«Verzeih, was ehedem war, Minke», sagte er mit ausgesuchter Höflichkeit, als wären wir keine Schulkameraden gewesen. «Erlaube mir, deiner Frau ein Abschiedsgeschenk zu überreichen.»

Ohne eine Antwort abzuwarten, kramte er einen goldenen Ring mit einem enorm großen Brillanten hervor. Er griff nach der Hand meiner Frau und steckte ihr den Ring an; er drehte ihn so, daß der Edelstein innen war, und verbeugte sich dann über ihrer Hand wie eine mittelalterliche Romanfigur. Für mein Gefühl küßte er die Hand viel zu lange. Schließlich wandte er sich mir zu:

«Ich habe mein Versprechen nicht gebrochen, Minke, ich bewundere und verehre dich mehr als je zuvor.» Er überreichte mir eine kleine Schachtel mit einer rosafarbenen Schleife. «Das ist ein

Andenken an deinen Hochzeitstag. Hoffentlich bleibst du immer glücklich.»

«Danke, Rob, für deine Güte und Aufmerksamkeit.»

«Bei dieser Gelegenheit möchte ich mich auch von dir verabschieden», er schielte zu Annelies, «ich werde nach Europa gehen, um dort Jura zu studieren.»

«Gute Reise und viel Erfolg beim Studium.»

Er entfernte sich würdevoll und gesellte sich zu den anderen Freunden, die im Aufbrechen waren.

Magda Peters verabschiedete sich mit Tränen in den Augen. Sie schüttelte mir innig die Hand.

«Wie gerne möchte ich miterleben, was aus Ihnen in den nächsten drei Jahren wird. Sollten Sie einmal nach Europa kommen... dann erinnern Sie sich an meine Adresse.» Sie entfernte sich schnell.

Tuan Telinga, seine Frau, Jean Marais und May gingen nicht nach Hause, sie schliefen bei uns. Ebenso Jan Dapperste. Er beschäftigte sich damit, die Geschenke in unser Brautzimmer im oberen Stockwerk zu tragen und Namen und Adressen der Spender zu notieren.

In dem Geschenkstapel befanden sich auch Pakete von Miriam, Sarah und Herbert de la Croix. Niemand wußte, wer sie gebracht hatte. Ein kleiner Zettel mit Miriams Handschrift lag dabei: «Schämen Sie sich, uns einzuladen, oder wären wir da fehl am Platz, werter Freund? Wir wären so gerne Brautjungfern geworden für jene Fee, deren Schönheit so gepriesen wird. Was soll's, wir können lediglich unseren Glückwunsch senden. Lassen Sie unsere Korrespondenz nicht versiegen. Herzlichen Glückwunsch, Gruß und meine Empfehlung an ihre Frau Gemahlin.»

In Sarahs Paket lag ein Extrabrief:

«Ich werde nach Europa zurückkehren, Minke. Zum Glück kann ich Ihnen noch zur Hochzeit gratulieren. Adieu! Bis auf Wiedersehen in Europa.»

Im Paket von Juffrouw Magda Peters befanden sich einige Bücher und eine Broschüre, ohne Namen des Verfassers oder Herausgebers, auch ohne Angabe über das Erscheinungsdatum. In der Broschüre stand:

«Für einen Bräutigam wie Sie, Minke, schicken sich Bücher, die nicht jedermann besitzen kann, am besten. Ich habe diejenigen ausgewählt, von denen ich glaube, daß sie Ihnen gefallen werden. Wenn Sie diese Notiz lesen, bin ich bereits zu Hause und viel zu beschäftigt, um an das Glück eines überaus geliebten Schülers zu denken. Ich wünsche Ihnen beiden alles Gute zum Aufbau eines brillanten Lebens. Sollten Sie sich eines Tages an Ihre ungestalte, doch aufrichtig fühlende Lehrerin erinnern, dann bedenken Sie, daß ich stolz darauf war, einen Schüler zu haben, der in die Fußstapfen des Humanisten *Multatuli* trat. Die ostindische Regierung hat mich auf das Drängen einiger Eltern hin als Lehrerin abgesetzt und mir angeraten, Ostindien zu verlassen. Wenn nicht, würde ich ausgewiesen werden. Ich werde morgen mit einem englischen Schiff abreisen. Adieu!»

«Lies das, Jan», sagte ich zu Dapperste, «unsere Lehrerin.»

«Was ist, *Mas*?»

«Jene Gerüchte stimmen also doch. Die Regierung verweist Magda Peters auf indirekte Weise des Landes. Rührend, nicht wahr, Annelies? Inmitten solcher Schwierigkeiten läßt sie sich's nicht nehmen, uns zu besuchen.»

«Auf kaschierte Art des Landes verwiesen», flüsterte Jan, nachdem er die Notiz gelesen hatte.

«Ja, und du willst Java auf keinen Fall verlassen. Willst du etwas für uns tun, Jan?»

«Sicher, *Mas*, sehr gerne.»

«Begleite Juffrouw Magda Peters in unserem Namen zum Schiff. Es gehört sich nicht, einen so gutherzigen Menschen in Traurigkeit abreisen zu lassen.»

Aus einem kleinen, länglichen Paket kam ein wunderschöner Federhalter mit einer goldenen Feder zum Vorschein, dazu eine handgemalte Karte mit Blockschrift:

«Meine besten Grüße und Glückwünsche an die Täubchen Minke und Annelies. Hoffentlich können Sie mir, einem Unbekannten, vergeben und mich vergessen: Der Dicke.»

Das Geschenk fiel zu Boden.

«*Mas*!» mahnte Annelies.

Jan Dapperste hob den Gegenstand auf.

«Den kannst du behalten», sagte ich. Die handgemalte Karte steckte ich mir in die Tasche. Ich wollte nachher in Ruhe darüber entscheiden, ob ich sie vernichten oder für einen späteren Prozeß aufbewahren sollte.

Es war nach eins. Jan Dapperste war mit seiner Arbeit fertig. Er verließ das Zimmer, nachdem er uns eine gute Nacht gewünscht hatte.

Ich trat zu Annelies.

«Jetzt bist du meine Frau, Annelies.»

«Und du mein Mann, *Mas*.»

Es klopfte an die Tür. Ich sprang auf und öffnete sie. Mama trat ein. Ihre Augen waren geschwollen, sie hatte geweint. Sie trat zu uns, konnte kein Wort hervorbringen. Wir verstanden, was sie vorhatte: Sie wollte uns ihre letzten Ratschläge erteilen.

«Mama», kam ich ihr zuvor, «wir beide möchten Ihnen vielmals danken für alles, was Sie uns gegeben und für uns getan haben, für Ihre Sorge und Aufmerksamkeit. Wir werden uns immer daran erinnern und es nie vergessen.»

Sie nickte und verließ das Zimmer.

Annelies trat zu mir unter die Gaslampe. Sie hielt mir die Hände hin. Anscheinend gedachte sie nicht, mich zu umarmen, wollte auch nicht umarmt werden.

«Zieh mir den Ring ab.»

Ich zog ihr den Ring ab, der ihr auf eine Art angesteckt worden war, die wirklich Grund zu Mißtrauen gab.

«Hast du was gegen ihn?»

«Ich habe seine Briefe nie beantwortet.»

Schlagartig begriff ich sein Benehmen in der letzten Zeit. Er war in Annelies verliebt, ohne daß ich das gewußt hatte. Ich schaute den Ring genauer an. Er war aus zweiundzwanzigkarätigem Gold mit einem Brillanten; ob es ein echter war oder eine Imitation, hätte ich nicht zu sagen vermocht. Er war eigentlich zu groß, um echt zu sein. Suurhof konnte unmöglich solchen Reichtum verschenken. Ich wußte genau, wieviel Taschengeld er bekam – nicht einmal zweieinhalb Gulden pro Monat. Seine Mutter trug nie einen Ring. Und wieso war das Geschenk eigentlich nicht eingepackt?

Ich steckte den Gegenstand in die Tasche.

«Gib ihn zurück, *Mas*.»

«Ja, das werde ich tun.»

Die Nacht rückte immer weiter vor. Suurhof und der Dicke wollten mir keine Ruhe lassen.

19

Die Wissenschaft brachte immer neue Wunder hervor, so daß sich die alten Sagen richtig schämen mußten. Man brauchte nicht mehr jahrelang zu meditieren und in Askese zu leben, um mit jemandem auf der anderen Seite des Meeres sprechen zu können. Die Deutschen hatten einen Draht ins Meer gesenkt von England nach Indien! Und immer mehr solche Drähte überzogen den ganzen Erdball. Die ganze Welt konnte jetzt die Taten einer einzelnen Person beobachten, und umgekehrt konnte eine einzelne Person sich darüber informieren, was die ganze Welt tat.

Aber der Mensch und seine Probleme blieben dieselben, vor allem, was die Liebe betraf.

Man denke nur an die kleine Schachtel in meiner Tasche – jenes Kartonschächtelchen, das mit schwarzem Leinen überzogen war. Nur zwei Menschen wußten um dessen Inhalt, Robert Suurhof und ich. Es war kein Geld, kein Edelstein, kein Talisman darin, sondern lediglich ein Brief eines Menschen, der seinen Liebeskummer ausgerechnet demjenigen eröffnete, der ihm seine Geliebte weggeschnappt hatte.

«Minke, mein Freund», schrieb er mit großen Buchstaben, doch es war eindeutig, daß die Feder in seiner Hand gezittert hatte.

Er bat vielmals um Verzeihung, daß er sich so ungerecht und feige, ja schändlich benommen habe. Es sei seltsam, meinte er, aber er habe das nicht aus Bosheit getan, sondern aus aufrichtigster

Liebe zu Juffrouw Annelies Mellema. Er habe Annelies fünfmal gesehen, aber nie die Gelegenheit gehabt, sich mit ihr zu unterhalten, kaum, sie zu begrüßen. Er gestand, daß er sich bis über beide Ohren verliebt habe und sich nicht mit der Wirklichkeit abfinden konnte. Es habe ihn schmerzlich getroffen zu sehen, wie ich ohne Schwierigkeiten Eingang gefunden habe in ihrem Haus und Herzen. Er sei deshalb nicht verzweifelt gewesen – Verzweiflung gebe es nicht für ihn. Er habe ihr mehrere Briefe zukommen lassen, wovon sie keinen einzigen beantwortet habe. Er könne sie nicht vergessen.

«Nun ist für mich alles vorbei, während es für Euch beginnt. Ich muß gestehen, ich kann mich immer noch nicht abfinden damit. Es gibt keinen anderen Weg zu vergessen, als Ostindien zu verlassen. Ja, Minke, ich muß lernen zu vergessen. Wie dem auch sei, laß uns unsere Beziehung nicht durch meine Fehler in der Vergangenheit trüben...»

Zehn Tage nach unserer Hochzeit kam ein Brief aus Colombo. Juffrouw Magda Peters berichtete, sie reise mit Robert Suurhof auf demselben Schiff. Er arbeite als Matrose und schäme sich deswegen vor ihr. Sie habe ihm ins Gewissen geredet und ihm gesagt, er brauche sich nicht zu schämen; sich den Lebensunterhalt als Matrose zu verdienen, sei nicht zu niedrig für einen *H. B. S.*-Absolventen, schon gar nicht, da er es aus dem festen Wunsch heraus tue weiterzustudieren.

Gleichzeitig traf auch ein Brief von Sarah ein, die die Schönheit Singapurs mit seinen sauberen, breiten und betriebsamen Straßen pries. Die Schiffe drängten sich im Hafen; es gebe dort viel mehr Schiffe, als sie je in Amsterdam oder Rotterdam gesehen habe, schrieb sie.

Tuan Resident-Assistent seinerseits teilte mir mit, sein Antrag an die ostindische Regierung, mir ein Studium in Holland zu ermöglichen, sei trotz meiner guten Noten abgelehnt worden. Die für die Regierung entscheidende Bedingung sei ein einwandfreier Lebenswandel, und diese Bedingung, schrieb er, erfülle ich nicht.

Das war auch ein Ergebnis der modernen Wissenschaft, daß selbst das Wohlverhalten einer Person unwiderruflich registriert wurde. Das hatte man schon in der Schule getan und auch in den

Zeitungsberichten über den Prozeß. Ich erwartete zwar nicht viel von anderen, aber diese Abstempelung schmerzte mich doch. Noch nie hatte ich andere Leute benachteiligt, sie in Verruf gebracht, irgend jemandes Eigentum vorenthalten oder mich auf Schmuggel eingelassen. Wie konnte man sich gegen solch willkürliche Verurteilung verteidigen? Jean Marais war wohl der einzige, der die Ansicht vertrat, man müsse bereits im Denken gerecht sein. Aber die Europäer selbst, und insbesondere solche in verantwortlichen Positionen, waren offensichtlich nicht einmal gerecht in ihren Handlungen.

Eben dieser Frucht des modernen Zeitalters war es wohl zu verdanken, daß man drüben in Europa durch den deutschen Draht auf dem Meeresgrund über mich Bescheid wußte...

Drei Monate verflossen. Ich tat kaum etwas anderes als schreiben, wobei ich Mama in ihrem Kontor Gesellschaft leistete und ihr hin und wieder auch zur Hand ging.

Jan Dapperste hatte den Beschluß des General-Gouverneurs vom Residenten in Surabaya zugestellt bekommen. Er hieß jetzt *Panji* Darman und war somit endlich seinen ihm verhaßten Namen Dapperste los. Er veränderte sich denn auch und wurde allmählich die Person, die er sein wollte. Er wurde ein fröhlicher, arbeitsamer und offenherziger Mensch. Anfänglich half er Mama im Kontor, wechselte dann in *Tuan* Doornenboschs Kontor über, mit dem zusammen er sich um den Gewürzhandel kümmerte.

Sechs Monate verstrichen. Eines Tages erhielten Annelies und *Nyai* eine Vorladung vom weißen Gerichtshof. Sie erschraken sehr. Schon wieder ein Prozeß! Aber diesmal war die Vorladung in erster Linie an Annelies gerichtet.

Die beiden gingen also. Ich blieb zu Hause, um Mamas Arbeit zu erledigen. Ich beantwortete einige Schreiben von der Kaserne und der Hafenbehörde sowie von Maklern, die Schiffe mit Nahrungsmitteln belieferten. Ich notierte die neu eingegangenen Bestellungen und Adressenänderungen. Schwieriger war, mich eines ehemaligen *Kompeni*-Söldners zu entledigen, der Mama den Hof machen wollte.

Ich war zuvor nicht weniger als viermal Zeuge geworden, wie Mama solche Herren abwimmelte. *Nyai* schien ein beliebtes Gesprächsthema zu sein unter jenen arbeitslosen Veteranen des *Aceh*-Kriegs, die Mellemas reiche Witwe gerne für sich gewonnen hätten.

Bei mir meldete sich ein *Indo*, ein ehemaliger Fähnrich, wie er vorgab. Er sei mit einem Bronzestern ausgezeichnet worden und habe einen Teil seiner Pension in zehn Hektar bebaubarem Land am Stadtrand von *Malang* ausbezahlt bekommen. Er wollte Mama kennenlernen, vielleicht könnten sie später Geschäftspartner werden. Bevor sich der angebliche Fähnrich endlich verabschiedete, bat er mich inständig, das alles doch der *Nyai* auszurichten. Er versprach mir alles, was ich mir nur wünsche, wenn es klappe. So hatte ich eine zusätzliche Beschäftigung.

Schließlich ging er – er hatte vergessen, sich mit Namen vorzustellen.

Des weiteren schrieb ich an einem Artikel für die *S. N. v / d D.*

Mama und Annelies waren bereits seit mehr als drei Stunden weg. Ich wurde langsam unruhig und legte den Artikel weg. Jedesmal, wenn ein Milchwagen zurückkam, ging ich hinaus, um nachzusehen.

Nach vier Stunden fuhr Mamas Kutsche endlich vor.

«Minke, schnell!» hörte ich *Nyais* Stimme aus einiger Entfernung.

Ich rannte die Treppe hinunter. *Nyai* stieg zuerst ab; sie war knallrot im Gesicht. Sie reichte Annelies, die noch drinnen saß, die Hand. Meine Frau stieg ab, kreidebleich und tränenüberströmt. Sie fiel mir sogleich in die Arme und klammerte sich an mir fest.

«Bring sie nach oben!» befahl Mama in derbem Ton.

Sie ging uns schnellen Schritts voraus in ihr Kontor.

«Hast du dich mit Mama zerstritten?» fragte ich.

Sie schüttelte nur den Kopf, ohne einen Laut von sich zu geben. Ich führte sie ins Haus. Ihr Körper fühlte sich kalt an.

«Warum ist Mama denn so aufgebracht?»

Sie antwortete nicht, widersetzte sich aber, nach oben geführt zu werden. Sie bat darum, im Vorzimmer zu sitzen.

«Bist du krank?» Sie schüttelte den Kopf. «Was ist los mit dir?»

Ich war ganz verwirrt aus lauter Besorgnis, meine zerbrechliche Puppe könnte schon wieder krank werden. «Ich hole dir etwas zu trinken.»

Sie nickte.

Ich holte ihr den Teekrug und ein Glas. Sie trank und schien dann etwas freier zu atmen.

«Darsam!» rief Mama aus dem Kontor.

Ich rannte los, um den *Pendekar* zu suchen. Ich fand ihn bei sich zu Hause, wo er gerade seine überflüssigen Barthaare auszupfte.

«Schnell, Darsam, Mama ist zornig.»

Er sprang vom Stuhl, legte den kleinen Spiegel und die Pinzette auf die Bambusmatte. Als ich ins Kontor kam, war er bereits dort, ebenso Annelies.

«Warum legst du dich nicht schlafen, Ann?» fragte *Nyai* flüchtig. Meine Frau schüttelte den Kopf. Mamas Gesicht glühte noch immer.

Darsam empfahl sich bei Mama und entfernte sich. Anscheinend stand draußen ein Wagen bereit, denn gleich darauf hörte man die Räder über die Kieselsteine vor dem Kontor knirschen.

Mama trat ans Fenster und rief hinaus:

«Beeil dich! Sei vorsichtig!» Sie drehte sich um und trat zu Annelies. Während sie ihr übers Haar streichelte, sagte sie tröstend: «Denk nicht daran. Wir werden uns darum kümmern, dein Mann und ich.»

«Was ist denn geschehen, Ma?» fragte ich.

«Nun ist schließlich doch eingetroffen, *Nak*, Minke, was ich die ganze Zeit befürchtet habe. Ich verstehe nicht viel von Rechtsangelegenheiten, aber wir müssen versuchen, uns mit ganzer Kraft und allen Mitteln zu wehren.»

«Was ist das denn, Ma?»

Sie schob mir einen Stapel Dokumente und Briefe hin, Kopien und Originale, die vom Kreisgericht in Amsterdam stammten, mit Stempeln vom Innenministerium, Justizministerium sowie vom Ministerium für koloniale Angelegenheiten. Zuoberst lag die Abschrift eines Briefes von Ingenieur Maurits Mellema aus Südafrika an seine Mutter, Amelia Mellema-Hammers, in dem er ihr die Vollmacht erteilte, seinen Anspruch auf die Erbschaft des verstorbenen *Tuan* Herman Mellema geltend zu machen, von dessen Ermordung er durch einen Brief seiner Mutter erfahren hatte. Dann folgte eine Kopie des Antrags Mevrouw Mellema-Hammers' an das Gericht in Amsterdam, worin sie im Namen ihres Sohnes um die Realisierung seines Anspruchs auf das von seinem Vater hinterlassene Vermögen bat.

Es folgten Kopien des Briefwechsels zwischen Gericht und Staatsanwaltschaft Surabaya und dem Gericht in Amsterdam über das Vorhandensein beziehungsweise Nichtvorhandensein einer Heiratsurkunde zwischen Sanikem und dem verstorbenen Herman Mellema, und ob er ein Testament hinterlassen habe oder nicht. Dann Abschriften der Gerichtsbeschlüsse im Zusammenhang mit seiner Ermordung durch Ah Tjong, eine Bestätigung, daß Robert Mellema unauffindbar war, sowie Kopien der Akten, die besagten, daß Annelies und Robert Herman Mellemas Kinder waren, geboren von Sanikem, was das Zivilstandesamt Surabaya offiziell bestätigt hatte. Im übrigen auch Kopien des Briefwechsels zwischen dem Gerichtshof Surabaya und *Nyais* Buchhalter, der sich weigerte, Angaben über die Finanzen der *Boerderij* Buitenzorg zu machen ohne ausdrückliche Befugnis, und auch Kopien der Steuerbelege, aus denen ersichtlich war, wieviel Steuern der Betrieb bezahlte, Auszüge aus dem Grundkataster mit Angaben über Größe und Lage des zum Betrieb gehörigen Landes, ebenso ein Bericht der Landwirtschaftsbehörde über Anzahl und Zustand der Kühe.

Ich las die Briefe einen nach dem anderen durch, während Mama und Annelies mir zuschauten, als warteten sie darauf, was ich dazu zu sagen habe. Dabei war ich über keine einzige Angelegenheit, die in all den Abschriften erwähnt wurde, im Bild. Ich hatte nicht einmal geahnt, daß solche Akten und Briefe überhaupt existierten und daß es Leute gab, die dafür bezahlt wurden, sie zu schreiben.

Schließlich folgten die Abschriften des vom Amsterdamer Gericht an das Gericht in Surabaya weitergeleiteten Beschlusses, der zusammengefaßt ungefähr wie folgt lautete:

Aufgrund des Antrages von Ing. Maurits Mellema, Sohn des verstorbenen Herman Mellema, vertreten durch den Advokaten

Mr. Hans Graeg, wohnhaft in Amsterdam, als auch aufgrund der in ihrer Richtigkeit unanfechtbaren Dokumente verschiedener Instanzen in Surabaya, verfüge der Gerichtshof in Amsterdam, da *Tuan* Herman Mellema und Sanikem nicht legal verheiratet gewesen waren, über die gesamte Hinterlassenschaft, um sie folgendermaßen aufzuteilen: *Tuan* Ing. Maurits Mellema als legaler Sohn bekam vier Sechstel des Erbes zugesprochen, Robert und Annelies als lediglich anerkannte Kinder je ein Sechstel. Weil Robert Mellema unauffindbar war, wurde sein Erbteil Ing. Maurits Mellemas Treuhänderschaft überlassen.

Außerdem erklärte das Gericht in Amsterdam Ing. Maurits Mellema zu Annelies' Vormund, da diese noch als minderjährig galt, und ihr Erbteil sollte bis zu ihrer Volljährigkeit ebenfalls von ihrem Stiefbruder verwaltet werden. In seiner Funktion als Vormund verfügte Ing. Maurits Mellema, daß Annelies in seiner Obhut in Holland zu leben habe. *Mr.* Graeg hatte die Angelegenheit seinem Kompagnon in Surabaya übergeben, welcher beim weißen Gericht einen an Sanikem alias *Nyai* Ontosoroh gerichteten rechtskräftigen Befehl zur Ausführung dieser Anordnung erwirkte.

Ich hatte das Gefühl, ohnmächtig zu werden beim Lesen dieser offiziellen Schreiben, die in einer so verschrobenen Sprache geschrieben waren. Aber etwas vom Inhalt hatte ich dennoch begriffen, nämlich daß da Gefühle keine Beachtung fanden – Menschen wurden lediglich als Inventar betrachtet.

«Haben Sie denn nichts gesagt?»

«Hör zu, Minke, mein Advokat war bereits dort, als wir kamen. Er hat diese Abschriften besorgt und uns in Anwesenheit des Richters den Beschluß des Gerichts in Amsterdam mitgeteilt, auch Erklärungen dazu abgegeben.»

Mir kamen Mutters Worte in den Sinn: Die Holländer sind zwar sehr, sehr mächtig, aber sie rauben niemandes Frau, wie das die javanischen Fürsten getan haben. Was nun, Mutter? Sie waren dabei, ausgerechnet Ihre Schwiegertochter, meine Frau, zu entführen. Sie waren dabei, einer Mutter die Tochter und einem Mann die Frau zu entreißen. Sie gedachten, alles an sich zu reißen, was sich Mama in mehr als zwanzig Jahren im Schweiße ihres Angesichts, und ohne sich einen freien Tag zu gönnen, erarbeitet hatte. Und das erwirkten sie mit schönen Briefen, die von geschulten Schreibern mit farbechter Tinte, die halb durch das Papier drückte, geschrieben worden waren.

«Da muß ein Rechtskundiger her, Ma.»

«*Meester* Deradera wird jeden Augenblick kommen, denk ich.»

Dieser absonderliche Name machte das ganze noch verworrener.

«*Meester* Deradera Lelliobuttockx…»

Ich benötigte eine geraume Weile, um mir den Namen einzuprägen und ihn schreiben zu können. Ich hatte ihn noch nie persönlich getroffen, aber Mama begab sich öfters zu ihm zur Konsultation in Rechtsangelegenheiten. In meiner Vorstellung sah ich einen korpulenten und großgewachsenen Mann wie *Tuan* Mellema, mit dichten, blonden Körperhaaren. Seinem Namen nach mußte er so etwas wie ein Riese sein. Bestimmt war er ein gewandter Rechtsgelehrter.

«Haben Sie denn nicht gegen den Beschluß protestiert?»

«Protestiert? Mehr als das – ich habe Einspruch erhoben. Aber die Europäer sind ja hart wie Stein, sie verkaufen ihre Worte teuer. Sie ist meine Tochter, sagte ich, ich allein habe das Recht, über sie zu bestimmen. Ich habe sie geboren und aufgezogen. Der Richter sagte, in den Akten wird Annelies Mellema als die von *Tuan* Herman Mellema anerkannte Tochter erwähnt. Und wer ist ihre Mutter, wer hat sie geboren, fragte ich. In den Akten wird eine Frau namens Sanikem alias *Nyai* Ontosoroh aufgeführt, aber… Die bin ich. Gut, meinte er, aber Sanikem ist nicht Mevrouw Mellema. Ich kann Zeugen bringen, daß ich sie geboren habe, sagte ich. Da antwortete er, Annelies Mellema untersteht der europäischen Rechtssprechung. *Nyai* nicht, *Nyai* ist nur eine Eingeborene. Hätte *Tuan* Mellema Juffrouw Annelies Mellema nicht anerkannt, dann wäre sie eine Eingeborene und das weiße Gericht hätte nichts mit ihr zu tun. Ach, Minke, diese Gemeinheit! Ich sagte dann, ich würde Einspruch erheben, ich würde mir einen fähigen Advokaten anheuern. Bitte sehr, meinte er kühl. Annelies weinte ununterbrochen. Ich habe darüber sogar alle anderen Angelegenheiten vergessen.»

Sie tat einen langen Atemzug.

«Eigentlich hättest du dabeisein sollen, *Nak*, *Nyo*, um deine Frau verteidigen zu können. Der Richter hat doch auch Frau und Kinder.»

Ich war aufgebracht und wütend, aber ich wußte nicht, was ich hätte tun sollen. Plötzlich war ich kaum mehr als ein kleiner Junge mit Rotznase.

«Ich sagte auch, meine Tochter sei verheiratet, sie habe einen Mann. Der Kerl grinste kurz und antwortete: Sie ist noch nicht verheiratet, sie ist noch minderjährig; sollte sie dennoch verheiratet beziehungsweise verheiratet worden sein, kann diese Heirat nicht als legal bezeichnet werden. Hörst du das Minke, *Nak*? Nicht legal!»

«Ma!»

«Er hat mich sogar beschuldigt, gegen das Gesetz verstoßen zu haben, weil ich über diese unzulässige Heirat keine Anzeige erstattet habe. Ich sei der Mittäterschaft ihrer Vergewaltigung zu bezichtigen.»

Stille breitete sich im Kontor aus. Es kamen keine weiteren Kunden, und wir drei schwiegen.

Nur einem sehr tüchtigen und aufrichtigen Advokaten konnte es eventuell gelingen, einen Einspruch gegen den Beschluß des Amsterdamer Gerichts durchzusetzen. Puh, dieses Gericht in Amsterdam! Dabei hatten uns die Herren dort noch nie gesehen. Wie kam es, daß ein weißes Gericht mit seinen hochgebildeten Fachleuten Gesetze praktizierte, die mit unserer Auffassung von Gerechtigkeit vollkommen im Widerspruch standen?

«Ich kam gar nicht dazu, mich über die Verteilung der Erbschaft zu äußern, die meine Anrechte überhaupt nicht berücksichtigt. Ich habe ja auch keine hinlänglichen Beweise, daß dieser Betrieb mir gehört. Ich versuchte nur, Annelies zu retten; ich dachte nur an sie. Der Richter meinte auch, er habe nur mit Annelies zu tun. Ich sei eine Mätresse, eine Eingeborene, mit mir habe das Gericht hier nichts zu tun, sagte er.» Mama knirschte mit den Zähnen vor Wut.

«Letzten Endes, Minke», sagte sie schließlich, «dreht es sich um Europäer kontra *Pribumi*, gegen meine Person. Die Europäer... bei denen ist nur die Haut weiß, im Herzen sind sie barbarisch.»

334

«Ihr Advokat ist doch auch ein Europäer, Ma?»

«Eine Finanzhyäne. Je mehr Geld du ihm gibst, desto ehrlicher wird er dir gegenüber. So sind die Europäer.»

Mich schauderte. All die Jahre, in denen ich fleißig gelernt hatte in der Schule, wurden wertlos wegen nur drei Sätzen einer *Nyai*.

Annelies hatte die Aufregung so erschöpft, daß sie am Tisch eingeschlafen war. Ich trat zu ihr und weckte sie auf:

«Komm nach oben, Ann.»

Sie wollte nicht, richtete sich aber wieder auf.

«Geh ruhig schlafen, Ann, wir werden uns nach Kräften für dich einsetzen», beruhigte Mama, worauf sie einwilligte.

Ich brachte sie ins Bett, deckte sie zu und tröstete sie:

«Mama und ich werden alles versuchen, Ann.»

Sie nickte nur, und ich war mir genau bewußt, daß ich sie belogen hatte – ich hatte keinen blassen Schimmer von Rechtsangelegenheiten, wie konnte ich da alles versuchen.

«Ich geh wieder nach unten, ja, Ann?»

Sie nickte abermals. Es fiel mir schwer, sie in einem solchen Zustand allein zu lassen – wie einen Fisch in der Bratpfanne. Was mußte diese zerbrechliche Puppe, meine Frau, doch alles erleben! Es war eindeutig, daß sie völlig resigniert hatte.

«Ich lasse Dr. Martinet rufen, ja?»

Sie nickte.

Ich ging also nach unten und ordnete an, den Arzt zu holen. Gleich darauf sah ich Marjuki mit dem *Bendi* nach Surabaya davonflitzen.

Bei Mama im Kontor saß ein Europäer. Er war nicht viel größer als ein Däumling, dünn und flach, reichte mir höchstens bis zu den Schultern. Er hatte eine blanke Glatze und schmale Äuglein und trug eine Lorgnette. Mama schaute ihm zu, wie er die Briefe des Amsterdamer Gerichts durchlas. Das also war *Meester* Deradera Lelliobuttockx. Eindeutig kein Riese. Das war also Mamas Rechtsberater.

«Minke, das ist *Tuan* Deradera…» wir schüttelten uns die Hände, «und das ist Minke, der Mann meiner Tochter, mein Schwiegersohn.»

«Ach ja, ich habe schon oft von Ihnen gehört. Darf ich erst mal diese Papiere weiter studieren?» Ohne eine Antwort abzuwarten, wandte er sich wieder seiner Arbeit zu.

Dieser Däumling, das Gesicht voller Pickelnarben – was vermochte er wohl gegen die Willkür, Macht und Kälte der europäischen Gesetze und Gerichtshöfe auszurichten?

Er studierte ein Blatt ums andere, drehte und wendete sie, las sie nochmals.

Mama ging hin und her und erledigte ihre Arbeit; sie servierte sogar die Getränke selber. Der Rechtsgelehrte schmökerte in den Abschriften.

Endlich, nach ungefähr einer Stunde, legte er einen schwarzen Stein, einen Briefbeschwerer, auf den Stapel. Er dachte gewichtig nach, wischte sich das Gesicht ab mit einem Taschentuch, räusperte sich, schaute mich an, dann Mama. Er sagte nichts.

«Wie steht's, *Tuan* Lelliobuttockx?» fragte Mama. «Verzeihen Sie, ich weiß bis jetzt nicht, wie man Ihren Namen richtig ausspricht.»

«Oh, das macht nichts, der Name ist ohnehin nur als Unterschrift von Wichtigkeit, *Nyai*. Es stört mich nicht einmal, wenn er gar nicht ausgesprochen wird.»

«Da machen Sie noch Witze, *Tuan*, in einer solchen Situation. Dabei sind wir schon halb verrückt.»

«So ist's nun mal, *Nyai*, was das Gesetz anbelangt, kann man seine Gefühle ruhig aus dem Spiel lassen. Es kommt sowieso auf dasselbe heraus, ob man lacht, in die Luft geht oder wie ein Schloßhund heult. Das Gesetz bestimmt ohnehin.»

«Wir werden den Prozeß also verlieren?»

«Davon reden wir lieber nicht, *Nyai*», sagte der Advokat und fummelte wieder in den Briefen, «wir haben noch gar nichts unternommen. Ich wollte nur sagen, daß Sie am besten ruhig und kühl bleiben, wie es das Gesetz auch ist. Gefühle haben da keinen Einfluß. Verstehen Sie das?» wandte er sich plötzlich mir zu. «Verstehen Sie einigermaßen Holländisch?»

«Ja, *Tuan*.»

«Es geht um die Zukunft Ihrer Frau und Ihrer Ehe. Die Europäer sind eindeutig stärker, aber wir können's versuchen. Das heißt, wenn *Nyai* und Sie glauben, daß gegen diesen Beschluß Einspruch erhoben werden muß, dann können wir zumindest die Ausführung aufschieben.»

Ich begriff sofort, daß wir verlieren würden, daß wir nichts anderes tun konnten, als uns zu wehren und unser Recht zu verteidigen, bis wir aufgeben mußten – wie Jean Marais es von den *Acehanern* im Krieg mit den Holländern geschildert hatte. Auch Mama senkte den Kopf. Sie hatte mehr als nur verstanden: Sie würde alles verlieren, ihre Tochter, den Betrieb, ihren persönlichen Besitz und Erwerb.

«Ja, Minke, *Nak, Nyo,* wir werden uns wehren», flüsterte Mama. Sie sah plötzlich alt aus. Langsam ging sie in den oberen Stock, um nach ihrer Tochter zu sehen.

Meester Deradera Lelliobuttockx vertiefte sich wieder in die Papiere. Ich mißtraute dem Rechtsgelehrten-Däumling derart, daß ich ihm aufmerksam auf die Finger schaute, damit er nicht eines dieser Dokumente verschwinden ließ.

Nach etwa einer Stunde kam Mama wieder herunter und setzte sich neben mich, dem Juristen gegenüber.

«Hat's einen Zweck, die Papiere weiter zu studieren?» fragte sie in ihrem normalen, selbstbewußten Ton.

Das Kerlchen schaute hoch, verbiß sich ein Lächeln und sagte: «Wir können's versuchen, *Nyai.*»

«Sie scheinen nicht überzeugt zu sein.»

«Wir können's versuchen, *Nyai*», er machte Anstalten weiterzulesen.

Mama nahm ihm den Stapel weg:

«Ich werde Ihnen Ihr letztes Honorar zustellen lassen. Guten Abend.»

Meester Deradera Lelliobuttockx stand auf und nickte uns zu. Darsam fuhr ihn in die Stadt zurück.

«Minke, wir werden uns wehren. Wagst du's?»

«Wir werden uns gemeinsam wehren, Mama.»

«Auch ohne Rechtshilfe. Wir werden die ersten *Pribumis* sein, die gegen das weiße Gericht auftreten, *Nak, Nyo.* Ist das nicht eine besondere Ehre?»

Ich hatte keine Ahnung, wie wir uns wehren könnten, gegen

wen, gegen was, mit welchen Waffen. Trotzdem: ich würde mich wehren!

«Ja, Mama, wir werden ihnen die Stirn bieten und uns zur Wehr setzen.»

«Wenn du Annelies dazu bringen kannst, sich ebenfalls zu widersetzen, wird sie nicht in Krankheit und Ohnmacht verkümmern. Dann wird sie die beste Lebensgefährtin für einen Mann wie dich werden.»

Während ich Annelies Gesellschaft leistete, versuchte ich mir Klarheit zu verschaffen über das, was sich abspielte oder in diesem Zusammenhang bereits abgespielt hatte:

Ingenieur Maurits Mellema und seine Mutter hatten zweifelsohne genügend Grund, Herman Mellema zu hassen. Doch was taten sie? Sie hatten nichts gegen seine Hinterlassenschaft, ganz im Gegenteil, sie wollten sich keinen *Sen* davon entgehen lassen. Sie hatten infolgedessen den Tod von Annelies' Vater herbeigesehnt, waren im Grunde ihres Herzens einverstanden mit Ah Tjongs Tat. Doch deswegen drohte ihnen keine Strafe, denn Innenleben und Gefühle fanden in offiziellen Briefen keine Erwähnung.

Ja, das war nichts anderes als ein Beispiel, wie die Weißen *Pribumis* verachteten. Das war wohl eine Auswirkung des Kolonialismus – falls Magda Peters' Erklärungen stimmten –, ein typischer Fall, wie man die untergebenen *Pribumis* in die Tasche steckte.

Ich erinnerte mich an die Liberalen, die für eine Verbesserung des Schicksals der *Pribumis* plädierten, was meine Lehrerin einmal kurz geschildert hatte, und wie es auch die *S.D.A.P.* anstrebte. Ach, die edelmütige Juffrouw. Ich bereute es, sie nicht zum Hafen begleitet zu haben. Wäre sie noch in Surabaya, würde sie uns bestimmt beistehen. Zumindest könnte sie uns Hinweise geben und uns unterstützen. Und sie würde es mit Freude tun.

Im Zusammenhang mit Magda Peters kamen mir Gedanken, die vielleicht etwas zu weit hergeholt waren: Sie war auf diskrete Weise aus Ostindien ausgewiesen worden, um die Durchführung dieses Gerichtsbeschlusses zu erleichtern. Vielleicht war sie gar nicht ausgewiesen, sondern nur von diesem bevorstehenden Prozeß ferngehalten worden. Meine Vorstellungen nahmen schließlich etwas konkretere Formen an: Maurits, Amelia und das Amsterdamer Gericht hatten in arglistiger Verschwörung alles vorzeitig so arrangiert. Und falls man Magda Peters wirklich deswegen weggeschafft hatte, dann weil der Rektor und die anderen Lehrer der *H. B. S.* um unsere enge Beziehung wußten. Wenn meine Annahme zutraf, dann war das alles nichts als ein teuflisches Schauspiel, um uns auf sadistische Weise kleinzukriegen. Daß ich das zweitbeste Diplom von ganz Ostindien (mir den ersten Rang einzuräumen, kam nicht in Frage) erhalten hatte, war gleichfalls ein Akt dieses Schauspiels, lediglich so ausgedacht, um die Liberalen und die *S. D. A. P.* zufriedenzustellen.

Übertrieb ich etwa? War ich noch gerecht in Gedanken, wie es sich für einen gebildeten Menschen gehörte? Ich überlegte hin und her, und ich konnte nicht anders, als mir selber recht zu geben. Meine Entlassung aus der Schule, die Widerrufung dieses Beschlusses, das Ende der Schuldiskussionen, die Ausweisung Magda Peters', *Tuan Resident-Assistents* Anstrengungen, die Bekanntgabe unserer Hochzeit durch den Rektor bei der Schlußfeier, seine und der übrigen Lehrer Abwesenheit bei unserem Hochzeitsfest, lediglich vertreten durch einen Brief, der uns ausgerechnet von Magda Peters überreicht worden war... Nein, ich war nicht zu dumm und unerfahren, um zu verstehen. Das hing alles zusammen und diente dem Zweck, Maurits Mellema den Sieg über die Eingeborene Sanikem, ihre Tochter, ihren Schwiegersohn und ihr Vermögen zu erleichtern.

«Hast du dir schon etwas überlegt, *Nak, Nyo*?»

«Ma, heute nachmittag erscheint, wenn's klappt, mein erster Artikel einer Serie über diese Angelegenheit. Aber wenn die nicht auf gesunden Menschenverstand stoßen, verlieren wir eben. Wir brauchen Zeit.»

«Denk nicht ans Verlieren, hat Deradera gesagt, denk erst, wie wir uns am besten wehren, am ehrenhaftesten. Deradera hat recht, nur hat er etwas anderes im Auge gehabt: Er wollte mehr Geld, das Schwein!»

«Ich werde mich an meine besten europäischen Bekannten wenden, Ma.»

«Laß dich nicht blenden.»

Noch am selben Nachmittag sandte ich ein Telegramm an Herbert und Miriam de la Croix und appellierte an ihr menschliches Herz. Wenn uns gar niemand erhören wollte, so konnte ich meine Schlüsse ziehen, dann war das ganze europäische Wissen, das derart verherrlicht wurde, nichts als leeres Geschwätz. Ja, leeres Geschwätz! Es wäre letztlich nur ein Werkzeug, um uns alles, was wir besaßen und liebten, zu entreißen: unsere Ehre, unser Recht, die Früchte unserer Mühsal, ja sogar Frau und Kinder.

Am Abend saßen Mama und ich an Annelies' Bett, die wieder von Dr. Martinet betäubt worden war, damit sie schlafen konnte. Der Arzt war bestürzt, als er erfuhr, welches Schicksal, das weit oben im Norden lebende Menschen geschaffen hatten, über seine Patientin, ihre Mutter und ihren Mann hereingebrochen war.

«Ich bin nur ein Arzt, *Nyai*, ich verstehe nichts von Recht und Politik», bedauerte er.

Er war der zweite, der den Ausdruck Politik erwähnte.

«Es tut mir leid, daß ich überhaupt nichts für Sie tun kann. Ich habe keine Freunde, die hohe Posten bekleiden, denn ich war noch nie Mitglied eines Billardclubs.» Wie bescheiden dieser Mann war. «Meine Freunde sind diejenigen, die meine Hilfe brauchen, ansonsten habe ich keine. Es tut mir wirklich leid.»

«Aber Sie sind doch auch der Ansicht, daß man uns ungerecht behandelt, nicht wahr?» fragte Mama.

«Nicht nur ungerecht, unverschämt!»

«Das reicht, *Tuan* Doktor, wenn's aufrichtig gemeint ist.»

«Verzeihen Sie mir, ich vermag nichts zu tun...»

Er verabschiedete sich mit besorgtem Gesicht. In der Tür sagte er:

«Früher dachte ich immer, Steuern seien das einzige, was einem Schwierigkeiten bereitet im Leben. Ich hätte nie geahnt, daß es so etwas gibt auf dieser Welt.»

Darsam fuhr ihn nach Hause, die beiden verschwanden in der Dunkelheit.

Schon fünf Stunden waren verflossen, seit ich das Telegramm an *Tuan Resident-Assistent* in B. und dessen Tochter aufgegeben hatte. Fünf Stunden! Und noch immer war keine Antwort eingetroffen. Waren sie gerade nicht zu Hause? Oder waren wir *Pribumis* ihnen gleichgültig?

«Ja, *Nak*, *Nyo*, wir müssen uns selber wehren. Wie geneigt einige Europäer uns auch sein mögen, sie werden es nicht riskieren, gegen einen Beschluß des europäischen – ihres eigenen – Gerichts anzugehen, erst recht nicht, wenn es nur um *Pribumis* geht. Wir brauchen uns nicht zu schämen, wenn wir verlieren, wir müssen den Tatsachen ins Auge sehen. Wir *Pribumis* können uns keine Advokaten heuern, selbst dann nicht, wenn wir Geld haben, weil sich nämlich keiner traut, und vor allem, weil nie einer etwas gelernt hat. Ihr ganzes Leben lang müssen die *Pribumis* das ertragen, was wir jetzt auch müssen, und keiner tut den Mund auf.

Sie schweigen alle wie Flußsteine, selbst wenn sie vollkommen zerstückelt werden. Wie das wohl zuginge, wenn alle das Wort ergriffen wie wir! Da könnte sogar der Himmel darüber einstürzen.»

Mama fing an, ihre persönlichen Gefühle zu vergessen, und reflektierte rein vernunftmäßig. Sie dachte über ihr eigenes Herz und über ihre Familie hinaus an die Flußsteine, die auf Java, ja in ganz Ostindien herumlagen, gedachte jener, die einen Mund hatten, aber keinen Laut von sich gaben und ihre Gefühle im Innersten vergruben.

«Dadurch, daß wir uns wehren, verlieren wir nicht gänzlich», sagte sie, und ihrem Tonfall war zu entnehmen, daß sie wußte, daß wir verlieren würden.

«Sie sind schamlos, Ma.»

«Schamgefühle gehören nicht zur europäischen Kultur», sie riß die Augen weit auf, als zürnte sie mir. «Wo du schon so lange mit ihnen verkehrst, wie kannst du da so etwas sagen? Du, *Nak*, *Nyo*, du als *Pribumi* solltest dich schämen, überhaupt so zu denken. Komm mir nie wieder mit dem Schamgefühl der Europäer, die kümmern sich lediglich darum, wie sie ihre Ziele erreichen. Laß dir das gesagt sein, *Nak*, *Nyo*.»

«Ja, Ma», gab ich ihr recht. Ob es stimmte oder nicht, was sie eben gesagt hatte, das war eine Sache für sich.

«Ich habe nie eine Schule besucht, *Nak*, *Nyo*, ich habe nie gelernt, die Europäer zu bewundern. Selbst wenn du jahrzehntelang

zur Schule gingst, was immer du lernen würdest, der Kern der
Sache änderte sich nicht: Man bringt dir bei, sie grenzenlos zu
verehren, so daß du darüber vergißt, wer du selbst bist und wo
du stehst. In dieser Hinsicht haben's die, die nicht zur Schule gehen, leichter. Die können wenigstens ein anderes Volk durchschauen, das seine ganz besondere Art hat, anderen Völkern
ihren Besitz zu entreißen.»

Meine Schwiegermutter griff nach der Zeitung auf dem Tisch,
worin mein Artikel stand, mit einer Anmerkung der Redaktion.

«Du schreibst so artig wie ein kleines, unerfahrenes Mädchen.
Haben dir die üblen Erfahrungen vor kurzem denn keine Härte
beigebracht? Und jetzt dieser neue Schlag, der sich in keiner
Form mildern läßt? Minke, *Nak, Nyo*», sie fuhr flüsternd fort,
als ob uns jemand belauschte, «schreib jetzt auf malaiisch! Malaiische Zeitungen haben einen größeren Leserkreis.»

«Schade, Ma, ich kann leider nicht malaiisch schreiben.»

«Wenn du's noch nicht kannst, dann laß deine Artikel übersetzen.»

Ich dachte an Kommer.

«Gut, Ma», antwortete ich schnell.

«Deine Ehe ist nach islamischem Gesetz eindeutig legal. Sie für
nichtig zu erklären ist eine Beleidigung des islamischen Gesetzes, eine Verhöhnung der Gebote, die den Mohammedanern hei-
lig sind. Ach, wie sehr habe ich mir doch gewünscht, legal verheiratet zu sein. *Tuan* hat es mir immer ausgeschlagen, weil er
eben noch eine legale Frau hatte. Jetzt hat meine Tochter richtig
geheiratet, was mir nie vergönnt war, und das wird nicht anerkannt.»

«Ich werde mich an die Arbeit machen, Ma. Gehen Sie ruhig
schlafen.»

Sie entfernte sich festen Schritts wie ein unbesiegbarer General.

Es war bereits zehn nach drei in der Frühe. Mein Artikel war
fast fertig. Die nächtliche Stille wurde von Pferdegetrappel unterbrochen, das immer näher kam und zu uns auf den Hof einbog.
Kurz darauf rief Darsam unter dem Fenster:

«*Tuanmuda*, stehen Sie auf!»

Im trüben Schein der Öllampe, die Darsam in der Hand hielt,

sah ich einen *Indo* in Postuniform neben ihm stehen. Er hob die Hand zum Gruß und fragte auf malaiisch:

«*Tuan* Minke? Ein Telegramm von *Tuan Resident-Assistent* von B.» Er war höchsterfreut über die zehn *Sen* Trinkgeld, die ich ihm gab, und ging wieder. Das Pferdegetrappel, unterbrochen von Hahnengeschrei, verlor sich in der Ferne.

«*Tuanmuda*, Sie arbeiten zuviel. Es ist ja schon Zeit fürs Morgengebet. Sie legen sich besser schlafen, *Tuanmuda*, morgen ist auch noch ein Tag.»

Er hatte keine Ahnung von alldem, was geschehen war, aber die Geschäftigkeit, die sich um ihn herum abwickelte, schien ihn nervös zu machen. Oh, Darsam, selbst tausend Männer wie du, und wären sie mit zweitausend Hackmessern bewaffnet, könnten uns nicht helfen. Da war mit Muskeln und Stahl nichts auszurichten. Hier ging es um Recht, Gesetze und Gerechtigkeit – das konntest du nicht mit *Silat* und Hackmesser beschützen. Plötzlich widersprach mir eine innere Stimme: Du mußt schon gerecht denken, *Nyo*! Nicht nur Darsam, der *Pendekar* mit seinem Hackmesser, sogar stumme Steine können dir helfen, wenn du sie kennst. Unterschätze die Fähigkeiten eines Menschen nicht!

«Ja, Darsam, ich werde erst mal schlafen.»

«Ja, schlafen Sie, *Tuanmuda*. Ein neuer Tag bringt neue Möglichkeiten.» Wie weise dieser schwarzgekleidete Mann war. Ich ging nach oben und las das Telegramm:

«Minke, ein namhafter Jurist aus Semarang wird übermorgen nach Surabaya kommen. Vertrauen Sie ihm. Holen Sie ihn am Bahnhof ab. Er kommt mit dem Eilzug. Grüße an *Nyai* und Annelies. Miriam und Herbert.»

Mutter, oh, Mutter! Meine Hilfeschreie sind erhört worden. Aber du selbst weißt ja noch gar nichts von dieser Begebenheit. Schlaf ruhig, Mutter, ich werde dich nicht wecken. Dein geliebter Sohn hier wird nicht davonlaufen, er wird ausharren und sich wehren. Er ist kein Krimineller, Mutter. Deine geliebte Schwiegertochter darf dir nicht entrissen werden. Sie wird dir Enkel schenken, wie du es dir wünschst, damit du später ihrer javanischen Hochzeit beiwohnen kannst…

Mein Artikel, in dem ich das weiße Gericht des Verstoßes gegen das islamische Gesetz bezichtigte, erschien auf holländisch in der *S. N. v/d D.* und auf malaiisch in einer malaiisch-holländischen Zeitung. Beide Zeitungen veröffentlichten ihn am selben Nachmittag. *Tuan* Maarten Nijman persönlich überbrachte uns das Belegexemplar.

«Sie waren bislang ein guter Mirarbeiter. Nun ist die Reihe an uns, Sie nach Möglichkeit zu unterstützen», sagte er. «Mehr können wir leider nicht tun, um Ihre und Ihrer Familie Bürde zu erleichtern. Alle unsere Redaktionsmitglieder und Angestellten halten Sie hoch in Ehren für Ihre Art und Weise, sich zu verteidigen. Wir stehen voll und aufrichtig auf Ihrer Seite – Sie sind noch so jung, werden herumgeblasen wie ein Sperling im Sturmwind, aber Sie setzen sich trotzdem zur Wehr. Andere würden in einer solchen Situation zerbrechen, bevor sie nur versuchten, sich zu wehren, *Tuan* Tollenaar.»

Er bat sich ein Porträt von Annelies aus.

«Geben Sie mir doch, wenn möglich, auch ein Bild von Ihnen und von *Nyai*», meinte er.

Mama gab ihm ein großes Foto meiner Frau in javanischer Tracht und mit Perlenschmuck.

«Leider können wir das Foto nicht gleich veröffentlichen. Wir müssen mindestens zwei Monate warten», erklärte Nijman. «Ostindien ist ja noch der reinste Urwald. Hier gibt es noch keine Klischeefabrik, die Fotos auf Zinkplatten übertragen kann; Zinkographie ist hier noch unbekannt. Wir werden das Klischee in Hongkong anfertigen lassen. Wenn das klappt, ist nicht nur die Wirkung größer, wir werden somit gleichzeitig die ersten sein, die Zinkklischees verwenden, nicht nur Holz- oder Steindrucke.»

Er bat darum, Annelies kennenzulernen. Wir lehnten ab, mit der Erklärung, sie sei krank.

«Ist Mevrouw bereits schwanger?» fragte Nijman. «Verzeihen Sie diese Frage. Das ist im Grunde indiskret, aber das könnte unter Umständen die Lage ändern. Das könnte Ingenieur Maurits Mellema dazu bewegen, seinen Entschluß rückgängig zu machen, selbst wenn damit der Beschluß des Amsterdamer Gerichts nicht hinfällig würde.»

Annelies schwanger? Auf diesen Gedanken wäre ich nicht gekommen. Ich konnte nicht antworten, Mama ebenfalls nicht, sie schaute mich bloß an.

Kurz nach ihm kam Kommer, ebenfalls um uns eine Nummer seiner Zeitung zu bringen.

«*Nyai, Tuan*», sagte er, «wir werden diesen Artikel in den Dörfern vorlesen lassen. Wir haben jemanden dafür angeheuert, und die Leute werden sich um ihn scharen, um ihm zuzuhören. Fünfzehn Exemplare, bei denen wir die wichtigsten Stellen rot angestrichen haben, haben wir an die führenden islamischen Theologen verschickt. Die sollen das auch lesen. Heute abend werde ich versuchen, ihre Meinung darüber zu erfahren. Sie stehen nicht allein da, betrachten Sie mich als Ihren Freund in dieser schlimmen Lage.»

Wir fuhren zusammen mit dem *Bendi* nach Surabaya. Er stieg in der *Jalan* Gunungsari ab, ich dagegen wollte zum Bahnhof, um den Advokaten, dessen Namen ich noch gar nicht wußte, abzuholen. Kommer streckte mir die Hand zum *Bendi* herauf und verabschiedete sich. Seine Augen leuchteten vor Begeisterung über seine Aufgabe im Dienste der Menschlichkeit. Als mein *Bendi* weiterfuhr, winkte er mir nach.

Der Advokat, den ich abholte, war ein älterer, ruhiger Herr, der viel lächelte und gerne zuhörte, ganz im Gegenteil zu *Meester* Deradera Lelliobuttockx. Er war ein äußerst bekannter und begüterter Jurist, ein glänzender Advokat, und sein Name stand oft in den Zeitungen im Zusammenhang mit großen Prozessen.

Er logierte bei uns. Fast die ganze Nacht hindurch studierte er Annelies' Papiere und verlangte schließlich, daß zwei Schreiber angeheuert würden, um die Akten abzuschreiben. *Panji* Darman, ehemals Jan Dapperste, und ich übernahmen die Arbeit. Meine Hilfe lehnte er ab, da meine Handschrift zu schlecht war und ich zu viele Fehler machte. So mußte Darsam mitten in der Nacht zur *D. P. M.* fahren, um einen Schreiber zu holen, der auch besondere Tinte für offizielle Dokumente mitbrachte.

Tuan ... (dessen Name ich nicht zu erwähnen wage, da er diesen Prozeß möglicherweise nicht gewinnen würde, was seine Praxis in schlechten Ruf bringen könnte) saß bis in die Frühe über den Akten. Die beiden Schreiber kopierten jedes Dokument zweimal. Um sechs Uhr morgens hörten sie auf, weil sie ihrer eigenen Arbeit nachzugehen hatten, und es mußten zwei neue Schreiber angeheuert werden.

Um sieben schrieb *Tuan*... einen langen Brief, von dem die neuen Schreiber mehrere Abschriften anfertigten. Mit einer dieser Kopien ging er in Darsams Begleitung auf das europäische Gericht in Surabaya, von wo er erst am Abend wieder zurückkehrte. Danach legte er sich sofort schlafen. Wir hatten keine Ahnung, was sich auf dem Gericht abgespielt hatte.

An jenem Nachmittag stand in Kommers Zeitung, daß sich viele islamische Theologen zum europäischen Gerichtshof in Surabaya begeben hätten, um gegen den Urteilsspruch des Amsterdamer Gerichts, dessen Durchführung der hiesigen Justizbehörde oblag, zu protestieren. Sie drohten, den Fall vor den Obersten Islamischen Gerichtshof in Batavia zu bringen. Man setzte die Polizei gegen sie ein, die sie vertrieb.

Im Kommentar dazu – zweifelsohne von Kommer selbst geschrieben – stand, man sollte eigentlich voraussetzen können, daß die Regierung die Theologen, die von den Mohammedanern hier geschätzt, verehrt und gehört würden, taktvoller behandle. Es sei gefährlich, sich über den Glauben eines Volkes hinwegzusetzen, weit gefährlicher, als willkürlich mit wehrlosen Untertanen umzuspringen und ihnen ihren Besitz, Frau und Kinder zu entreißen.

Kommer erwies sich auch dieses Mal als echter Freund, der geschickt für uns plädierte und unsere Kondition sowie die der Allgemeinheit zu schildern verstand. Er drückte sich auf einfache, beeindruckende Art aus, aber doch klar und gehaltvoll, und das nicht ohne Risiko.

Die *S. N. v/d D.* brachte ein Interview zwischen Nijman und *Nyai*:

«Seit mehr als zwanzig Jahren arbeite ich im Schweiße meines Angesichts, um diesen Betrieb in Gang zu halten, anfangs an *Tuan* Mellemas Seite und dann alleine. Ich habe mich mehr um den Betrieb gekümmert als um meine Kinder, und nun soll mir alles weggenommen werden. Durch *Tuan* Mellemas Benehmen, seiner Krankheit und Unfähigkeit wegen habe ich bereits meinen Sohn verloren, und jetzt will mir ein anderer Mellema meine Tochter entreißen. Kraft des europäischen Gesetzes soll ich von allem getrennt werden, was mir gehört und was ich liebe. Wenn das vorsätzlich geschieht, kann ich mich nur wundern, wozu eigentlich Schulen errichtet werden, wo man doch nicht lehren kann, was jemandes Recht ist und was nicht, was sich gehört und was nicht.»

Vom Gespräch mit mir schrieb er folgendes:

«Wir haben aus freien Stücken geheiratet, und die Mutter meiner Frau hat uns dazu ihre Einwilligung gegeben. Wir haben das Recht, über uns selbst zu bestimmen, denn die Sklaverei ist offiziell 1860 abgeschafft worden, so jedenfalls ließ man uns im Geschichtsunterricht wissen. Da mir meine Frau gemäß Gerichtsurteil mir nichts, dir nichts entrissen wird, möchte ich das europäische Gewissen fragen, ob die Sklaverei etwa wieder eingeführt werden soll. Wie kann man nur über Menschen verfügen, lediglich anhand von Papieren, ohne ihre eigentliche Existenz als Mensch in Betracht zu ziehen?»

Im Anschluß daran folgte ein Interview mit Dr. Martinet:

«Ich kenne diese Familie schon ziemlich lange und bin infolgedessen genau im Bild über Annelies Mellemas gesundheitlichen Zustand vor und nach ihrer Heirat. Ich mache mir Sorgen um sie, weil sie sehr an ihrem Mann, ihrer Mutter und ihrer Umgebung hängt und mit ihrer ganzen Person damit verbunden ist. Wenn der Beschluß des Amsterdamer Gerichts wirklich in Kraft gesetzt wird, besteht Gefahr, daß diese hübsche, junge Frau gemütskrank wird und daran zerbricht. Mevrouw Annelies muß seit Tagen betäubt werden. Sie hat aufgehört zu glauben, daß so etwas wie Sicherheit, Ordnung und Gerechtigkeit existiert; sie ist erfüllt von Angst und Unsicherheit. Muß ich sie denn wirklich täglich betäuben, während draußen die Sonne lacht und das Leben Lust und Freuden zu bieten hat? Warum muß dieses engelhafte Geschöpf Opfer werden von Beschlüssen, die ihre Person und ihr Glück in keiner Weise in Betracht ziehen?»

Der Advokat aus Semarang las alles, was mit uns zu tun hatte. Er machte sich Notizen, äußerte sich jedoch nicht darüber, und wir belästigten ihn auch nicht mit Fragen. Am Nachmittag las er die auswärtigen Zeitungen. Erst danach fing er an, über dies und jenes zu reden.

«Wir müssen den Tatsachen ins Auge blicken, *Nyai, Tuan*», meinte er und fragte Mama: «Warum hat *Tuan* Mellema Sie eigentlich nie geheiratet?»

«Ich habe mich früher auch gewundert, warum er nicht wollte», antwortete Mama, «obwohl ich ihn öfters darum gebeten habe. Mir ging erst ein Licht auf, als sein Sohn, Ingenieur Maurits Mellema, vor ungefähr fünf Jahren plötzlich hier auftauchte. Da erfuhr ich, daß *Tuan* Mellema noch mit der Mutter dieses Ingenieurs verheiratet war.»

Der Advokat schaute sie verblüfft an:

«Die beiden waren also nicht geschieden? In diesem Falle widersprach es dem Gesetz, daß *Tuan* Mellema seine Kinder hier anerkennen konnte, denn diese gelten somit als Bastarde, und ihre Anerkennung ist rechtlich ungültig. Das wäre eigentlich eher günstig für Sie.»

Mama und ich schöpften etwas Hoffnung. Mama war aufgebracht, daß *Mr.* Deradera Lelliobuttockx nicht sogleich auf diesen Gedanken gekommen war. Ein paar Tage später allerdings eröffnete uns der Advokat, dieses Argument sei ebenfalls hinfällig.

«Ich habe telegrafisch Auskunft eingeholt aus Holland», berichtete er. «Mevrouw Amelia Mellema-Hammers hat anscheinend, nachdem sie fünf Jahre kein Lebenszeichen von ihrem Mann erhalten hatte, die Scheidung eingereicht, mit der Begründung, er habe sie mit unredlichen Absichten verlassen. Da *Tuan* Mellema nicht aufgefunden werden konnte, wurde 1879 die Scheidung ausgesprochen. Ihre Ehe wurde demnach aufgelöst, noch bevor Robert geboren wurde. War *Tuan* Mellema darüber informiert?»

«Ich glaube kaum», antwortete Mama. Sie dachte einen Augenblick lang nach und platzte dann los: «Maurits Mellema hat also seinen Vater damals absichtlich angelogen. Er forderte ihn auf, die Scheidung gegen seine Mutter einzureichen, und lastete ihm an, Ehebruch begangen zu haben. Damit hat er seinen Vater psychisch ruiniert.»

Mama setzte sich mit finsterer Miene auf einen Stuhl. Sie äußerte sich nicht weiter, aber ich sah, daß ihre Hände zitterten. Ingenieur Maurits Mellema rückte für uns in ein immer schlechteres Licht. Er hatte seinen Vater wohl absichtlich zermürben wollen, um seinen Tod zu beschleunigen, und das nur, weil er es auf sein Geld abgesehen hatte.

Am darauffolgenden Tag kehrte der Advokat nach Semarang zurück. Wir waren somit wieder ohne rechtliche Stütze und ohne direkten Fürsprecher im Kampf gegen den Gerichtsbeschluß.

«Tja, Mama, es bleibt nur noch die Feder», und ich schrieb frisch von der Leber weg; ich beschwerte mich, grollte, schimpfte, zeterte, beschwor, forderte, attackierte...

Kommer übersetzte meine Artikel und verteilte sie an andere Zeitungen zur Veröffentlichung.

Die Reaktionen blieben nicht aus. Der islamische Gerichtshof in Batavia gab eine Erklärung heraus, daß unsere Ehe rechtskräftig und unanfechtbar sei. Die koloniale Presse dagegen verspottete uns und kanzelte uns ab. Nijman und Kommer gaben all die Kommentare in gekürzter Fassung wieder.

Annelies hütete das Bett und schien eher tot als lebendig zu sein, währenddessen ganz Surabaya fieberte wegen des Wirbels, der um sie, *Nyai* und mich entstanden war. Kommers Unterfangen, seine Zeitung in den *Kampungs* vorlesen zu lassen, wurde immer populärer und gewann massenhaft Zuhörer. So wurde die Angelegenheit allgemein publik, obschon die Leute nicht unbedingt mit eigenen Augen darüber lasen, sondern nur davon hörten.

Schließlich erfuhr auch Darsam davon, ohne daß er uns je danach gefragt hatte. Er begann eifrig malaiische Zeitungen zu lesen, wobei ihm seine Kinder zur Seite standen.

Annelies und *Nyai* wurden ein zweites Mal vor Gericht geladen. Da Annelies unmöglich mitkommen konnte, gingen Mama und ich alleine, ohne Advokaten. Dr. Martinet hatte sich erboten, bei Annelies zu bleiben.

Der Richter fragte unmittelbar nach Annelies Mellema.

«Sie ist krank; sie wird von Dr. Martinet betreut.»

«Haben Sie ein Attest des Arztes vorzuweisen?»

Ich erschrak nicht wenig über *Nyais* scharfe Antwort:

«Hat das Gericht etwa neuerdings beschlossen, meine Aussagen seien nicht glaubwürdig?»

«Nun gut», antwortete der Richter mit hochrotem Gesicht, «aber *Nyai* könnte eigentlich etwas höflicher reden.»

«So, wo ich ohnehin alles verlieren werde, soll ich angesichts dieser Tatsache auch noch höflich sein? Sagen Sie ruhig, was Sie zu sagen haben.»

«Also. Hier ist der Beschluß des Gerichtshofes betreffs Juffrouw Annelies Mellema, anerkannte Tochter des verstorbenen Herman Mellema. Sie wird in fünf Tagen nach Holland eingeschifft.»

«Sie ist krank», entgegnete Mama.

«Auf dem Schiff gibt es gute Ärzte.»

«Ich bin dagegen, daß sie abreist», warf ich ein, «ich bin ihr Ehemann.»

«Wir haben nichts zu tun mit Leuten, die sich als ihr Mann ausgeben. Juffrouw Annelies Mellema ist noch ledig.»

Dieser Schuft ließ überhaupt nicht mit sich reden. Er kramte seine Uhr aus der Tasche, stand auf und entfernte sich.

Wutentbrannt verließen wir das Gebäude. Ich schickte Mama nach Hause und ging zu Nijman und Kommer, um sie über den neuesten Stand der Dinge zu informieren. Ich half ihnen beim Verfassen der Artikel und ging sogar mit in die Druckerei, um beim Setzen der Schlagzeilen mit anzupacken.

Unsere Artikel erschienen noch am Nachmittag desselben Tages.

Zu Hause fand ich Dr. Martinet und *Nyai* am Bett meiner Frau vor. Die beiden saßen schweigend da, sie hatten keine Lust zu reden.

Am darauffolgenden Tag geschah etwas Unerwartetes. Nicht wenige waren empört über den Gerichtsbeschluß. Eine Gruppe von Maduranern, mit Hackmessern und Sichelschwertern bewaffnet, umringte unser Haus und griff jeden Europäer oder Rechtshüter an, der zu uns kommen wollte.

Der Verkehr auf der Straße kam zum Stillstand, weil die Leute zusehen wollten, was bei uns vorging.

Einer der Maduraner ging geschäftig hin und her. Er war ganz in Schwarz gekleidet und trug sein Hemd offen, als ob er seine Brust absichtlich zum Kampf und als Zielscheibe anbot. Die Zipfel seiner Kopfbinde reichten ihm bis auf die Schultern.

Ich stand am Fenster in Annelies' Zimmer und beobachtete sie. Sie hörten nicht auf, auf das weiße Gericht zu schimpfen, und bezeichneten den Beschluß als eine heidnische, im Diesseits und Jenseits verfluchenswerte Freveltat. Von frühmorgens bis mittags um elf besetzten sie Hof und Garten um unser Haus.

Der Betrieb wurde lahmgelegt, da die Leute aus Angst zurück in die *Kampungs* rannten.

Zwei Polizeitrupps kamen mit Gouvernements-Kutschen dahergefahren. Schon von weitem war das Gebimmel der an den Wagen angebrachten Messingglocken vernehmbar. Ungeachtet der Maduraner fuhren sie ohne Umschweife auf den Hof. Vom Fenster aus sah ich, wie einige der Maduraner mit ihren Krummsäbeln auf die Beine der Pferde loshackten. Bei zwei Kutschen riß die Zäumung, so daß sie weiterrollten und im kleinen Garten neben dem Haus in den Gänseteich plumpsten. Von den anderen Wagen, die rechtzeitig zum Stehen gebracht werden konnten, sprangen uniformierte Polizisten. Sie waren mit Karabinern bewaffnet und schickten sich an, die Maduraner zu verjagen. Diese allerdings dachten nicht daran, den Hof zu verlassen, und es kam zu einem Gefecht.

Ich sah, daß zwei Polizisten blutüberströmt zu Boden fielen. Den Uniformierten gingen die Nerven durch, und einige von ihnen schossen ziellos in die Luft.

Hier und dort lagen Maduraner, ebenfalls in Blut gebadet. Der Polizeikommandant, ein Europäer, schrie seine Untergebenen an, die Schüsse abgefeuert hatten. Da sauste ein Stein durch die Luft und traf ihn an der Schläfe. Er schwankte, fiel hin und stand nicht mehr auf. Ein *schwarzer Holländer*, wahrscheinlich sein Stellvertreter, übernahm das Kommando und befahl, härter durchzugreifen. Er wurde am Arm von einem Hackmesser getroffen, und seine Uniform färbte sich im Nu bräunlich. Das Gejohle der Maduraner, die Gottes Allmacht priesen, klang furchterregend, aber sie wurden schließlich doch zurückgedrängt und stoben in alle Richtungen auseinander.

Im Gras und auf dem Hof lagen blutüberströmte Körper.

Eine Einheit Marechaussée, die gerade ein Spezialtraining in *Malang* erhalten hatte, löste die Polizei ab, weil diese befehlswidrig geschossen hatte, wenngleich nur in die Luft. Die Polizisten bekamen einen Rüffel von der Feldgendarmerie; sie mußten die beiden Wagen aus dem Teich ziehen und umgehend das Feld räumen. Kaum waren sie abgezogen, stürzte eine Horde Leute auf den Hof. Diesmal waren es nicht nur Maduraner. Sie hatten wohl gedacht, daß immer noch die Polizei Wache stünde. Als sie sich statt dessen der Feldgendarmerie gegenübersahen, zögerten sie, und etliche nahmen Reißaus, bevor sie den Hof betreten hatten. Ganz Ostindien zitterte vor der Marechaussée, die sich aus bestqualifizierten Soldaten rekrutierte. Sie waren lediglich mit Gummiknüppeln bewaffnet, nicht mit Gewehren oder Stichwaffen, aber sie waren allgemein als geübte *Pendekars* bekannt.

Ihre blattgrünen Bambushüte mit blinkenden Messinglöwen als Abzeichen wogten auf und ab inmitten der neuen Angreifer. Sie hatten kleine Pfeifchen, deren schriller Ton einem durch Mark und Bein ging, und schwangen ihre Gummiknüppel nach allen Regeln der Kunst. Der Kampf dauerte ungefähr eine Stunde, wobei zwei Feldgendarme ums Leben kamen.

Als Folge dieser Protestaktion wurde Darsam gefangengenommen und abgeführt; wohin, wußten wir nicht.

Nachdem wieder Ruhe eingetreten war, polterte Feldwebel Hammerste an die Tür und verlangte Einlaß. Mama öffnete die Tür und verstellte ihm den Weg.

«*Nyai* Ontosoroh?» fragte er auf malaiisch.

«Feldgendarmen haben hier nichts zu suchen.»

«Das Areal hier wird von der Feldgendarmerie bewacht.»

«Das geht mich nichts an. Ohne meine Einwilligung setzt hier keiner seinen Fuß über die Schwelle.»

«Ich bin Feldwebel Hammerste, ich möchte Sie höflich um Quartier bitten.»

«Kommt nicht in Frage.»

«Dann werden wir unser Lager auf dem Hof aufschlagen.»

Nyai schlug die Tür zu und blieb eine geraume Weile davor stehen. Dann drehte sie sich zu mir um und sagte:

«Wenn du solchen Kerlen den kleinen Finger gibst, werden sie gleich unverschämt. Keine Angst, es wird uns nichts geschehen. Sie haben keine Papiere über dieses Haus, und die halten sich ja nur an Papiere. Wie mächtig sie auch sein mögen, ohne Briefe getrauen sie sich nicht das mindeste. Bei denen bestimmt das Papier, Papier ist mächtiger.» Ihre Stimme klang bitter.

Als ich wieder am Fenster stand, konnte ich sehen, wie Dr. Martinet vom Feldwebel Hammerste abgewiesen wurde. Sie hatten einen kurzen Wortwechsel am Tor. Allerdings konnte ich nicht vernehmen, was sie sagten. Aus ihren Gesten zu schließen, bestand Dr. Martinet wohl darauf, seine Patientin zu besuchen. Da es ihm verwehrt wurde, stieg er wieder auf seinen Dogcart und fuhr von dannen. Das bedeutete, daß wir Annelies ohne ärztliche Aufsicht zu pflegen hatten.

Gegen Abend kam Annelies langsam zu sich. Sie öffnete ihre großen Augen und blickte sich um, als sähe sie die Welt zum erstenmal. Dann machte sie die Lider wieder zu und öffnete sie nach einer Weile aufs neue.

«Ann, Annelies», versuchte ich, ihre Aufmerksamkeit zu gewinnen. Sie schaute mich an. Ihre blassen, blutleeren Lippen standen halb offen, ohne daß sie einen Laut von sich gegeben hätte. Ich holte ein Glas Schokolade und gab ihr zu trinken. Nachdem sie es zur Hälfte ausgetrunken hatte, setzte sie sich auf. Mama beobachtete sie schweigend, stand dann unvermittelt auf und verließ das Zimmer. Erst dachte ich, sie ginge nach hinten zu den Ställen, um nach den Arbeiterinnen zu sehen, doch nicht lange danach hörte ich sie auf holländisch wettern:

«Jeder Beliebige darf nach Holland, warum ausgerechnet ich nicht?»

Ich streckte den Kopf zur Tür hinaus. Unten im Parterre unterhielt sich *Nyai* mit einem Europäer. Er hatte die Hände in die Hüften gestützt, schüttelte bald den Kopf, bald fuchtelte er mit seinem Zeigefinger herum. Er sprach so gedämpft, daß ich nicht verstehen konnte, was er sagte.

«Es bricht Ihnen doch kein Zacken aus der Krone, wenn ich meine Tochter begleite? Ich komme selbst dafür auf.»

Der Gast schüttelte wiederum den Kopf.

«Wo kann ich das schriftlich kriegen, daß ich sie nicht begleiten darf?»

Der Europäer machte eine lässige Handbewegung.

«Pockenimpfung? Gesundheitsattest? Das hat meine Tochter auch noch nicht, im Gegenteil, sie ist ja gerade krank. Sie soll auf dem Schiff geimpft werden? Das kann man bei mir genauso machen.»

Ich zog mich wieder ins Zimmer zurück, denn Annelies schickte sich an aufzustehen. Ich stützte sie und führte sie zum Fenster. Sie schwieg, und ich selbst wußte nicht, was ich sagen sollte. Da ich das Schweigen nicht ertrug, zwang ich mich zu reden:

«Du warst noch nie oben auf dem Berg dort, Ann? Von dort aus könntest du ganz *Wonokromo* und Surabaya sehen. Wir werden irgendwann mal dorthin gehen.»

Der Berg war gar nicht sichtbar, sondern von dichten Wolkenbergen verdeckt, die aussahen wie schlecht verrührter Milchkaffee. Die Wolken hingen so tief, daß sie selbst den Wald verdeckten, der sich sonst grün-schwarz am Horizont abzeichnete. Ab und zu leuchteten in unschätzbarer Entfernung Blitze auf, die Himmel und Wolken vorübergehend beherrschten und dann irgendwohin entschwanden. Die Natur hatte ihre eigene Beschäftigung.

Mama kam ins Zimmer zurück. Sie setzte sich auf ihren Stuhl, schweigend, als sei nichts geschehen.

Als ich mich umdrehte, winkte sie mich zu sich. Ich ließ Annelies am Fenster stehen.

«Minke, sag's ihr, es bleiben nur noch drei Tage bis zu ihrer Abreise.»

Ich mußte es ihr sagen, weil ich ihr Mann war. Das war meine Pflicht. Ich hatte es bis dahin unterlassen, weil es so viel anderes zu erledigen gab. Annelies mußte erfahren, daß wir verloren hatten, daß wir übergangen wurden und daß wir uns weder verteidigen noch zur Wehr setzen konnten.

Die Natur sah finster aus, besonders wenn es blitzte. Der Gänseteich unter unserem Fenster war noch nicht wieder ausgebessert worden. Einer der *Kampungs* lag in Sichtweite. Normalerweise sah man dort Kinder spielen, aber jetzt schien er verlassen und ausgestorben.

Ich trat zu meiner Frau, legte ihr die Hände auf die Schultern und lehnte meine Wange an ihre. Sie war kalt. Ich nahm meinen ganzen Mut zusammen.

«Ann!» Sie drehte sich nicht um, reagierte überhaupt nicht. «Ann, Annelies, meine Frau, hör mir zu!»

Sie ging nicht darauf ein. Sie kratzte sich mit der linken Hand langsam am Hals, der sich unter ihrem leicht aufwärts geschwungenen Haar versteckte und der in seiner Schönheit weit vollendeter war als die Natur draußen.

Drei Tage noch blieben uns zu zweit, und dann würde sie abreisen, meine geliebte Frau, meine unvergleichlich hübsche Frau. Was wird aus dir werden, Ann? Und aus mir? Wirst du wie einer jener Blitze dort in der Ferne sein, die kurz aufleuchten und die Umgebung beherrschen, um dann für immer zu entschwinden? Einer, der dich nicht kennt, hat über dich gerichtet und dir diese Strafe auferlegt, und ein zweiter, der dich ebensowenig kennt, wird dich uns entreißen und dich von allem trennen, was du liebst. Wie dünn bist du, Ann, und so blaß!

Du kannst einem nur leid tun, Ann. So hübsch du bist, es wird dir nicht vergönnt sein, deine Schönheit und Jugend zu genießen.

«Willst du mich nicht anhören, Ann?»

Sie reagierte nicht im geringsten. «Magst du die Berge dort hinten?»

Sie nickte heftig, sie bejahte.

«Eigentlich hätten wir schon lange einmal dorthin reiten sollen, nicht, Ann? Nur wir zwei, ohne Mama.»

Sie nickte ein zweites Mal ganz heftig.

«Bawuk wiehert oft, weil sie wissen möchte, wo du bleibst.»

Sie senkte den Kopf. Langsam wandte sie sich mir zu und schaute mich mit ihren Morgensternaugen wie eine Traumwandlerin an. Sie schwieg. Ihr Mund roch nach Medizin.

Mama konnte sich nicht mehr beherrschen. Sie schluchzte auf und verließ das Zimmer. Ungefähr zehn Minuten später kam sie mit einem Europäer zurück. Er kam ohne Umschweife auf uns zu.

«Ich bin der Amtsarzt», sagte er, ohne seinen Namen zu nennen, «ich habe den Auftrag, Juffrouw Annelies Mellema zu untersuchen.»

«Mevrouw», berichtigte ich.

Er ignorierte mich geflissentlich und führte meine Frau zum Bett, setzte sie und kramte sein Stethoskop aus der Kitteltasche, um sie zu untersuchen. Als er ihren Puls fühlte, blickte er mit weitaufgerissenen Augen zur Decke. Schließlich steckte er das Stethoskop wieder ein und untersuchte ihre Augen, roch auch an ihrem Atem, den sie durch Nase und Mund aushauchte. Er schüttelte den Kopf. Mama stand schweigend dabei. Der Amtsarzt forderte seine Patientin auf, sich hinzulegen.

«*Nyai*! Warum läßt du's zu, daß sie so stark betäubt wird?» fragte er grobschlächtig auf malaiisch.

«Wir haben Sie überhaupt gar nicht hergebeten», gab *Nyai* noch gröber zurück, ebenfalls auf malaiisch.

«Verdammt, weißt du denn nicht, was sich gehört? Ich bin der Amtsarzt.»

«Und was hast du hier zu suchen?» schnauzte Mama.

«Dafür kann ich dich anklagen! Und Doktor Martinet genauso. Nimm dich in acht!»

«Spiel dich bei dir zu Hause auf, nicht hier! Hier brauchst du den Mund nicht so weit aufzureißen. Dort ist die Tür, sie hängt normal in den Angeln!»

Der Arzt wurde knallrot. Er wandte sich mir zu.

«Du hast das gehört», sagte er, «du bist Zeuge davon, was die da gesagt hat, he.»

«Die Tür ist tatsächlich nicht zugenagelt», erwiderte ich.

Nyai und ich traten zu Ann und hießen sie aufstehen zum Essen.

«Sie ist zu schwach, viel zu schwach. Laßt sie schlafen. Ihr Herz... Laßt sie in Ruhe», befahl der Arzt.

Wir halfen ihr vom Bett und setzten sie auf einen Stuhl.

«Ich hol dir etwas zu essen, Ann. Brauchst dich nicht um ihn zu kümmern.»

Annelies nickte leicht.

Der Arzt kam drohend auf mich zu und sagte:

«Wag's nur, dich meinen Anweisungen zu widersetzen.»

«Ich kenne meine Frau besser als Außenstehende», entgegnete ich, ohne ihn dabei anzusehen.

«Gut», zischte er und ging, «aber nehmt euch in acht!»

«Warum schweigst du nur, Ann? Hör mich an! Der Lackaffe von Arzt ist weg. Hab keine Angst.»

Ich folgte ihrem Blick, den sie zum Fenster hinaus auf die Berge gerichtet hatte, die nach wie vor in Wolken verhüllt waren. Mama schaute mir wortlos zu.

Annelies kaute lustlos und zögerte jedesmal, bevor sie schluckte.

Mama sagte mehr zu sich selbst:

«Damals kam uns Maurits mit Blutschande, und jetzt besteht er darauf, sie zu haben. Ich dachte damals, er wäre ein heiliger Moralapostel...»

«Es hat keinen Zweck, sich daran zu erinnern, Mama», mahnte ich, ohne mich nach ihr umzudrehen.

«Ja. Erinnerungen sind oft schmerzlich. Es hat tatsächlich keinen Zweck, daran zu denken. Hast du es ihr schon gesagt?»

«Noch nicht, Ma.»

«Sag doch endlich was, Ann. Du schweigst nun schon so lange.»

Annelies schaute mich an und lächelte. Sie lächelte! Annelies lächelte! Mama riß vor Staunen die Augen weit auf. Du bist dabei zu genesen, Ann, jauchzte ich innerlich.

Mama stand auf, umarmte und küßte ihre Tochter.

«Mir wird richtig wohl ums Herz, wenn du lächelst, deinem Mann auch», murmelte sie. «Das ist doch die Höhe, daß du immer nur schweigst.» Tränen rollten ihr über die Wangen.

Annelies bewegte langsam die Wimpern, so langsam, daß ich befürchtete, sie würde die Augen nicht mehr öffnen.

Dr. Martinet hatte einmal erklärt, ihr Problem sei, daß sie starr am Bestehenden festhalte, sie wolle sich von nichts trennen. Aber es könnte geschehen, daß sie infolge einer Krise alles fahrenließe und ihr dann alles gleichgültig sei. War meine Frau jetzt soweit? Ich wußte es nicht, und Dr. Martinet durfte uns ja nicht besuchen. Als er sich das letzte Mal verabschiedete, betonte er, Annelies würde das Ganze nur überstehen, wenn sie davon überzeugt werden konnte, sich in die Realität zu schicken. Aber weder ich noch Mama wußten, wie es nun um Annelies stand. Und der Arzt war unerreichbar!

Solange sie von Dr. Martinet betreut wurde, klammerte sie sich jedenfalls nach wie vor an alles Bisherige. Sie wolle nicht einsehen, daß wir alle versagt hatten und alle unsere Bemühungen fehlgeschlagen waren, meinte er. Obschon sie sich nie widersetze, fechte sie innerlich die fürchterlichsten Kämpfe aus, und sie könne nur dadurch, daß sie betäubt werde, vor dem psychischen Zerfall bewahrt werden. Ansonsten könnte es geschehen, daß sie alles als wertlos betrachte und somit auch für ihre Mitmenschen wertlos werde. Man denke nur an *Tuan* Mellema... Darum, hatte er betont, müßten wir, sobald sie zu sich komme, ihr ununterbrochen zureden, ihr irgend etwas Erfreuliches erzählen, um sie zu beruhigen.

Meine Aufgabe als Ehemann war es nun, ihr die bittere Wahrheit zu eröffnen, daß sie in drei Tagen abzureisen hatte! Dabei würde sie nicht mehr betäubt werden, da es Dr. Martinet untersagt war herzukommen.

Vor unserer Hochzeit hatte mir der Arzt gesagt, sie habe ihre schlimmste Phase überstanden. Nun hatte sie einen argen Rückfall erlitten. Nach wie vor sei ich ihr eigentlicher Arzt, ihr Mann, den sie innig liebe. Sehen Sie zu, daß Sie sie nach Holland begleiten können. *Nyai* kann ohne weiteres für die Unkosten aufkommen – hundertzwanzig Gulden sind für sie keine unerschwingliche Summe.

Man hatte uns verboten, sie zu begleiten.

Versuchen Sie's auf irgendeine Art, hatte der Arzt befohlen, geben Sie Ihre Frau nicht einfach auf. Sie kann ohne Sie nicht leben. Sie sind ihre einzige Stütze.

Meiner Ansicht nach hatte ich mich eingesetzt, so gut ich es vermochte, und es war mißlungen. Gegen das Amsterdamer Gericht war nicht anzukommen, und das weiße Gericht in Surabaya bestand darauf, daß wir nichts mit Annelies Mellema zu tun hätten. Geschickt wie sie war, hatte *Nyai* es so eingerichtet, daß *Panji* Darman, der ehemalige Jan Dapperste, eine «Geschäftsreise» nach Holland machen konnte als Gewürzhändler, um sie an meiner Stelle zu begleiten. Der Beamte der niederländischen Reederei

hatte ihm absichtlich eine Kabine zweiter Klasse direkt neben derjenigen von Annelies zugeteilt und für das richtige Datum auf seinem Impfzeugnis gesorgt.

Das Gesicht meiner Frau sah aus wie aus Marmor gehauen, als
hätten ihre Gesichtsnerven keine Verbindung mehr zum Nerven-
zentrum. Es war bewegungs- und ausdruckslos. Außerdem
schwieg sie nach wie vor. Ich hatte alle möglichen Einstiegsthemen
angeschnitten, um ihr ihre bevorstehende Abreise mitzuteilen,
aber meine Versuche waren aussichtslos.

Sie aß nur vier Löffel voll, dann weigerte sie sich, den Mund zu
öffnen. Mama war derart nervös, daß sie zwischendurch immer
wieder hinausging. Als sie einmal gerade nicht da war, umarmte
ich meine Frau und faßte mir ein Herz, ihr zuzuflüstern:

«Ann, wir haben's nicht geschafft, Ann. Wir wollten dich eigentlich nach Holland begleiten, aber sie haben's uns nicht bewil-
ligt. Ann, hörst du mir zu, Ann?»

Sie zeigte keinerlei Reaktion.

«Ich weiß nicht, was du dir denkst, auf jeden Fall wird Jan
Dapperste dich in unserem Auftrag begleiten. In drei Tagen ist es
soweit. Laß den Kopf nicht hängen, Ann. Sobald du drüben angekommen bist, werden Mama und ich unverzüglich nachkommen.»

Annelies blieb nach wie vor ungerührt. Zumindest hatte ich die
schwere Aufgabe, die mir als Ehemann zufiel, erledigt, wiewohl
nur unvollständig, denn sie äußerte sich nicht dazu. Wie oft mußte
ich ihr die Nachricht wiederholen? Ich küßte sie. Erfolglos. War
sie etwa bereits über die gefährliche Klippe hinaus und fing an, sich
von allem zu lösen, wie Dr. Martinet es signalisiert hatte?

Mama brachte ein Telegramm von Herbert de la Croix und
einen Brief von meiner Mutter.

Der *Resident-Assistent* von B. entschuldigte sich dafür, einen
Advokaten geschickt zu haben, der nichts erreichen konnte, und
sprach uns sein Beileid und seine Sympathie aus. Es war ein ungewöhnlich langes Telegramm. Seines Erachtens sei der Beschluß des
Amsterdamer Gerichts ungerecht, weshalb er dem General-Gouverneur ein Telegramm gesandt habe mit der Mitteilung, er werde
von seinem Amt zurücktreten, falls der Beschluß durchgeführt

werde. Beim Justizministerium habe er ebenfalls telegrafisch Protest eingereicht – umsonst, die Telegramme seien nicht einmal beantwortet worden. Infolgedessen trete er zurück und reise zusammen mit Miriam nach Europa.

Und Annelies selber? Nichts vermochte auch nur ihre geringste Aufmerksamkeit zu erwecken. Ich redete und redete. Vielleicht hörte sie mir nicht einmal zu. Ich führte sie zum Bett zurück, legte sie hin und legte mich daneben. Zum Glück kannte ich viele alte Geschichten, die ich ihr noch längst nicht alle erzählt hatte. Ich gab auch europäische Geschichten zum besten, einige sogar mehrere Male: die Geschichte von der Prinzessin Genoveva erzählte ich viermal, ‹Gullivers Reisen› und den ‹Baron von Münchhausen› je zweimal und das Märchen vom ‹Däumling› wohl öfter als viermal, von den ‹Streichen des Kancils› nicht zu reden.

Ich hielt meine Frau in den Armen und erzählte pausenlos, wobei ich ihr ins Ohr flüsterte, wie sie es besonders gerne mochte.

Als ich aufwachte, war es bereits Morgen und hell im Zimmer, aber meine Müdigkeit hatte nicht nachgelassen. Ich hatte keine Ahnung, wie lange ich geschlafen hatte. Plötzlich wurde ich mir bewußt, daß Annelies mich umarmte, mich küßte und mir übers Haar fuhr, und da setzte ich mich hastig auf.

«Ann, Annelies!» rief ich aus. Ich griff nach ihrem Handgelenk; ihr Puls schlug nicht mehr so langsam wie am Vortag.

«Mas!» antwortete sie.

Was, Annelies fing an zu sprechen?! Oder träumte ich? Ich rieb mir die Augen. Doch dann sah ich, daß meine Frau lächelte. Sie war blaß im Gesicht, und ihre Zähne waren schmutzig. Ihre Augen lächelten nicht mit.

«O Annelies, meine Annelies! Du bist ja wieder wohlauf!» Ich umarmte und küßte sie. Meine Anstrengungen in den vergangenen paar Tagen waren also doch nicht fruchtlos geblieben.

«Das Essen steht schon bereit, Mas, komm iß», sagte sie auf ihre zarte Weise wie ehedem.

Ich schaute sie an. Hatte Dr. Martinet recht mit seiner Annahme, sie sei psychisch unbeständig und nicht normal entwickelt? Ich betrachtete ihre Augen. Sie waren trübe, obwohl ihr Mund weiterhin lächelte.

«Mama!» rief ich. «Annelies ist wieder gesund.»

Mama kam nicht.

Ohne mich vorher zu waschen, setzte ich mich im Zimmer zu Tisch. Vor mir stand kein Gedeck, nur vor Annelies. Hatte sie bereits den Verstand verloren, oder sollte ich alleine essen?

Sie schickte sich an, mir das Essen einzulöffeln.

«Das kann ich selber, Ann. Du vor allem solltest endlich etwas essen. Komm!»

Annelies rührte keinen Bissen an, aber sie bestand darauf, mich zu füttern. Und ich hatte zu kauen und zu schlucken, denn sie durfte nicht gekränkt werden – das wußte ich mehr als genug.

«Wieso gibst du mir das Essen ein?»

«Dieses eine Mal in meinem Leben will ich meinem Mann das Essen einlöffeln.» Sie verstummte und war nicht mehr zum Reden zu bewegen.

20

Dann kam der letzte Tag.

Der Betrieb lag völlig brach, weil die Marechaussée jedermann den Zugang verwehrte. Allein die Stalldienste durften ihre Arbeit fortsetzen.

Mamas Protest fand kein Gehör.

«Sie haben dadurch keinen Verlust», meinte der Feldwebel. «Die drüben in Holland kommen dafür auf.»

Es trudelten eine Menge Briefe ein. Ich fand keine Gelegenheit, sie zu lesen, geschweige denn, sie zu beantworten. Die Zeitungen, die Nijman uns zustellte, türmten sich, ohne daß wir sie auch nur berührt hätten.

Mama und ich – Annelies ohnehin – durften das Haus nicht verlassen, außer wenn wir nach hinten ins Badezimmer oder auf die Toilette wollten. Wir standen unter Hausarrest.

Die Feldgendarmen, die ihre Zelte auf dem Hof aufgeschlagen hatten, verließen diese nur, um die Leute zu vertreiben, die sich am Straßenrand sammelten und uns damit ihre Sympathie bezeugten oder ihre Neugier stillten.

Annelies sah einigermaßen normal aus; doch sie war mager und bleich, und ihre Augen waren leblos.

«Erzähl mir von Holland, wie *Multatuli* es beschrieben hat», verlangte sie plötzlich.

«Holland liegt oben an der Nordsee…» begann ich aufs Geratewohl. «Es liegt tief, weshalb es die Niederlande genannt wird.» Ich stockte, weil mir der Anschluß fehlte. Sie schaute mich mit versonnenen, matten Augen an, derart komisch, als wäre ich eine neuartige Eidechse mit blauem Schwanz, die sie zum erstenmal sah. «Weil das Land so tief liegt, haben es die Leute satt, ständig die Deiche auszubessern, so daß sie lieber in andere Länder mit hohen Bergen auswandern, die sie bewundern und natürlich mit der Zeit auch beherrschen. In diesen hochgelegenen Ländern machen sie die Bevölkerung klein, damit sie ihnen ja nicht über den Kopf wächst.»

«Erzähl mir vom Meer.»

Eine Europäerin, ganz in Weiß gekleidet und mit einer weißen Haube, trat ein, ohne vorher angeklopft zu haben. *Nyai* und ich ließen uns davon nicht stören, denn in der letzten Zeit waren alle möglichen Leute hier hereinspaziert, und diese eine würde sicher auch nichts Besseres tun, als sich bei uns einzumischen.

«In vier Stunden beginnt Ihre Reise, und dann können Sie lange, sehr lange auf dem Meer fahren, meine Liebe», verkündete die Frau und übernahm meine Pflicht. «Da gibt es Fische noch und noch, und Wellen, die wogen, sich kräuseln, schäumen, spritzen… Sie werden auf einem großen, schönen Schiff fahren, Juffrouw, erst über den Ozean und dann durch den Suez-Kanal, meine Liebe. Und Sie werden vielen anderen Schiffen begegnen, und dann wird Ihr Schiff tuten, meine Liebe, und die anderen Schiffe werden es auch tun. Haben Sie Gibraltar schon einmal gesehen? An dieser Stadt, die auf Felsen gebaut ist, werden Sie ebenfalls vorbeifahren. Danach wird es nur noch ein paar Tage dauern, bis Sie das Land Ihrer Väter betreten können. Dort ist der Sand leuchtend gelb, und Blumen gibt es dort, alles, was Sie sich nur wünschen. Holland ist schön. Bald kommt der Herbst, und die Blätter fallen von den Bäumen... Wie nett Sie's dort haben werden, behütet und umsorgt von Ihrem leiblichen Bruder, der dazu noch ein Gelehrter ist, ein Ingenieur, und berühmt und angesehen. Sie werden sich dort wohl fühlen... Sollte es Ihnen trotz allem nicht gefallen, na ja, in ein, zwei Jahren können Sie bereits selbst entscheiden. Ja, Juffrouw, nur ein oder zwei Jahre...»

«*Mas*, ich mag die Wellen und den Schaum lieber als das Schiff und Holland...»

«Aber nicht doch, meine Liebe», unterbrach die Frau sie, «in Holland gibt es alles; alles, was Sie sich erträumen, gibt es da.»

«*Mas*, an was fehlt es hier eigentlich?»

«An nichts, Annelies. Du hast hier alles, und du bist hier glücklich.»

«Wenn's drüben in Holland alles gibt», fügte Mama wütend hinzu, «wozu kommen denn die Europäer überhaupt hierher?»

«Erschweren Sie mir meine Arbeit nicht, *Nyai*. Packen Sie ihre Kleider ein.»

«Nicht nur die Kleider», Mama wurde ungehalten, «auch ihren Schmuck, ihr Bankbüchlein, die Anerkennungsakte von ihrem Vater und die Gebete ihrer Mutter und ihres Mannes.»

«Mama», lenkte Annelies ab, «erinnerst du dich noch an deine Geschichte von früher...»

«Ja, Ann, welche denn?»

«Als Mama für immer von zu Hause wegging...»

«Ja, Ann.»

«Wo ist der Koffer jetzt, Ma?»

«In der Speisekammer.»

«Ich möchte ihn sehen.»

Mama holte ihn.

«Es ist bald soweit, Juffrouw», mahnte die Europäerin.

Weder Annelies noch ich gingen darauf ein. Mama kam zurück mit einem kleinen, braunen Blechkoffer, der schon ganz verrostet und verbeult war. Annelies nahm ihn ihr unverzüglich ab.

«Den nehm ich mit, Mama, meine liebe Mama.»

«Der ist viel zu klein und schäbig. Das macht einen schlechten Eindruck, Ann.»

«Mit diesem Koffer bist du damals von zu Hause ausgezogen, mit dem Vorsatz, nie wieder zurückzukehren. An dem Koffer hängen für dich allzu viele schlechte Erinnerungen. Laß mich ihn mitnehmen, Mama, und mit ihm die schlimmen Erinnerungen, die damit verbunden sind. Ich nehme nur Mutters Batik-*Kain* mit, sonst nichts; nur diesen Koffer als Andenken an dich und Mutters Batik, die ich zu meiner Hochzeit trug. Leg den *Kain* da rein, Mama, richte Mutter in B. meine Huldbezeugung aus... Ich gehe jetzt. Denk nicht an das, was einmal war, vergiß die Vergangenheit, liebste Mama.»

«Die Kutsche wartet draußen, Juffrouw», redete die Europäerin dazwischen.

«Was soll das, Ann?»

«Ich werde nicht mehr zurückkehren, Mama, wie du auch.»

«Ann, Annelies, meine geliebte Annelies!» rief Mama aus und umarmte meine Frau. «Ich habe alles versucht, ich habe dich verteidigt, so gut ich konnte, Ann...»

Mama konnte ihre Reue und ihren Schmerz nicht mehr beherrschen, sie brach in Tränen aus. Ich ebenfalls.

«Wir haben alles versucht, Ann», fügte ich hinzu.

«Weint nicht, Mama. *Mas.* Ich habe noch einen Wunsch, Mama, weine nicht.»

«Was denn, Ann, was denn?» schluchzte Mama.

«Ma, schenk mir eine kleine Schwester, die immer lieb sein wird mit dir...»

Mama schluchzte immer stärker.

«... und dir keine Sorgen bereitet wie ich... damit...»

«Damit was, Ann?»

«... damit du mich vergißt.»

«Ann, Annelies, wie kannst du nur so etwas sagen!»

«*Mas*, wir waren doch einmal glücklich miteinander?»

«Aber ja, Ann.»

«Behalte das in Erinnerung, ja, *Mas*, nur das.»

«Los!» befahl ein *Indo* von der Tür her. «Wir haben schon zwei Minuten Verspätung.»

«Seien Sie so gut, meine Liebe», forderte die Frau auf und führte Annelies hinaus, die sich wieder in Schweigen hüllte und von neuem in ihre Gleichgültigkeit versank. Von ihrer kurzen Größe blieb nichts übrig. Am Arm jener Europäerin ging sie langsam aus dem Zimmer und stieg die Treppe hinunter.

Mama und ich stürzten hinterher, doch die Europäerin und der *Indo* wiesen uns zurück.

Unten an der Treppe standen eine Menge Feldgendarmen.

Nicht einmal näher treten durften wir. So konnten wir dem geliebten Wesen, das wie ein Stück Vieh abgeführt wurde und Stufe um Stufe die Treppe hinunterstieg, lediglich nachblicken.

So ähnlich vielleicht hatte sich auch Mamas Mutter gefühlt, als es ihr nicht gelungen war, ihre Tochter vor *Tuan* Mellema zu bewahren. Wie sah es in Annelies aus? Hatte sie sich von allem gelöst, auch von ihren eigenen Gefühlen?

Was wußte ich! Plötzlich hörte ich mich weinen. Mutter, dein Sohn hat verloren. Er ist nicht weggerannt, Mutter, er ist kein Krimineller, obschon es ihm nicht gelungen ist, seine Frau, deine Schwiegertochter, zu verteidigen. So schwach also waren die *Pribumis* den Europäern gegenüber? Ihr Europäer! Ihr, meine Lehrer, solcher Art waren eure Taten? So, daß selbst meine Frau, die nicht viel weiß über euch, nicht mehr an ihre eigene Welt glaubt – diese kleine Welt, in der ihr weder Schutz noch Sicherheit vergönnt war.

Ich rief ihr nach. Annelies antwortete nicht, drehte sich nicht um.

«Ich werde sofort nachkommen, Ann», schrie ich.

Keine Antwort. Kein Umdrehen.

«Ich auch, Ann, behalt den Kopf oben!» rief Mama mit heiserer Stimme, die ihr beinahe im Hals steckenblieb.

Auch darauf keine Antwort, keine Reaktion.

Die Fronttür im Parterre wurde geöffnet. Draußen stand eine Gouvernements-Kutsche, umringt von Feldgendarmen. Mama und mir war es nicht erlaubt, durch diese Tür zu gehen.

Flüchtig sahen wir, wie sie Annelies beim Aufsteigen halfen. Sie blickte nicht zurück, gab keinen Ton von sich.

Die Tür wurde von außen geschlossen.

Wir hörten die Räder über die Kieselsteine knirschen, immer weniger deutlich, aus immer größerer Entfernung und schließlich überhaupt nicht mehr. Annelies reiste in das Land, wo Königin Wilhelmina herrschte. Wir standen hinter der Tür und senkten den Kopf.

«Wir haben verloren, Ma», flüsterte ich.

«Wir haben uns gewehrt, *Nak, Nyo*, so gut und so ehrenhaft wir konnten.»

Erzählt 1973 auf der Insel Buru
Niedergeschrieben 1975 ebenda

Nachwort für die deutsche Ausgabe von Bumi Manusia – Garten der Menschheit

Von Rüdiger Siebert

Multatuli – Joseph Conrad – Pramoedya Ananta Toer. Indonesien in der Weltliteratur

Ein Mann wird Zeuge übelsten Mißbrauchs von Macht, erlebt hautnah Korruption und Unterdrückung wehrloser javanischer Bauern. Der Mann prangert dies im Vertrauen auf rechtsstaatliche Institutionen an und wird selbst Opfer. Er verliert Ehre, Amt und Einkommen. Als Ausgestoßener greift er zu Schreibpapier wie ein Ertrinkender zum Strohhalm. Innerhalb eines Monats reißt er sich ein Buch aus der Seele, das Sturmwellen politischer Kontroversen aufpeitscht und über diese zeitgeschichtliche Wirkung hinaus zum einzigartigen Werk der Weltliteratur werden sollte. Multatuli nennt sich der Mann: «Ich habe viel erduldet»; mit richtigem Namen heißt er Eduard Douwes Dekker, Holländer von Geburt, Weltbürger im intellektuellen Selbstverständnis. Sein epochales Buch trägt den Titel ‹*Max Havelaar*›[1] – eben jenes 1860 in erster verstümmelter und 1874 in textgetreuer Auflage erschienene Werk, das Pramoedya Ananta Toer in den eigenen Romanen zitiert, auch und besonders beziehungsreich in ‹*Bumi Manusia – Garten der Menschheit*›.

Ein erdumspannender Bogen ist damit geschlossen: historisch wie literarisch. Der abendländischen Betrachtungsweise jener unseligen kolonialen Verwicklungen, denen so nachhaltig die Rechte ungezählter kleiner Leute zum Opfer fielen, fügt sich nun die asiatische Sicht der Epoche an. Endlich, so will ich meinen.

Es mangelt ja nicht an Büchern *über* Indonesien. Allein die Bibliographie deutschsprachiger Publikationen,[2] die sich mit dem Inselreich beschäftigen, «das sich da schlingt um den Äquator wie ein Gürtel von Smaragd» (Multatuli), umfaßt nahezu 1500 Titel. Europäische, amerikanische und neuerdings australische Autoren waren und sind fleißig dabei, die Besonderheiten der indonesischen Welt mit den kontinentalen Ausmaßen, ihrer fremdbestimmten Vergangenheit, der widerspruchsvollen Gegenwart und ihrer zeitlos-großartigen Kultur in Worte zu bannen. Wer indes Bücher *aus* Indonesien sucht, um sich mit dem Denken asiatischer Publizisten, Schriftsteller und Dichter vertraut zu machen, der wird zwar in englischer und holländischer Übersetzung einiges Bedeutsame und Lesenswerte finden, muß aber im deutschsprachigen Raum bislang nahezu Fehlanzeige melden.

Der Sammelband indonesischer Erzählungen ‹Perlen im Reisfeld›,[3] 1971 von der großen alten Dame indonesisch-deutscher Kulturvermittlung, der Kölner Malaiologin Irene Hilgers-Hesse, zusammen mit dem indonesischen Schriftsteller Mochtar Lubis herausgegeben, ist die einzige deutschgefaßte Anthologie geblieben. Literarische Texte moderner indonesischer Autoren erscheinen verstreut in Dritte-Welt-Publikationen[4] oder sind Gegenstand wissenschaftlicher Abhandlungen[5]. Ein zufälliges Defizit? Wohl kaum. Der abendländische Drang, *über* Indonesien zu schreiben, hat Tradition. Die Bereitschaft, den Stimmen *aus* Indonesien zuzuhören, muß erst geweckt werden. Prams ‹Bumi Manusia – Garten der Menschheit› bietet eine vorzügliche Gelegenheit, sich wecken zu lassen, eingedenk des erdumspannenden Bogens, den Multatuli begründete.

Eduard Douwes Dekker (1820–1887) war der erste europäische Autor von hohem literarischen Rang, der dem abendländischen Publikum die indonesische Welt mit einem für die damaligen kolonialen Machtverhältnisse sensationellen Anspruch nahebrachte: «Ich will von Menschen erzählen, die die gleichen Regungen haben wie wir. Wer indessen das Mitempfinden scheut oder dem Mitleid aus dem Wege gehen will, der kann ja sagen, daß diese

Menschen gelb oder braun sind – viele nennen sie Schwarze –, und für ihn genügt der Unterschied der Hautfarbe, um das Auge von diesem Elend abzuwenden oder wenigstens ohne Mitempfinden darauf niederzublicken. Meine Geschichte wendet sich also nur an die, die sich zu dem mühevollen Glauben bekennen, daß auch unter der dunklen Haut ein Herz schlägt.» Das war für die selbstgerechten Inhaber von Macht provozierend neu. Mit Multatuli, dem einstigen hohen Beamten der niederländisch-indischen Kolonialverwaltung, meldete sich nicht irgendein schwärmerischer Reisender zu Wort, kein kühler Naturforscher, kein nüchterner Handelsmann und erst recht kein reißerischer Abenteurer. Eduard Douwes Dekker war Humanist, der das Leiden der geschundenen Kreatur zur aufrüttelnden Literatur verdichtete.

Multatuli geht nicht so weit, die Abschaffung des kolonialen Systems zu fordern, wenngleich er mit seinem Werk den geistigen Weg dazu bereitet; und selbstverständlich sind es seine europäischen Augen, durch die er und damit sein zur Romanfigur gestaltetes Ich namens Max Havelaar die südostasiatische Welt und ihre holländische Bevormundung sieht. Diese Perspektive kennzeichnet auch den anderen Großen der europäischen Literatur, der dieselbe Epoche und dieselben Schauplätze in sein Werk einbezog und mich bei Prams ‹Bumi Manusia – Garten der Menschheit› immer wieder zu gedanklichen Querverbindungen veranlaßt: Es ist Joseph Conrad.

Der englisch schreibende Autor von polnischer Herkunft (1857–1924) lernt als Offizier der britischen Handelsmarine zum Ende des vorigen Jahrhunderts Südostasien kennen. Die tropische Welt läßt ihn fortan nicht mehr los. In den meisten seiner Romane und Erzählungen überträgt er die Handlungsorte seiner Reisen und die Menschen an deren Wegen und Ufern in komponierte Literatur, die mit bloßer Ortsbeschreibung oder gar Abenteuergeschichten nichts zu tun hat, gleichwohl sie Intrigen, Verfehlungen und Machtkämpfe, die wesentliche thematische Elemente bei Multatuli und Pram sind, einbezieht. ‹Almayers Wahn›, ‹Lord Jim›, ‹Der Verdammte der Inseln›, ‹Sieg›, ‹Die Rettung›[6] heißen die diesbezüglichen Werke, für die gilt, was Joseph Conrad im Vorwort zum ‹Nigger von der ‹Narzissus›› als Maxime seines

Schaffens formulierte: «Die Kunst muß unentwegt danach trach-
ten, der Skulptur all ihre plastische Form, dem Gemälde all seine
Farben und der Musik, der Kunst der Künste, all ihre magische
Suggestionskraft zu sichern. Und nur vermöge einer gänzlichen
und unerschütterlichen Hingebung an die vollkommene Einheit
von Form und Substanz, nur vermöge einer unermüdlichen und
nie entmutigten Sorge um Gestalt und Klang der Sätze kann man
der Plastizität und der Farbigkeit sich nähern und kann das Licht
magischer Suggestionskraft für einen flüchtigen Augenblick die
gemeinplätzige Oberfläche der Worte überspielen: der alten, alten
Worte, die verschlissen sind in Jahrhunderten nachlässigen Ge-
brauchs... Die Aufgabe, die ich zu erfüllen trachte, ist, durch die
Macht des geschriebenen Wortes euch hören, euch fühlen und,
dies vor allem, euch sehen zu machen. Das und nichts weiter, und
darin liegt alles. Wenn es mir gelingt, dann findet ihr dort je nach
Bedürfnis und Verdienst: Ermutigung, Trost, Furcht und Bezau-
berung, kurz alles, was ihr wollt, und vielleicht auch jenen flüchtigen Anblick der Wahrheit, nach dem zu fragen ihr vergessen
habt.»

Das ist es, was so unterschiedliche Autoren wie Multatuli, Conrad und Pram über alle individuellen Eigenarten hinaus verbindet:
Ihre Dichtung bildet nicht einfach eine lokal und historisch fixier-
bare Wirklichkeit ab, sie schafft eine neue, eigene Wahrheit, die
über Orte und Zeiten hinausragt. Es ist das, was Weltliteratur ausmacht: Historische Anlässe und geographische Schauplätze werden zum Rahmen, in dem menschliche Grundwerte und Grund-
rechte behandelt werden, deren stets gefährdete Verwirklichung
mit jeweils höchst aktuellem Bezug zu erkämpfen ist.

Max Havelaar alias Eduard Douwes Dekker, selbstlos und naiv
im besten Sinne, macht die Sache der Unterdrückten zur eigenen.
Die Conradschen Figuren scheitern an sich und den Ansprüchen
einer Gesellschaft, in der die Liebe beschworen wird, aber letzten
Endes keine Chance hat. Immer wieder bleiben die ganz persönlichen Anstrengungen, den eigenen Lebensweg zu finden, im
Interessengeflecht anderer stärkerer Mächte hängen. Doch die
Hoffnungslosigkeit fordert bei Conrad stets das Dennoch heraus,
das Immer-Wieder, das sein Werk über die Zeiten hinaus zur gülti-

gen Aussage existentieller Nöte macht – dieses «usque ad finem», das Conrad der schicksalhaften Kraft seines Schreiben-Müssens voranstellte. Und nun der Javaner Minke in ‹Bumi Manusia – Garten der Menschheit›: Ruf und Angebot *aus* Indonesien zur geistigen Auseinandersetzung über die Kontinente hinweg.

Mit Pram haben wir den ersten ins Deutsche übertragenen indonesischen Romancier von Weltrang. Nicht eines dramaturgischen Effektes wegen stellt er einen Indonesier in den Mittelpunkt seiner Tetralogie, die in ‹Bumi Manusia – Garten der Menschheit› beginnt: der Ich-Erzähler ist vielmehr Ausdruck ureigener Erfahrung und authentischer Vermittler eigener tiefverwurzelter Kultur, wie ihn nur ein Autor Indonesiens ins literarische Leben erwecken kann: als schöpferischer Geist im Erbe jahrtausendalter Weltsicht und als Opfer höchst gegenwärtiger Macht. Dreierlei zeichnet das Werk aus und macht es auch für den deutschen Leser zur bedeutsamen Lektüre:

1. Pram gestaltet ein historisches Gemälde der kolonialen Welt, wie sie um die Jahrhundertwende die südostasiatische Region der vielen tausend Inseln, vor allem Java, prägte. An der Rechtlosigkeit der kleinen Leute, wie sie schon Jahrzehnte zuvor von Multatuli beschrieben worden war, hatte sich kaum etwas verändert. Die lebenskluge, resolute Javanerin Ontosoroh, die als *Nyai*, als Konkubine des Holländers Herman Mellema ihrem zwangsweise verkuppelten Herrn menschlich so großherzig überlegene Frau, ist als Geschäftspartnerin akzeptiert, wird jedoch von der kolonialen Gesellschaft als Unperson verachtet. Minke, der Sohn einheimischen Adels, privilegierter und zugleich zweitklassig eingeschätzter Schüler eines holländischen Bildungsinstitutes, durchlebt und durchleidet als Betroffener, wie die javanische Oberschicht die holländische Vormacht gewähren läßt. Das keimende Bewußtsein von Ungerechtigkeit und Ausbeutung wird zur treibenden Kraft in der Entwicklung dieses Minke, der den beginnenden Unabhängigkeitskampf Indonesiens verkörpert.

Da verschmelzen die fiktiven Stationen des Romanhelden mit den biographischen Daten des Autors. Prams eigenes Leben, das am 6. Februar 1925 in Blora auf Java begann, ist unmittelbar mit dem spannungsreichen und leidvollen Werden des modernen Indonesiens verknüpft. Er wuchs mit acht Geschwistern in einem nationalistisch gesinnten Elternhaus auf. Der Vater war Lehrer und zeitweise auch Direktor der örtlichen Schule «Boedi Oetomo», einer der Keimzellen der Freiheitsbewegung. Schon der Vater griff zur Feder, schrieb in Javanisch und zog sich das Verbot seiner Bücher durch die Holländer zu. In den Wirren des Zweiten Weltkrieges, in denen der indonesische Drang zur staatlichen Selbständigkeit den großen Durchbruch errang, und danach in den Endvierzigern gehört Pram zu den jungen Nationalisten, die die neue Zeit mit dem Gewehr in Händen erkämpfen – für ihn aber längst auch schon die Herausforderung, mit dem geschriebenen Wort zu wirken. Es wird der Inhalt seines Lebens. Seine eigenen Wege, die unter wechselnden politischen Systemen in Indonesien dreimal in die Sackgassen der Gefängnisse und Straflager führten, zeigten eklatant, wie folgenreich das gestaltete Wort ist, vor dem sich die jeweils Mächtigen, deren Machtbasis von keiner demokratischen Willensbildung legitimiert ist, so sehr fürchten, daß seine Urheber mundtot gemacht werden sollen.

2. Prams Bücher sind vom unerschütterlichen Glauben an die verändernde Kraft des Geistes durchdrungen. Erzählungen, die zuerst unter der physischen und psychischen Last des Gefangenenlagers auf der Insel Buru den Leidensgenossen mündlich mitgeteilt werden und schließlich trotz unendlicher Widerstände ihre schriftliche Fixierung erfahren, legen beredt Zeugnis von diesem Glauben ab. So ist es natürlich auch kein Zufall, daß Minke, der Intellektuelle, ein Journalist wird und mehr noch als in ‹Bumi Manusia – Garten der Menschheit› in den folgenden Bänden der Tetralogie das Leid seines Volkes aufschreibt und das Wort als Waffe im Kampf für eine gerechte Gesellschaft einsetzt. Anders als Multatuli, der seine Adressaten in Holland sah und dort zu seiner Zeit die Verantwortlichen aufzurütteln versuchte, die dem Unrecht ein Ende machen sollten, wendet sich Pram an Leser in Indonesien. Bekanntlich durften die ersten beiden Bände der Tetralogie dort 1980 erscheinen, wurden aber nach überraschendem Erfolg und mehreren Auflagen von der Regierung ver-

boten, was die Herausgabe der beiden noch unveröffentlichten Bände einschließt.

Wenn sich die neuen Herren Indonesiens von Prams Geschichten über die alten, die holländischen Kolonialherren, so provoziert fühlen, daß sie den Autor mit Schreibverbot belegen, so muß das freilich nicht nur indonesischen, sondern auch deutschen Lesern zu denken geben.

3. Prams Sujet hat einen historischen Bezug, der einprägsam zum Verständnis der jüngeren indonesischen Geschichte verhilft. Da ist nichts von romantisierender Exotik, von der auch bei Multatuli und bei Conrad keine Rede sein kann. Pram greift die koloniale Vergangenheit seines Landes auf und gestaltet sein Werk als Auseinandersetzung mit der Macht an der Nahtstelle zur neuen Zeit. Dabei begegnen wir Menschen, die uns nicht nur ihrer glaubhaften Gesichter wegen überzeugen, sondern in ihren Ängsten und Äußerungen seltsam vertraut erscheinen. Minke macht dies besonders deutlich. Javaner durch und durch – und doch der Typ des zweifelnden Menschen, der in seinen Grundzügen ganz und gar «modern» ist: seiner kulturellen Wurzeln unsicher geworden, anfangs überschwenglich angetan von den Ersatzreligionen technischen Fortschritts, enttäuscht schließlich und voller Skepsis, weil Maschinen so herzlich wenig zur Verbesserung der Moral verhelfen. Im Gegenteil! Minke ist der Mensch des 20. Jahrhunderts: ein Weltkind – ‹Anak semua Bangsa – Kind dieser Erde›, wie es der Titel des zweiten Bandes der Pramschen Tetralogie benennt.

Anmerkungen

1 Multatuli: ‹Max Havelaar›, Manesse Verlag, Zürich 1965.
2 Werner Müller: ‹Bibliographie deutschsprachiger Literatur über Indonesien›, Institut für Asienkunde, Hamburg 1982.
3 Irene Hilgers-Hesse/Mochtar Lubis (Hsg.): ‹Perlen im Reisfeld und andere indonesische Erzählungen›, Horst Erdmann Verlag, Tübingen und Basel 1971.
4 Karl-Michael Schreiner (Hsg.): ‹Hammer's Jahrbuch Dritte Welt›, Peter Hammer Verlag, Wuppertal 1978.

5 Rainer Carle: ‹Rendras Gedichtsammlungen (1957–1972), ein Beitrag
zur Kenntnis der zeitgenössischen indonesischen Literatur›, Verlag von
Dietrich Reimer in Berlin, Hamburg 1977.
6 Joseph Conrads Bücher sind fast völlig in deutscher Übersetzung bei
Fischer, Frankfurt am Main, erschienen.

Glossar

Abang: eigentlich «älterer Bruder»; informelle Anrede für erwachsene Männer

Aceh: Gegend in Nord-Sumatra

Alun – alun: Dorfplatz, Vorplatz von Palästen und Bupati-Gebäuden

Amangkurat I: König von Mataram, 1645–1677; damaliger Sitz des Reiches war Yogyakarta

Amangkurat IV und *Raden Sukra*: Amangkurat IV war eine derart tyrannische Person, daß seine Frau zu ihrer Familie zurückkehrte. Schließlich hatte sie ein geheimes Verhältnis zu Raden Sukra. Als ihre Familie davon erfuhr, wurde sie erdrosselt, Raden Sukra und dessen Familie wurden ebenfalls umgebracht.

Babad Tanah Jawi: javanische Chronik

Babah: Anrede für Chinesen

Banowati: Prinzessin aus dem Wayang, bekannt für ihre Schönheit und Anmut

Banten: Gegend in West-Java

Bendi: Einspänner

besar: groß, *kuasa:* Macht, Vollmacht, Befugnis

Bharatayuddha: langwieriger Krieg der Nachkommen Bharatas untereinander; altindische Mythologie

Bhatara Surya: Sonnengott der indischen Mythologie

Bila Mawarpada Layu: Wenn die Rosen verblühen

Blang Kejeren: Stadt und Gegend in Aceh

Blangkon: zu einer Art Hut gefaltetes und geknotetes Kopftuch

Blauran: damals ein Weiler, heute Stadtteil Surabayas

Boerderij: Landwirtschaftsbetrieb

Borobudur: buddhistischer Tempel, 8. Jahrhundert, in der Nähe von Yogyakarta

Borsumij und *Goewenry:* zwei große Handelsgesellschaften

Bupati: Resident, Distriktverwalter, auf Java damals oberster Beamter der einheimischen Regierung

Ciu: chinesischer Reisschnaps

Daendels, Hermann W.: holl. General-Gouverneur, 1808–1811

Dalang: Puppenspieler

Dapperste: (holl.) der Tapferste

De Laatste Dag der Hollanders op Java: Der letzte Tag der Holländer auf Java

Dik: Kurzform von «Adik», jüngere Schwester/jüngerer Bruder, Anrede für jüngere Frauen/Männer

D.P.M.: Dortsche Petroleum Maatschappij

Dukun: Schamane

Een Buitengewoon Gewoon Nyai die Ik ken: Eine außergewöhnliche gewöhnliche Nyai, die ich kenne

eingesperrt: Wenn Mädchen ins heiratsfähige Alter kamen, ab 12–14 Jahren, durften sie das Haus auf keinen Fall mehr verlassen, bis sie dann verheiratet wurden.

E.L.S.: Europeise Lagere School, holl. Primarschule

Erlangga (auch: *Airlangga*): ostjavanischer König, 1019–1042 n. Chr.

Fasten: Fasten im javanischen Sinne gilt als Läuterungsprozeß; oft wird geglaubt, daß dadurch das Schicksal freundlicher gestimmt werden kann. Bei Reis und Wasser fasten: über eine gewisse Zeitspanne, im Idealfall bis zu 40 Tagen, nur weißen Reis und Wasser zu sich nehmen. Montags und donnerstags fasten: jeden Montag und Donnerstag von Sonnenaufgang bis -untergang fasten.

Forum privilegatium: Adlige Javaner sowie Kinder und Enkel von Bupatis hatten ein Anrecht darauf, daß ihre anhängigen Prozesse vom europäischen Gerichtshof erledigt wurden, während gewöhnlichen Javanern nur das einheimische Gericht zur Verfügung stand, das keine Rechtsgelehrten im eigentlichen Sinne beschäftigte.

Francis, G.: Lebensdaten nicht nachweisbar; sein Drama «Nyai Dasima» erschien 1896. D. war eigentlich keine Konkubine, sie lebte lediglich über längere Zeit bei Engländern. Als sie nach Hause zurückkehren wollte, fiel sie Wegelagerern in die Hände.

Gamelan: javanisches Orchester, besteht hauptsächlich aus Schlagspielen, Gongspielen, Xylophonen, Metallophonen sowie Einzelgongs und Trommeln

Garuda: adlerähnlicher Sagenvogel

Gatotkaca: Ritterheld des Wayang, der fliegen kann

Gulden: 1 Gulden = 100 Sen, 1 Talen = 24 Sen

Gus: Kurzform von «Bagus»; Kosename, vor allem üblich in der javanischen Oberschicht

Gusti: Titel für Adlige «Kanjeng»: Anrede für Personen von hohem Rang, «Gusti Kanjeng Bupati» ist der vollständige Titel eines Bupatis

H.B.S.: Hogere Burgerschool, holländische Oberrealschule

Hsi Yu Chi: chin. Roman aus dem 16. Jahrhundert

Hurgronje, Christiaan Snouck: 1857–1936, Professor für Islam an der Universität Leyden, verbrachte einige Zeit in Mekka, wo er viele indonesische Pilger kennenlernte, wurde dann von der holl. Regierung nach Ostindien als Ratgeber eingeladen

Ibu: eigentl. «Mutter», häufig als Anrede

Ikem: Kurzform von Sanikem

Indische Gids: (Ostindischer Wegweiser), Zeitschrift

Indo: europäisch-asiatischer Mischling

Inlander: (holl.) Einheimischer, wird als Schimpfwort empfunden.

Jaka Tarub: Jüngling, der himmlische Feen beim Baden überrascht und einer davon das Kleid versteckt. Diese Fee wird dann seine Frau.

Jalan: Straße

Jamu: javanische Kräutermedizin

Jepara: Stadt in Mittel-Java, berühmt für ihre Schnitztradition

Kabupaten: Residenz eines Bupati, Regierungsbezirk eines Bupati

Kacanghijau: eine Art grüner Bohnen (Phasoleus tradiatus)

Kain: langes Batik-Tuch, das um die Hüfte geschlungen wird

Kalisosok: Stadtviertel Surabayas

Kampung: Dorf, Quartier

Kancil: Zwerghirsch (Tragulus pygmaeus), schlau wie Reineke Fuchs, übertölpelt Kancil alle anderen Tiere. Geschichten über seine Streiche zirkulieren im Volksmund in unzähligen Variationen.

Kanjeng: siehe «Gusti»

Kartini: Raden Ajeng Kartini (1874–1904), heute als Nationalheldin verehrt

Kebaya: langärmlige Bluse, damals bis an die Oberschenkel reichend

Kedondong: apfelähnliche Frucht (Spondias dulcis)

Kem: Kurzform für Sanikem

Kembang Jepun: Prostituiertenviertel in Surabaya

Keris: Dolch mit geschwungener Klinge

Kliwon: siehe Erläuterungen zu «Legi»

Kloos, Willem J. T.: niederl. Lyriker, 1859–1938

Koblen-Park: freies Gelände in Surabaya

Kompeni: Eigentlich ist damit die Ostindische Handelsgesellschaft (Vereenigde Oost Indische Compagnie, abgekürzt V.O.C., 1602–1799) gemeint; mit Kompeni-Soldaten werden sowohl die Söldner der V.O.C. als auch diejenigen der nachfolgenden niederländischen Regierung in Ostindien bezeichnet.

Kontrolir: niedrigster holl. Verwaltungsbeamter. Jedem Bupati auf Java stand ein Kontrolir zur Seite als Vermittler zur holl. Regierung.

Kranggan: Stadtviertel in Surabaya

Kromo-Javanisch: höfliche Form des Javanischen, das Gegenstück dazu ist Ngoko-Javanisch

Kuntow: Chinesisch-Boxen, dabei werden nur zwei Finger benutzt

Kyu: Kosename für Mutter

Lafste: (holl.) der Ängstlichste

Lasting: Kleiderstoff aus hartgedrehtem Kammgarn

Lebaran: islamischer Feiertag nach der Fastenzeit

Legi: Der javanische Kalender hat fünf Wochentage: Pon, Wage, Kliwon, Legi, Pahing. Bei Erwähnung eines Datums werden bis heute noch oft die Bezeichnung laut internationalem Kalender sowie die der Fünftagewoche gleichzeitig aufgeführt.

Mahyong: chin. Glücksspiel aus Jadeblöcken

Majapahit: glorreiches Königreich in Ost-Java, dessen Macht weit über Java hinaus gereicht haben soll; Ende 13.–15. Jahrhundert

Majoor der Chineezen: Den angesehensten Chinesen eines Ortes wurden Titularränge verliehen, wie Leutnant, Major oder Oberst, je nach der Anzahl der Leute, die sie vertraten. Sie hatten hauptsächlich die Pflicht, die von der ostindischen Regierung angesetzten Steuern einzutreiben. Administrativ unterstanden sie direkt der holl. Kolonialregierung.

Malang: Stadt in Ost-Java

Mas: javanische Anrede für erwachsene Männer

Mataram: Königreich (Sultanat) in Mittel-Java mit Sitz in Yogyakarta, entstanden Ende 16. Jahrhundert

Max Havelaar oder *De Koffieveilingen der Nederlandsche Handelsmaatschapij:* «Max Havelaar oder die Kaffeeversteigerung der niederl. Handelsgesellschaft», erschienen in Amsterdam 1860

Mbakyu: siehe Anm. «Yu»

Mbok: (javanisch) Anrede für ältere Frauen

Mr = Meester: (holl.) Doktor der Jurisprudenz

Multatuli: Pseudonym von Eduard F. E. Douwes Dekker, 1820–1887

Nak: Kurzform von «Anak», Kind, familiäre Anrede

Nawangwulan: himmlische Fee, Jaka Tarubs Frau

Ndoro: (javanisch) Herr, Gebieter; diese Anredeform kann für Personen beiderlei Geschlechts gebraucht werden.

Non: Kurzform von «nona», Fräulein, oder «noni», Anrede für europäische u. Indo-Mädchen

Nyai: Anrede für Konkubinen

Nyai Dasima: siehe Anm. «Francis, G.»

Nyo: Kurzform von «Sinyo»

Oom: eigentlich Onkel, familiäre Anrede für erwachsene Männer, die einem Kind nahestehen, ohne unbedingt mit ihm verwandt zu sein

Pahing: letzter Tag der javanischen Woche

Pajang: Königreich in Mittel-Java, zweite Hälfte 16. Jahrhundert

Pak: Kurzform von «Bapak», Vater

Pancakgulung: typische Bewegung im javanischen Tanz. Der Kopf wird bei nach vorne gerichtetem Blick nach rechts und links gedreht; die Bewegung endet auf einen Gongschlag.

Panji: populärer ostjavanischer Sagenheld
Patih: Statthalter, Vizekönig
Peci: schwarze Samtkappe
Penèlèh: Stadtteil Surabayas
Pendekar: Kämpfer / Krieger, gewandt in der malaiisch-chinesischen Kampfart «Silat»
Pendopo: separate Veranda / Festsaal
Prambanan: Hindu-Tempel, 11. Jahrhundert
Pribumi: Einheimischer, Eingeborener
Punggawa: Beamter / Truppenführer eines Fürsten oder Bupatis
Purworejo: Stadt in Mittel-Java
Raden Ayu: javanischer Titel für verheiratete adlige Frauen
Raden Mas: javanischer Titel für Fürstensöhne
Resident: Regent, oberster holl. Verwaltungsbeamter
Resident-Assistent: Vertreter des Regenten; Holländer
Ringgit: 1 Ringgit = 2,5 Gulden = 10 Talen
Roorda van Eysinga: Journalist, 1825–1887, wurde seiner kritischen Artikel wegen aus Ostindien ausgewiesen
Sambal: scharfes Gewürz aus gestoßenen Pfefferschoten
Sarung: zusammengenähtes Tuch, das um die Hüfte geschlungen wird
Sastrotomo: Javaner können zu bestimmten Ereignissen ihren Namen ändern, heute weniger üblich
Sausing: eine Art Arrak, wird meistens warm getrunken, dient als Aperitif
Schwarzer Holländer: Spitzname für Ambonesen
S. D. A. P.: Sosial-Democratie Arbeiderspartij
S. I. B. A.: School voor Inlansche Bestuurambten aren, Schule für einheimische Beamten
Sidoarjo: Kabupaten (Regentsbezirk) in Ost-Java, Tulangan
Silat: siehe Anm. «Pendekar»
Simpang: Stadtviertel von Surabaya
Sinyo: (abgekürzt: Nyo), Anrede für europäische oder Indo-Jungen
Slameier: (Afrikaans) Zusammensetzung aus «Islam» und «Malaier» (Malaie)
S. N. v / d D.: *Soerabaiaasch Nieuws van den Dag*
Spandri: Soldat ersten Ranges
Sunda: West-Java, die Sundanesen sind eine eigene ethnische Gruppe
Takengon: Stadt in Aceh
Talen: siehe Anm. «Ringgit»
Tanjung Perak: Hafen von Surabaya
Tuan: (javanisch) Herr
Tuanmuda: Tuan: Herr, Muda: jung; Tuanmuda: junger Herr
Tulangan: ostjavanischer Bezirk
Tupai: eichhörnchenartiges Tier, das auf Kokospalmen lebt

Uit het schoon Leven van een mooie Boerin: Das schöne Leben einer hübschen Bäuerin

Van Heutsz, Johannes B.: Armeekommandant ab 1893; später Generalgouverneur

V. O. C.: siehe Anm. «Kompeni»

Vondel, Jost van den: holl. Schriftsteller, 1587–1679

*Waringin-*Blätter: Blätter eines tropischen Laubbaums

Warung: kleines Eßlokal, kleiner Verkaufsladen

Wayang: indonesisches, vor allem javanisches Schauspiel, dessen Repertoire hauptsächlich auf altindischen Epen beruht

Wayang-Orang: Wayang-Spiel mit Schauspielern

Wiroguno und *Pronocitro:* Wiroguno war General unter Sultan Agung (Anfang 17. Jahrhundert) von Mataram. Von einem seiner Feldzüge brachte er auch die hübsche Roro Mendut mit, die ihm dann als Mätresse geschenkt wurde. Roro Mendut verweigerte sich ihm, verliebte sich dafür in den Jüngling Pronocitro. Pronocitro wurde von Wiroguno umgebracht, worauf sich Roro Mendut das Leben nahm.

Wonokromo: Städtchen südlich von Surabaya

Yu: Kurzform von Mbak Ayu, javanische Anrede für Frauen, bedeutet eigentlich «ältere Schwester»

John Updike
Die Hexen von Eastwick
(rororo 12366)
Updikes amüsanten Roman
über Schwarze Magie, eine
amerikanische Kleinstadt und
drei geschiedene Frauen hat
George Miller mit Cher,
Susan Sarandron, Michelle
Pfeiffer und Jack Nicholson
verfilmt.

Hubert Selby
Letzte Ausfahrt Brooklyn
(rororo 1469)
Produzent: Bernd Eichinger
Regie: Uli Edel
Musik: Mark Knopfler

Alberto Moravia
Ich und Er
(rororo 1666)
Ein Mann in den Fallstricken
seines übermächtigen
Sexuallebens – erfolgreich
verfilmt von Doris Doerrie.

Paul Bowles
Himmel über der Wüste
(rororo 5789)
«Ein erstklassiger Abenteuer-
roman von einem wirklich
erstklassigen Schriftsteller.»
Tennessee Williams
Ein grandioser Film von
Bernardo Bertolucci mit John
Malkovich und Debra Winger

John Irving
Garp und wie er die Welt sah
(rororo 5042)
Irvings Bestseller in der
Verfilmung von George Roy
Hill.

Alice Walker
Die Farbe Lila
(rororo neue frau 5427)
Ein Steven Spielberg-Film mit
der überragenden Whoopi
Goldberg.

John Updike
Die **Hexen** von
Eastwick

Henry Miller
Stille Tage in Clichy
(rororo 5161)
Claude Chabrol hat diesen
Klassiker in ein Film-
kunstwerk verwandelt.

Oliver Sacks
Awakenings – Zeit des Erwachens
(rororo 8878)
Ein fesselndes Buch – ein
mitreißender Film mit Robert
de Niro.

Ruth Rendell
Dämon hinter Spitzenstores
(rororo thriller 2677)
Rendells atemberaubender
Thriller wurde jetzt unter dem
Titel «Der Mann nebenan»
mit Anthony Perkins in der
Hauptrolle verfilmt.

Marti Leimbach
Wen die Götter lieben
(rororo 13000)
Das Buch zum Film «Ent-
scheidung aus Liebe» mit
Julia Roberts und Campbell
Scott in den Hauptrollen.